GAROTA
EXEMPLAR

GAROTA
EXEMPLAR

GILLIAN FLYNN

tradução de Alexandre Martins

Copyright © 2012 Gillian Flynn
Publicado mediante acordo com Crown Publishers, um selo do
Crown Publishing Group, uma divisão da Random House, Inc.

TÍTULO ORIGINAL
Gone Girl

PREPARAÇÃO
Julia Sobral Campos

REVISÃO
Taís Monteiro
Ana Lucia Gusmão

DIAGRAMAÇÃO
Ilustrarte Design e Produção Editorial

CIP-BRASIL. CATALOGAÇÃO-NA-FONTE
SINDICATO NACIONAL DOS EDITORES DE LIVROS, RJ

F669g

Flynn, Gillian, 1971-
    Garota exemplar/Gillian Flynn; tradução de Alexandre Martins. —
    Rio de Janeiro: Intrínseca, 2013.
    448 p.: 23 cm

    Tradução de: Gone Girl
    ISBN 978-85-8057-290-2

    1. Ficção americana. I. Martins, Alexandre. II. Título.

12-8971.
                                             CDD: 813
                                         CDU: 821.111(73)-3

[2013]

Todos os direitos desta edição reservados à

Editora Intrínseca Ltda.
Av. das Américas, 500, bloco 12, sala 303
22640-904 – Barra da Tijuca
Rio de Janeiro – RJ
Tel./Fax: (21) 3206-7400
www.intrinseca.com.br

Para Brett: luz da minha vida sênior
e
Flynn: luz da minha vida júnior

O amor é a infinita mutabilidade do mundo; mentiras,
ódio, até mesmo assassinato, tudo está atrelado a ele; é o
inevitável desabrochar de seus opostos, uma magnífica
rosa com um leve cheiro de sangue.
— Tony Kushner, THE ILLUSION

parte um
RAPAZ PERDE GAROTA

NICK DUNNE
O DIA DO

Quando penso em minha esposa, penso sempre em sua cabeça. No formato dela, em primeiro lugar. Quando nos conhecemos, foi na parte de trás da cabeça que eu reparei, e havia algo adorável nela, em seus ângulos. Como um grão de milho duro e reluzente, ou um fóssil no leito de um rio. Era o que os vitorianos chamariam de *uma cabeça belamente formada*. Dava para imaginar o crânio com bastante facilidade.

Eu reconheceria sua cabeça em qualquer lugar.

E o que havia dentro dela. Também penso nisso: sua mente. Seu cérebro, todas aquelas espirais, e seus pensamentos disparando por essas espirais como centopeias rápidas e frenéticas. Como uma criança, eu me imagino abrindo seu crânio, desenrolando seu cérebro e vasculhando-o, tentando capturar e entender seus pensamentos. *No que você está pensando, Amy?* A pergunta que eu fiz com maior frequência durante nosso casamento, embora não em voz alta, não à pessoa que poderia responder. Suponho que essas indagações pairem como nuvens negras sobre todos os casamentos: *No que você está pensando? Como está se sentindo? Quem é você? O que fizemos um ao outro? O que iremos fazer?*

Meus olhos se abriram exatamente às seis da manhã. Não houve bater de cílios, nenhuma piscadela suave em direção à consciência. O despertar foi mecânico. Um assustador abrir de pálpebras de boneco de ventríloquo: o mundo é negro, e então, *hora do show!* 6-0-0, dizia o relógio — na minha cara, a primeira coisa que vi. 6-0-0. Foi uma sensação diferente. Raras vezes acordei em um horário tão redondo. Sou um homem de levantares quebrados: 8h43, 11h51, 9h26. Minha vida não tinha alarmes.

Naquele exato momento, 6-0-0, o sol se ergueu acima da silhueta dos carvalhos, revelando todo o deus raivoso de verão que havia nele. Seu reflexo cruzou o rio na direção de nossa casa, um comprido dedo apontado para mim através das leves cortinas do nosso quarto. Acusando: *Você foi visto. Você será visto.*

Fiquei enrolando na cama, que era nossa cama de Nova York em nossa casa nova, que ainda chamávamos de *casa nova*, embora já estivéssemos ali havia dois anos. É uma casa alugada bem na beira do rio Mississippi, uma casa que grita Novo-Rico Suburbano, o tipo de lugar a que eu aspirava quando criança, lá do meu lado da cidade com casas com andares em diferentes níveis e carpetes felpudos. O tipo de casa que é de imediato familiar. Uma casa genericamente imponente e nada desafiadora, nova, nova, a nova casa que minha esposa iria detestar — e detestou.

"Devo deixar minha alma do lado de fora antes de entrar?" Foi sua primeira frase ao chegar. Tínhamos um acordo: Amy exigiu que alugássemos em vez de comprar um imóvel em minha pequena cidade natal no Missouri, com sua firme esperança de que não ficássemos presos aqui por muito tempo. Mas as únicas casas para alugar estavam reunidas naquele condomínio falido: uma cidade-fantasma em miniatura composta por mansões detonadas pela recessão, com preço reduzido, de propriedade dos bancos. Um bairro que foi fechado antes mesmo de abrir. Era um acordo, mas Amy não via aquilo assim, de modo algum. Para ela, era um capricho punitivo de minha parte, um egoísta dedo na ferida. Eu a estava arrastando, como um homem das cavernas, para uma cidade que ela evitara agressivamente, e a obrigaria a viver no tipo de casa da qual costumava debochar. Suponho que não seja um acordo se apenas um dos dois vê dessa forma, mas nossos acordos eram sempre assim. Um de nós sempre estava com raiva. Normalmente Amy.

Não me culpe por essa injustiça específica, Amy. A Injustiça do Missouri. Culpe a economia, culpe o azar, culpe meus pais, culpe os seus pais, culpe a internet, culpe as pessoas que usam a internet. Eu era jornalista. Um jornalista que escrevia sobre TV, filmes e livros. Na época em que as pessoas liam coisas em papel, na época em que alguém se importava com o que eu pensava. Eu chegara a Nova York no final dos anos noventa, o último suspiro dos dias de glória, embora ninguém soubesse disso naquele tempo. Nova York estava abarrotada de jornalistas, jornalistas de verdade, porque havia revistas, revistas de verdade, muitas delas. Isso quando a internet ainda era um animalzinho exótico mantido na periferia do mundo editorial — jogue um biscoitinho para ele, veja como dança em sua coleirinha, ah, que bonitinho, ele decididamente não vai nos matar no meio da noite. Pense só nisto: uma época em que garotos recém-formados podiam ir para Nova York e *ser pagos para escrever*. Não tínhamos ideia de que estávamos iniciando carreiras que desapareceriam em uma década.

Eu tive um emprego durante onze anos, e então deixei de ter, rápido assim. Por todo o país, revistas começaram a fechar, sucumbindo a uma súbita infecção produzida pela economia detonada. Os jornalistas (meu tipo de jornalistas: aspirantes a romancistas, pensadores reflexivos, pessoas cujos cérebros não funcionam rápido o bastante para blogar, linkar e tuitar, basicamente falastrões velhos e teimosos) já eram. Assim como chapeleiros femininos ou fabricantes de chibatas, nosso tempo chegara ao fim. Três semanas após eu ter sido demitido, Amy perdeu o emprego também, se é que era um emprego. (Agora posso sentir Amy olhando por sobre meu ombro, sorrindo com ironia do tempo que eu passei discutindo minha carreira, meu infortúnio, e de como descartei sua experiência em uma frase. Isso, ela lhe diria, é típico. *A cara do Nick*, ela diria. Era um bordão dela: *A cara do Nick fazer...* e o que quer que se seguisse, o que quer que fosse *a minha cara* era ruim.) Dois adultos desempregados, passamos semanas vagando por nossa casa no Brooklyn de meia e pijama, ignorando o futuro, espalhando correspondência não aberta por mesas e sofás, tomando sorvete às dez da manhã e tirando longos cochilos vespertinos.

Então, um dia, o telefone tocou. Era minha irmã gêmea na linha. Margo voltara para nossa cidade natal após a própria demissão em Nova York um ano antes — a garota está um passo à frente de mim em tudo, até na falta de sorte. Era Margo, ligando da boa e velha North Carthage, Missouri, da casa onde crescemos, e enquanto eu escutava sua voz, eu a vi aos dez anos, com uma cabeleira escura e vestindo macaquinho, sentada no cais dos fundos da casa dos nossos avós, seu corpo curvado como um travesseiro velho, suas pernas magricelas balançando na água, olhando o rio correr sobre pés brancos como peixes, muito concentrada, sempre incrivelmente contida, mesmo quando criança.

A voz de Go era calorosa e rascante mesmo para dar esta notícia desagradável: nossa indômita mãe estava morrendo. Nosso pai já estava quase lá — sua mente (cruel), seu coração (miserável), ambos funestos enquanto ele vagava rumo ao grande cinza do além. Mas parecia que nossa mãe ia partir antes dele. Uns seis meses, talvez um ano, era o que lhe restava. Estava claro que Go fora encontrar o médico sozinha, fizera anotações detalhadas em sua caligrafia desleixada e estava lacrimosa enquanto tentava decifrar o que havia escrito. Datas e doses.

— Ah, merda, não tenho ideia do que é isso. Um nove? Faria sentido? — disse ela, e eu interrompi.

Ali estava uma tarefa, um objetivo, apresentado na palma da mão de minha irmã como uma ameixa. Quase chorei de alívio.

— Eu vou voltar, Go. Vou voltar para casa. Você não tem que fazer tudo sozinha.

Ela não acreditou em mim. Eu podia ouvi-la respirando do outro lado da linha.

— Estou falando sério, Go. Por que não? Não há nada aqui.

Um suspiro longo.

— E Amy?

Eu não havia parado para pensar nisso. Simplesmente supus que poderia embrulhar minha esposa nova-iorquina com seus interesses nova-iorquinos, seu orgulho nova-iorquino, afastá-la de seus pais nova-iorquinos — deixar para trás a frenética e excitante terra do futuro que é Manhattan — e transplantá-la para uma cidadezinha junto ao rio no Missouri, e tudo ficaria bem.

Eu ainda não havia entendido quão tolo, quão otimista, quão, sim, *a cara do Nick* era pensar isso. A infelicidade a que isso iria levar.

— Amy ficará bem. Amy...

Era nesse ponto que eu deveria ter dito "Amy *ama* a mamãe". Mas eu não podia dizer a Go que Amy amava nossa mãe, porque depois de todo aquele tempo Amy ainda mal conhecia nossa mãe. Os poucos encontros haviam deixado ambas perplexas. Amy passava os dias seguintes dissecando as conversas — "E o que ela quis dizer com..." —, como se minha mãe fosse alguma antiga camponesa tribal chegando da tundra com uma braçada de carne de iaque crua e alguns botões para fazer escambo, tentando conseguir de Amy algo que não estava sendo oferecido.

Amy não fez questão de conhecer minha família, não quis visitar o lugar onde eu nascera e ainda assim, por alguma razão, achei que voltar a morar na minha cidade seria uma boa ideia.

Meu hálito matinal esquentou o travesseiro, e eu mudei o assunto na minha mente. Hoje não era dia de se arrepender ou de se lamentar, era dia de fazer. Dava para ouvir, vindo do térreo, a volta de um som havia muito perdido: Amy preparando o café da manhã. Batendo armários de madeira (rump-tump!), chacoalhando recipientes de lata e vidro (ging-ring!), arrastando e escolhendo uma coleção de potes de metal e panelas de ferro (rush-shush!). Uma orquestra culinária se afinando, tilintando vigorosamente rumo ao desfecho, uma forma de bolo rolando pelo piso, batendo na parede com um som de címbalos. Algo impressionante estava sendo criado, provavelmente um crepe, porque crepes são especiais, e hoje Amy iria querer preparar algo especial.

Estávamos fazendo cinco anos de casados.

Fui descalço até a beira da escada e fiquei escutando, brincando com os dedos dos pés no grosso carpete que ia de parede a parede e que Amy detestava por princípio, enquanto tentava decidir se estava pronto para me juntar à minha esposa. Amy estava na cozinha, alheia à minha hesitação. Cantarolava algo melancólico e familiar. Eu me esforcei para descobrir o que era — uma canção folclórica? uma cantiga de ninar? — e então me dei conta de que era a música tema de M*A*S*H. Suicídio é indolor. Desci as escadas.

Fiquei parado na soleira da porta, observando minha esposa. Seus cabelos amarelo-manteiga estavam presos, o rabo de cavalo balançando alegremente como uma corda de pular, e ela chupava distraída a ponta de um dedo queimado, cantarolando. Ela cantarolava para si mesma porque era uma destruidora de letras sem igual. Quando estávamos começando a namorar, uma canção do Genesis tocou no rádio: "She seems to have an invisible touch, yeah". E em vez disso Amy cantou: "She takes my hat and puts it on the top shelf". Quando perguntei a ela por que achava que suas letras eram remota, possível, vagamente corretas, ela me disse que sempre achara que a mulher na canção realmente amava o homem porque ela colocava o chapéu dele na prateleira *de cima*. Eu então soube que gostava dela, gostava dela de verdade, daquela garota com uma explicação para tudo.

É um tanto perturbador recordar uma lembrança calorosa e sentir-se profundamente frio.

Amy espiou o crepe chiando na frigideira e lambeu algo do pulso. Parecia triunfante, a típica mulher casada. Se eu a tomasse nos braços, sentiria cheiro de frutas vermelhas e açúcar de confeiteiro.

Quando ela me viu espiando de samba-canção velha, os cabelos totalmente em pé, se apoiou no balcão da cozinha e disse:

— Olá, bonitão.

Bile e medo tomaram minha garganta. Pensei comigo mesmo: *Certo, vá em frente.*

Eu estava muito atrasado para o trabalho. Minha irmã e eu havíamos feito uma coisa tola quando voltamos para a casa dos nossos pais. Fizemos o que sempre falávamos que queríamos fazer. Abrimos um bar. Pegamos dinheiro emprestado com Amy para isso, oitenta mil dólares, um valor que um dia não fora nada para ela, mas que na época era quase tudo. Jurei que devolveria, com juros. Eu não ia ser um homem que pegava dinheiro emprestado com a esposa — podia sentir meu pai fazendo uma careta apenas com a menção da ideia. *Bem, há todo tipo de homem,* era sua frase mais condenatória, a segunda metade não dita: *e você é o tipo errado.*

Mas na verdade era uma decisão prática, uma jogada comercial inteligente. Amy e eu precisávamos de carreiras novas; aquela seria a minha. Ela escolheria uma algum dia, ou não, mas, enquanto isso, aquilo produziria uma renda, possibilitada pelo resto do pecúlio de Amy. Assim como a ridícula casa que eu alugara, o bar aparecia simbolicamente em minhas lembranças de infância — um lugar aonde apenas adultos iam, fazer o que quer que fosse que adultos faziam. Talvez por isso eu tenha insistido tanto em comprá-lo após ter sido privado de meu ganha-pão. Era um lembrete de que eu era um adulto, afinal, um homem crescido, um ser humano útil, embora tivesse perdido a carreira que havia me tornado todas essas coisas. Eu não iria cometer aquele erro novamente: os rebanhos antes vigorosos de jornalistas de revistas continuariam a ser abatidos — pela internet, pela recessão, pelo público americano, que preferia assistir à TV, jogar video games ou informar eletronicamente aos amigos que, tipo, *chuva é uma droga*! Mas não havia aplicativo para uma onda de bourbon em um dia quente, em um bar fresco e escuro. O mundo sempre vai querer uma bebida.

Nosso bar é um bar de esquina, com uma estética de colcha de retalhos. Seu melhor elemento é um enorme balcão vitoriano ao fundo, cabeças de dragão e rostos de anjos brotando do carvalho — um extravagante trabalho em madeira nesses dias de plástico vagabundo. O restante do bar é, de fato, vagabundo, uma exibição das mais pobres ofertas do design de todas as décadas: um piso de linóleo da época de Eisenhower, as beiradas viradas para cima como uma torrada queimada; paredes com um dúbio revestimento de madeira saído diretamente de um vídeo pornô amador dos anos setenta; luminárias de piso com lâmpada halógena, um tributo acidental ao meu quarto de alojamento dos anos noventa. O efeito final é estranhamente acolhedor — parece menos um bar do que a casa bondosamente decadente de alguém. E jovial: dividimos um estacionamento com o boliche local, e quando nossas portas se abrem, o barulho de strikes aplaude a entrada do cliente.

Chamamos o bar de O Bar. "As pessoas vão pensar que somos irônicos em vez de criativamente falidos", raciocinou minha irmã.

Sim, achávamos que éramos espertos à maneira dos nova-iorquinos — que o nome era uma piada que ninguém mais iria realmente sacar, não como nós. Não *meta*-sacar. Imaginamos os locais torcendo o nariz: por que vocês o chamaram de O Bar? Mas nossa primeira cliente, uma mulher de cabelos grisalhos, com bifocais e um agasalho de ginástica cor-de-rosa, disse: "Gostei do nome. Como em *Bonequinha de luxo*, em que o gato de Audrey Hepburn se chama Gato."

Nós nos sentimos muito menos superiores depois disso, o que foi bom.

Entrei no estacionamento. Esperei que um strike soasse na pista de boliche — *obrigado, obrigado, amigos* — e então saí do carro. Admirei as redondezas, ainda não entediado com aquela visão: a atarracada agência dos correios de tijolos claros do outro lado da rua (agora fechada aos sábados), o prédio de escritórios bege despretensioso um pouco abaixo (agora fechado, ponto). A cidade não era próspera, não mais, nem de longe. Que diabo, ela não era sequer original, sendo uma de duas Carthage, Missouri — a nossa é tecnicamente a Carthage *do Norte*, o que dá a impressão de que são cidades gêmeas, embora a nossa fique a centenas de quilômetros da outra e seja a menor das duas: uma pitoresca cidadezinha dos anos cinquenta que inchara até se tornar um subúrbio de porte médio e apelidara isso de progresso. Ainda assim, era onde minha mãe crescera e onde ela criara Go e a mim, de modo que tinha alguma história. A minha, pelo menos.

Enquanto eu caminhava na direção do bar, atravessando o estacionamento de concreto e ervas daninhas, olhei para o final da rua e vi o rio. É o que eu sempre adorei em nossa cidade: não havíamos sido construídos em um promontório seguro debruçado sobre o Mississippi — estávamos *no* Mississippi. Eu podia descer a rua e entrar diretamente nele, uma queda fácil de menos de um metro, e estaria a caminho do Tennessee. Todos os prédios do centro da cidade têm linhas riscadas à mão no ponto a que o rio chegou nas inundações de 61, 75, 84, 93, 2007, 2008, 2011. E assim por diante.

O rio não estava cheio agora, mas corria com urgência, em fortes e viscosas correntes. Movendo-se no mesmo ritmo que o rio, uma comprida fila indiana de homens, os olhos voltados para os pés, ombros tensos, caminhava resolutamente para lugar nenhum. Eu os observava e um deles de repente ergueu os olhos para mim, seu rosto na sombra, uma escuridão oval. Desviei o olhar.

Senti uma imediata e intensa necessidade de entrar. Depois de andar seis metros, meu pescoço borbulhava de suor. O sol ainda era um olho raivoso no céu. *Você foi visto.*

Minhas entranhas se contorceram e me apressei. Precisava de uma bebida.

AMY ELLIOTT
8 DE JANEIRO DE 2005

ANOTAÇÃO EM DIÁRIO

Lá lá lá! Estou sorrindo um grande sorriso de órfão adotado enquanto escrevo isto. Tenho até vergonha de estar tão feliz. Como um desenho em tecnicolor de uma adolescente falando ao telefone com os cabelos presos em um rabo de cavalo, o balão em cima de minha cabeça dizendo: *Conheci um rapaz!*

Mas foi mesmo. Essa é uma verdade técnica, empírica. Conheci um rapaz, um cara fantástico, lindo, um sujeito divertido pacas. Vou descrever a cena, pois ela merece ficar para a posteridade (não, por favor, não estou tão maluca, posteridade! Pff). Ainda assim. Não é a noite da virada, mas ainda estamos bem no comecinho do novo ano. É inverno: escureceu cedo, o frio é congelante.

Carmen, uma nova amiga — semiamiga, pouco amiga, o tipo de amiga com quem você não desmarca —, me convenceu a ir ao Brooklyn, a uma das festas dos seus amigos escritores. Eu gosto de uma boa festa de escritores, eu gosto de escritores, sou filha de escritores, sou escritora. Ainda adoro rabiscar essa palavra — ESCRITORA — sempre que um formulário, questionário ou documento pergunta qual é minha ocupação. Certo, eu escrevo testes de personalidade, não escrevo sobre as Grandes Questões da Atualidade, mas acho justo dizer que sou escritora. Estou usando este diário para melhorar: para refinar minhas habilidades, coletar detalhes e observações. Para criar imagens e aquelas outras baboseiras de escritores. (*Sorriso de órfão adotado* não é nada mau, vamos lá.) Mas na verdade eu acho mesmo que meus testes já me classificam pelo menos a título honorário. Certo?

Em uma festa, você se encontra cercada por jornalistas genuinamente talentosos, que trabalham em jornais e revistas respeitados e de alto nível. Você é uma mera redatora de testes para revistas de fofoca. Quando alguém lhe pergunta o que faz da vida, você:

a) Fica constrangida e diz: "Escrevo testes, só, besteira!"
b) Parte para a ofensiva: "Agora sou escritora, mas estou pensando em algo mais desafiador e que valha mais a pena, por quê? O que você faz?"
c) Orgulha-se de suas conquistas: "Escrevo testes de personalidade usando o conhecimento obtido em meu mestrado em psicologia. Ah, e um fato curioso: sou a inspiração para uma adorada série de livros infantis, tenho certeza de que você conhece. *Amy Exemplar*. É, engole essa, seu otário metido!"

Resposta: C, totalmente C.

Enfim, a festa é de um dos amigos próximos de Carmen, que escreve sobre filmes para uma revista de cinema e que é muito engraçado, segundo Carmen. Por um segundo, temo que ela queira nos juntar: não estou interessada em ser juntada a ninguém. Eu preciso ser emboscada, pega distraída, como alguma espécie feroz de chacal do amor. Do contrário, fico constrangida demais. Eu me flagro tentando ser charmosa, e então me dou conta de que é óbvio que estou tentando ser charmosa, e então tento ser ainda mais charmosa para compensar o falso charme e aí basicamente me transformo em Liza Minnelli: estou dançando de meia-calça e lantejoulas, implorando para que você me ame. Há um chapéu-coco, gestos exagerados e muitos dentes.

Mas não, percebo, enquanto Carmen fala sem parar sobre seu amigo: *ela* gosta dele. Que bom.

Subimos três lances de escadas em zigue-zague e entramos em uma agitação de calor humano e literariedade: muitos óculos de armação preta e cabeleiras poderosas, falsas camisas de caubói e blusas de gola alta multicoloridas; japonas de lã preta jogadas sobre todo o sofá, formando pilhas no chão; um pôster alemão de *Os implacáveis* (*Ihre Chance war gleich Null!*) cobrindo uma parede com a tinta descascando. Franz Ferdinand no aparelho de som: "Take Me Out".

Meia dúzia de homens se amontoa em volta de uma mesa de jogo onde estão arrumadas as bebidas, servindo seus copos novamente após alguns goles, muito conscientes do pouco que resta. Eu me enfio no meio, apontando meu copo de plástico para o centro como quem pede dinheiro, consigo uns cubos de gelo e um choro de vodca de um cara de rosto gentil vestindo uma camiseta do Space Invaders.

Uma garrafa de licor de maçã verde de aparência letal, a oferta irônica do anfitrião, logo será nosso destino, caso ninguém saia para comprar mais bebida, e isso parece improvável, já que todos claramente acreditam que foram eles que fizeram isso da última vez. É definitivamente uma festa de janeiro, todos ainda empanturrados e cheios de açúcar das festas de fim de ano, ao mesmo tempo preguiçosos e irritadiços. Uma festa onde as pessoas bebem demais e se metem em brigas com palavras inteligentes, soprando fumaça de cigarro por uma janela aberta, mesmo depois de o anfitrião ter pedido que elas fossem para o lado de fora. Já conversamos uns com os outros em mil festas de fim de ano, não temos mais nada a dizer, estamos coletivamente entediados, mas não queremos voltar para o frio de janeiro; nossas pernas ainda doem de subir os degraus do metrô.

Perdi Carmem para seu anfitrião galã — estão tendo uma conversa intensa em um canto da cozinha, os dois com as costas arqueadas, os rostos voltados um para o outro na forma de um coração. Que bom. Penso em comer, para ter algo a fazer além de ficar parada no meio da sala, sorrindo como a aluna nova no refeitório. Mas já acabou quase tudo. Há alguns restos de batata frita no fundo de um enorme pote plástico. Uma bandeja de supermercado cheia de cenouras velhas, aipo amassado e um creme parecendo sêmen repousa intocada em uma mesinha de centro, cigarros espalhados como pedaços extras de legume. Estou cuidando da minha vida, minha vida impulsiva: e se eu pulasse da varanda neste exato momento? E se eu desse um beijo de língua no sem-teto na minha frente no metrô? E se eu me sentasse sozinha no chão dessa festa e comesse tudo naquela bandeja, incluindo os cigarros?

— Por favor, não coma nada dali — diz ele.

É *ele* (tã, tã, TÃÃÃ!), mas eu ainda não sei que é *ele* (tã-tã-tããã). Sei que é um cara que conversará comigo, ele veste sua arrogância como uma camiseta engraçadinha, mas nele cai bem. É o tipo de cara que age como alguém que transa muito, um cara que gosta de mulheres, um cara que poderia me comer direito. Eu gostaria de ser comida direito! Minha vida sexual parece girar em torno de três tipos de homens: riquinhos da Ivy League que acreditam ser personagens de um romance de Fitzgerald; caras desonestos de Wall Street com cifrões nos olhos, ouvidos e bocas;

e garotos sensíveis e metidos a inteligentes que são tão convencidos que tudo parece uma piada. Os do tipo Fitzgerald tendem a ser ineficientemente pornográficos na cama, muito barulho e acrobacia com muito pouco resultado. Os caras do mercado financeiro ficam furiosos e flácidos. Os metidos a inteligentes fodem como se estivessem compondo uma peça de *math rock*: esta mão dedilha aqui, depois este dedo oferece uma bela linha de baixo... Estou parecendo meio vadia, não é? Pausa enquanto calculo quantos... Onze. Nada mau. Sempre achei que uma dúzia fosse um número redondo e razoável para encerrar a conta.

— Sério — continua o número doze. (Rá!) —, afaste-se da bandeja. James tem três outras comidas na geladeira. Posso fazer uma azeitona com mostarda para você. Mas uma azeitona só.

Mas uma azeitona só. A frase é apenas um pouco engraçada, mas já tem o clima de uma piada interna, que ficará mais engraçada com a repetição nostálgica. Penso: *daqui a um ano, estaremos caminhando pela ponte do Brooklyn ao pôr do sol e um de nós vai sussurrar "Mas uma azeitona só", e começaremos a rir.* (Então eu me contenho. Se ele soubesse que eu já estava pensando em *daqui a um ano*, sairia *correndo* e eu seria obrigada a encorajá-lo.)

Admito que sorrio principalmente porque ele é lindo. Lindo de deixar a pessoa distraída, o tipo de aparência que faz seus olhos revirarem, que faz você querer mencionar o fato — "Você sabe que é lindo, não sabe?" — e continuar com a conversa. Aposto que os homens o odeiam: ele parece o vilão riquinho em um filme adolescente dos anos oitenta, aquele que atormenta o menino diferente e sensível, aquele que acaba com uma torta na cara, o chantili escorrendo por sua gola levantada enquanto todos na lanchonete aplaudem.

Mas ele não age assim. Seu nome é Nick. Adorei. Faz com que ele pareça legal, e comum, o que ele é. Quando ele me diz seu nome eu falo: "Bem, esse é um nome de verdade." Ele se ilumina e manda mais uma: "Nick é o tipo de cara com quem você pode tomar uma cerveja, o tipo de cara que não se importa se você vomitar no carro dele. Nick!"

Ele faz uma série de trocadilhos medonhos. Eu saco uns três quartos de suas referências cinematográficas. Dois terços, talvez. (Nota mental: alugar *Garota Sinal Verde*.) Ele enche meu copo novamente sem que eu tenha de pedir, conseguindo de algum jeito uma última dose da coisa boa. Ele me reivindicou, colocou uma bandeira em mim: *Cheguei aqui primeiro, ela é minha, minha.* Depois de minha recente série de homens pós-feministas nervosos e respeitosos, é legal ser um território. Ele tem um grande sorriso, um sorriso de gato. Deveria tossir penas amarelas de Piu-piu, do jeito que sorri para mim. Não pergunta o que eu faço da vida, o que é legal, para variar. (Sou escritora, já mencionei isso?) Fala comigo em seu sotaque fluvial do Missouri; nascido e criado na periferia de Hannibal, a cidade da infância de Mark Twain, que inspirou *Tom Sawyer*. Ele me diz que quando adolescente trabalhou em um navio a vapor, jantar e jazz para os turistas. E quando eu rio (menina mimada de Nova York que nunca se aventurou naqueles grandes estados difíceis do Meio-Oeste, aqueles Estados Onde Muitas Outras Pessoas Vivem), ele me informa que o *Missoura* é um lugar mágico, o mais lindo do mundo, não há nenhum estado mais glorioso. Seu olhar é malicioso, seus cílios, compridos. Posso imaginar como ele era quando criança.

Dividimos um táxi para casa, as luzes da rua criando sombras confusas e o carro acelerando como se estivéssemos sendo perseguidos. É uma hora da manhã quando chegamos a um dos inexplicáveis bloqueios de Nova York, a doze quarteirões do meu apartamento. Então saímos do táxi para o frio, para o grande E Agora? E Nick começa a andar comigo em direção à minha casa, sua mão na base das minhas costas, nosso rosto paralisado pelo frio. Quando viramos a esquina, uma padaria está recebendo um carregamento de açúcar a granel, levando-o para o porão como se fosse cimento, e não conseguimos ver nada além das silhuetas dos entregadores na nuvem branca e doce. A rua está tomada, Nick me puxa para perto e abre aquele sorriso novamente, pega um único cacho dos meus cabelos entre dois dedos e os desliza até a ponta, puxando duas vezes, como se tocasse um sino. Seus cílios estão cobertos de açúcar, e antes de se inclinar ele limpa o açúcar dos meus lábios para poder sentir meu gosto.

NICK DUNNE
O DIA DO

Escancarei a porta do meu bar, entrei na escuridão e respirei fundo pela primeira vez no dia, sentindo o cheiro de cigarros e cerveja, o picante de um bourbon derramado, o toque de pipoca velha. Só havia uma cliente no bar, sentada sozinha no canto mais distante: uma mulher mais velha chamada Sue que ia toda quinta-feira com o marido, até ele morrer, três meses antes. Agora ela ia sozinha toda quinta, nunca muito disposta a conversar, apenas ficava sentada com uma cerveja e palavras cruzadas, preservando um ritual.

Minha irmã estava trabalhando atrás do balcão, os cabelos puxados para trás com presilhas de nerd, os braços rosados de mergulhar e tirar os copos de cerveja da água quente com sabão. Go é esguia e tem um rosto estranho, o que não significa que ela é feia. Seus traços apenas precisam de um tempo para fazer sentido: o maxilar largo, o belo nariz estreito, os globos oculares escuros. Se isso fosse um filme de época, um homem empurraria seu chapéu de feltro para trás, assoviaria ao vê-la e diria "Uau, que *broto*!". O rosto de uma rainha da comédia maluca dos anos trinta nem sempre dá certo na nossa época de princesas élficas, mas pelos anos que vivemos juntos sei que os homens gostam da minha irmã, e muito, o que me coloca naquela estranha esfera fraternal, na qual fico ao mesmo tempo orgulhoso e desconfiado.

— Ainda fabricam mortadela temperada? — disse ela à guisa de cumprimento, sem erguer os olhos, apenas sabendo que era eu, e senti o alívio que costumava sentir quando a via: as coisas podiam não estar ótimas, mas ficariam bem.

Minha gêmea, Go. Eu já disse essa frase tantas vezes que ela se tornou uma espécie de mantra tranquilizador, em vez de palavras de verdade: minhagêmeago. Nós nascemos nos anos setenta, quando gêmeos eram raros, um pouco mágicos: primos do unicórnio, irmãos dos elfos. Nós até temos um pouco da telepatia dos gêmeos. Go é na verdade a única pessoa em todo o mundo com quem sou totalmente eu mesmo. Não sinto a necessidade de explicar meus atos para ela. Não esclareço, não duvido, não me preocupo. Não conto tudo a ela, não mais, mas conto mais a ela do que a qualquer outra pessoa, de longe. Conto a ela tudo o que posso. Passamos nove meses com as costas coladas um no outro, cobrindo um ao outro. Tornou-se um hábito para a vida toda. Nunca me importou que ela fosse menina, algo estranho para um garoto profundamente envergonhado. O que posso dizer? Ela sempre foi simplesmente legal.

— Mortadela temperada é um tipo de frio, certo? Acho que fabricam, sim.

— Deveríamos comprar — disse ela, erguendo uma sobrancelha para mim. — Estou intrigada.

Sem perguntar, ela serviu Pabst Blue Ribbon em uma caneca cuja limpeza era questionável. Quando me flagrou olhando para a borda suja, levou o copo à boca e lambeu a sujeira, deixando uma mancha de saliva. Colocou a caneca bem na minha frente.

— Melhor assim, meu príncipe?

Go acredita profundamente que eu recebi o melhor de tudo o que nossos pais tinham para dar, que eu era o garoto que eles haviam planejado ter, o filho único que poderiam sustentar, e que ela se esgueirara para dentro deste mundo agarrando meu tornozelo, uma estranha indesejada. (Para meu pai, uma estranha particularmente indesejada.) Ela acredita que foi deixada por conta própria durante toda a infância, uma criatura digna de pena com coisas usadas e aleatórias, autorizações de viagem esquecidas, orçamento apertado e desapontamento geral. Essa ideia podia ser até certo ponto verdadeira; mal consigo admitir isso.

— Sim, minha pequena serva esquálida — disse, e agitei as mãos em dispensa régia.

Eu me curvei sobre a cerveja. Precisava me sentar e tomar uma ou três cervejas. Meus nervos ainda estavam agitados da manhã.

— O que há com você? Está parecendo nervoso — perguntou.

Ela jogou um pouco de espuma em mim, mais água que sabão. O ar-condicionado entrou em ação, agitando o cabelo no topo da nossa cabeça. Passávamos mais tempo n'O Bar do que era necessário. Ele tinha se tornado o clube da casa na árvore que nunca tivemos. Certa noite de bebedeira, no ano passado, abrimos as caixas guardadas no porão de nossa mãe, em um momento em que ela ainda estava viva, mas já no fim, quando estávamos precisando de consolo, e revisitamos os brinquedos e jogos com muitos ohs e ahs entre goles de cerveja em lata. Natal em agosto. Depois que mamãe morreu, Go se mudou para nossa antiga casa, e lentamente transferimos nossos brinquedos, um de cada vez, para O Bar. Uma boneca Moranguinho, já sem perfume, aparece em um banco certo dia (meu presente para Go). Um pequeno El Camino da Hot Wheels sem uma roda surge em uma prateleira no canto (de Go para mim).

Estávamos pensando em criar uma noite de jogos de tabuleiro, embora a maioria dos nossos clientes fosse velha demais para ter saudade de nossos Hipopótamos Comilões, nosso Jogo da Vida com seus pequenos carros de plástico a serem preenchidos com pequenas esposas de plástico e pequenos bebês de plástico. Não consigo me lembrar de como se vencia. (Pensamento "profundo" do dia.)

Go encheu novamente meu copo, e o seu próprio. Sua pálpebra esquerda estava ligeiramente caída. Era exatamente meio-dia, 12:00, e me perguntei há quanto tempo ela estaria bebendo. Ela teve uma década difícil. Minha irmã curiosa, com cérebro poderosíssimo e espírito de rodeio, abandonou a faculdade e se mudou para Manhattan no final dos anos noventa. Ela foi um dos fenômenos das ponto.com — ganhou uma dinheirama durante dois anos, depois se deu mal quando a bolha da internet estourou em 2000. Go não se abalou. Ela estava mais perto dos vinte que dos trinta; estava bem. No segundo ato ela se formou e entrou para o mundo de ternos cinza dos bancos de investimento. Tinha um cargo intermediário, nada ostensivo, nada digno de culpa, mas perdeu o emprego — rápido — com o colapso financeiro de 2008. Eu nem sabia que ela havia deixado Nova York até que me telefonou da casa da mamãe: *eu desisto*. Supliquei, bajulei-a para que ela voltasse, sem conseguir nada além de um silêncio irritado do outro lado da linha. Depois de desligar, fiz uma peregrinação ansiosa ao apartamento dela na Bowery e vi Gary, seu adorado fícus, morto e amarelo na escada de incêndio, e soube que ela nunca voltaria.

O Bar parecia animá-la. Ela cuidava das finanças, servia as cervejas. Roubava dinheiro do pote de gorjetas com certa regularidade, mas também trabalhava mais do que eu. Nunca falávamos sobre nossas antigas vidas. Éramos os Dunne, estávamos falidos e estranhamente contentes com isso.

— E então? — perguntou Go, seu modo habitual de iniciar uma conversa.
— *Hum*.
— Hum o quê? É ruim? Você está com uma cara ruim.
Com um dar de ombros, confirmei; ela analisou meu rosto.
— Amy? — perguntou.
Era uma pergunta fácil. Dei de ombros de novo, dessa vez uma confirmação, um dar de ombros que dizia *fazer o quê?*
Go me mostrou sua expressão divertida, os dois cotovelos no balcão, mãos sustentando o queixo, preparando-se para dissecar incisivamente meu casamento. Go, uma junta de especialistas composta de uma só pessoa.
— O que há com ela?
— Dia ruim. É só um dia ruim.
— Não deixe que ela o preocupe — disse Go, acendendo um cigarro. Ela fumava exatamente um por dia. — As mulheres são malucas.
Go não se considerava parte da categoria genérica *mulheres*, palavra que usava de forma pejorativa.
Soprei a fumaça de Go de volta para a dona.
— Hoje é nosso aniversário de casamento. Cinco anos.
— Uau.
Minha irmã inclinou a cabeça para trás. Ela havia sido madrinha, toda de violeta — "a gloriosa *dame* de cabelos negros vestida de ametista", como a mãe de Amy a apelidara —, mas aniversários de casamento não eram algo de que ela se lembrasse.
— Deus do céu. Cacete. Cara. Chegou rápido — exclamou ela, soprando mais fumaça para cima de mim, um jogo preguiçoso de pegue o câncer. — Ela vai fazer uma de suas, ahn, como vocês chamam isso, não é busca do tesouro...
— Caça ao tesouro — corrigi.
Minha esposa adorava jogos, principalmente jogos mentais, mas também jogos reais para diversão, e para nosso aniversário de casamento ela sempre montava uma elaborada caça ao tesouro, com cada pista levando ao esconderijo da pista seguinte até que eu chegasse ao fim, e ao meu presente. Era o que o pai dela sempre fizera com a mãe no aniversário de casamento deles, e não pense que não vejo a inversão de papéis aqui, que eu não saco a dica. Mas eu não cresci na família de Amy, cresci na minha, e o último presente que eu lembro de meu pai ter dado à minha mãe foi um ferro de passar, colocado no balcão da cozinha, sem papel de embrulho.

— Será que fazemos uma aposta sobre quão furiosa ela vai ficar com você este ano? — perguntou Go, sorrindo por cima da borda de seu copo de cerveja.

O problema com as caças ao tesouro de Amy: eu nunca entendo as pistas. No nosso primeiro aniversário de casamento, em Nova York, eu descobri duas de sete. Foi meu melhor ano. Dica inicial:

Este lugar é uma espécie de buraco escavado,
Mas tivemos um ótimo beijo lá certa terça-feira no outono passado.

Já esteve em um concurso de soletrar quando criança? Sabe aquele segundo, branco como neve, depois do anúncio da palavra, quando você revira seu cérebro para descobrir se sabe soletrá-la? Foi assim, aquele pânico vazio.

— Um bar irlandês em um lugar não tão irlandês — provocou Amy.

Eu mordi o lábio, comecei a dar de ombros, examinando nossa sala como se a resposta pudesse aparecer. Ela me deu outro minuto muito longo.

— Estávamos perdidos na chuva — disse em uma voz que se encaminhava para a irritação.

Eu terminei de dar de ombros.

— *McMann's*, Nick. Lembra quando nos perdemos na chuva em Chinatown tentando encontrar aquele restaurante de *dim sum* que devia ser perto da estátua de Confúcio, mas havia duas estátuas de Confúcio e acabamos naquele bar irlandês desconhecido, encharcados, viramos alguns uísques, você me agarrou e me beijou, e foi...

— Sei! Você deveria ter dado uma pista com Confúcio, eu teria sacado.

— O importante não era a estátua. O importante era o lugar. O momento. Achei que tinha sido especial.

Ela disse essas últimas palavras com o ritmo infantil que algum dia eu já achei encantador.

— *Foi* especial — disse, puxando-a para mim e lhe dando um beijo. — Esse beijo foi minha reencenação especial de aniversário de casamento. Vamos lá, fazer isso de novo no McMann's.

No McMann's, o *bartender*, um grande filhote de urso barbado, nos viu entrar e sorriu. Serviu dois uísques e entregou a pista seguinte.

Quando estou desanimada e deprimida
Só há um lugar que melhora minha vida.

Esse lugar acabou sendo a estátua de Alice no País das Maravilhas no Central Park, que, Amy me contara — ela me *contara*, ela *sabia* que tinha me contado *muitas* vezes —, a animava quando criança. Eu não me lembro de nenhuma dessas conversas. Estou sendo honesto, simplesmente não me lembro. Tenho um ligeiro déficit de atenção, e sempre achei minha esposa um tanto ofuscante, no sentido mais puro da palavra: perder a visão clara, especialmente ao olhar para uma luz brilhante. Era suficiente estar perto dela e ouvi-la falar, nem sempre importava o que ela estava dizendo. Deveria, mas não importava.

Quando chegamos ao final do dia, à hora de trocar nossos presentes de verdade — os tradicionais presentes de papel para o primeiro ano de casamento —, Amy não estava mais falando comigo.

— Eu amo você, Amy. Você sabe disso — falei, seguindo-a entre os bandos de turistas assombrados parados no meio da calçada, distraídos e de boca aberta. Amy deslizava pelas multidões do Central Park, manobrando entre compenetrados corredores e patinadores, pais ajoelhados e crianças pequenas correndo como bêbadas, sempre logo à minha frente, lábios apertados, indo apressada para lugar nenhum. Eu tentando alcançá-la, agarrar seu braço. Ela finalmente parou, encarando-me impassível enquanto eu me explicava, um dedo mental contendo minha exasperação.

— Amy, não entendo por que tenho de provar meu amor por você me lembrando exatamente das mesmas *coisas* que você, exatamente da mesma *forma* que você. Isso não significa que não amo nossa vida juntos.

Um palhaço próximo encheu um balão em forma de animal, um homem comprou uma rosa, uma criança lambeu uma casquinha de sorvete e nasceu uma verdadeira tradição, uma que eu nunca esqueceria: Amy sempre se empenhando exageradamente, eu nunca, jamais, valendo o esforço. Feliz aniversário de casamento, cretino.

— Aposto que... cinco anos? Ela vai ficar *realmente* puta — continuou Go. — Então espero que você tenha comprado um presente muito bom para ela.

— Está na lista de tarefas.

— Qual é o, tipo, símbolo para cinco anos? Papel?

— Papel é o primeiro ano — respondi.

No final da inesperadamente dolorosa caça ao tesouro do Ano Um, Amy me presenteou com um conjunto de papéis de carta elegantes, minhas iniciais gravadas no alto, o papel tão macio que eu achei que meus dedos ficariam hidratados ao tocá-lo. Em troca, eu presenteara minha esposa com uma reluzente pipa de papel vermelho de uma loja de 1,99, imaginando o parque, piqueniques, brisas quentes de verão. Nenhum de nós gostou dos respectivos presentes; teríamos preferido o do outro. Era um conto de O. Henry às avessas.

— Prata? — chutou Go. — Bronze? Osso de baleia esculpido? Ajude.

— Madeira — disse. — Não há nenhum presente romântico para madeira.

Na outra ponta do bar, Sue dobrou seu jornal cuidadosamente e o deixou sobre o balcão com sua caneca vazia e uma nota de cinco dólares. Todos trocamos sorrisos silenciosos enquanto ela saía.

— Já sei — disse Go. — Vá para casa, trepe durante horas com ela, depois bata nela com o pênis e grite: "Tome aqui um pau, sua piranha!"

Nós rimos. Depois ambos ficamos rosados no mesmo ponto das bochechas. Era o tipo de brincadeira vulgar nada fraterna que Go gostava de tacar para cima de mim como uma granada. Também o motivo pelo qual no ensino médio sempre houvera boatos de que transávamos escondidos. Incesto de gêmeos. Éramos próximos demais: nossas piadas internas, nossos sussurros na periferia dos grupos. Tenho quase certeza de que não preciso dizer isso, mas você não é Go, poderia me interpretar mal, então direi: minha irmã e eu nunca transamos ou sequer pensamos em transar. Apenas gostamos muito um do outro.

Naquele momento, Go estava simulando uma surra de pau na minha esposa.

Não, Amy e Go nunca seriam amigas. Ambas eram muito territoriais. Go estava acostumada a ser a garota alfa em minha vida, Amy estava acostumada a ser a garota alfa na vida de todo mundo. Para duas pessoas que viviam na mesma cidade — a mesma cidade duas vezes: primeiro Nova York, depois aqui —, elas mal se conheciam. Apareciam e desapareciam da minha vida como atrizes com ótima noção de tempo, uma saindo pela porta enquanto a outra entrava, e, nas raras oportunidades em que as duas ocupavam o mesmo espaço, davam a impressão de estarem um tanto confusas com a situação.

Antes que Amy e eu namorássemos sério, noivássemos e nos casássemos, eu tinha vislumbres das opiniões de Go em uma frase ou outra. *É engraçado, não consigo chegar a uma conclusão sobre ela, tipo, quem ela realmente é.* E: *Você meio que não parece você mesmo com ela.* E: *Há uma diferença entre realmente amar alguém e amar a ideia dessa pessoa.* E finalmente: *O importante é que ela faz você realmente feliz.*

Isso na época em que Amy me fazia realmente feliz.

Amy ofereceu as próprias ideias sobre Go: *Ela é muito... Missouri, não é?* E: *A gente só precisa estar no clima certo para ela.* E: *Ela é um pouco carente em relação a você, mas também imagino que não tenha mais ninguém.*

Eu esperara que quando todos estivéssemos de volta ao Missouri, as duas deixassem para lá — concordar em discordar, livres para ser você e eu. Nenhuma das duas fez isso. Mas Go era mais engraçada que Amy, então era uma batalha desigual. Amy era inteligente, devastadora, sarcástica. Amy podia me deixar irritado, encontrava argumentos excelentes e perspicazes, mas Go sempre me fazia rir. É perigoso rir do seu cônjuge.

— Go, achei que havíamos combinado que você nunca mais mencionaria minha genitália — lembrei-lhe. — E que nos limites de nossa relação fraterna eu não tenho genitália.

O telefone tocou. Go tomou mais um gole de cerveja e atendeu, revirou os olhos e sorriu.

— *Claro* que ele está aqui, um momento, por favor! — disse, e articulou para mim em silêncio: — Carl.

Carl Pelley morava do outro lado da rua, em frente a mim e Amy. Aposentado havia três anos. Divorciado havia dois. Mudou-se para nosso condomínio logo depois. Fora vendedor itinerante — artigos para festas infantis — e eu sentia que após quatro décadas morando em hotéis ele não se sentia exatamente em casa quando estava em casa. Aparecia no bar praticamente todo dia com um saco da lanchonete Hardee's, de cheiro forte, reclamando de dinheiro até ganhar uma primeira bebida por conta da casa. (Essa foi outra coisa que aprendi sobre Carl nos seus dias n'O Bar — que era um alcoólatra funcional, mas grave.) Ele fazia a gentileza de aceitar qualquer coisa de que estivéssemos "tentando nos livrar", e falava sério: durante um mês inteiro, Carl não bebeu nada além de garrafas empoeiradas de *cooler* Zima, *circa* 1992, que tínhamos descoberto no porão. Quando uma ressaca o mantinha em casa, ele encontrava um motivo para telefonar: *Sua caixa de correio parece incrivelmente cheia hoje, Nicky, talvez tenha chegado um pacote.* Ou: *Deve chover, acho que seria bom você fechar suas janelas.* Os motivos eram desculpas. Carl só precisava ouvir barulho de copos, o gargarejo de uma bebida sendo servida.

Peguei o telefone, sacudindo um copo com gelo perto do fone para que Carl pudesse imaginar seu gim.

— Oi, Nicky — cumprimentou ele com sua voz insípida. — Desculpe-me por incomodar. Só achei que você deveria saber... Sua porta está escancarada, e aquele seu gato está do lado de fora. Ele não deveria ir lá fora, certo?

Soltei um grunhido dúbio.

— Eu poderia ir lá e conferir, mas estou um pouco indisposto — continuou com dificuldade.

— Não se preocupe — falei. — De qualquer forma, já está na hora de eu ir para casa.

Eram quinze minutos de carro rumo ao norte em linha reta pela River Road. Entrar em nosso condomínio me dava arrepios algumas vezes, o número de casas escuras e vazias — casas que nunca conheceram moradores, ou que haviam tido donos e os viram ser expulsos, a casa se erguendo triunfantemente esvaziada, desumana.

Quando Amy e eu nos mudamos para lá, nossos poucos vizinhos pularam em cima de nós: uma mãe solteira de meia-idade com três filhos, levando um ensopado; um jovem pai de trigêmeos com uma embalagem de seis cervejas (a esposa tendo sido deixada em casa com os trigêmeos); um casal cristão mais velho que vivia algumas casas adiante; e, claro, Carl, do outro lado da rua. Nós nos sentamos no nosso cais do quintal e olhamos o rio, e todos eles falavam tristemente sobre hipotecas de juros variáveis, juro zero e zero de entrada, e depois todos observaram como Amy e eu éramos os únicos com acesso ao rio, os únicos sem filhos.

— São só vocês dois? Nesta casa enorme? — perguntou a mãe solteira, distribuindo alguma coisa com ovos mexidos.

— Só nós dois — confirmei com um sorriso e fiz um aceno com a cabeça, agradecendo enquanto comia uma garfada vacilante dos ovos.

— Parece solitário.

Nisso ela estava certa.

Quatro meses depois, a mulher da *casa enorme* perdera a batalha contra a hipoteca e desaparecera na noite com os três filhos. Sua casa permaneceu vazia. A janela da sala de estar ainda tem um desenho infantil de uma borboleta colado nela, o marcador brilhante tornado marrom pelo sol. Certa noite, não faz muito tempo, passei de carro por ali e vi um homem barbado, imundo, olhando para fora por trás do desenho, flutuando no escuro como um peixe triste de aquário. Ele me viu olhando e se retirou apressado para os fundos da casa. No dia seguinte, deixei um saco de papel pardo cheio de sanduíches no degrau da entrada; ele ficou uma semana no sol, intocado, mofando, até que eu o peguei de volta e joguei fora.

Silêncio. O condomínio estava sempre incomodamente silencioso. Ao me aproximar de nossa casa, consciente do barulho do motor do carro, pude ver que o gato definitivamente estava nos degraus. Ainda nos degraus, vinte minutos depois do telefonema de Carl. Aquilo era estranho. Amy amava aquele gato, o gato não tinha garras, o gato nunca era deixado do lado de fora, jamais, porque o gato, Bleecker, era amável mas extremamente burro, e, apesar do dispositivo de rastreamento enfiado em algum ponto do seu corpo gordo e peludo, Amy sabia que nunca mais o veria caso ele saísse. Ele iria diretamente para o rio Mississippi — lá lá lá — e flutuaria até o Golfo do México para a boca de um tubarão-cabeça-chata faminto.

Mas na verdade o gato não era sequer inteligente o bastante para ir além dos degraus. Bleecker estava encarapitado na beirada da varanda, uma sentinela balofa, mas orgulhosa — Soldado Esforçado. Quando parei na entrada de carros, Carl saiu e parou em seus próprios degraus da frente, e eu pude sentir o gato e o velho me observando enquanto descia do carro e caminhava na direção de casa, as peônias vermelhas na lateral parecendo gordas e suculentas, pedindo para serem devoradas.

Eu estava prestes a me colocar em posição de bloqueio para pegar o gato quando vi que a porta da frente estava aberta. Carl dissera isso, mas ver por conta própria foi diferente. Aquilo não era um aberto tipo vou--tirar-o-lixo-e-já-volto. Era um escancarado-e-assustadoramente-aberto.

Carl rondava do outro lado da rua, esperando minha reação, e como em uma performance artística horrorosa, eu me senti interpretando o Marido Preocupado. Parei no degrau do meio e franzi a testa, depois subi a escada rapidamente, dois degraus de cada vez, chamando o nome de minha esposa.

Silêncio.

— Amy, você está em casa?

Corri para o segundo andar. Nada de Amy. A tábua de passar estava montada, o ferro ainda ligado, um vestido esperando para ser passado.

— Amy!

Enquanto eu corria escada abaixo, podia ver Carl ainda emoldurado pelo batente da porta, mãos nos quadris, assistindo. Desviei para a sala e parei de repente. O carpete reluzia com cacos de vidro, a mesa de centro quebrada. As mesas de canto estavam caídas, livros espalhados pelo chão como cartas de baralho. Até o pesado divã antigo estava de cabeça para baixo, seus quatro pequenos pés no ar como algo morto. No meio da confusão havia uma tesoura afiada.

— Amy!

Comecei a correr, berrando seu nome. Atravessei a cozinha, onde uma chaleira queimava, desci para o porão, cujo quarto de hóspedes estava vazio, e então saí pela porta dos fundos. Atravessei correndo nosso quintal até o estreito cais de barcos que se projetava sobre o rio. Espiei do lado para ver se ela estava em nosso barco a remo, onde a encontrara certo dia, o barco amarrado ao cais, balançando na água, o rosto dela ao sol, olhos fechados. E enquanto eu fitava os estonteantes reflexos do rio, seu lindo rosto imóvel, ela de repente abrira os olhos azuis e não me dissera nada, e eu não dissera nada para ela em resposta e entrara em casa sozinho.

— Amy!

Ela não estava na água, ela não estava na casa. Amy não estava ali. Amy havia sumido.

AMY ELLIOTT
18 DE SETEMBRO DE 2005

ANOTAÇÃO EM DIÁRIO

Bem, bem, bem. Adivinhe quem voltou? Nick Dunne, o rapaz da festa do Brooklyn, do beijo na nuvem de açúcar, o desaparecido. Oito meses, duas semanas, dois dias, nenhuma palavra, e de repente ele ressurge, como se fosse tudo parte do plano. Parece que ele tinha perdido o número do meu telefone. O celular dele estava sem bateria, então ele o anotara em um post-it. Depois enfiara o post-it no bolso da calça jeans e jogara a calça na máquina de lavar, e isso transformou o post-it em uma espécie de massa em forma de ciclone. Ele tentou desenrolar, mas só conseguiu ver um 3 e um 8. (Ele disse.)

E depois ficou atolado de trabalho, e então já era março e constrangedoramente tarde demais para tentar me encontrar. (Ele disse.)

Claro que eu *estava* com raiva. Eu *tinha* ficado com raiva. Mas agora não estou. Vamos ver a cena. (Ela disse). Hoje. Rajadas de vento de setembro. Estou caminhando pela Sétima Avenida, aproveitando a hora do almoço para contemplar as bancas das mercearias — intermináveis recipientes plásticos com melões, verdes e amarelos, colocados sobre gelo como se fossem a pesca do dia —, e posso sentir um homem grudado em mim enquanto eu avanço, então olho o intruso com o canto do olho e me dou conta de quem é. É *ele*. O rapaz de "Conheci um rapaz!".

Eu não reduzi o passo, apenas olhei para ele e disse:

a) "Conheço você?" (manipuladora, desafiadora)

b) "Ah, puxa, que bom ver você!" (ansiosa, submissa)
c) "Vá se foder." (agressiva, amarga)
d) "Bem, você certamente não apressa as coisas, não é, Nick?" (leve, brincalhona, relaxada)

Resposta: D.

E agora estamos juntos. Juntos, juntos. Foi fácil assim.

É interessante, o *timing*. Propício, caso prefira. (E eu prefiro.) Ontem à noite foi o lançamento do livro dos meus pais, *Amy Exemplar e o grande dia*. É, Rand e Marybeth não puderam resistir. Deram à homônima de sua filha o que não podiam dar à filha: um marido! Sim, no vigésimo livro, Amy Exemplar se casa! Uhuuu. Ninguém se importa. Ninguém queria que Amy Exemplar crescesse, muito menos eu. Deixem-na de meias três-quartos, fitas nos cabelos, e *me* deixem crescer, sem ser atrapalhada pelo meu alter ego literário, minha metade melhorada envolta em papel, o eu que eu deveria ser.

Mas *Amy* é o ganha-pão dos Elliott, e nos serviu bem, então suponho que não devo invejar seu par perfeito. Ela está se casando com o bom e velho Andy, o Capaz, claro. Eles serão exatamente como meus pais: felizes, felizes.

Ainda assim, foi inquietante a tiragem inacreditavelmente baixa feita pela editora. Um novo *Amy Exemplar* costumava ter uma tiragem inicial de cem mil cópias nos anos oitenta. Agora, são dez mil. A festa de lançamento do livro foi consequentemente nada glamorosa. Desafinada. Como se faz uma festa para um personagem fictício que começou a vida como uma fedelha precoce de seis anos e agora é uma futura noiva de trinta que ainda fala como uma criança? (*"Puxa vida", pensou Amy, "meu querido noivo é mesmo um monstro resmungão quando as coisas não saem do jeito dele..."*. Essa é uma citação real. O livro inteiro me fez querer socar Amy bem em sua estúpida vagina imaculada.) O livro é uma peça vintage, dirigido a mulheres que cresceram com *Amy Exemplar*, mas não sei bem quem realmente vai querer lê-lo. Eu li, claro. Dei ao livro minha bênção — muitas vezes. Rand e Marybeth temiam que eu considerasse o casamento de Amy uma provocação dirigida ao meu perpétuo status de solteira. ("Eu, pessoalmente, acho que as mulheres não devem se casar antes dos trinta e cinco anos", disse minha mãe, que se casou com meu pai aos vinte e três.)

Meus pais sempre temeram que eu levasse *Amy* para o lado pessoal demais — sempre me disseram para não ver coisas onde não havia. Ainda assim, não posso deixar de notar que sempre que eu faço algo de um jeito errado, Amy faz direito: quando finalmente desisti do violino, aos doze anos, Amy se revelou um prodígio no livro seguinte. ("Puxa vida, violino dá trabalho, mas trabalhar duro é a única forma de melhorar!") Quando abandonei o campeonato de tênis amador aos dezesseis anos para passar um fim de semana na praia com amigos, Amy começou a se dedicar mais ao esporte. ("Puxa vida, sei que é divertido ficar com os amigos, mas eu estaria decepcionando a mim mesma e a todos se não aparecesse para o torneio.") Isso costumava me enlouquecer, mas depois que fui para Harvard (enquanto *Amy* escolheu corretamente a mesma universidade que meus pais), decidi que a coisa toda era ridícula demais para perder tempo pensando nisso. Que meus pais, dois *psicólogos infantis*, escolhessem especificamente essa forma pública de serem passivo-agressivos para com *sua filha* era não apenas doentio, mas também estúpido, esquisito e quase engraçado. Então, que assim fosse.

A festa de lançamento foi tão esquizofrênica quanto o livro — no Bluenight, na Union Square, um daqueles salões de beleza sombrios com poltronas e espelhos art déco que supostamente deveriam fazer você se sentir como se estivesse em *Loucos e decadentes*. Martínis vacilando em bandejas erguidas por garçons com sorrisos travados. Jornalistas gananciosos com sorrisinhos afetados e cúmplices, famintos, aproveitando o álcool grátis antes de irem para algum lugar melhor.

Meus pais circulam pelo salão de mãos dadas — a história de amor deles sempre é parte da história de *Amy Exemplar*: marido e mulher em trabalho criativo mútuo por um quarto de século. Almas gêmeas. Eles realmente se chamam assim, o que faz sentido, porque acho que são mesmo. Posso garantir que são, já que os analisei como a pequena filha única solitária por muitos anos. Eles não têm atritos, nada de conflitos espinhosos; seguem pela vida como duas águas-vivas grudadas uma à outra — se expandindo e se contraindo instintivamente, enchendo liquidamente os espaços um do outro. Fazem parecer fácil essa coisa de alma gêmea. As pessoas dizem que filhos de lares desfeitos têm problemas, mas os filhos de casamentos mágicos também têm seus desafios.

Naturalmente, eu tenho de me sentar em uma banqueta de veludo estofado no canto do salão, longe do barulho, para que possa dar algumas entrevistas a um triste punhado de estagiários que receberam de seus editores a missão de "arrancar umas declarações".

Como é ver Amy finalmente se casando com Andy? Porque você não é casada, certo?

Pergunta feita por:

a) Um garoto tímido de olhos esbugalhados equilibrando um bloco de notas sobre a mochila.
b) Uma coisinha jovem de cabelos escorridos arrumada demais com saltos agulha estilo vem me foder.
c) Uma garota ansiosa, roqueira, tatuada, que parecia mais interessada em Amy do que se suporia que uma garota roqueira e tatuada poderia ser.
d) Todas as anteriores.

Resposta: D

Eu: *"Ah, fico muito feliz por Amy e Andy e desejo a eles o melhor. Rá, rá."*

Minhas respostas a todas as outras perguntas, sem nenhuma ordem específica:

"Alguns elementos de Amy são inspirados em mim, e alguns são apenas ficção."

"Estou feliz de estar solteira no momento, nenhum Andy, o Capaz, em minha vida!"

"Não, não acho que Amy simplifique demais a dinâmica masculino-feminino."

"Não, não diria que Amy é datada; acho que a série é um clássico."

"Sim, estou solteira. Nenhum Andy, o Capaz, em minha vida no momento."

"Por que Amy é exemplar e Andy apenas capaz? Bem, você não conhece muitas mulheres poderosas e fabulosas que gostam de caras comuns, Fulanos Banais e Andys Capazes? Não, estou só brincando, não anote isso."

"Sim, estou solteira."

"Sim, meus pais decididamente são almas gêmeas."

"Sim, eu gostaria de ter isso um dia."

"Sim, solteira, babaca."

As mesmas perguntas de novo e de novo, e eu tentando fingir que elas são instigantes. E eles tentando fingir que são instigantes. Graças a Deus pela bebida liberada.

E então ninguém mais quer falar comigo — rápido assim — e a garota da assessoria de imprensa finge que isso é bom: *Agora você pode voltar para a festa!* Eu volto para o meio do (pequeno) grupo, onde meus pais estão em pleno modo anfitriões — Rand com seu sorriso de peixe pré-histórico monstruoso cheio de dentes; Marybeth parecendo uma galinha com seus alegres movimentos de cabeça; as mãos deles entrelaçadas, um fazendo o outro rir, apreciando-se, *felizes* um com o outro — e eu penso, *estou tão solitária, puta merda.*

Vou para casa e choro durante algum tempo. Tenho quase trinta e dois anos. Isso não é ser velha, especialmente em Nova York, mas o fato é que já faz *anos* desde a última vez que eu realmente gostei de alguém. Então, qual a probabilidade de conhecer alguém que eu venha a amar, quanto mais alguém que eu ame o bastante a ponto de querer me casar? Estou cansada de não saber com quem estarei, ou se estarei com alguém.

Tenho muitos amigos casados — não muitos casados e felizes, mas muitos casados. Os poucos felizes são como meus pais: ficam chocados com minha solteirice. Uma garota inteligente, bonita e legal como eu, uma garota com tantos *interesses* e *entusiasmos*, um emprego legal, uma família amorosa. E, sejamos sinceros: com dinheiro. Eles erguem as sobrancelhas e fingem pensar nos homens que poderiam me apresentar, mas todos sabemos que não sobra nenhum, nenhum *bom*, e sei que eles secretamente pensam que há algo errado comigo, algo escondido que me torna insatisfeita, insatisfatória.

Aqueles que não são almas gêmeas — aqueles que se *acomodaram* — desprezam ainda mais minha solteirice: não é tão difícil encontrar alguém para casar, dizem. Nenhuma relação é perfeita, dizem — eles, que se contentam com sexo protocolar e com os rituais flatulentos da cama, que aceitam TV como conversa, que acreditam que capitulação marital — sim, querida, claro, querida — é o mesmo que chegar a um acordo. *Ele está fazendo o que você manda porque não se importa o bastante para discutir*, eu penso. *Suas exigências medíocres simplesmente fazem com que ele se sinta superior, ou ressentido, e um dia ele vai trepar com uma bela e jovem colega de trabalho que não lhe pede nada, e você ainda vai ficar chocada.* Apresente-me um homem com um pouco de determinação dentro dele, um homem que me aponte minhas babaquices. (Mas que também meio que goste das minhas babaquices.) Mas ainda assim: não me coloque em um daqueles relacionamentos em que estamos sempre implicando um com o outro, disfarçando insultos como brincadeiras, olhando para o teto e discutindo "de brincadeira" na frente dos nossos amigos, tentando puxá-los para o nosso lado de uma discussão que não lhes interessa nem um pouco. Esses medonhos relacionamentos do *se*: *Este casamento seria ótimo se*... E você sente que a lista dos *se* é muito maior do que qualquer um dos dois se dá conta.

Então eu sei que tenho razão em não me acomodar, mas isso não faz com que me sinta melhor enquanto meus amigos formam pares e eu fico em casa na noite de sexta-feira com uma garrafa de vinho, preparo uma refeição extravagante e digo a mim mesma *Isto é perfeito*, como se estivesse namorando a mim mesma. Enquanto vou a rodadas intermináveis de festas e noites em bares, perfumada, escovada e esperançosa, circulando pelo salão como uma sobremesa questionável. Saio com homens legais, bonitos e inteligentes — homens teoricamente perfeitos que fazem com que eu me sinta em uma terra estrangeira, tentando me explicar, tentando me fazer conhecer. Porque não é esse o objetivo de todo relacionamento? Ser conhecida por outra pessoa, ser compreendida? Ele me *entende*. Ela me *entende*. Essa não é a frase mágica?

E então você sofre ao longo da noite com o homem teoricamente perfeito — o gaguejar de piadas não entendidas, as observações inteligentes lançadas e perdidas. Ou talvez ele entenda que você fez uma observação inteligente, mas, sem saber o que fazer com ela, a segura como se fosse um pouco de muco conversacional que limpará mais tarde. Vocês passam mais uma hora tentando se encontrar, se reconhecer, e você bebe um pouco demais e tenta um pouco demais. E volta para uma cama fria e pensa: *Isso foi legal*. E sua vida é uma longa sequência de legal.

E então você se depara com Nick Dunne na Sétima Avenida quando está comprando melão fatiado e, *pam*, você é conhecida, é reconhecida, os dois são. Ambos acham que exatamente as mesmas coisas merecem ser lembradas. (*Mas uma azeitona só.*) Vocês têm o mesmo ritmo. Clique. Vocês simplesmente se conhecem. De repente, você se flagra *lendo na cama* e *panquecas no domingo* e *rindo de nada* e *a boca dele na sua*. E é tão além do legal que você sabe que nunca poderá voltar para o legal. Rápido assim. Você pensa: *Ah, eis aqui o resto da minha vida. Ele finalmente chegou.*

NICK DUNNE
O DIA DO

Esperei pela polícia primeiro na cozinha, mas o cheiro acre da chaleira queimada estava se aninhando no fundo da minha garganta, ressaltando minha necessidade de vomitar, então passei para a varanda da frente, sentei no topo da escada e me obriguei a ficar calmo. Continuei tentando o celular de Amy, e continuava caindo na caixa postal, aquela fala rápida jurando que ela ia retornar imediatamente a ligação. Amy sempre retornava imediatamente a ligação. Já haviam se passado três horas, eu deixara cinco recados, e Amy não retornara.

Eu também não esperava que ela ligasse. Eu diria à polícia: Amy nunca sairia de casa com a chaleira no fogo. Ou com a porta aberta. Ou com roupa esperando para ser passada. Ela era uma mulher que fazia as coisas até o fim, e não era de abandonar um projeto (digamos, seu marido precisando de conserto, por exemplo), mesmo se decidisse que não gostava dele. Ela demonstrara determinação na praia de Fiji em nossa lua de mel de duas semanas ao enfrentar um milhão de páginas místicas de *The Wind-Up Bird Chronicle*, do Haruki Murakami, lançando olhares furiosos para mim enquanto eu devorava um suspense após o outro. Desde nossa volta para o Missouri e a perda do emprego, a vida dela girara (degenerara) em torno da conclusão de intermináveis e inconsequentes pequenos projetos. O vestido teria sido passado.

E havia a sala de estar, *sinais indicando uma briga*. Eu já sabia que Amy não iria ligar de volta. Eu queria que a parte seguinte começasse.

Era o melhor momento do dia, o céu de julho sem nuvens, o sol se pondo lentamente como um holofote a oeste, tornando tudo dourado e exuberante, uma pintura flamenga. A polícia chegou. Parecia uma cena descontraída, eu sentado nos degraus, um pássaro noturno cantando na árvore, aqueles dois policiais saindo do carro despreocupadamente como se chegassem para um piquenique na vizinhança. Policiais jovens, na casa dos vinte anos, confiantes e indiferentes, acostumados a acalmar pais de adolescentes fugidos do castigo. Uma garota hispânica, os cabelos em uma comprida trança escura, e um cara negro com postura de fuzileiro naval. Carthage tornara-se um pouco menos (muito pouco) caucasiana enquanto eu estivera fora, mas ainda era tão fortemente segregada que as únicas pessoas de cor que eu via em minha rotina diária tendiam a ser passantes profissionais: entregadores, paramédicos, carteiros. Policiais. ("Este lugar é tão branco que chega a ser perturbador", disse Amy, que, na mistura cultural de Manhattan, tinha um único afro-americano entre seus amigos. Eu a acusei de precisar da mistura étnica só como decoração, minorias como cenários. Não terminou bem.)

— Sr. Dunne? Sou a policial Velásquez — disse a mulher — e este é o policial Riordan. Soubemos que está preocupado com sua esposa.

Riordan olhou para além da rua, chupando uma bala. Eu podia ver seus olhos acompanhando um pássaro que voava rápido sobre o rio. Ele então voltou o olhar subitamente para mim, seus lábios curvados me dizendo que ele vira o que todos viam. Eu tenho um rosto que dá vontade de socar: sou um garoto irlandês da classe operária preso no corpo de um filhinho de papai babaca. Sorrio muito para compensar meu rosto, mas isso só funciona às vezes. Na faculdade, cheguei a usar óculos por um tempo, com lentes sem grau que eu achava que me dariam uma aparência mais afável, menos ameaçadora. "Você entende que isso o torna ainda mais babaca, não entende?", argumentara Go. Eu os joguei fora e sorri mais ainda.

Acenei para os policiais entrarem.

— Entrem na casa e vejam.

Os dois subiram os degraus, acompanhados pelos ruídos do atrito e pelo chacoalhar de seus cinturões e armas. Eu fiquei de pé na entrada da sala e apontei para a destruição.

— Ah — exclamou o policial Riordan, e estalou com vivacidade os nós dos dedos.

Ele de repente pareceu menos entediado.

Riordan e Velásquez estavam inclinados para a frente em suas cadeiras na mesa da sala de jantar enquanto me faziam as primeiras perguntas:

quem, onde, quanto tempo. Seus ouvidos estavam abertos. Um telefonema tinha sido dado sem que eu ouvisse, e Riordan me informou que detetives estavam sendo enviados. Senti o grave orgulho de ser levado a sério.

Riordan estava me perguntando pela segunda vez se eu tinha visto estranhos na vizinhança ultimamente, me lembrando pela terceira vez dos bandos de homens sem-teto circulando por Carthage, quando o telefone tocou. Eu me lancei para o outro lado da sala e o agarrei.

Uma voz feminina mal-humorada:

— Sr. Dunne, aqui é da casa de repouso Comfort Hill.

Era onde Go e eu havíamos colocado nosso pai acometido pelo mal de Alzheimer.

— Não posso falar agora, eu ligo de volta — interrompi, desligando.

Eu desprezava as mulheres da equipe da Comfort Hill: não sorriam, não reconfortavam. Mal pagas, impiedosamente mal pagas, o que provavelmente era o motivo pelo qual nunca sorriam nem reconfortavam. Eu sabia que a raiva que tinha delas era mal direcionada — eu ficava furioso por meu pai resistir enquanto minha mãe estava debaixo da terra.

Era a vez de Go mandar o cheque. Eu tinha quase certeza de que julho era a vez de Go. E sei que ela tinha certeza de que era a minha. Já havíamos feito isso antes. Go disse que nós dois devíamos estar subliminarmente nos esquecendo de mandar aqueles cheques, que o que realmente queríamos esquecer era nosso pai.

Eu estava contando a Riordan sobre o homem estranho que vira na casa vazia de nossa vizinhança quando a campainha tocou. A campainha tocou. Soou tão normal, como se eu estivesse esperando uma pizza.

Os dois detetives entraram com um cansaço de final de turno. O homem era comprido e magro, com um rosto que se afunilava severamente em um queixo pequenino. A mulher era surpreendentemente feia — descaradamente feia, além do padrão do feio cotidiano: pequenos olhos redondos fincados como botões, um comprido nariz torcido, pele salpicada de pequenos caroços, cabelos compridos, escorridos, da cor de uma bola de poeira. Tenho certa afinidade com mulheres feias. Fui criado por um trio de mulheres que doíam na vista — minha avó, minha mãe e a irmã dela —, e todas eram inteligentes, gentis, divertidas e vigorosas, mulheres boas, boas de verdade. Amy foi a primeira garota bonita que namorei, que realmente namorei.

A mulher feia falou primeiro, um eco da policial Velásquez.

— Sr. Dunne? Sou a detetive Rhonda Boney. Este é meu parceiro, detetive Jim Gilpin. Soubemos que há motivo de preocupação com relação à sua esposa.

Meu estômago roncou alto o suficiente para que todos ouvissem, mas fingimos não ter ouvido.

— Podemos dar uma olhada, senhor? — perguntou Gilpin.

Ele tinha bolsas pelancudas sob os olhos e fios brancos desgrenhados no bigode. A camisa não estava amassada, mas ele a vestia como se estivesse; sua aparência era a de alguém que deveria ter cheiro de cigarro e café azedo, embora não tivesse. Cheirava a sabonete antibacteriano.

Eu os conduzi até a sala de estar e apontei novamente para os destroços, onde os dois policiais mais jovens estavam ajoelhados cuidadosamente, como se esperando para ser descobertos fazendo algo de útil. Boney me conduziu até uma cadeira na sala de jantar, afastada, mas ainda com vista para os *sinais de briga*.

Rhonda Boney repassou comigo os mesmos elementos básicos que eu havia transmitido a Velásquez e Riordan, seus olhos atentos de pardal fixos em mim. Gilpin se agachou sobre um joelho, avaliando a sala de estar.

— Você telefonou para amigos ou parentes, pessoas com as quais sua esposa poderia estar? — perguntou Rhonda Boney.

— Eu... Não. Ainda não. Acho que estava esperando vocês.

— Ah — disse, e sorriu. — Deixe-me adivinhar: o bebê da família?

— O quê?

— Você é o bebê.

— Eu tenho uma irmã gêmea — disse, sentindo que algum julgamento interno estava sendo feito. — Por quê?

O vaso preferido de Amy estava caído no chão, intacto, encostado na parede. Era um presente de casamento, uma obra-prima japonesa que Amy escondia toda semana quando a faxineira vinha, porque tinha certeza de que acabaria sendo quebrada.

— Só uma suposição minha sobre por que você esperaria por nós: está acostumado a que alguém assuma o comando. Meu irmão mais novo é assim. É uma coisa de ordem de nascimento — disse ela, anotando algo em um bloco.

— Certo. — Dei de ombros com raiva. — Você também precisa do meu signo ou podemos começar?

Boney sorriu gentilmente para mim, esperando.

— Esperei para fazer algo porque, bem, ela obviamente não está com um amigo — disse eu, apontando para a bagunça na sala de estar.

— Vocês moram aqui há quanto tempo, Sr. Dunne, dois anos? — perguntou ela.
— Dois anos em setembro.
— Vieram de onde?
— Nova York.
— A cidade?
— Sim.

Ela apontou para o segundo andar, pedindo permissão sem perguntar, e eu confirmei com um gesto de cabeça e a segui, com Gilpin atrás de mim.

— Eu era jornalista lá — soltei, antes de conseguir me conter.

Mesmo agora, morando ali há dois anos, eu não conseguia suportar que alguém pensasse que aquela era minha única vida.

Boney:
— Incrível.
Gilpin:
— O quê?

Respondi enquanto subia a escada: eu escrevia para uma revista (degrau), escrevia sobre cultura pop (degrau) para uma revista masculina (degrau). No alto da escada, virei-me e vi Gilpin olhando para a sala de estar. Ele acordou.

— Cultura pop? — perguntou, enquanto começava a subir. — O que isso abrange, exatamente?

— Cultura popular — respondi. Chegamos ao alto das escadas, Boney já esperando por nós. — Filmes, TV, música, mas, você sabe, nada de alta cultura, nada muito sofisticado.

Estremeci: *sofisticado*? Que condescendente. Vocês, dois caipiras, provavelmente precisam que eu traduza meu inglês formal da Costa Leste para o inglês popular do Meio-Oeste. *Eu rabisco umas parada que vem na cabeça depois de vê os filme tudo!*

— Ela adora filmes — disse Gilpin, apontando para Boney.

Boney confirmou com um aceno de cabeça: *adoro mesmo*.

— Agora eu sou dono d'O Bar, no centro — acrescentei.

Eu também dava aula na faculdade, mas acrescentar isso de repente me pareceu carência demais. Eu não estava em um encontro romântico.

Boney espiava o banheiro, detendo a mim e a Gilpin no corredor.

— O Bar? Conheço. Queria dar uma passada. Adoro o nome. Muito meta.

— Parece uma boa jogada — disse Gilpin. Boney foi em direção ao quarto, e nós a seguimos. — Uma vida cercada de cerveja não é nada mau.

— Algumas vezes a resposta está *mesmo* no fundo de uma garrafa — arrematei, depois estremeci novamente com o caráter inadequado da minha fala.

Entramos no quarto.

Gilpin riu.

— Conheço muito bem essa sensação.

— Estão vendo como o ferro ainda está ligado? — comecei.

Boney confirmou com um gesto de cabeça, abriu a porta do nosso espaçoso closet e entrou, acendendo a luz, passando as mãos cobertas por luvas de látex sobre camisas e vestidos enquanto ia para o fundo. Ela fez um barulho repentino, se curvou e virou — segurando uma caixa perfeitamente quadrada em um elaborado embrulho de papel prateado.

Meu estômago revirou.

— Aniversário de alguém? — perguntou ela.

— Hoje é nosso aniversário de casamento.

Boney e Gilpin se crisparam como duas aranhas e depois fingiram que não.

Quando retornamos à sala de estar, os policiais jovens tinham ido embora. Gilpin ajoelhou-se, espiando o divã virado.

— Ahn, eu estou um pouco nervoso, obviamente — comecei.

— Não o culpo de modo algum, Nick — disse Gilpin com sinceridade.

Ele tinha olhos azul-claros que não paravam quietos, um tique irritante.

— Podemos fazer alguma coisa? Para encontrar minha esposa. Quer dizer, porque ela visivelmente não está aqui.

Boney apontou para o retrato de casamento na parede: eu de smoking, uma fileira de dentes congelada em meu rosto, meus braços curvados formalmente ao redor da cintura de Amy; Amy com seus cabelos louros presos em um coque com laquê, o véu sacudindo à brisa da praia de Cape Cod, os olhos arregalados demais porque ela sempre piscava no último instante e estava se esforçando muito para não piscar. O dia depois do Dia da Independência, o enxofre dos fogos de artifício se misturando à maresia — verão.

Cape havia sido bom para nós. Lembro-me de ter descoberto, vários meses depois, que Amy, minha namorada, era também bastante rica, a adorada filha única de gênios criativos. Uma espécie de ícone, graças a uma série de livros com o nome dela, que eu achei que lembrava da minha infância. *Amy Exemplar*. Amy me explicou isso em tons calmos e comedidos, como se eu fosse um paciente saindo do coma. Como se ela tivesse precisado fazer isso muitas vezes antes e tivesse dado errado — a admissão de riqueza que é recebida com entusiasmo demais, a revelação de uma identidade secreta que não fora criada por ela.

Amy me contou quem e o que era, e depois fomos para a casa de valor histórico dos Elliott em Nantucket Sound para velejar, e pensei: *Eu sou um garoto do Missouri, viajando pelo oceano com pessoas que viram muito mais do que eu. Mesmo se eu começasse a ver coisas agora, a viver grande, ainda assim não conseguiria alcançá-los.* Isso não me deixou com inveja. Fiquei satisfeito. Nunca aspirei a riqueza ou fama. Não fui criado por pais que sonhavam alto e imaginavam o filho como futuro presidente. Fui criado por pessoas pragmáticas que imaginavam o filho como empregado de algum tipo de escritório, ganhando a vida de alguma forma. Para mim era suficientemente embriagante estar perto dos Elliott, deslizando sobre o Atlântico e retornando a uma casa ricamente reformada, construída em 1822 por um capitão de baleeira, e lá preparar e comer refeições orgânicas e saudáveis cujos nomes eu não sabia pronunciar. Quinoa. Lembro-me de pensar que quinoa era uma espécie de peixe.

Então nós nos casamos na praia em um dia de verão profundamente azul, comemos e bebemos sob uma tenda branca que enfunava como uma vela, e após algumas horas levei Amy para o escuro, na direção das ondas, porque estava me sentindo tão irreal que acreditava ter me transformado em um mero bruxuleio. E a névoa gelada em minha pele me trouxera de volta, Amy me trouxera de volta, na direção do brilho dourado da tenda, onde os deuses banqueteavam, pura ambrosia. Todo o nosso namoro foi assim.

Boney se inclinou para analisar Amy.

— Sua esposa é muito bonita.

— Ela é, é linda — disse, e senti um nó no estômago.

— Quantos anos de casados estão fazendo? — ela perguntou.

— Cinco.

Eu estava me balançando de um pé para outro, querendo *fazer* algo. Não queria que eles debatessem como minha esposa era adorável, queria que eles saíssem e procurassem a porra da minha esposa. Mas não disse isso em voz alta; eu não costumo dizer as coisas em voz alta, mesmo quando deveria. Eu me contenho e compartimento a um ponto que chega a ser inquietante: no meu porão-barriga há centenas de garrafas de fúria, desespero, medo, mas você nunca diria isso ao olhar para mim.

— Quinto ano, esse é importante. Deixe-me adivinhar: reservas no Houston's? — perguntou Gilpin.

Era o único restaurante chique da cidade. *Vocês realmente precisam ir ao Houston's,* dissera minha mãe quando nos mudamos, achando que o lugar era o segredinho peculiar de Carthage, com esperanças de que agradasse minha esposa.

— Claro, Houston's.

Era minha quinta mentira à polícia. Eu estava apenas começando.

AMY ELLIOTT DUNNE
5 DE JULHO DE 2008

ANOTAÇÃO EM DIÁRIO

Estou gorda de amor! Corpulenta de ardor! Morbidamente obesa de devoção! Uma abelha feliz e ocupada com o entusiasmo matrimonial. Chego até a zumbir quando estou perto dele, cuidando e arrumando. Eu me tornei uma coisa estranha. Eu me tornei uma esposa. Eu me vejo mudando o rumo de conversas — grosseiramente, sem naturalidade — apenas para poder dizer o nome dele em voz alta. Eu me tornei uma esposa, me tornei uma chata, pediram que devolvesse minha carteira de Jovem Feminista Independente. Não me importo. Eu controlo as contas, corto seu cabelo. Eu me tornei tão retrô que em algum momento provavelmente usarei a palavra *valise*, passando pela porta com meu gracioso casaco de tweed, os lábios pintados de carmim, a caminho do salão de beleza. Nada me aborrece. Parece que tudo ficará bem, todo aborrecimento transformado em uma história divertida a ser contada no jantar. *Então, eu matei um mendigo hoje, querido... Rá rá rá rá rá! Ah, como nós nos divertimos!*

Nick é como um bom drinque forte: dá a perspectiva correta para tudo. Não uma perspectiva diferente, a perspectiva correta. Com Nick, eu me dou conta de que, na verdade, de fato não importa se a conta de luz está alguns dias atrasada, se meu último teste de personalidade ficou meio ruim. (Sem brincadeira, meu último foi: "Que tipo de árvore você seria?" Eu sou uma macieira! Isso não significa nada!) Não importa se o novo *Amy Exemplar* foi devidamente arrasado, as resenhas cruéis, as vendas despencando após um começo já inseguro. Não importa de qual cor pinto nosso quarto ou quanto tempo o trânsito me faz perder ou se nosso lixo reciclável não é realmente reciclado. (Vamos lá, fale a verdade para mim, Nova York: ele é?) Não importa, porque encontrei meu par. É Nick, descontraído e calmo, inteligente, divertido e simples. Nada torturado, feliz. Legal. Pênis grande.

Todas as coisas de que eu não gosto em mim foram empurradas para o fundo do meu cérebro. Talvez seja disso que mais goste nele, o modo como ele me faz. Não me faz sentir, apenas me faz. Sou divertida. Sou brincalhona. Sou decidida. Eu me sinto naturalmente feliz e totalmente satisfeita. Eu sou uma esposa! É estranho dizer essas palavras. (Falando sério, sobre o lixo reciclável, Nova York — vamos lá, me dê pelo menos uma piscadela.)

Nós fazemos coisas bobas, tipo no fim de semana passado, quando fomos de carro até Delaware porque nenhum de nós nunca tinha transado em Delaware. Veja a cena, porque essa realmente é para a posteridade. Cruzamos a divisa do estado — *Bem-vindo a Delaware!*, diz a placa, e também: *Pequena Maravilha*, e também: *O Primeiro Estado*, e também: *Terra das Compras Sem Impostos*.

Delaware, um estado de muitas e ricas identidades.

Mostro para Nick a primeira estrada de terra que vejo e sacudimos por cinco minutos até ficarmos cercados de pinheiros por todos os lados. Não falamos. Ele empurra o banco dele para trás. Eu levanto minha saia. Estou sem calcinha, posso ver sua boca se abrir e o rosto descontrair, o olhar drogado e determinado que ele tem quando está excitado. Monto nele de costas, de frente para o para-brisa. Estou apertada contra o volante, e, quando nos mexemos juntos, a buzina emite toques curtos que me imitam, e minha mão faz um barulho molhado à medida que a pressiono contra o para-brisa. Nick e eu conseguimos gozar em qualquer lugar, nenhum de nós tem medo do palco, é algo de que nos orgulhamos bastante. Depois voltamos direto para casa. Eu, comendo pedaços de carne desidratada, com os pés descalços no painel.

Adoramos nossa casa. A casa que *Amy Exemplar* construiu. Uma casa de tijolos vermelhos no Brooklyn que meus pais compraram para nós bem na Promenade, com uma ampla vista de Manhattan. É extravagante, faz com que eu me sinta culpada, mas é perfeita. Eu luto como posso contra a aparência de menina rica mimada. Muito trabalho manual. Pintamos nós mesmos as paredes, em dois fins de semana: verde-primavera, amarelo-claro e azul-aveludado. Na teoria. Nenhuma das cores ficou como achamos que ficaria, mas mesmo assim fingimos gostar delas. Enchemos nossa casa com badulaques de brechós; compramos vinis para o toca-discos de Nick. Ontem à noite nos sentamos no velho tapete persa, tomamos vinho e escutamos os velhos arranhões no vinil enquanto o céu escurecia e Manhattan se acendia, e Nick disse: "Foi assim que sempre imaginei. Exatamente assim que imaginei."

Nos fins de semana, conversamos sob quatro camadas de cobertores, nosso rosto quente sobre um edredom amarelo iluminado pelo sol. Até mesmo as tábuas do piso são alegres: há duas tábuas velhas rangentes que nos chamam assim que passamos pela porta. Adoro isso, adoro que seja nosso, que tenhamos uma grande história por trás da antiga luminária de piso, ou da caneca de cerâmica deformada que fica ao lado de nossa cafeteira, sempre vazia a não ser por um único clipe de papel. Passo meus dias pensando em coisas gentis que eu poderia fazer por ele — comprar um sabonete de hortelã que ficará em sua mão como uma pedra quente, ou talvez um fino filé de truta que eu possa preparar e servir para ele, uma ode a seus dias de barco fluvial. Eu sei, sou ridícula. Mas adoro — nunca soube que eu era capaz de ser ridícula por um homem. É um alívio. Chego a ficar extasiada com suas meias, que ele consegue largar em adoráveis poses retorcidas, como se um cãozinho a tivesse trazido de outro aposento.

Estamos fazendo um ano de casados, e estou inchada de amor, embora as pessoas continuassem a nos dizer que o primeiro ano ia ser difícil, como se fôssemos crianças ingênuas marchando para a guerra. Não foi difícil. Fomos feitos para nos casar. É nosso aniversário de um ano e Nick vai sair do trabalho na hora do almoço; minha caça ao tesouro espera por ele. As pistas são todas sobre nós, sobre o ano passado juntos:

Sempre que meu querido maridinho fica resfriado
É esse prato que logo será comprado.

Resposta: a sopa *tom yum* do Thai Town na President Street. O gerente estará lá esta tarde com uma tigelinha e a pista seguinte.

Também o McMann's, em Chinatown, e a estátua de Alice no Central Park. Uma grandiosa excursão por Nova York. Terminaremos no mercado de peixe da Fulton Street, onde comprarei duas belas lagostas e levarei o recipiente no colo enquanto Nick se remexe nervosamente ao meu lado no táxi. Correremos para casa, e eu as jogarei em uma panela nova em nosso fogão velho com toda a fineza de uma garota que passou muitos verões em Cape, com Nick rindo e fingindo se esconder de medo atrás da porta da cozinha.

Eu tinha sugerido que comêssemos hambúrgueres. Nick queria que saíssemos — um cinco estrelas, elegante —, que fôssemos a algum lugar com uma sequência de pratos e garçons citando nomes de famosos. Então as lagostas são um meio caminho perfeito, as lagostas são o que todos nos dizem (e dizem de novo, e repetem) ser a essência do casamento: compromisso!

Comeremos lagosta com manteiga e transaremos no chão enquanto uma mulher canta para nós em um de nossos discos de jazz com sua voz vinda do outro lado do túnel. Ficaremos preguiçosa e lentamente bêbados com um bom scotch, o preferido de Nick. Eu entregarei o presente dele — os papéis de carta com monograma que ele queria da Crane & Co., com a fonte limpa sem serifa verde-floresta, no maço de papel cor de creme que conterá a tinta elegante e suas palavras de escritor. Papéis para um escritor, e para uma esposa de escritor que talvez queira receber uma ou duas cartas de amor.

Depois talvez façamos sexo de novo. E quem sabe comeremos um hambúrguer no meio da noite. E mais scotch. *Voilà*: o casal mais feliz do quarteirão. E ainda dizem que casamento dá muito trabalho.

NICK DUNNE
A NOITE DO

Boney e Gilpin transferiram nossa conversa para a delegacia, que parece um banco indo à falência. Eles me deixaram sozinho em uma salinha por quarenta minutos, eu me obrigando a ficar parado. Fingir calma é estar calmo, de certa forma. Eu me larguei sobre a mesa, apoiei o queixo no braço. Esperei.

— Você quer ligar para os pais de Amy? — perguntara Boney.

— Não quero deixá-los em pânico — respondi. — Se não tivermos notícia dela em uma hora, ligarei.

Tivemos essa conversa três vezes.

Os policiais finalmente entraram e se sentaram em frente a mim. Lutei contra a vontade de rir de quanto aquilo parecia um programa de TV. Aquela era a mesma sala que eu tinha visto no canal a cabo tarde da noite nos últimos dez anos, e os dois policiais — cansados, intensos — agiam como os atores. Absolutamente falso. Delegacia Epcot. Boney estava inclusive segurando um copo descartável com café e uma pasta de papelão que mais parecia um elemento cênico. Cenário policial. Eu me senti tonto, senti por um momento que todos éramos de mentira: *Vamos brincar de Esposa Sumida!*

— Tudo bem, Nick? — perguntou Boney.

— Estou bem, por quê?

— Você está sorrindo.

A tontura escorregou para o piso de cerâmica.

— Lamento, é que tudo é tão...

— Eu sei. É estranho demais, eu sei — disse Boney, lançando-me um olhar que era como um tapinha na mão. Depois pigarreou. — Para começar, queremos ter certeza de que você está à vontade aqui. Se precisar de alguma coisa, é só dizer. Quanto mais informação puder nos dar agora, melhor, mas você pode ir embora a qualquer momento, isso também não é um problema.

— Tudo o que você precisar.

— Certo, ótimo, obrigada — disse ela. — Ahn, certo. Quero primeiro eliminar as coisas chatas. As besteiras. Se sua esposa realmente foi sequestrada, e não sabemos disso ainda, mas se for isso, queremos pegar o cara, e quando pegarmos o cara queremos pegá-lo em cheio. Sem saída. Sem manobra.

— Certo.

— Então temos de descartar você rápida e facilmente. Para que o cara não possa vir e dizer que não descartamos você, entende o que quero dizer?

Eu confirmei com um aceno de cabeça, mecanicamente. Na verdade não entendia o que ela queria dizer, mas queria parecer o mais cooperativo possível.

— Tudo o que você precisar.

— Não queremos assustá-lo — acrescentou Gilpin. — Só queremos ter todas as informações.

— Por mim, tudo bem.

É sempre o marido, pensei. *Todo mundo sabe que é sempre o marido, então por que eles não podem simplesmente dizer isso? Suspeitamos de você porque você é o marido, e é sempre o marido. É só assistir a Dateline.*

— Certo, ótimo, Nick — disse Boney. — Primeiro, vamos pegar uma amostra da parte interna da sua bochecha para podermos eliminar todo DNA na casa que não seja o seu. Tudo bem com isso?

— Claro.

— Também gostaria de amostras de suas mãos para verificar resíduos de pólvora. Mais uma vez, só para...

— Espere um pouco. Vocês encontraram alguma coisa que os leve a pensar que minha esposa foi...

— Não, não, não, Nick — interrompeu Gilpin.

Ele levou uma cadeira até a mesa e se sentou nela com o encosto virado para a frente. Fiquei pensando se policiais realmente faziam aquilo. Ou será que algum ator esperto fez isso e então os policiais começaram a fazer porque viram os atores interpretando policiais fazerem isso e pareceu legal?

— É só o protocolo — continuou Gilpin. — Tentamos cobrir tudo: verificar suas mãos, pegar uma amostra de DNA, e se também pudéssemos examinar seu carro...

— Claro. Como eu disse, tudo o que precisarem.

— Obrigado, Nick. Eu realmente agradeço. Algumas vezes os caras tornam as coisas difíceis para nós só porque podem.

Eu era exatamente o oposto. Meu pai encheu minha infância de culpa não explicitada; ele era o tipo de homem que se esgueirava em busca de coisas com as quais se irritar. Isso havia tornado Go defensiva e nada disposta a aceitar desaforo. E me transformara em um puxa-saco incontrolável com figuras de autoridade. Mãe, pai, professores: *qualquer coisa para tornar seu trabalho mais fácil, senhor ou senhora*. Eu ansiava por um fluxo constante de aprovação. "Você literalmente mentiria, enganaria e roubaria — caramba, você até mataria — para convencer as pessoas de que é um bom sujeito", disse Go certa vez. Estávamos na fila dos knishes no Yonah Schimmel's, não muito longe do antigo apartamento de Go em Nova York — lembro-me até disso, de tão bem que me lembro desse momento —, e perdi o apetite, porque era absolutamente verdade e nunca havia me dado conta, e mesmo enquanto ela dizia aquilo, eu pensei: *Nunca me esquecerei disso, este é um daqueles momentos que ficarão gravados no meu cérebro para sempre.*

Jogamos conversa fora, os policiais e eu, sobre os fogos do Quatro de Julho e o clima, enquanto minhas mãos eram examinadas em busca de resíduos de pólvora e o interior de minha bochecha era raspado com um cotonete. Fingindo que era normal, uma consulta com o dentista.

Quando terminou, Boney colocou outro copo de café na minha frente, apertou meu ombro.

— Lamento por isso. A pior parte do trabalho. Você se importaria de responder a algumas perguntas agora? Isso nos ajudaria muito.

— Sim, claro, pode mandar.

Ela colocou um estreito gravador digital na mesa em frente a mim.

— Você se importa? Dessa forma não terá de responder às mesmas perguntas o tempo todo...

Ela queria me gravar falando para que eu ficasse preso a uma única história. *Eu devia chamar um advogado*, pensei, *mas apenas pessoas culpadas precisam de advogados*, então confirmei com um aceno de cabeça: *sem problema*.

— Então: Amy — começou Boney. — Há quanto tempo vocês moram aqui?

— Há quase dois anos.
— E ela é de Nova York. A cidade.
— Sim.
— Ela trabalha, tem um emprego? — perguntou Gilpin.
— Não. Ela costumava escrever testes de personalidade.
Os detetives trocaram olhares: *testes?*
— Para revistas adolescentes, revistas femininas — expliquei. — Sabe: "Você é do tipo ciumento? Faça nosso teste e descubra! Os rapazes acham você muito intimidadora? Faça nosso teste e descubra!"
— Muito legal, adoro esses testes — disse Boney. — Não sabia que era um emprego de verdade. Escrever isso. Tipo, uma carreira.
— Bem, não é. Não mais. A internet está cheia de testes gratuitos. Os de Amy eram mais inteligentes, ela tinha mestrado em psicologia. *Tem mestrado em psicologia* — corrigi e ri, incomodado com a minha gafe. — Mas inteligente não ganha de gratuito.
— E aí?
Dei de ombros.
— Aí nos mudamos para cá. Ela meio que fica em casa no momento.
— Ah! Vocês têm filhos, então? — gorjeou Boney, como se tivesse ouvido uma boa notícia.
— Não.
— Ah. Então o que ela faz a maior parte do tempo?
Essa também era a minha pergunta. Amy um dia fora uma mulher que fazia um pouco de tudo, o tempo todo. Quando fomos morar juntos, ela estudara intensamente culinária francesa, exibindo rapidíssimas habilidades com facas e um *boeuf bourguignon* inspirado. No aniversário de trinta e quatro anos dela, voamos para Barcelona e ela me espantou com longos discursos em espanhol, aprendido em meses de aulas secretas. Minha esposa tinha um cérebro brilhante e explosivo, uma curiosidade voraz. Mas suas obsessões tendiam a ser alimentadas pela competição: ela precisava surpreender os homens e deixar as mulheres com inveja. *Claro que Amy sabe preparar pratos da culinária francesa, falar espanhol fluente, fazer jardinagem, tricotar, correr maratonas, negociar ações, pilotar um avião e parecer uma modelo enquanto faz isso.* Ela precisava ser Amy Exemplar o tempo todo. Aqui no Missouri as mulheres fazem compras na Target, cozinham refeições esforçadas e reconfortantes, riem do pouco que se lembram do espanhol aprendido no ensino médio. A competição não lhes interessa. As incansáveis conquistas de Amy são recebidas com aceitação serena e talvez um pouco

de pena. Era o pior desfecho possível para minha esposa competitiva: uma cidade de derrotados satisfeitos.

— Ela tem muitos hobbies — expliquei.

— Alguma coisa o preocupa? — perguntou Boney, parecendo preocupada. — Você não está pensando em drogas ou álcool? Não estou falando mal de sua esposa. Muitas donas de casa, mais do que você imagina, passam o dia assim. Os dias se tornam longos quando a pessoa está sozinha. E se o vício no álcool passa para as drogas... e não estou nem falando em heroína, mas mesmo analgésicos com receita... bem, há uns tipos realmente medonhos vendendo isso aqui no momento.

— O comércio de drogas ficou sério aqui — completou Gilpin. — Tivemos muitos cortes na polícia, um quinto da força, e já estávamos no limite. Quer dizer, a situação está bastante *ruim*, estamos soterrados de trabalho.

— Uma dona de casa, boa pessoa, teve um dente arrancado no mês passado por causa de oxicodona — acrescentou Boney.

— Não, Amy pode tomar uma taça de vinho ou algo assim, mas não drogas.

Boney me encarou; aquela claramente não era a resposta que ela queria.

— Ela tem amigos aqui? Gostaríamos de ligar para alguns, só para garantir. Não se ofenda, mas algumas vezes o cônjuge é o último a saber quando há drogas envolvidas. As pessoas ficam envergonhadas, especialmente mulheres.

Amigos. Em Nova York, Amy fazia e desfazia amizades semanalmente; eram como seus projetos. Ela ficava intensamente entusiasmada com eles: Paula, que lhe deu aulas de canto e tinha uma puta voz (Amy estudara em um colégio interno em Massachusetts; eu adorava os poucos momentos em que ela se revelava totalmente Nova Inglaterra: *uma puta voz*); Jessie, do curso de moda. Mas então eu perguntava sobre Jessie ou Paula um mês depois e Amy me olhava como se eu estivesse inventando coisas.

E havia também os homens que estavam sempre atrás de Amy, ansiosos para fazer todas as coisas de marido que o marido dela não fazia. Consertar a perna de uma cadeira, encontrar seu chá asiático importado preferido. Homens que ela jurava serem apenas amigos, bons amigos. Amy os mantinha exatamente a um braço de distância — suficientemente longe para que eu não ficasse aborrecido demais, perto o bastante para que pudesse chamar com o dedo e eles satisfizessem seus desejos.

No Missouri... Deus do céu, eu realmente não sabia. Isso só me ocorreu naquele momento. *Você é realmente um babaca*, pensei. Estávamos ali havia dois anos, e depois da onda inicial de apresentações, aqueles primeiros meses maníacos, Amy não tinha ninguém que encontrasse regularmente. Ela tinha minha mãe, que estava morta, e eu — e nossa principal forma de conversa era ataque e contestação. Quando fez um ano que estávamos ali eu perguntei em um falso galanteio: "E o que está achando de North Carthage, Sra. Dunne?" "*Nova* Carthage, você quer dizer?", ela retrucara. Eu me recusei a pedir a referência a ela, mas sabia que era um insulto.

— Ela tem alguns bons amigos, mas quase todos estão na Costa Leste.

— Os pais dela?

— Moram em Nova York. A cidade.

— E você ainda não ligou para nenhuma dessas pessoas? — perguntou Boney, um sorriso confuso no rosto.

— Estive fazendo todas as *outras* coisas que vocês me pediram para fazer. Não tive oportunidade.

Eu assinara uma permissão para rastrearem cartões de crédito e saques, e rastrearem o celular de Amy, dera o número do celular de Go e o nome de Sue, a viúva d'O Bar, que presumivelmente poderia confirmar a hora em que eu chegara.

— O bebê da família. — Ela balançou a cabeça. — Você realmente me lembra meu irmão mais novo. — Pausa. — Isso é um elogio, juro.

— Ela é louca por ele — explicou Gilpin, escrevendo em um bloco. — Certo, então você saiu de casa por volta de sete e meia da manhã, e apareceu n'O Bar por volta do meio-dia, e nesse ínterim você esteve na praia.

Há uma pequena praia a cerca de quinze quilômetros ao norte de nossa casa, um encontro não muito agradável de areia, lama e cacos de garrafas de cerveja. Tonéis de lixo transbordando de copos descartáveis e fraldas sujas. Mas há uma mesa de piquenique onde o vento bate e que recebe um belo sol, e se você olhar diretamente para o rio consegue ignorar as outras coisas.

— Às vezes eu levo meu café e o jornal e fico só sentado ali. A gente tem que aproveitar o verão.

Não, eu não tinha conversado com ninguém na praia. Não, ninguém me viu.

— Fica vazia durante a semana — concedeu Gilpin.

Se a polícia falasse com alguém que me conhecesse, descobriria logo que eu raramente ia à praia e que eu nunca "às vezes levava meu café apenas para aproveitar a manhã". Tenho pele branca de irlandês e impaciência para a inércia: não sou um cara de praia. Eu disse isso à polícia porque fora ideia de Amy, que eu fosse me sentar num lugar onde poderia ficar sozinho, observar o rio que eu adorava e pensar em nossa vida juntos. Ela me dissera isso naquela manhã, após termos comido os crepes. Inclinara-se sobre a mesa e dissera: "Sei que estamos passando por um momento difícil. Eu ainda o amo muito, Nick, e sei que tenho muitas coisas nas quais preciso melhorar. Quero ser uma boa esposa para você, e quero que você seja meu marido, e que seja feliz. Mas você precisa decidir o que quer."

Ela claramente havia ensaiado o discurso; sorria, orgulhosa, ao falar. E mesmo quando minha esposa me oferecia essa gentileza, eu pensava: *Claro que ela tem de encenar isso. Ela quer a imagem de mim e do rio rápido e selvagem, meus cabelos soprando à brisa enquanto eu olho para o horizonte e reflito sobre nossa vida juntos. Eu não posso simplesmente ir ao Dunkin' Donuts.*

Você precisa decidir o que quer. Infelizmente para Amy, eu já decidira. Boney tirou os olhos brilhantes de suas anotações.

— Pode me dizer qual é o tipo sanguíneo de sua esposa? — perguntou.

— Hum, não, eu não sei.

— Você não sabe o tipo sanguíneo da sua esposa?

— Talvez O? — chutei.

Boney franziu a testa, depois fez um som como de ioga.

— Ok, Nick, eis as coisas que *nós* estamos fazendo para ajudar.

Ela enumerou: o celular de Amy estava sendo monitorado; sua foto, distribuída; seus cartões de crédito, rastreados. Criminosos sexuais conhecidos na região estavam sendo interrogados. Nossa vizinhança esparsa estava sendo vasculhada. O telefone de nossa casa estava grampeado para o caso de algum pedido de resgate.

Eu não sabia ao certo o que dizer. Procurei as falas na memória: o que o marido diz a essa altura do filme? Depende se ele é culpado ou inocente.

— Não posso dizer que isso me tranquiliza. Vocês... Isso é um sequestro, um caso de pessoa desaparecida, o que exatamente está acontecendo?

Eu conhecia as estatísticas, conhecia-as do mesmo programa de TV no qual eu estava estrelando: se as primeiras quarenta e oito horas de um caso não dessem em nada, ele provavelmente ficaria sem solução. As primeiras quarenta e oito horas eram cruciais.

— Quer dizer, minha esposa sumiu. Minha esposa *sumiu*!

Percebi que era a primeira vez que eu dizia isso da forma que tinha de ser dito: em pânico e com raiva. Meu pai era um homem de infinitas variedades de amargura, raiva, desgosto. Na minha luta de toda uma vida para evitar ser como ele, eu desenvolvera uma incapacidade de demonstrar qualquer emoção negativa. Era outra coisa que fazia com que eu parecesse um cretino — meu estômago podia estar cheio de enguias oleosas e você não saberia nada pela minha expressão, e ainda menos por minhas palavras. Era um problema constante: controle demais ou nenhum controle.

— Nick, estamos levando isso *extremamente* a sério — disse Boney. — O pessoal do laboratório está na sua casa enquanto conversamos, e isso nos dará mais informações para prosseguir. Neste momento, quanto mais você puder nos contar sobre sua esposa, melhor. Como ela é?

As habituais frases de marido vieram à minha cabeça. *Ela é gentil, ela é ótima, ela é legal, ela me apoia.*

— Como ela é em que *sentido*? — perguntei.

— Dê uma ideia de sua personalidade — retrucou Boney. — Tipo: o que você comprou para ela de aniversário de casamento? Joias?

— Eu ainda não tinha comprado nada — respondi. — Ia fazer isso esta tarde.

Esperei que ela risse e falasse "o bebê da família" novamente, mas não fez isso.

— Certo. Então, bem, fale sobre ela. É extrovertida? É... Não sei como dizer isso... Nova-iorquina? Do tipo que poderia parecer rude a alguns? Do tipo que poderia irritar algumas pessoas?

— Não sei. Ela não é o tipo de pessoa que faz amigos para a vida toda, mas não é... agressiva o suficiente para que alguém queira... machucá-la.

Essa era minha décima primeira mentira. A Amy de hoje era agressiva o suficiente para você às vezes querer machucá-la. Falo especificamente da Amy de hoje, que só é remotamente parecida com a mulher por quem me apaixonei. Havia sido uma medonha transformação de conto de fadas às avessas. Em poucos anos, a antiga Amy, a garota da grande gargalhada e do jeito fácil, livrou-se dela mesma, uma pilha de pele e alma no chão, e dali saiu essa nova Amy, tensa e amarga. Minha esposa não era mais minha esposa, mas um nó de arame farpado me intimando a desfazê-lo, e eu não estava à altura do trabalho, com meus dedos grossos insensíveis e nervosos. Dedos caipiras. Dedos não treinados para o intrincado trabalho de *resolver Amy*. Quando eu erguesse meus cotos ensanguentados, ela suspiraria e pegaria o secreto bloco de anotações mentais em que registrava todos os meus defeitos, para sempre anotando desapontamentos, fragilidades, falhas. Minha antiga Amy, caramba, ela era divertida. Era engraçada. Ela me fazia rir. Eu tinha me esquecido disso. E *ela* ria. Do fundo da garganta, bem de trás daquele pequeno vazio em forma de dedo que é de onde vem o melhor riso. Ela soltava seus ressentimentos como comida de passarinho. Estão ali, e então desapareceram.

Ela não era a coisa na qual se transformou, a coisa que eu mais temia: uma mulher com raiva. Eu não era bom com mulheres com raiva. Elas despertavam em mim algo repulsivo.

— Ela é mandona? — perguntou Gilpin. — Controladora?

Pensei na agenda de Amy, aquela que avançava três anos no futuro, e se você olhasse um ano à frente encontraria realmente consultas marcadas com dermatologista, dentista, veterinário.

— Ela é uma planejadora, sabe, não improvisa nada. Gosta de fazer listas e ir riscando as coisas. Resolver coisas. É por isso que essa história não faz sentido...

— Isso é de enlouquecer — disse Boney, solidária. — Quando o outro não é assim. Você parece uma personalidade tipo B.

— Acho que sou um pouco mais relaxado — disse. Então acrescentei a parte que esperavam que eu acrescentasse: — Nós nos completamos.

Olhei para o relógio na parede e Boney tocou minha mão.

— Ei, por que não liga para os pais de Amy? Tenho certeza de que ficariam agradecidos.

Passava de meia-noite. Os pais dela iam dormir às nove horas; eles se vangloriavam estranhamente desse horário precoce. Estariam dormindo profundamente naquele momento; logo, aquele seria um telefonema-urgente-no-meio-da-noite. Os celulares sempre eram desligados às oito e quarenta e cinco, de modo que Rand Elliott teria de caminhar de sua cama até o final do corredor para pegar o velho e pesado telefone; ele estaria atrapalhado com os óculos, com o abajur. Estaria dizendo a si mesmo todos os motivos para não se preocupar com um telefonema no meio da noite, todos os motivos inofensivos pelos quais o telefone podia estar tocando.

Disquei o número duas vezes e desliguei antes de ouvir o toque. Quando ouvi, foi Marybeth, não Rand, quem atendeu, sua voz grave zumbindo em meu ouvido. Só consegui chegar até "Marybeth, aqui é o Nick", antes de perder o controle.

— O que houve, Nick?

Respirei fundo.

— É a Amy? Fale.

— Eu, ahn, desculpe-me por ter ligado...

— Fale, caramba!

— Não estamos c-conseguindo encontrar Amy — gaguejei.

— Vocês não estão conseguindo *encontrar* Amy?

— Eu não sei...

— Amy está desaparecida?

— Não temos certeza, ainda estamos...

— Desde quando?

— Não sabemos bem. Eu saí de manhã, um pouco depois das sete...

— E esperou até agora para nos telefonar?

— Desculpe-me, eu não queria...

— Meu Deus do céu. Nós jogamos tênis esta noite. *Tênis*, e poderíamos ter... Meu Deus. A polícia está envolvida? Você avisou a polícia?

— Estou na delegacia neste momento.

— Passe o telefone para quem está no comando, Nick. Por favor.

Como uma criança, eu fui buscar Gilpin. *Minha sogra quer falar com você.*

Telefonar para os Elliott tornava aquilo oficial. A emergência — *Amy sumiu* — estava se espalhando para o mundo exterior.

Eu estava voltando para a sala de interrogatório quando ouvi a voz do meu pai. Às vezes, em momentos particularmente vergonhosos, eu ouvia a voz dele em minha cabeça. Mas aquela era a voz do meu pai ali. Suas palavras emergiam em bolhas molhadas como algo saído de um pântano fedorento. *Piranha, piranha, piranha.* Meu pai, ensandecido, passara a lançar a palavra contra qualquer mulher que o aborrecesse mesmo que vagamente: *piranha, piranha, piranha.* Olhei para dentro de uma sala de reuniões e lá estava ele, sentado em um banco encostado na parede. Ele um dia fora um homem bonito, intenso e com um furinho no queixo. *Desconcertantemente lindo*, como minha tia o descrevera. Agora ele estava murmurando para o chão, seus cabelos louros embaraçados, calças enlameadas e braços arranhados, como se tivesse aberto caminho por um espinheiro. Um fio de saliva escorria brilhante por seu queixo como a trilha de uma lesma, e ele contraía e relaxava músculos dos braços que ainda não haviam degenerado. Uma policial tensa estava junto a ele, os lábios crispados de raiva, tentando ignorá-lo: *piranha, piranha, piranha, eu disse, piranha*.

— O que está acontecendo? — perguntei. — Este é meu pai.
— Recebeu nosso telefonema?
— Que telefonema?
— Para vir buscar seu pai — disse ela, articulando exageradamente as palavras, como se eu fosse uma criança burra de dez anos.
— Eu... Minha esposa está desaparecida. Passei a maior parte da noite *aqui*.

Ela ficou olhando para mim sem nenhuma empatia. Eu podia ver que ela estava decidindo se devia sacrificar sua posição de poder e pedir desculpas, fazer perguntas. Então meu pai recomeçou, *piranha, piranha, piranha*, e ela escolheu manter sua posição de poder.

— Senhor, a Comfort Hill tentou entrar em contato o dia inteiro. Seu pai escapou por uma saída de incêndio hoje de manhã cedo. Está com alguns arranhões e machucados, como pode ver, mas nenhum ferimento sério. Nós o pegamos há algumas horas descendo a River Road, desorientado. Estávamos tentando falar com o senhor.

— Eu estava bem aqui — expliquei. — Na maldita porta ao lado, como ninguém juntou as duas coisas?

Piranha, piranha, piranha, disse meu pai.
— Senhor, não use esse tom de voz comigo.
Piranha, piranha, piranha.

Boney ordenou que um policial — do sexo masculino — levasse meu pai de volta ao asilo para que eu pudesse terminar ali. Ficamos de pé na escada do lado de fora da delegacia e assistimos enquanto ele era colocado no carro, ainda murmurando. Em nenhum momento ele registrou minha presença. Quando partiram, ele nem sequer olhou para trás.

— Vocês não são próximos? — perguntou ela.
— Nós somos a definição de não próximos.

A polícia terminou com suas perguntas e me colocou em uma viatura por volta das duas horas da manhã com a recomendação de ter uma boa noite de sono e retornar às onze horas para me preparar para uma entrevista coletiva ao meio-dia.

Eu não perguntei se podia ir para casa. Fiz com que me levassem até a casa de Go, porque sabia que ela ficaria acordada e tomaria uma bebida comigo, faria um sanduíche para mim. Patético, mas era tudo o que eu queria naquele momento: uma mulher que me preparasse um sanduíche e não me fizesse perguntas.

— Você não quer ir procurar por ela? — sugeriu Go enquanto eu comia. — Podemos dar uma volta.

   — Isso me parece inútil — respondi. — Onde eu iria procurar?
   — Nick, isso é sério para caralho.
   — Eu sei, Go.
   — Então aja de acordo, está bem, *Lance*? Nada de *nhe-nhe-nhem*, cacete.

Era um barulho pastoso, o barulho que ela sempre fazia para transmitir minha indecisão, acompanhado de um revirar de olhos espantado e do uso raríssimo de meu prenome legal. Ninguém com meu rosto precisa ser chamado de Lance. Ela me deu um copo com scotch.

— Tome isso, mas só isso. Você não vai querer estar de ressaca amanhã. Onde ela pode estar, porra? Meu Deus, estou com o estômago embrulhado.

Ela serviu-se de um copo, deu um grande gole e depois tentou bebericar andando de um lado para outro na cozinha.

— Você não está preocupado, Nick? Que algum cara, tipo, tenha visto Amy na rua e simplesmente decidido apanhá-la? Que a tenha acertado na cabeça e...

Eu me irritei.

— Por que você disse *a tenha acertado na cabeça*, que porra é essa?

— Desculpe, não queria imaginar a cena, eu só... Não sei, eu fico pensando... em algum maluco — disse, derramando mais scotch no seu copo.

— Por falar em maluco, papai fugiu de novo hoje, eles o encontraram vagando pela River Road. Voltou para a Comfort agora.

Ela deu de ombros: *certo*. Era a terceira vez em seis meses que nosso pai fugia. Go estava acendendo um cigarro, ainda pensando em Amy.

— Quer dizer, não há ninguém com quem possamos falar? — perguntou ela. — Algo que possamos fazer?

— Meu Deus, Go! Você precisa mesmo me fazer sentir mais impotente do que estou me sentindo agora? — interrompi. — Não tenho ideia do que deveria estar fazendo. Não existe uma aula básica para "Quando sua esposa desaparece". A polícia disse que eu podia ir embora. Eu fui. Só estou fazendo o que eles mandam.

— Claro que está — murmurou Go, que tinha uma antiga missão fracassada de me transformar em um rebelde.

Não ia funcionar. Eu era o garoto do ensino médio que voltava para casa na hora certa. Eu era o jornalista que cumpria prazos, mesmo os falsos. Eu respeito regras, porque, se você segue as regras, as coisas funcionam bem, normalmente.

— Porra, Go, eu vou estar na delegacia de novo em algumas horas, ok? Será que você pode ser legal comigo por um segundo, por favor? Estou morrendo de medo.

Fizemos uma competição de encarar o outro sem piscar durante cinco segundos, depois Go encheu meu copo mais uma vez em um pedido de desculpas. Ela se sentou ao meu lado e colocou a mão no meu ombro.

— Pobre Amy — disse.

AMY ELLIOTT DUNNE

21 DE ABRIL DE 2009

ANOTAÇÃO EM DIÁRIO

Pobre de mim. Deixe-me descrever a cena: Campbell, Insley e eu estamos no Soho, jantando no Tableau. Montes de tortas de queijo de cabra, almôndegas de cordeiro e rúcula, não entendo bem por que tanto escarcéu a respeito do lugar. Mas estamos fazendo a coisa às avessas: primeiro jantar, depois drinques em uma das mesinhas exclusivas que Campbell reservou, uma espécie de minicloset onde você pode relaxar por um preço alto em um lugar que não é muito diferente de, digamos, sua sala de estar. Mas tudo bem, às vezes é legal fazer as coisas bobas que estão na moda. Estamos todas arrumadas demais em nossos vestidinhos chamativos, nossos saltos altíssimos, e todas comemos pequenas porções que são tão decorativas e insubstanciais quanto nós.

Combinamos que nossos maridos iriam se juntar a nós na parte dos drinques. Então aqui estamos, pós-jantar, enfiadas no nosso reservado, mojitos, martínis e meu bourbon trazidos por uma garçonete que poderia estar fazendo teste para o papel secundário da garota que acabou de saltar do ônibus.

Estamos ficando sem assunto; é uma terça-feira, e ninguém tem a impressão de que é outro dia. Os drinques estão sendo cuidadosamente bebidos. Insley e Campbell têm compromissos vagos na manhã seguinte e eu tenho de trabalhar, então não estamos nos aquecendo para uma noite longa, estamos relaxando, e estamos ficando obtusas, entediadas. Iríamos embora se não estivéssemos esperando o possível aparecimento dos homens.

Campbell não para de conferir o BlackBerry, Insley analisa suas panturrilhas flexionadas de diferentes ângulos. John é o primeiro a chegar — muitas desculpas para Campbell, grandes sorrisos e beijos para todas, um homem encantado de estar ali, deliciado de chegar no final de um happy hour do outro lado da cidade para poder virar uma bebida e ir para casa com a esposa. George aparece uns vinte minutos depois — constrangido, tenso, uma desculpa curta sobre trabalho, Insley reclamando "Você está *quarenta* minutos atrasado", ele retrucando "É, desculpe-me por estar ganhando dinheiro para nós". Os dois mal se falam enquanto conversam com todos.

Nick não aparece; não telefona. Esperamos mais quarenta e cinco minutos, Campbell solícita ("Provavelmente recebeu algum trabalho de última hora", diz, e sorri na direção do bom e velho John, que nunca deixa trabalhos de última hora interferirem nos planos da esposa); a raiva de Insley com o marido vai diminuindo quando ela se dá conta de que ele é apenas o segundo maior cretino do grupo ("Tem certeza de que ele nem mandou uma mensagem, querida?").

Quanto a mim, apenas sorrio: "Quem sabe onde ele pode estar? Encontro com ele em casa." E então são os homens do grupo que parecem abalados: *Quer dizer que havia essa opção? Ignorar o programa sem consequências trágicas? Nada de culpa, raiva ou ressentimento?*

Bem, talvez não para vocês, rapazes.

Nick e eu algumas vezes rimos, rimos alto, das coisas horríveis que as mulheres obrigam seus maridos a fazer para provar seu amor. As tarefas sem sentido, a miríade de sacrifícios, as intermináveis pequenas rendições. Chamamos esses homens de *macacos amestrados*.

Nick voltará para casa suado, salgado e relaxado de cerveja ao final de um dia jogando bola, e eu irei me aninhar em seu colo, perguntarei sobre o jogo, perguntarei se seu amigo Jack se divertiu, e ele dirá "Ah, deu uma de macaco amestrado — a pobre Jennifer estava tendo uma 'semana muito estressante' e *realmente* precisava dele em casa".

Ou seu colega de trabalho, que não pode sair para beber porque a namorada precisa muito que ele passe em um bistrô onde está jantando com uma amiga de fora da cidade. Para que eles finalmente possam se conhecer. E então ele mostra como é um macaco obediente: *Ele vem quando eu chamo, e veja como vem bem-vestido!*

Vista isto, não vista aquilo. Faça esta tarefa agora e esta tarefa quando tiver uma oportunidade e com isso eu quero dizer agora. E decididamente, decididamente, pare de fazer as coisas que você ama por mim, para que eu tenha a prova de que você me ama mais. É a versão feminina para a competição de mijo a distância — enquanto circulamos como cisnes por nossos clubes de leitura e nossos coquetéis, há poucas coisas de que as mulheres gostem mais do que poder detalhar os sacrifícios que nossos homens fazem por nós. Um sistema de ação e reação, a reação sendo: "Ahh, ele é tão *fofo*."

Fico feliz por não ser sócia desse clube. Eu não tomo parte, não tenho prazer na coerção emocional, em forçar Nick a interpretar um papel de maridinho feliz — o alegre e obediente papel de *colocando o lixo para fora, querida!* O homem dos sonhos de toda mulher, o contraponto à fantasia de todo homem da gentil e gostosa mulher relaxada que adora sexo e bebidas fortes.

Gosto de pensar que sou confiante, segura e madura o suficiente para saber que Nick me ama sem que tenha de provar isso constantemente. Não preciso de patéticas cenas de macacos amestrados para repetir para as minhas amigas; fico satisfeita deixando que ele seja ele mesmo.

Não entendo por que as mulheres acham isso tão difícil.

Quando chego em casa do jantar, meu táxi encosta no momento em que Nick está saltando do táxi dele, e ele fica de pé na rua com os braços estendidos na minha direção e um sorriso enorme nos lábios. "Amor!", e eu corro e salto nos seus braços, e ele pressiona uma bochecha barbuda contra a minha.

"O que você fez hoje?", pergunto.

"Alguns caras estavam jogando pôquer depois do trabalho, então fiquei lá um pouco. Tudo bem, né?"

"Claro", digo. "Mais divertido que a minha noite."

"Quem apareceu?"

"Ah, Campbell, Insley e seus macacos amestrados. Chato. Você escapou. Sério."

Ele me aperta — aqueles braços fortes — e me carrega escada acima. "Meu Deus, como eu amo você", ele diz.

Então vem o sexo, uma bebida forte e uma noite de sono em um doce e exausto enlace no ninho de ratos de nossa cama grande e macia. Pobre de mim.

NICK DUNNE
UM DIA SUMIDA

Não segui o conselho de Go sobre o álcool. Matei metade da garrafa sentado sozinho no sofá, minha décima oitava descarga de adrenalina acontecendo no instante em que finalmente achei que iria adormecer: meus olhos estavam se fechando, eu estava ajeitando o travesseiro, meus olhos estavam fechados, e então vi minha esposa, sangue coagulando em seus cabelos louros, chorando e cega de dor, arrastando-se pelo chão da nossa cozinha. Chamando meu nome. *Nick, Nick, Nick!*

Dei goles repetidos da garrafa, tomando coragem para dormir, uma rotina inútil. O sono é como um gato: ele só vem quando você o ignora. Bebi mais e repeti meu mantra. *Pare de pensar*, gole, *esvazie a cabeça*, gole, *agora, sério, esvazie a cabeça, faça isso agora*, gole. *Você precisa estar ligado amanhã, você precisa dormir!* Gole. Não consegui nada além de um cochilo agitado quase ao nascer do sol, e acordei uma hora depois, de ressaca. Não uma ressaca incapacitante, mas uma bela ressaca. Estava frágil e molengo. Confuso. Talvez ainda um pouco bêbado. Eu me arrastei até o Subaru de Go, o movimento parecendo estranho, como se minhas pernas estivessem ao contrário. Eu tinha propriedade temporária do carro; a polícia aceitara com elegância meu Jetta, gentilmente inspecionado, assim como meu laptop — tudo apenas formalidade, garantiram. Fui para casa colocar roupas decentes.

Três carros de polícia estavam no meu quarteirão, nossos poucos vizinhos circulando por ali. Nada de Carl, mas lá estavam Jan Teverer — a mulher cristã — e Mike, o pai dos trigêmeos de três anos de fertilização *in vitro* — Trinity, Topher e Talullah ("Eu odeio todos, só por causa dos nomes", disse Amy, uma juíza severa de tudo o que estivesse na moda. Quando mencionei que um dia o nome Amy estivera na moda, minha esposa disse: "Nick, você *conhece* a história do meu nome." Eu não tinha ideia de sobre o que ela estava falando.)

Jan acenou com a cabeça, a distância, sem me olhar nos olhos, mas Mike veio até mim enquanto eu saía do carro.

— Lamento muito, cara, avise se eu puder fazer alguma coisa. Qualquer coisa. Cortei a grama esta manhã, então pelo menos você não precisa se preocupar com isso.

Mike e eu nos revezávamos cortando a grama de todas as propriedades hipotecadas abandonadas no complexo — as chuvas fortes da primavera haviam transformado jardins em selvas, o que estimulava uma afluência de guaxinins. Havia guaxinins por toda parte, mastigando nosso lixo tarde da noite, invadindo nossos porões, descansando em nossas varandas como preguiçosos animais de estimação. A grama cortada não parecia fazer com que eles fossem embora, mas pelo menos podíamos vê-los chegando.

— Obrigado, cara, obrigado — agradeci.

— Cara, minha esposa está histérica desde que soube — disse ele. — Completamente histérica.

— Lamento saber disso — falei. — Eu tenho de... — Apontei para a porta.

— Fica sentada lá, chorando, enquanto olha fotos de Amy.

Eu não tinha dúvida de que mil fotos tinham aparecido da noite para o dia na internet, só para alimentar as necessidades patéticas de mulheres como a esposa de Mike. Não tinha nenhuma simpatia por gente dramática.

— Ei, tenho de perguntar... — começou Mike.

Dei um tapinha no braço dele e apontei novamente para a porta, como se tivesse negócios urgentes. Eu me virei antes que ele pudesse fazer perguntas e bati na porta da minha própria casa.

A policial Velásquez me acompanhou até o segundo andar, para dentro de meu próprio quarto, meu próprio closet — passando pela caixa de presente prateada perfeitamente quadrada — e permitiu que eu vasculhasse minhas coisas. Aquilo me deixou tenso, escolher roupas na frente daquela jovem de trança castanha comprida, aquela mulher que muito provavelmente estava me julgando, formando uma opinião. Acabei pegando às cegas: o arranjo final foi casual chique, calça e camisa de mangas curtas, como se estivesse indo a uma convenção. Daria um ensaio interessante, pensei, escolher roupas apropriadas quando um ente querido desaparece. Era o cobiçoso jornalista em mim em busca de uma pauta, impossível de desligar.

Enfiei tudo em uma bolsa e dei meia-volta, olhando para a caixa de presente no chão.

— Será que eu posso dar uma olhada? — perguntei a ela.

Ela hesitou, depois escolheu a segurança.

— Não, lamento, senhor. Melhor não agora.

A beirada do papel de embrulho havia sido cortada cuidadosamente.

— Alguém olhou o que tem dentro?

Ela confirmou com um gesto de cabeça.

Eu contornei Velásquez na direção da caixa.

— Se já olharam, então...

Ela se colocou na minha frente.

— Senhor, não posso permitir que faça isso.

— Isso é ridículo. É *para mim*, da *minha* esposa...

Eu a contornei, me abaixei, e estava com uma das mãos na lateral da caixa quando ela passou um braço sobre meu peito, por trás. Senti um surto de fúria momentâneo, por aquela *mulher* achar que podia me dizer o que fazer *em minha própria casa*. Não importa quanto eu tente ser filho de minha mãe, a voz do meu pai entra na minha cabeça sem ser convidada, depositando pensamentos medonhos, palavras nojentas.

— Senhor, esta é uma cena de crime, o senhor...

Piranha idiota.

De repente, o parceiro dela, Riordan, estava no quarto e também em cima de mim, e eu estava tentando me livrar deles — *está bem, está bem, porra* —, e eles me forçando escada abaixo. Havia uma mulher de quatro perto da porta da frente, vasculhando as tábuas do piso, procurando respingos de sangue, imagino. Ela ergueu os olhos para mim, impassível, depois os baixou novamente.

Eu me obriguei a relaxar enquanto voltava até a casa de Go para me vestir. Essa foi apenas uma em uma longa série de coisas irritantes e asininas que a polícia iria fazer durante aquela investigação (gosto de regras que fazem sentido, não de regras sem lógica), então eu precisava me acalmar: *Não antagonize os policiais*, disse a mim mesmo. Repita, caso necessário: *Não antagonize os policiais*.

Cruzei com Boney enquanto entrava na delegacia, e ela disse:

— Seus sogros estão aqui, Nick. — O tom era encorajador, como se estivesse me oferecendo um muffin quente.

Marybeth e Rand Elliott estavam de pé com os braços em volta um do outro. No meio da delegacia, eles pareciam posar para fotos do baile de formatura. É como eu sempre os via, mãos dadas, queixos se tocando, bochechas roçando. Sempre que visitava a casa dos Elliott, eu me tornava um pigarreador obsessivo — *estou entrando* —, porque eles podiam estar logo ali, se acariciando. Eles se beijavam na boca sempre que iam se afastar, e Rand pegava no traseiro da esposa quando passava por ela. Aquilo era estranho para mim. Meus pais se divorciaram quando eu tinha doze anos, e acho que talvez, quando eu era muito novo, testemunhei um casto beijo na bochecha entre os dois quando era impossível evitar. Natais, aniversários. Lábios secos. Nos seus melhores dias de casados a comunicação entre eles era totalmente objetiva: *Estamos sem leite novamente. (Vou comprar hoje.) Preciso que isso seja passado direito. (Farei isso hoje.) É tão difícil comprar leite? (Silêncio.) Você se esqueceu de chamar o bombeiro. (Suspiro.) Caramba, vista um casaco agora, saia e vá comprar o maldito leite*. Essas mensagens e ordens são trazidas a você pelo meu pai, um gerente de companhia telefônica de nível intermediário que tratava minha mãe na melhor das hipóteses como uma funcionária incompetente. Na pior? Ele nunca bateu nela, mas sua fúria pura e desarticulada enchia a casa durante dias, semanas a cada vez, tornando o ar úmido, difícil de respirar, meu pai rondando com o maxilar inferior projetado, dando a ele um ar de pugilista ferido e vingativo, trincando os dentes com tanta força que dava para ouvir do outro lado da sala. Jogando coisas perto dela, mas não exatamente nela. Tenho certeza de que ele dizia a si mesmo: *Nunca bati nela*. Tenho certeza de que por causa desse detalhe técnico ele nunca se considerou um agressor. Mas ele transformou nossa vida familiar em uma interminável viagem de carro com placas erradas e um motorista tenso de fúria, férias que nunca tiveram chance de ser divertidas. *Não me faça dar a volta com este carro*. Por favor, sério, dê a volta.

Não acho que o problema do meu pai fosse com minha mãe especificamente. Ele simplesmente não gostava de mulheres. Achava que eram idiotas, inconsequentes, irritantes. *Aquela piranha burra*. Essa era sua frase preferida para qualquer mulher que o irritasse: outra motorista, uma garçonete, nossas professoras, nenhuma das quais ele chegou a conhecer, já que as reuniões de pais e mestres fediam tanto a reino feminino. Ainda me lembro de quando Geraldine Ferraro foi escolhida candidata a vice-presidente em 1984, todos nós acompanhando no noticiário antes do jantar. Minha mãe, minha pequena e doce mãe, colocou a mão na nuca de Go e disse: *Bem, acho isso maravilhoso.* Meu pai desligou a TV e disse: *É uma piada. Você sabe que é uma maldita piada. Como ver um macaco andando de bicicleta.*

Demorou mais cinco anos para minha mãe finalmente decidir que estava farta. Voltei da escola certo dia e meu pai havia ido embora. Ele estava lá de manhã e à tarde não estava mais. Minha mãe sentou-se conosco na mesa de jantar e anunciou "Seu pai e eu decidimos que seria melhor para todos se vivêssemos separados", e Go caiu em prantos, dizendo "Que bom, eu odeio vocês dois!" E então, em vez de correr para o quarto como previa o roteiro, ela foi até minha mãe e a abraçou.

Meu pai foi embora e minha magra e pesarosa mãe ficou gorda e feliz — bastante gorda e extremamente feliz —, como se sempre devesse ter sido assim: um balão murcho se enchendo de ar. Em um ano, ela se metamorfoseara na mulher ocupada, calorosa e alegre que seria até morrer, e sua irmã dizia coisas como "Graças a Deus que a velha Maureen voltou", como se a mulher que nos criara fosse uma impostora.

Quanto ao meu pai, durante anos eu falei com ele pelo telefone uma vez por mês, as conversas educadas e cheias de novidades, um recital de *coisas que aconteceram*. A única pergunta que meu pai me fez sobre Amy era "Como está Amy?", que não deveria produzir nenhuma resposta além de "Ela está bem". Ele continuou obstinadamente distante mesmo quando mergulhava na demência, na casa dos sessenta anos. *Se você está sempre adiantado, nunca está atrasado.* O mantra do meu pai, e isso incluiu o começo do Alzheimer — um lento declínio em direção a uma queda íngreme e repentina que nos obrigou a transferir nosso pai independente e misógino para um asilo gigantesco que fedia a canja e urina, onde ele estaria cercado por mulheres o ajudando o tempo todo. Rá.

Meu pai tinha limitações. Foi o que minha mãe de bom coração sempre nos disse. Ele tinha limitações, mas não queria causar nenhum mal. Gentil da parte dela dizer isso, mas ele causou males, sim. Duvido que minha irmã um dia se case: quando está triste, aborrecida ou com raiva, precisa ficar só — ela teme um homem desprezando suas lágrimas femininas. Sou igualmente ruim. As coisas boas em mim, eu herdei da minha mãe. Sei brincar, sei rir, sei provocar, sei celebrar, apoiar e louvar — basicamente, sei funcionar à luz do sol —, mas não consigo lidar com mulheres raivosas ou chorosas. Sinto a fúria de meu pai crescer dentro de mim da forma mais feia. Amy poderia lhe dizer mais sobre isso. Decididamente lhe diria, se estivesse aqui.

Eu observei Rand e Marybeth por um tempo antes que eles me vissem. Perguntei-me quão furiosos estariam comigo. Eu cometera um ato imperdoável demorando tanto a telefonar para eles. Por causa de minha covardia, meus sogros sempre teriam aquela noite de tênis cravada em sua imaginação: a noite quente, as preguiçosas bolas amarelas quicando pela quadra, os guinchos dos tênis, uma noite de quinta-feira qualquer que eles aproveitaram enquanto sua filha estava desaparecida.

— Nick — chamou Rand Elliott ao me ver.

Ele deu três passos largos na minha direção e, enquanto eu me preparava para receber um soco, ele me abraçou com uma força desesperada.

— Como você está? — sussurrou em meu pescoço, e começou a me embalar. Finalmente engoliu com um som agudo, deu um suspiro abafado e me agarrou pelos braços. — Vamos encontrar Amy, Nick. Não pode ser diferente. Acredite nisso, está bem?

Rand Elliot me fitou com seu olhar azul por mais alguns segundos, depois teve outro surto — três engasgos efeminados brotaram dele como soluços — e Marybeth se juntou ao grupo, enterrando o rosto sob a axila do marido.

Quando nos separamos, ela olhou para mim com enormes olhos chocados.

— É um... Um maldito pesadelo. Como você está, Nick?

Quando Marybeth perguntava *Como você está?*, não era uma gentileza, era uma pergunta existencial. Ela examinou meu rosto, e eu tinha certeza de que estava me examinando, e continuaria a registrar todos os meus pensamentos e atos. Os Elliott acreditavam que cada característica devia ser considerada, avaliada, categorizada. Tudo significava algo, tudo podia ser usado. Mãe, pai, bebê, eles eram três pessoas evoluídas com três diplomas em psicologia — eles pensavam mais antes das nove horas da manhã do que a maioria das pessoas pensava no mês inteiro. Lembro-me de uma vez ter recusado uma torta de cerejas no jantar, e Rand ter inclinado a cabeça e dito: "Ah! Iconoclasta. Despreza o fácil patriotismo simbólico." E quando tentei descartar isso rindo e dizer, bem, também não gosto de bolo de cerejas, Marybeth tocou no braço de Rand: "Por causa do divórcio. Todas essas comidas caseiras, as sobremesas que uma família come reunida, são apenas lembranças ruins para Nick."

Era bobagem, mas inacreditavelmente gentil, aquelas pessoas gastando tanta energia tentando entender quem eu era. A resposta: eu não gosto de cereja.

* * *

Às onze e meia, a delegacia estava uma barulheira em ebulição. Telefones tocavam, pessoas gritavam de um lado da sala para o outro. Uma mulher cujo nome não ouvi, que registrei apenas como uma cabeçorra tagarela, de repente revelou sua presença ao meu lado. Não tinha ideia de quanto tempo havia que ela estava lá:

— ...e a razão principal disso, Nick, é apenas fazer com que as pessoas procurem por Amy e saibam que ela tem uma família que a ama e a quer de volta. Isso será muito controlado. Nick, você precisará... Nick?

— Sim.

— As pessoas vão querer uma breve declaração do marido.

Do outro lado da sala, Go disparava na minha direção. Ela me deixara na delegacia e depois correra para O Bar para cuidar de coisas de bar por trinta minutos, e estava de volta, agindo como se tivesse me abandonado por uma semana, ziguezagueando entre mesas, ignorando o jovem policial que claramente recebera a orientação de conduzi-la para dentro, em ordem, de forma apressada e digna.

— Tudo bem até agora? — perguntou Go, me envolvendo com um braço só, o abraço masculino. Os jovens Dunne não abraçam bem. O polegar de Go pousou no meu mamilo direito. — Queria que mamãe estivesse aqui — sussurrou ela, e era o que eu estivera pensando.

— Nenhuma notícia? — perguntou ela ao me soltar.

— Nada, porra nenhuma...

— Você está com uma cara de quem está se sentindo péssimo.

— Estou me sentindo mal para caralho.

Eu estava prestes a comentar como eu era um idiota por não ter dado atenção ao que ela dissera sobre o álcool.

— Eu também teria terminado a garrafa — afirmou ela, dando tapinhas nas minhas costas.

— Está quase na hora — anunciou a relações-públicas, aparecendo magicamente outra vez. — Até que está cheio para um fim de semana de Quatro de Julho.

Ela começou a conduzir todos nós para uma lúgubre sala de reuniões — venezianas de alumínio, cadeiras dobráveis e um punhado de repórteres entediados — e subiu no estrado. Eu me sentia como o terceiro palestrante em uma convenção medíocre, eu, nos meus tons de azul casual chique, falando para uma plateia cativa de pessoas com jet lag, sonhando acordadas com o que irão comer no almoço. Mas percebi que os repórteres acordaram ao me ver — sejamos sinceros: um cara jovem, de aparência decente —, e então a relações-públicas colocou um pôster em um cavalete próximo, e era uma foto ampliada de Amy em seu momento mais deslumbrante, aquele rosto que fazia você olhar de novo e de novo: *Ela não pode ser tão bonita, pode?* Ela podia, ela era, e fiquei olhando para a foto da minha esposa enquanto as câmeras tiravam fotos de mim olhando para a foto. Pensei naquele dia em Nova York em que a reencontrara: os cabelos louros, a parte de trás da cabeça, era tudo o que eu podia ver, mas sabia que era ela, e entendi aquilo como um sinal. Quantos milhões de cabeças eu vira na vida, mas sabia que aquele era o belo crânio de Amy flutuando pela Sétima Avenida à minha frente. Sabia que era ela, e que ficaríamos juntos.

Flashes dispararam. Eu me virei e vi holofotes. Era surreal. É o que as pessoas sempre dizem para descrever momentos que são apenas incomuns. Pensei: *Vocês não têm ideia do que é surreal, cacete.* Minha ressaca estava realmente esquentando agora, meu olho esquerdo pulsava como um coração.

As câmeras disparavam, e as duas famílias ali de pé, juntas, todos com os lábios crispados, Go era a única que chegava perto de parecer uma pessoa real. O restante de nós parecia representar humanos substitutos, corpos que haviam sido colocados em posição e expostos. Amy, ali em seu cavalete, parecia muito mais presente. Todos já havíamos visto essas coletivas — quando outras mulheres desapareciam. Estávamos sendo obrigados a interpretar a cena que os telespectadores esperavam: a família preocupada mas esperançosa. Olhos chocados de cafeína e braços de bonecas de pano.

Meu nome estava sendo dito; a sala engoliu em seco de expectativa. *Hora do show.*

Quando vi a transmissão mais tarde, não reconheci minha voz. Mal reconheci meu rosto. O álcool flutuando como lama logo abaixo da superfície da minha pele me dava a aparência de um perdulário bem nutrido, apenas sensual o bastante para ser desprezível. Eu temera que minha voz falhasse, então fui artificial e as palavras saíram sincopadas, como se estivesse lendo um relatório da bolsa. "Só queremos que Amy volte para casa em segurança..." Nem um pouco convincente, totalmente desconectado. Eu poderia muito bem estar lendo números de forma aleatória.

Rand Elliot se adiantou e tentou me salvar.

— Nossa filha, Amy, é uma garota encantadora, cheia de vida. É nossa filha única, e é inteligente, bonita e gentil. Ela realmente é a Amy Exemplar. E a queremos de volta. Nick a quer de volta.

Ele colocou a mão em meu ombro, limpou os olhos e eu involuntariamente fiquei paralisado. Meu pai novamente: *homens* não choram.

Rand continuou a falar.

— Todos a queremos de volta ao seu lugar, com sua família. Instalamos um centro de comando no Days Inn...

Os noticiários mostrariam Nick Dunne, marido da mulher desaparecida, de pé metalicamente junto ao sogro, braços cruzados, olhos vidrados, parecendo quase entediado, enquanto os pais de Amy choravam. E então, ainda pior. Minha antiga reação, a necessidade de lembrar às pessoas que eu não era um babaca, que era um cara legal apesar do olhar frio, do rosto de babaca pretensioso.

Então lá veio ele, do nada, enquanto Rand implorava pela volta da filha: um sorriso assassino.

AMY ELLIOTT DUNNE
5 DE JULHO DE 2010

ANOTAÇÃO EM DIÁRIO

Eu não vou culpar Nick. Não culpo Nick. Eu me recuso — recuso! — a me transformar em uma garota chata, insolente e estridente. Fiz duas promessas a mim mesma quando me casei com Nick. Primeira: nada de exigências de macaco amestrado. Segunda: eu nunca, jamais, diria *Claro, por mim tudo bem* (*se você quiser ficar na rua até mais tarde, se quiser ter um fim de semana entre rapazes, se quiser fazer algo que deseja*) e depois puni-lo por fazer o que eu disse que estava *tudo bem por mim*. Temo que esteja perigosamente perto de quebrar essas duas promessas.

Ainda assim. É nosso terceiro aniversário de casamento e estou sozinha em nosso apartamento, meu rosto coberto de lágrimas porque, bem, porque: hoje de tarde, recebo uma mensagem de voz de Nick e já sei que será ruim, sei no instante em que a mensagem começa, porque vejo que ele está ligando do celular e posso ouvir vozes masculinas ao fundo, e uma pausa longa, como se ele estivesse tentando decidir o que dizer, e então ouço sua voz de táxi pastosa, uma voz que já está úmida e preguiçosa de álcool, e sei que vou ficar com raiva — aquela inalação rápida, os lábios se crispando, ombros levantando, a sensação de *eu não quero ficar furiosa, mas vou ficar*. Será que os homens não conhecem essa sensação? Você não quer ficar furiosa, mas é obrigada a ficar, quase. Porque uma regra, uma boa regra, uma regra legal está sendo quebrada. Ou talvez *regra* seja a palavra errada. Protocolo? Gentileza? Mas a regra/protocolo/gentileza — nosso aniversário de casamento —

está sendo quebrada por uma boa razão, eu entendo, sério. Os boatos eram verdade: dezesseis funcionários foram demitidos da revista de Nick. Um terço da equipe. Nick foi poupado por ora, mas claro que ele se sente obrigado a levar os outros para se embebedar. Eles são homens, enfiados em um táxi, seguindo para a Segunda Avenida, fingindo que são corajosos. Uns poucos foram para casa e para suas esposas, mas um número surpreendente ficou na rua. Nick passará a noite do nosso aniversário de casamento pagando bebidas para esses homens, indo a clubes de striptease e bares vagabundos, flertando com garotas de vinte e dois anos (*Meu amigo aqui acabou de ser demitido, ele gostaria de um abraço*). Esses homens desempregados proclamarão Nick um grande sujeito enquanto ele paga suas bebidas com um cartão de crédito vinculado à minha conta bancária. Nick irá se divertir muito em nosso aniversário de casamento, que ele nem sequer mencionou na mensagem. Em vez disso, falou: *Sei que tínhamos planos, mas...*

Estou sendo mulherzinha. Mas pensei que isso seria uma tradição: eu espalhei pequenas mensagens de amor por toda a cidade, lembranças de nosso ano passado juntos, minha caça ao tesouro. Posso imaginar a terceira pista, pendurada por um durex no vértice do V da escultura *Love*, de Robert Indiana, perto do Central Park. Amanhã, algum turista entediado de doze anos se arrastando atrás dos pais irá pegá-la, ler, dar de ombros e soltá-la flutuando como um papel de chiclete.

O final de minha caça ao tesouro era perfeito, mas agora não é. É uma maleta vintage absolutamente gloriosa. Couro. Terceiro aniversário de casamento é couro. Um presente relacionado a trabalho pode ser uma má ideia, considerando que o trabalho agora não está exatamente alegre. Tenho duas lagostas vivas em nossa cozinha, como sempre. Ou como o que devia ser como sempre. Preciso telefonar para minha mãe e descobrir se posso guardá-las por um dia, agitando-se em sua caixa, ou se eu preciso entrar na cozinha, com meus olhos baços de vinho, enfrentá-las e fervê-las em minha panela sem qualquer motivo. Estou matando duas lagostas que nem ao menos irei comer.

Papai telefonou para nos desejar feliz aniversário de casamento, eu atendi e ia fingir que estava tudo bem, mas então desatei a chorar assim que comecei a falar — estava com a medonha fala-choro de garota: buáá-áá-buáá-áá-buáá-áá —, então tive de contar a ele o que havia acontecido, e ele me disse para abrir uma garrafa de vinho e me entregar um pouco a ela. Papai sempre defende um bom recolhimento indulgente. Ainda assim, Nick ficará com raiva por eu ter contado a Rand, e claro que Rand cumprirá seu dever paterno de dar um tapinha no ombro de Nick e dizer: "Ouvi dizer que você teve de se dedicar a um porre de emergência em seu aniversário de casamento, Nicky." E dará um risinho. E então Nick saberá, e ficará com raiva de mim, pois quer que meus pais acreditem que ele é perfeito — ele fica todo orgulhoso quando conto histórias de como ele é um genro impecável.

Exceto por esta noite. Eu sei, eu sei, estou sendo mulherzinha.

São cinco da manhã. O sol está nascendo, quase tão brilhante quanto as luzes lá fora que acabaram de se apagar. Sempre gostei de ver essa mudança quando estou acordada. Às vezes, quando não consigo dormir, saio da cama e ando pelas ruas ao amanhecer, e quando as luzes se apagam, todas ao mesmo tempo, sempre me sinto como se tivesse visto algo especial. Quero anunciar: *Ah, lá se vão as luzes da rua!* Em Nova York, a hora calma não é às três ou quatro da manhã — ainda há muitos retardatários em bares berrando uns com os outros enquanto desabam em táxis, gritando em seus celulares, fumando freneticamente um último cigarro antes de dormir. Cinco da manhã, essa é a melhor hora, quando o ruído dos seus saltos na calçada soa ilícito. Todas as pessoas foram colocadas em suas caixas, e você tem o lugar inteiro só para você.

Eis o que aconteceu: Nick chegou em casa pouco depois das quatro da manhã, um bulbo de cerveja, cigarro e ovos fritos grudado nele, uma placenta de fedor. Eu ainda estava acordada, esperando por ele, meu cérebro vazio após uma maratona de *Law and Order*. Ele se sentou em nosso divã, espiou o presente na mesa e não disse nada. Olhei para ele. Claramente não ia chegar nem perto de um pedido de desculpas — *ei, foi mal, as coisas ficaram feias hoje*. Era só o que eu queria, apenas um rápido reconhecimento.

— Feliz dia seguinte do aniversário de casamento — começo.

Ele suspira, um profundo gemido ofendido.

— Amy, eu tive o pior dia de todos os tempos. Por favor, não me faça me sentir culpado além de tudo.

Nick cresceu com um pai que nunca, jamais se desculpava, então, quando sente que fez algo errado, ele parte para o ataque. Eu sei disso, e normalmente consigo esperar que termine... normalmente.

— Só estou dizendo feliz aniversário de casamento.

— Feliz aniversário de casamento, meu marido babaca que me abandonou em meu grande dia.

Ficamos sentados em silêncio por um minuto, um nó se formando no meu estômago. Não quero ser a vilã aqui. Não mereço isso. Nick se levanta.

— E então, como foi? — pergunto, desinteressada.

— Como foi? Foi horrível, porra. Dezesseis dos meus amigos agora estão desempregados. Foi pavoroso. Eu provavelmente também vou ser mandado embora daqui a alguns meses.

Amigos. Ele nem gosta de metade dos caras com os quais passou a noite, mas não digo nada.

— Sei que a situação parece péssima agora, Nick. Mas...

— A situação não é péssima para você, Amy. Não para você, nunca será péssima. Mas para o resto de nós? É muito diferente.

A velha discussão. Nick fica ressentido porque nunca tive de me preocupar com dinheiro e porque nunca terei. Ele acha que isso me torna mais fraca que todos os outros, e não discordo dele. Mas eu trabalho. Bato ponto ao entrar e bato ponto ao sair. Algumas de minhas amigas literalmente nunca tiveram um emprego; elas falam de pessoas com empregos com o tom de pena que você usaria ao falar de uma garota gorda com "um rosto tão bonito". Elas se inclinam para a frente e dizem: "Mas claro, Ellen tem de trabalhar", como algo saído de uma peça de Noël Coward. Elas não me incluem, porque eu posso largar o emprego a qualquer momento, caso queira. Poderia passar o dia cuidando de comitês beneficentes, decoração de interiores, jardinagem e trabalho voluntário, e não acho que haja nada de errado em construir uma vida com base nessas coisas. A maioria das coisas bonitas e boas é feita por mulheres que as pessoas desprezam. Mas eu trabalho.

— Nick, estou do seu lado. Ficaremos bem, não importa o que aconteça. Meu dinheiro é seu dinheiro.

— Não segundo o acordo pré-nupcial.

Ele está bêbado. Só menciona o acordo pré-nupcial quando está bêbado. Então todo o ressentimento volta à tona. Eu disse a ele centenas, literalmente *centenas de vezes*, as palavras: o acordo pré-nupcial não passa de negócios. Não é para mim, não é nem para meus pais, é para os advogados dos meus pais. Não quer dizer nada sobre nós, não sobre mim e você.

Ele vai na direção da cozinha, joga a carteira e dólares amassados na mesinha de centro, amassa um papel e o atira no lixo com uma série de recibos de cartão de crédito.

— É muito escroto você dizer isso, Nick.

— É muito escroto sentir isso, Amy.

Ele vai até o bar — no passo cuidadoso e arrastado de um bêbado — e se serve de outro drinque.

— Você vai passar mal — digo.

Ele ergue o copo em um brinde como que mandando que eu vá me catar.

— Você simplesmente não entende, Amy. Simplesmente não entende. Eu trabalho desde que tinha catorze anos. Eu não fui para uma porra de acampamento de tênis, acampamento de escrita criativa, não fiz curso para admissão à universidade e toda essa merda que aparentemente todo mundo em Nova York fez, porque eu estava limpando mesas no shopping e aparando gramados e indo para Hannibal e me vestindo como Huck Finn para os turistas, cacete, e estava limpando as panelas de *funnel cake* à meia-noite.

Sinto vontade de rir, na verdade de cair na gargalhada, uma grande gargalhada visceral que conquistaria Nick, e logo ambos estaríamos rindo e a discussão estaria terminada. Aquela litania de trabalhos vagabundos. Ser casada com Nick sempre me faz lembrar: as pessoas têm de fazer coisas medonhas por dinheiro. Desde que estou casada com Nick, sempre cumprimento pessoas vestidas de comida.

— Eu tive de trabalhar muito mais do que todos os outros na revista apenas para *entrar* para a revista. Basicamente trabalhei vinte anos para chegar onde estou, e agora tudo vai acabar, e não há porra nenhuma que eu saiba fazer no lugar disso, a não ser que queira voltar para a minha cidade e ser um rato de rio novamente.

— Você provavelmente está velho demais para interpretar Huck Finn — digo.

— Vá se foder, Amy.

E então ele vai para o quarto. Ele nunca me disse isso antes, mas saiu de sua boca tão facilmente que eu suponho — e isso nunca passou pela minha cabeça —, eu suponho que ele já pensou isso. Muitas vezes. Nunca pensei que seria o tipo de mulher cujo marido mandaria ir se foder. E havíamos prometido nunca ir para a cama com raiva. Concessão, comunicação, e nunca ir para a cama com raiva — os três conselhos dados e repetidos aos recém-casados. Mas ultimamente parece que eu sou a única a fazer concessões. Nossa comunicação não resolve nada, e Nick é muito bom em ir para a cama com raiva. Ele pode fechar suas emoções como uma torneira. Já está roncando.

E então não consigo me conter, embora não seja da minha conta, embora Nick fosse ficar furioso se soubesse: vou até a lata de lixo e tiro os recibos, para descobrir onde ele esteve a noite toda. Dois bares, dois clubes de striptease. E posso vê-lo em cada um, falando de mim para os amigos, porque já devia ter falado de mim, para que toda aquela maldade mesquinha e suja saísse tão facilmente. Eu os imagino em um dos clubes de striptease mais caros, daqueles luxuosos, que fazem os homens acreditarem que ainda são projetados para comandar, que as mulheres existem para servi-los, a acústica deliberadamente ruim e a música martelando para que ninguém tenha de conversar, uma mulher de peitos siliconados montada em meu marido (que jura que é tudo brincadeira), os cabelos escorrendo pelas costas, os lábios com *gloss*, mas não devo me sentir ameaçada, não, é apenas farra juvenil, devo rir disso, devo levar *na esportiva*.

Então desenrolo o papel amassado e vejo uma caligrafia de mulher — Hannah — e um número de telefone. Gostaria que fosse como nos filmes, algo bobo como nome, CanDee ou Bambie, algo que me fizesse erguer os olhos para o teto. Misti, com dois corações como pingos nos is. Mas o nome é Hannah, que é uma mulher real, presumivelmente como eu. Nick nunca me traiu, ele jurou isso, mas eu também sei que ele tem muitas oportunidades. Eu poderia perguntar a ele sobre Hannah, e ele diria: *Não tenho ideia de por que ela me deu o telefone, mas não quis ser grosseiro, então aceitei*. O que pode ser verdade. Ou não. Ele poderia me trair e nunca me contar, e teria uma opinião cada vez pior de mim por não descobrir. Ele me veria do outro lado da mesa do café, comendo cereal inocentemente, e saberia que sou uma idiota, e como alguém pode respeitar uma idiota?

Agora estou chorando novamente, com Hannah em minha mão.

É uma coisa muito feminina, não é, pegar uma noite entre rapazes e piorá-la até transformá-la em uma infidelidade matrimonial que irá destruir nosso casamento?

Não sei o que devo fazer. Estou me sentindo uma megera esganiçada ou um capacho idiota — não sei qual. Não quero ficar com raiva, não consigo sequer saber se deveria estar com raiva. Penso em me hospedar em um hotel, deixar que ele pense em *mim*, para variar.

Fico onde estou durante alguns minutos, depois respiro profundamente e entro em nosso quarto úmido de álcool, e quando deito na cama ele se vira para mim, passa os braços ao meu redor, enfia o rosto em meu pescoço e nós dois dizemos ao mesmo tempo: "Me desculpe."

NICK DUNNE
UM DIA SUMIDA

Flashes espocaram, e eu guardei o sorriso, mas não rápido o bastante. Senti uma onda de calor subir pelo meu pescoço, e gotas de suor brotando em meu nariz. *Idiota, Nick, idiota.* E então, bem quando eu estava me recompondo, a coletiva terminou e era tarde demais para passar outra impressão.

Saí com os Elliott, minha cabeça baixa enquanto mais flashes espocavam. Estava quase na saída quando Gilpin cruzou a sala na minha direção, acenando.

— Posso falar com você um minuto, Nick?

Ele me atualizou enquanto seguíamos para um escritório nos fundos.

— Verificamos aquela casa em sua vizinhança que foi invadida, parece que pessoas acamparam lá, então levamos os peritos. E descobrimos que outra casa dentro do condomínio tinha intrusos.

— Bom, isso é o que me preocupa — expliquei. — Há caras acampados por toda parte. Esta cidade está tomada de gente desempregada e puta da vida.

Um ano atrás, Carthage era uma cidade controlada por uma única empresa, e essa empresa era o amplo Riverway Mall, quase uma outra pequena cidade, que um dia empregou quatro mil moradores locais — um quinto da população. Construído em 1985, era um shopping que deveria atrair consumidores de todo o Meio-Oeste. Ainda me lembro do dia da inauguração: eu e Go, mamãe e papai, observando a festa do fundo da multidão no enorme estacionamento asfaltado, porque nosso pai sempre queria ser capaz de sair rapidamente de qualquer lugar.

Mesmo em jogos de beisebol, nós estacionávamos junto à saída e íamos embora no oitavo *inning*, eu e Go em um previsível choramingar, sujos de mostarda, queimados de sol e resmungando: *nós nunca podemos assistir ao final*. Mas dessa vez nosso ponto de vista distante era desejável, porque nos permitia captar todo o Acontecimento: a multidão impaciente trocando o peso de um pé para o outro; o prefeito no alto de um palanque vermelho, branco e azul; as palavras grandiosas — *orgulho, crescimento, prosperidade, sucesso* — ribombando acima de nós, soldados no campo de batalha do consumismo, armados com talões de cheques em carteiras de vinil e bolsas tricotadas. E as portas se abrindo. E o avanço rápido para o ar-condicionado, a música ambiente, os vendedores sorridentes, que eram nossos vizinhos. Meu pai até nos deixou entrar naquele dia, até esperou na fila e comprou algo para a gente: copos descartáveis suados com suco de laranja até a borda.

Durante um quarto de século, o Riverway Mall foi dado como certo. Então chegou a recessão e levou o Riverway loja após loja, até que todo o shopping finalmente faliu. Hoje são cento e oitenta e cinco mil metros quadrados de eco. Nenhuma empresa se interessou pelo espaço, nenhum empresário prometeu uma ressurreição, ninguém sabia o que fazer com ele ou o que seria de todas as pessoas que tinham trabalhado lá, incluindo minha mãe, que perdeu seu emprego na Shoe-Be-Doo-Be — duas décadas ajoelhando e fazendo laços, separando caixas e catando meias suadas, descartadas sem cerimônia.

A decadência do shopping basicamente levou Carthage à falência. As pessoas perderam os empregos, perderam as casas. Ninguém conseguia ver nada de bom no futuro. *Nós nunca podemos assistir ao final*. Só que dessa vez parecia que Go e eu assistiríamos. Todos assistiríamos.

A falência combinou perfeitamente com minha psique. Durante anos eu estivera entediado. Não um tédio reclamão e inquieto de criança (embora não estivesse acima disso), mas um mal-estar denso, paralisante. A mim parecia que nunca mais haveria algo de novo a ser descoberto. Nossa sociedade era total e tragicamente derivativa (embora a palavra *derivativa* como crítica seja em si derivativa). Éramos os primeiros seres humanos que nunca veriam algo pela primeira vez. Nós olhávamos para as maravilhas do mundo de olhos embotados, desanimados. A *Mona Lisa*, as pirâmides, o Empire State Building. Animais da selva atacando, antigos icebergs derretendo, vulcões entrando em erupção. Não consigo me lembrar de uma só coisa que eu tenha visto em primeira mão que não ligasse imediatamente a um filme ou programa de TV. Um maldito comercial. Você conhece o medonho trinado do blasé: *Jááá vi*. Eu literalmente já vi tudo, e o pior, o que faz com que eu queira explodir meus miolos, é: a experiência de segunda mão é sempre melhor. A imagem é mais nítida, a visão é mais intensa, o ângulo da câmera e a trilha sonora manipulam minhas emoções de uma forma que a realidade já não consegue fazer. Não sei se a essa altura somos realmente humanos, aqueles de nós que são como a maioria de nós, que cresceram com TV, filmes e agora internet. Quando somos traídos, sabemos quais palavras dizer; quando um ente querido morre, sabemos quais palavras dizer. Quando queremos bancar o fodão, o espertinho ou o idiota, sabemos quais palavras dizer. Todos trabalhamos a partir do mesmo roteiro gasto.

É uma época muito difícil para ser uma pessoa, apenas uma pessoa real, de verdade, em vez de uma coleção de traços de personalidade escolhidos de uma interminável máquina automática de personagens.

E se todos nós estamos atuando, não pode existir algo como uma alma gêmea, porque não temos almas genuínas.

Chegara ao ponto em que parecia que nada importava, pois não sou uma pessoa de verdade, e ninguém mais é.

Eu teria feito qualquer coisa para me sentir real novamente.

Gilpin abriu a porta da mesma sala onde eles haviam me interrogado na noite anterior. No centro da mesa estava a caixa de presente prateada de Amy.

Eu fiquei olhando para a caixa no meio da mesa, tão agourenta naquele novo ambiente. Uma sensação de terror tomou conta de mim. Por que eu não a havia encontrado antes? Eu deveria tê-la encontrado.

— Vá em frente — incentivou Gilpin. — Queríamos que você desse uma olhada nisso.

Eu abri com muito cuidado, como se pudesse haver uma cabeça ali dentro. Encontrei apenas um envelope azul-cremoso onde estava escrito PRIMEIRA PISTA.

Gilpin sorriu.

— Imagine nossa confusão: um caso de pessoa desaparecida, e aqui temos um envelope escrito PRIMEIRA PISTA.

— É para uma caça ao tesouro que minha esposa...

— Eu sei. Para o aniversário de casamento de vocês. Seu sogro mencionou.

Eu abri o envelope, tirei um pedaço comprido de papel azul-celeste — o papel que era marca registrada de Amy — dobrado ao meio. Subiu bile pela minha garganta. Aquelas caças ao tesouro sempre se resumiam a uma única questão: quem é Amy? (O que minha esposa está pensando? O que foi importante para ela no último ano? Quais momentos a deixaram mais feliz? Amy, Amy, Amy, vamos pensar sobre Amy.)

Li a primeira pista com dentes trincados. Considerando nosso clima matrimonial no ano passado, aquilo me faria parecer horrível. Eu não precisava de mais nada que me fizesse parecer horrível.

> *Eu me imagino como uma estudante,*
> *Com um professor tão belo e brilhante*
> *Minha mente se abre (para não falar em minhas coxas!)*
> *Se eu fosse sua pupila, não haveria necessidade de flores*
> *Talvez apenas um encontro safado nos corredores*
> *Então corra, ande logo, por favor*
> *E desta vez eu ensinarei uma coisinha ou outra ao meu professor.*

Era um roteiro para uma vida alternativa. Se as coisas tivessem acontecido de acordo com a visão da minha esposa, ontem ela teria pairado perto de mim enquanto eu lia esse poema, observando-me com ansiedade, a esperança emanando dela como uma febre: *Por favor, entenda isso. Por favor, me entenda.*

E ela finalmente diria: *Então?*

E eu diria:

— Ah, esta eu até entendi! Ela deve estar se referindo ao meu escritório. Na faculdade. Eu sou professor adjunto lá. Ahn. Quer dizer, deve ser isso, certo? — Eu semicerrei os olhos e reli. — Ela pegou leve comigo este ano.

— Quer que eu o leve até lá? — perguntou Gilpin.

— Não, estou com o carro de Go.

— Então sigo você.

— Você acha que é importante?

— Bem, isso revela os movimentos dela um ou dois dias antes de desaparecer. Então não é desimportante — respondeu ele, olhando para o papel. — Isso é lindo, sabe? Como algo saído de um filme: uma caça ao tesouro. Minha esposa e eu trocamos um cartão e às vezes saímos para comer. Parece que vocês estavam fazendo do jeito certo. Preservando o romance.

Então Gilpin olhou para os próprios sapatos, ficou envergonhado e sacudiu as chaves para ir embora.

* * *

A faculdade tinha me presenteado de forma grandiosa com um escritório que era mais um caixão, com espaço para uma escrivaninha, duas cadeiras e algumas prateleiras. Gilpin e eu abrimos caminho em meio a alunos de cursos de verão, uma combinação de garotos insuportavelmente jovens (entediados mas ocupados, os dedos digitando mensagens de texto ou sintonizando música) e pessoas mais velhas e muito sérias que eu supunha serem antigos funcionários do shopping tentando se preparar para uma nova carreira.

— O que você leciona? — perguntou Gilpin.

— Jornalismo, jornalismo para revistas.

Uma garota escrevendo uma mensagem de texto enquanto andava se esqueceu das nuances desta última atividade e quase esbarrou em mim. Ela deu um passo para o lado sem erguer os olhos. Isso me deixou irritado, como um velho ranzinza do tipo que grita *saia do meu gramado!*

— Achei que você não trabalhasse mais com jornalismo.

— Quem não sabe fazer... — retruquei, sorrindo.

Destranquei meu escritório, entrei no ambiente fechado com cheiro de poeira. Eu havia tirado férias no verão; fazia semanas que eu não entrava ali. Na minha mesa havia outro envelope, que dizia SEGUNDA PISTA.

— Sua chave fica sempre no seu chaveiro? — perguntou Gilpin.

— Sim.

— Então Amy poderia ter pegado emprestada para entrar?

Eu rasguei a lateral do envelope.

— E temos uma cópia em casa.

Amy fazia duplicatas de tudo — eu tinha uma tendência a perder chaves, cartões de crédito, celulares, mas não queria contar isso a Gilpin, dar outro sinal de ser o-bebê-da-família.

— Por quê?

— Ah, só queria ter certeza de que ela não teve de usar um zelador ou outra pessoa.

— Nenhum tipo Freddy Krueger aqui, que eu tenha notado.

— Nunca vi esses filmes — retrucou Gilpin.

Dentro do envelope havia duas folhas de papel dobradas. Uma tinha um coração, a outra tinha escrito PISTA.

Dois bilhetes. Diferente. Meu estômago deu um nó. Só Deus sabia o que Amy iria dizer. Eu abri o bilhete que tinha o coração. Queria não ter deixado Gilpin entrar, e então vi as primeiras palavras.

Meu Querido Marido,

 Achei que este era o lugar perfeito — estes sacrossantos salões do aprendizado! — para lhe dizer que acho você um homem brilhante. Não lhe digo isso o bastante, mas me impressiono com sua mente: as estatísticas bizarras e as histórias, os fatos estranhos, a perturbadora capacidade de citar qualquer filme, a perspicácia, o modo bonito como você diz as coisas. Após anos juntos, acho que um casal pode esquecer quão maravilhosos acham um ao outro. Lembro-me de quando nos conhecemos, como fiquei deslumbrada com você, então quis tirar um momento para dizer que ainda estou, e que esta é uma das coisas que mais gosto em você: você é BRILHANTE.

Minha boca se encheu de saliva. Gilpin estava lendo por sobre meu ombro, e suspirou.

— Que gentil, ela — elogiou. Depois pigarreou. — Uhn, ahn, é sua?

Ele usou o lado da borracha de um lápis para levantar uma lingerie feminina (tecnicamente era uma calcinha — fio dental, rendada, vermelha —, mas eu sei como as mulheres não gostam da palavra, basta digitar *odeio a palavra* calcinha no Google). Estava pendurada em um botão do ar-condicionado.

— Ai, meu Deus. Isso é constrangedor.

Gilpin ficou esperando uma explicação.

— Ah, uma vez Amy e eu, bem, você leu o bilhete. Nós... tipo, você sabe, às vezes a gente precisa apimentar um pouco as coisas.

Gilpin sorriu.

— Ah, saquei: professor lascivo e estudante safada. Saquei. Vocês dois realmente estão fazendo a coisa do jeito certo.

Estiquei a mão para pegar a lingerie, mas Gilpin já estava tirando do bolso um saquinho de provas e colocando-a dentro dele.

— Apenas uma precaução — disse, inexplicavelmente.

— Ah, por favor, não. Amy iria morrer... — disse, e me interrompi.

— Não se preocupe, Nick, é o protocolo, meu amigo. Você não acreditaria nas coisas pelas quais temos de passar. *Só para o caso de, só para o caso de*. Ridículo. O que a pista diz?

Deixei que lesse por sobre meu ombro novamente, seu chocante cheiro fresco me distraindo.

— E o que essa significa? — perguntou.

— Não faço ideia — menti.

Finalmente me livrei de Gilpin, depois segui sem rumo pela rodovia para poder fazer uma ligação no meu celular descartável. Ninguém atendeu.

Não deixei mensagem. Acelerei um pouco mais, como se pudesse chegar a algum lugar, depois retornei e dirigi os quarenta e cinco minutos de volta à cidade para me encontrar com os Elliott no Days Inn. Entrei em um saguão lotado de membros da Associação de Contadores do Meio-Oeste — malas de rodinha estacionadas por toda parte, seus donos tomando drinques de boas-vindas em copos descartáveis e fazendo contatos, risos guturais forçados e cartões de visita saindo de bolsos. Subi no elevador com quatro homens, todos ficando calvos, com calças cáqui e camisas polo, cordões de crachás sacudindo sobre barrigas redondas e casadas.

Marybeth abriu a porta enquanto falava ao celular; apontou para a TV e sussurrou para mim:

— Temos uma bandeja de frios caso queira, querido.

Depois foi para o banheiro e fechou a porta, os murmúrios continuando.

Ela saiu cinco minutos depois, bem a tempo do noticiário local de St. Louis das cinco horas, que abriu com o desaparecimento de Amy.

— Foto perfeita — murmurou ela para a tela, de onde Amy olhava de volta para nós. — As pessoas verão e saberão realmente como Amy é.

Eu achava o retrato — uma foto só do rosto de Amy, durante seu breve flerte com a interpretação — bonito, mas perturbador. Os retratos de Amy davam a sensação de que ela estava olhando para você, como um antigo retrato de casa assombrada, os olhos se movendo da esquerda para a direita.

— Também deveríamos dar a eles algumas fotos mais naturais — sugeri. — Algumas do dia a dia.

Os Elliott confirmaram juntos com um aceno de cabeça, mas não disseram nada enquanto assistiam. Quando a matéria terminou, Rand rompeu o silêncio.

— Estou enjoado.

— Eu sei — disse Marybeth.

— Como você está aguentando, Nick? — perguntou Rand, curvado, as mãos nos joelhos, como se estivesse se preparando para levantar do sofá, mas não conseguindo.

— Estou um caco, para dizer a verdade. Estou me sentindo muito inútil.

— Vem cá, tenho de perguntar, e quanto aos seus empregados, Nick? — perguntou Rand, finalmente se levantando. Ele foi ao frigobar, serviu-se de um ginger ale, depois se virou para mim e Marybeth. — Alguém? Algo? Nada?

Eu balancei a cabeça; Marybeth pediu um club soda.

— Quer um pouco de gim com isso, querida? — perguntou Rand, a voz grave ficando aguda na última palavra.

— Claro. Sim. Quero.

Marybeth fechou os olhos, dobrou o corpo e colocou o rosto entre os joelhos; depois respirou fundo e se sentou de novo exatamente na posição anterior, como se o movimento todo não passasse de um exercício de ioga.

— Eu dei a eles listas com todos os nomes — informei. — Mas é um negócio bastante pequeno, Rand. Não acho que seja o lugar certo para procurar.

Rand colocou a mão sobre a boca e esfregou para cima, a carne de suas bochechas se acumulando ao redor dos olhos.

— Claro, estamos fazendo o mesmo com o nosso negócio, Nick.

Rand e Marybeth sempre se referiam à série *Amy Exemplar* como um negócio, o que superficialmente nunca deixei de achar bobo. São livros infantis, sobre uma garotinha perfeita que é retratada na capa de todo livro, uma versão desenhada da minha própria Amy. Mas claro que eles são (eram) um negócio, grande negócio. Foram obrigatórios no ensino fundamental por quase duas décadas, em grande parte graças aos questionários no final de cada capítulo.

Na terceira série, por exemplo, Amy Exemplar flagrou seu amigo Brian dando comida demais para a tartaruga da turma. Ela tentou argumentar com ele, mas, quando Brian insistiu em dar porções extras, Amy não teve opção senão delatá-lo à professora: "Sra. Tibbles, não quero ser uma fofoqueira, mas não sei bem o que fazer. Tentei eu mesma falar com Brian, mas agora... Acho que preciso da ajuda de um adulto..." A consequência:

1) *Brian disse a Amy que ela não era uma amiga confiável e parou de falar com ela.*
2) *Sua amiga tímida, Susan, disse que Amy não deveria ter contado; deveria ter recolhido a comida em segredo sem que Brian soubesse.*
3) *A arquirrival de Amy, Joanna, disse que Amy era invejosa e só queria alimentar a tartaruga ela mesma.*
4) *Amy se recusou a voltar atrás — sentia que havia feito a coisa certa.*

Quem está certo?!

Bem, isso é fácil, pois Amy sempre está certa, em todas as histórias. (Não pense que não mencionei isso em minhas discussões com minha Amy real, porque mencionei, mais de uma vez.)

Os questionários — escritos por *dois psicólogos, que também são pais como você!* — tinham a intenção de revelar os traços de personalidade das crianças: o seu pequenino é um ressentido que não aceita ser censurado, como Brian? Um facilitador covarde como Suzy? Um provocador como Joanna? Ou perfeito, *como Amy*? Os livros foram muito populares na classe *yuppie* emergente: foram a "pedra de estimação" da paternidade, o cubo mágico de como criar uma criança. Os Elliott ficaram ricos. Em dado momento estimou-se que toda biblioteca de escola nos Estados Unidos tinha um livro da série *Amy Exemplar*.

— Vocês temem que isso possa estar ligado ao negócio da *Amy Exemplar*? — perguntei.

— Há algumas pessoas que achamos que merecem ser investigadas — começou Rand.

Eu tossi uma risada.

— Vocês acham que Judith Viorst sequestrou Amy para Alexander para que ele não tenha mais Dias Terríveis, Horríveis, Nada Bons, Muito Ruins?

Rand e Marybeth voltaram seus rostos com a mesma expressão surpresa-desapontada para mim. Era uma coisa grosseira e sem graça de se dizer — meu cérebro arrotava pensamentos inadequados desse tipo em momentos inoportunos. Gases mentais que eu não conseguia controlar. Tipo: eu havia começado a cantar na minha cabeça a letra de "Bony Moronie" sempre que via minha amiga policial. "*She's as skinny as a stick of macaroni*", cantarolava meu cérebro enquanto a detetive Rhonda Boney me contava sobre dragar o rio em busca de minha esposa desaparecida. *Mecanismo de defesa*, eu dizia a mim mesmo, *apenas um estranho mecanismo de defesa*. Eu gostaria que isso parasse.

Mudei minha perna de posição delicadamente, falei delicadamente, como se minhas palavras fossem uma pilha desajeitada de porcelana.

— Desculpem-me, não sei por que disse isso.

— Estamos todos cansados — sugeriu Rand.

— Vamos mandar os policiais atrás de Viorst — tentou Marybeth. — E também daquela piranha da Beverly Cleary.

Era menos uma piada do que um perdão.

— Acho que eu deveria dizer a vocês — comecei. — Os policiais, é normal nesse tipo de caso...

— Investigar primeiro o marido, eu sei — interrompeu Rand. — Eu disse que eles estavam perdendo tempo. As perguntas que nos fizeram...

— Foram ofensivas — concluiu Marybeth.
— Então falaram com vocês? Sobre mim?
Fui para o frigobar e me servi de um gim descontraidamente. Virei três goles seguidos e logo me senti pior. Meu estômago estava subindo para o meu esôfago.
— Que tipo de coisa eles perguntaram?
— Se você já machucou Amy, se Amy alguma vez mencionou você ameaçando-a — enumerou Marybeth. — Se você é um mulherengo, se Amy alguma vez mencionou que você a tinha traído. Porque isso é a cara de Amy, não? Disse a eles que não criamos um capacho.
Rand colocou uma mão no meu ombro.
— Nick, o que deveríamos ter dito, antes de tudo, é: sabemos que você nunca, jamais, machucaria Amy. Eu até contei à polícia, contei sobre aquela vez em que você salvou o camundongo na casa de praia, salvou-o da armadilha de cola — disse ele, olhando para Marybeth como se ela não conhecesse a história, e Marybeth agradeceu com toda a sua atenção. — Passou uma hora tentando encurralar a maldita coisa, e então literalmente expulsou o pequeno desgraçado da cidade. Isso parece um cara que machucaria sua esposa?
Senti uma onda de intensa culpa, aversão por mim mesmo. Por um segundo, pensei que poderia chorar, finalmente.
— Amamos você, Nick — disse Rand, dando um último aperto.
— Amamos mesmo, Nick — ecoou Marybeth. — Você é nosso filho. Lamentamos muitíssimo que além de Amy estar desaparecida você tenha de lidar com essa... nuvem de suspeita.
Não gostei da expressão *nuvem de suspeita*. Preferia *investigação de rotina* ou *uma mera formalidade*.
— Eles perguntaram sobre sua reserva no restaurante naquela noite — comentou Marybeth, um olhar exageradamente descontraído.
— Minha reserva?
— Falaram que você disse a eles que tinha uma reserva no Houston's, mas verificaram, e não havia reserva. Pareceram bastante interessados nisso.
Eu não tinha reserva, e não tinha presente. Porque se eu planejara matar Amy naquele dia, não precisaria de reservas para a noite nem de um presente que nunca daria a ela. Marcas de um assassino extremamente pragmático.
Sou excessivamente pragmático — meus amigos com certeza poderiam dizer isso à polícia.

— Ah, não. Não, nunca fiz reserva nenhuma. Eles devem ter me entendido mal. Vou esclarecer com eles.

Eu me joguei no sofá em frente a Marybeth. Não queria que Rand me tocasse novamente.

— Ah, certo. Bom — disse Marybeth. — Ela, ahn, você teve uma caça ao tesouro este ano? Antes... — perguntou, os olhos ficando vermelhos novamente.

— Sim, eles me deram a primeira pista hoje. Gilpin e eu encontramos a segunda em meu escritório na faculdade. Ainda estou tentando entendê-la.

— Podemos dar uma olhada? — pediu minha sogra.

— Não estou com ela — menti.

— Você vai... Você vai tentar descobrir, Nick? — perguntou Marybeth.

— Vou, Marybeth. Eu vou descobrir.

— É que eu detesto a ideia de coisas em que ela tocou deixadas por aí, sozinhas...

Meu telefone tocou, o descartável, e eu dei uma olhada na tela, depois desliguei. Precisava me livrar da coisa, mas ainda não podia.

— Você deveria atender todos os telefonemas, Nick — sugeriu Marybeth.

— Eu reconheci este... apenas o fundo de formatura da faculdade querendo dinheiro.

Rand sentou-se ao meu lado no sofá. As almofadas velhas e muito gastas afundaram incrivelmente sob nosso peso, então acabamos empurrados um contra o outro, nossos braços se tocando, o que não era problema para Rand. Ele era um daqueles caras que dizem *eu gosto de abraçar* enquanto vão na sua direção, deixando de perguntar se o sentimento é mútuo.

Marybeth voltou aos negócios.

— Achamos que é possível que um obcecado por *Amy* a tenha levado — explicou, virando-se para mim como se apresentando um caso. — Tivemos alguns ao longo dos anos.

Amy gostava de relembrar histórias de homens obcecados por ela. Descrevia os perseguidores em voz baixa enquanto bebia vinho em vários momentos de nosso casamento — homens que ainda estavam à solta, sempre pensando nela e a desejando. Eu suspeitava que essas histórias fossem exageradas: os homens sempre eram perigosos em um grau muito preciso — o suficiente para que eu me preocupasse, mas não o bastante para que precisássemos envolver a polícia. Resumindo, um mundo de fantasia em que eu podia ser o herói de peito estufado de Amy, defendendo sua honra. Amy era independente demais, moderna demais para conseguir admitir a verdade: ela queria brincar de donzela.

— Ultimamente?

— Não, ultimamente não — respondeu Marybeth, mordendo o lábio. — Mas houve uma garota muito perturbada no ensino médio.

— Perturbada como?

— Ela era obcecada por Amy. Bem, pela *Amy Exemplar*. Seu nome era Hilary Handy; ela se inspirou na melhor amiga de Amy nos livros, Suzy. No começo era meigo, até. E depois foi como se isso já não bastasse; ela queria ser a Amy Exemplar, não Suzy, a amiga. Então começou a imitar a *nossa* Amy. Ela se vestia como Amy, pintou o cabelo de louro, ficava parada na frente de nossa casa em Nova York. Uma vez eu estava caminhando pela rua e ela foi correndo até mim, essa garota estranha, passou o braço por baixo do meu e disse: "Eu vou ser sua filha agora. Vou matar Amy e ser sua nova Amy. Porque na verdade não faz diferença para você, não é? Desde que você tenha *uma Amy*." Como se nossa filha fosse uma obra de ficção que ela pudesse reescrever.

— Finalmente conseguimos uma ordem de restrição contra ela, porque ela derrubou Amy em uma escadaria na escola — explicou Rand. — Uma garota muito perturbada. Esse tipo de mentalidade não muda.

— E depois tem Desi — disse Marybeth.

— E tem Desi — disse Rand.

Até eu sabia sobre Desi. Amy estudara em um colégio interno em Massachusetts chamado Wickshire Academy — eu vira as fotos, Amy de saia de lacrosse e faixa na cabeça, sempre com cores outonais ao fundo, como se a escola não fosse em uma cidade, mas em um mês. Outubro. Desi Collings estudava no correspondente masculino do Wickshire. Nas histórias de Amy ele era uma figura pálida e romântica, e seu cortejo fora do tipo internato: jogos de futebol americano gelados e bailes acalorados, buquês de lilases e passeios em um Jaguar antigo. Tudo meio século passado.

Eles namoraram firme por um ano. Mas Amy começou a achá-lo preocupante: ele falava como se estivessem noivos, sabia quantos filhos teriam e de qual sexo. Seriam quatro filhos, todos meninos, o que lembrava estranhamente a família do próprio Desi. E quando ele levou a mãe para conhecê-la, Amy ficou com vontade de vomitar diante da impressionante semelhança entre ela mesma e a Sra. Collings. A mulher mais velha beijara sua face friamente e murmurara com calma em seu ouvido: "Boa sorte." Amy não sabia se era um aviso ou uma ameaça.

Depois que Amy terminou com Desi, ele ainda continuou frequentando o campus de Wickshire, uma figura fantasmagórica de paletós escuros, encostado em carvalhos invernais sem folhas. Amy voltou de um baile certa noite de fevereiro e o encontrou deitado em sua cama, nu sobre as cobertas, grogue de uma pequena overdose de comprimidos. Desi saiu da escola pouco depois.

Mas ainda telefonava para ela, mesmo agora, e várias vezes por ano enviava grossos envelopes recheados que Amy jogava fora sem abrir após mostrá-los para mim. Tinham o carimbo de St. Louis, a quarenta minutos de distância. "É uma horrível e infeliz coincidência", dissera ela. Desi tinha laços familiares com St. Louis pelo lado materno. Isso ela sabia, mas não se preocupou em saber mais. Eu revirara o lixo para recuperar um dos envelopes e lera a carta, grudenta de molho alfredo, e absolutamente banal: papo sobre tênis, viagem e outras coisas chiques. Spaniels. Tentei imaginar aquele dândi esguio, um sujeito de gravata-borboleta e óculos de armação de tartaruga invadindo nossa casa e agarrando Amy com macios dedos saídos da manicure. Jogando-a na mala de seu roadster antigo e levando-a... para comprar antiguidades em Vermont. Desi. Alguém poderia acreditar que tinha sido Desi?

— Na verdade Desi não mora longe. Em St. Louis — comentei.

— Está *vendo*? — reagiu Rand. — Por que os policiais não estão indo atrás disso?

— Alguém precisa ir — concluí. — Eu vou. Depois da busca por aqui, amanhã.

— A polícia definitivamente parece pensar que a história está... perto de casa — disse Marybeth.

Ela manteve os olhos sobre mim um átimo a mais, depois estremeceu, como se afastando um pensamento.

AMY ELLIOTT DUNNE
23 DE AGOSTO DE 2010

ANOTAÇÃO EM DIÁRIO

Verão. Pássaros. Sol brilhando. Passei o dia andando pelo Prospect Park, minha pele sensível, meus ossos frágeis. Lutando contra a infelicidade. É uma melhoria, já que passei os três dias anteriores em nossa casa com o mesmo pijama sujo, contando as horas até as cinco, quando poderia tomar um drinque. Tentando me fazer lembrar do sofrimento em Darfur. Colocar as coisas em perspectiva. O que, acho, é apenas explorar ainda mais o povo de Darfur.

Tanta coisa aconteceu nessa última semana... Acho que é isso, tudo aconteceu de uma vez, então estou com dores emocionais. Nick perdeu o emprego há um mês. Dizem que a recessão está chegando ao fim, mas aparentemente ninguém sabe disso. Então Nick perdeu o emprego. Segunda rodada de demissões, exatamente como ele previra — poucas semanas após a primeira. *Opa, não demitimos gente suficiente.* Idiotas.

No começo, achei que Nick estivesse bem. Ele criou uma enorme lista de coisas que sempre teve a intenção de fazer. Algumas eram pequenas: trocou as baterias e acertou os relógios, substituiu um cano embaixo da nossa pia e pintou novamente todos os cômodos que pintamos antes e não gostamos. Basicamente, ele refez várias coisas. É legal poder refazer as coisas, já que temos tão poucas oportunidades como essa na vida. E depois ele começou com coisas maiores: leu *Guerra e paz*. Flertou com a ideia de ter aulas de árabe. Passou muito tempo tentando adivinhar quais habilidades serão necessárias nas próximas décadas. Isso partia meu coração, mas eu fingia que não, pelo bem dele.

Eu ficava perguntando: "Tem certeza de que você está bem?"

No começo tentei seriamente, com café, contato visual, minha mão na dele. Depois tentei com leveza, descontraidamente, de passagem. Depois tentei ternamente, na cama, acariciando seu cabelo.

Ele tinha sempre a mesma resposta: "Estou legal. Não estou muito a fim de conversar sobre isso."

Eu escrevi um teste perfeito para o momento: "Como Você Está Lidando com sua Demissão?"

a) Fico sentado, de pijama, e tomo muito sorvete — ressentimento é terapêutico!
b) Escrevo coisas cruéis sobre meu antigo chefe na internet, em toda parte — desabafar é ótimo!
c) Até aparecer um novo emprego, tento descobrir coisas úteis para fazer com meu novo tempo livre, como aprender um idioma útil ou finalmente ler *Guerra e paz*.

Era um elogio a Nick — C era a resposta certa —, mas ele apenas deu um sorriso amargo quando mostrei.

Depois de algumas semanas, a agitação chegou ao fim, as coisas úteis sumiram, como se ele tivesse acordado certa manhã sob uma decrépita placa empoeirada que dizia: *"Por que se dar o trabalho, cacete?"* Ficou com o olhar desinteressado. Agora vê TV, procura pornografia na internet, assiste à pornografia na TV. Pede muita comida em casa, as embalagens empilhadas ao lado da lata de lixo transbordando. Não fala comigo, se comporta como se o ato de falar fosse fisicamente doloroso e eu fosse uma mulher maldosa por pedir isso a ele.

Mal dá de ombros quando conto que fui demitida.

Semana passada.

"É terrível, lamento", diz. "Pelo menos você tem seu dinheiro para usar."

"*Nós* temos o dinheiro. E eu gostava do meu trabalho."

Ele começa a cantar "You Can't Always Get What You Want", desafinado, agudo, com uma pequena dança trôpega, e percebo que está bêbado. É final de tarde, um belo dia de céu azul-azul, e nossa casa está úmida, densa com o cheiro doce de comida chinesa apodrecendo, todas as cortinas fechadas, e começo a ir de um cômodo a outro para arejar, abrindo as cortinas, assustando as partículas de poeira, e quando chego ao escritório escuro tropeço em uma bolsa no chão, e depois outra, e mais outra, como o gato do desenho animado que entra em uma sala cheia de ratoeiras. Quando acendo a luz, vejo dezenas de sacolas de compras, e são de lugares aonde pessoas que foram demitidas não vão. São as lojas masculinas caras, os lugares com ternos sob medida, onde vendedores carregam gravatas individualmente pousadas sobre um braço para clientes aninhados em poltronas de couro. Quer dizer, a merda é *sob medida*.

"O que é tudo isso, Nick?"

"Para entrevistas de emprego. Se alguém um dia voltar a contratar pessoas."

"Você precisava de tanto?"

"Nós *temos* o dinheiro." Ele sorri para mim sombriamente, os braços cruzados.

"Você não quer pelo menos pendurar?" Várias das capas plásticas foram mastigadas por Bleecker. Um pequeno monte de vômito de gato está perto de um terno de três mil dólares; uma camisa branca feita sob medida está coberta de pelos laranja onde o gato tirou um cochilo.

"Na verdade não, não quero", diz ele. E sorri sombriamente para mim.

Eu nunca fui uma megera, sempre me orgulhei de minha não megerice. Então me deixa furiosa que Nick esteja me obrigando a ser megera. Estou disposta a viver com alguma dose de descuido, de desleixo, de vida preguiçosa. Sei que sou mais tipo A do que Nick e tento tomar cuidado para não infligir minha natureza obsessiva com arrumação e com listas de tarefa a ele. Nick não é o tipo de cara que pensa em passar aspirador ou limpar a geladeira. Ele realmente não *vê* esse tipo de coisa. Tudo bem. Mesmo. Mas eu gosto de um certo padrão de vida — acho que é justo dizer que a lixeira não deve literalmente transbordar, e os pratos não devem passar uma semana na pia com burrito de feijão seco grudado. Isso é simplesmente ser um companheiro bom e adulto. E Nick não está mais fazendo nada, então tenho de reclamar como uma megera, e isso me deixa furiosa: *Você está me transformando no que eu nunca fui e nunca quis ser, uma megera, porque não está cumprindo sua parte em um acordo muito simples. Não faça isso, não é certo fazer isso.*

Eu sei, eu sei, eu *sei* que perder o emprego é incrivelmente estressante, em especial para um homem, dizem que pode ser como uma morte na família, em particular para um homem como Nick, que sempre trabalhou, então eu dou uma respirada gigantesca, enrolo minha raiva fazendo uma bola de borracha vermelha e mentalmente a chuto para o espaço. "Bem, você se importa se eu pendurar as roupas? Só para que fiquem em bom estado para você?"

"Vai fundo."

Demissão em casal, não é fofo? Sei que temos mais sorte do que a maioria: eu entro na internet e confiro o pecúlio sempre que fico nervosa. Nunca chamei de pecúlio antes de Nick fazê-lo; na verdade não é tão grandioso. Quer dizer, é legal, é ótimo — 785.404 dólares que eu tenho de economias graças a meus pais. Mas não é o tipo de dinheiro que permite que você nunca mais trabalhe, especialmente em Nova York. O objetivo dos meus pais era me deixar financeiramente segura para não precisar fazer escolhas com base em dinheiro — no estudo, na carreira —, mas não tão segura que sentisse a tentação de sacar tudo. Nick debocha, mas acho que é um grande gesto da parte dos meus pais. (E adequado, considerando que eles plagiaram minha infância para os livros.)

Mas ainda estou furiosa com a demissão, *nossas demissões*, quando meu pai telefona e pergunta se ele e mamãe podem dar uma passada. Precisam conversar conosco. Esta tarde, na verdade agora, se não for problema. Claro que não é problema, digo, e em minha cabeça fico pensando *Câncer, câncer, câncer*.

Meus pais surgem à porta com uma aparência muito arrumada. Meu pai está totalmente passado, camisa para dentro da calça, sapatos engraxados, impecável, a não ser pelas olheiras. Minha mãe usa um de seus vestidos roxo-brilhantes que sempre colocava para discursos e cerimônias quando recebia esses convites. Ela diz que a cor exige confiança da parte de quem veste.

Eles estão com ótima aparência, mas envergonhados. Eu os levo até o sofá, e todos ficamos sentados em silêncio por um segundo.

"Meninos, sua mãe e eu, parece que nós...", meu pai finalmente começa, depois para e tosse. Coloca as mãos nos joelhos; seus grandes nós dos dedos estão brancos. "Bem, aparentemente nos metemos em uma confusão financeira infernal."

Não sei qual deveria ser minha reação: chocada, consoladora, desapontada? Meus pais nunca me confessaram nenhum tipo de problema. Acho que não tiveram muitos problemas.

"O fato é o seguinte: fomos irresponsáveis", continua Marybeth. "Vivemos a década passada como se estivéssemos ganhando o mesmo dinheiro que ganhamos nas duas décadas anteriores, e não estávamos.

Não ganhamos nem metade, mas estávamos em negação. Fomos... *otimistas* talvez seja uma forma gentil de definir. Ficamos achando que o livro seguinte da série *Amy* resolveria, mas isso não aconteceu. E tomamos várias decisões ruins. Investimos tolamente. Gastamos tolamente. E agora..."

"Estamos basicamente falidos", diz Rand. "Nossa casa, bem como *esta* casa... está tudo naufragando."

Eu achara até então — supusera — que eles haviam simplesmente comprado a casa para nós. Não tinha ideia de que ainda estavam pagando prestações. Eu sinto uma pontada de constrangimento por ser tão protegida quanto Nick diz que sou.

"Como disse, cometemos alguns erros graves de avaliação", diz Marybeth. "Deveríamos escrever um livro: *Amy Exemplar e a hipoteca com juros variáveis*. Seríamos reprovados em todos os testes. Seríamos o primeiro exemplo a não seguir. A amiga de Amy, Wendy Quer Agora."

"Harry Cabeça Enfiada na Areia", acrescenta Rand.

"O que acontece agora?", pergunto.

"Isso depende totalmente de vocês", diz meu pai.

Minha mãe tira da bolsa um folheto feito em casa e o coloca na mesa diante de nós — barras, gráficos e tabelas criados no computador. Dói imaginar meus pais estudando o manual, tentando fazer sua proposta ficar bonita para mim.

Marybeth começa:

"Queríamos perguntar se poderíamos pegar algum dinheiro emprestado de seu pecúlio enquanto resolvemos o que fazer com o restante de nossa vida."

Meus pais ficam sentados diante de nós como dois universitários ansiosos por obter seu primeiro estágio. O joelho de meu pai sacode até minha mãe colocar um dedo gentil sobre ele.

"Bem, o pecúlio é dinheiro de vocês, então claro que podem pegar emprestado", digo. Eu só quero que aquilo termine; o olhar esperançoso no rosto de meus pais, não dá para aguentar. "De quanto acham que precisam para quitar tudo e ficarem confortáveis por algum tempo?"

Meu pai olha para os sapatos. Minha mãe respira fundo.

"Seiscentos e cinquenta mil", diz ela.

"Ah."

É tudo o que consigo dizer. É quase tudo o que temos.

"Amy, talvez você e eu devamos conversar", começa Nick.

"Não, não, podemos fazer isso", digo. "Vou pegar meu talão de cheques."

"Na verdade", diz Marybeth, "se você pudesse transferir para nossa conta amanhã seria melhor. Do contrário a compensação demora dez dias."

É aí que eu sei que eles estão com problemas graves.

NICK DUNNE
DOIS DIAS SUMIDA

Acordei no sofá-cama da suíte dos Elliott, exausto. Eles insistiram para que eu ficasse — minha casa ainda não havia sido liberada para mim —; insistiram com a mesma urgência que antes usavam para pagar a conta em um jantar: a hospitalidade é uma poderosa força da natureza. *Você tem que nos deixar fazer isso por você*. Então deixei. Passei a noite escutando os roncos deles do outro lado da porta do quarto, um constante e grave — o ronco vigoroso de um lenhador —, o outro engasgado e arrítmico, como se o dono estivesse sonhando que se afogava.

Sempre consegui apagar como uma luz. *Vou dormir*, eu dizia, minhas mãos em posição de prece sob minha bochecha, *Zzzzz*, o sono pesado de uma criança que tomou um remédio para gripe — enquanto minha esposa insone se remexia na cama ao meu lado. Mas ontem à noite eu me senti como Amy, meu cérebro ainda ligado, meu corpo no limite. Na maior parte do tempo eu era um homem literalmente à vontade em minha própria pele. Amy e eu nos sentávamos no sofá para ver TV e eu me transformava em cera derretida, ao mesmo tempo que minha esposa se remexia e mudava de posição constantemente ao meu lado. Certa vez perguntei se ela tinha síndrome das pernas inquietas — estava passando um comercial sobre a doença, os rostos dos atores contorcidos pelo incômodo enquanto sacudiam as panturrilhas e esfregavam as coxas — e Amy disse: *eu tenho síndrome de tudo inquieto*.

Observei o teto do quarto de hotel ficar cinza, depois rosa e então amarelo, e finalmente me levantei para ver o sol brilhando diretamente sobre mim, do outro lado do rio, de novo, uma queimadura de terceiro grau. Então os nomes surgiram em minha cabeça: plim! Hilary Handy. Um nome adorável demais para ser acusado de atos tão perturbadores. Desi Collings, um antigo obcecado que vivia a uma hora de distância. Eu os tornara meus. É uma era do faça você mesmo: cuidados de saúde, imóveis, investigação policial. Entre na internet e descubra você mesmo, porque todos estão trabalhando demais e com equipes de menos. Eu era um *jornalista*. Eu passara mais de dez anos entrevistando pessoas para ganhar a vida, e fazendo com que revelassem quem eram. Eu estava à altura da missão, e Marybeth e Rand também acreditavam nisso. Estava grato por eles deixarem claro que eu ainda merecia sua confiança, o marido sob a leve nuvem de suspeita. Ou será que estava enganando a mim mesmo ao usar a palavra *leve*?

O Days Inn cedera um salão de baile pouco utilizado para servir de quartel-general para a Busca a Amy Dunne. Era inapropriado — um lugar com manchas marrons e cheiros abafados —, mas pouco depois do amanhecer Marybeth começara a transformá-lo, aspirando e esfregando, arrumando quadros de avisos e mesas de telefones, pendurando na parede um retrato de Amy. O pôster — com o olhar sereno e confiante de Amy, aqueles olhos que o acompanhavam — parecia saído de uma campanha presidencial. De fato, quando Marybeth acabou, o lugar zumbia de eficiência — a esperança urgente de um político sem muitas chances de ganhar com muitos seguidores fiéis se recusando a desistir.

Pouco depois das dez horas da manhã, Boney chegou, falando ao celular. Deu um tapinha em meu ombro e começou a mexer em uma impressora. Os voluntários chegaram em grupos: Go e meia dúzia de amigas de nossa falecida mãe. Cinco mulheres de quarenta e tantos anos, todas usando calças capri, como se ensaiassem para um espetáculo de dança: duas delas — esguias, louras e bronzeadas — disputando o papel principal, as outras alegremente resignadas com a segunda fila. Um grupo de senhoras falastronas de cabelos brancos, cada uma tentando falar mais alto que a outra, algumas escrevendo mensagens de texto no celular, o tipo de gente idosa que tem uma impressionante dose de energia, tanto vigor juvenil que você se pergunta se estão tentando provar algo. Apenas um homem apareceu, um sujeito de boa aparência, mais ou menos da minha idade, bem-vestido, desacompanhado, não se dando conta de que sua presença merecia alguma explicação. Observei o Solitário enquanto ele circulava perto dos doces, espiando o pôster de Amy.

Boney terminou de preparar a impressora, apanhou um muffin de aparência farelenta e veio para o meu lado.

— Vocês ficam de olho em todos que se oferecem como voluntários? — perguntei. — Quer dizer, caso alguém pareça...

— Caso alguém pareça ter um interesse suspeito? Certamente — disse ela, partindo as beiradas do muffin e colocando-as na boca. Ela baixou a voz. — Mas, para falar a verdade, assassinos em série assistem aos mesmos programas de TV que nós. Eles sabem que *nós* sabemos que gostam de...

— Se enfiar nas investigações.

— É isso aí. — Ela assentiu. — Então eles são mais cuidadosos com esse tipo de coisa agora. Mas sim, nós ficamos de olho em todos os tipos meio esquisitos para ter certeza de que eles são apenas, sabe, meio esquisitos.

Ergui uma sobrancelha.

— Tipo, Gilpin e eu fomos os principais investigadores do caso de Kayla Holman, há alguns anos. Kayla Holman?

Balancei a cabeça: não me dizia nada.

— Enfim, você descobrirá que algumas pessoas mórbidas ficam atraídas por esse tipo de coisa. E tome cuidado com aquelas duas — disse Boney, apontando para as duas mulheres bonitas de quarenta e tantos anos. — Porque elas parecem ser desse tipo. Ficam um pouco interessadas demais em consolar o marido preocupado.

— Ah, espera aí...

— Você ficaria surpreso. Um cara bonito como você. Acontece.

Nesse instante, uma das mulheres, a mais loura e bronzeada, olhou para nós, fez contato visual e me abriu o sorriso mais gentil e tímido que podia, depois inclinou a cabeça como um gato esperando para ser acariciado.

— Ela vai dar duro; será a pequena Miss Envolvida — disse Boney. — Portanto isso é bom.

— Como terminou o caso Kayla Holman? — perguntei.

Ela balançou a cabeça: *não*.

Mais quatro mulheres entraram, circulando um frasco de protetor solar entre elas, espalhando o conteúdo sobre braços e ombros nus e narizes. A sala cheirava a óleo de coco.

— Aliás, Nick — retomou Boney. — Lembra-se de quando perguntei se Amy tinha amigos na cidade? E quanto a Noelle Hawthorne? Você não a mencionou. Ela nos deixou duas mensagens.

Eu lancei um olhar vazio para ela.
— A Noelle, do seu condomínio. Mãe de trigêmeos.
— Não, elas não são amigas.
— Ah, engraçado. Ela decididamente parece achar que são.
— Isso acontece muito com Amy — falei. — Ela fala uma vez com as pessoas e elas se apegam. É bizarro.
— Foi isso que os pais dela disseram.

Fiquei pensando em perguntar diretamente a Boney sobre Hilary Handy e Desi Collings. E então decidi que não; daria uma impressão melhor se eu liderasse o ataque. Queria que Rand e Marybeth me vissem no papel do herói. Não conseguia me esquecer do olhar que Marybeth me lançara: *A polícia decididamente parece achar que a história está... perto de casa.*

— As pessoas acham que a conhecem porque leram os livros quando eram jovens — disse.

— Entendo — disse Boney, concordando. — As pessoas querem acreditar que conhecem as outras. Pais querem acreditar que conhecem seus filhos. Esposas querem acreditar que conhecem os maridos.

Mais uma hora e o centro de voluntários começou a parecer um piquenique familiar. Algumas de minhas antigas namoradas apareceram para dizer olá, apresentar os filhos. Uma das melhores amigas de minha mãe, Vicky, foi com três das netas, meninas tímidas na casa dos dez anos, todas de rosa.

Netos. Minha mãe falara muito sobre netos, como se isso sem dúvida fosse acontecer — sempre que comprava um móvel novo ela explicava que preferira aquele determinado estilo porque "servirá para quando houver netos". Ela queria viver para ver alguns netos. Todas as suas amigas tinham netos de sobra. Amy e eu certa vez recebemos minha mãe e Go para jantar a fim de celebrar a melhor semana d'O Bar até então. Anunciei que tínhamos razão para festejar, e mamãe levantou da cadeira, rompeu em lágrimas e abraçou Amy, que também começou a chorar, murmurando sob o aperto sufocante de minha mãe: "Ele está falando d'O Bar, está só falando d'O Bar." E então minha mãe se esforçou muito para fingir que estava igualmente animada com isso. "Ainda há *muito* tempo para bebês", dissera com sua voz mais consoladora, uma voz que fez Amy começar a chorar outra vez. O que foi estranho, já que Amy decidira que não queria filhos e reiterara isso muitas vezes, mas as lágrimas me deram uma perversa ponta de esperança de que ela estivesse mudando de ideia. Porque na verdade não havia muito tempo. Amy tinha trinta e sete anos quando nos mudamos para Carthage. Faria trinta e nove em outubro.

E então pensei: *Teremos de fazer uma falsa festa de aniversário caso isso continue. Teremos de marcar a ocasião de alguma forma, alguma cerimônia, para os voluntários, a imprensa — algo para chamar novamente a atenção. Eu terei de fingir estar esperançoso.*

— A volta do filho pródigo — disse uma voz anasalada, então me virei e vi um homem magro de camiseta esticada junto a mim, coçando um grosso bigode.

Meu velho amigo Stucks Buckley, que gostava de me chamar de filho pródigo embora não soubesse pronunciar a palavra nem conhecesse seu significado. Imagino que ele usasse o termo como um sinônimo elegante para imbecil. Stucks Buckley soava como o nome de um jogador de beisebol, e era isso que ele deveria ter virado, só que nunca tivera o talento, apenas o forte desejo. Era o melhor da cidade quando jovem, mas isso não era o bastante. Recebeu o choque de sua vida na faculdade quando foi cortado do time, e tudo virou uma merda depois disso. Agora era um maconheiro com humor instável que fazia uns bicos aqui e ali. Ele aparecera n'O Bar algumas vezes procurando trabalho, mas balançara a cabeça a cada tarefa chata que eu oferecera, mastigando o lado de dentro da bochecha, aborrecido: *Vamos lá, cara, o que mais você tem? Você certamente tem mais alguma coisa.*

— Stucks — disse em cumprimento, querendo ver se seu humor estava amigável.

— Ouvi dizer que a polícia está estragando tudo — afirmou, enfiando as mãos nas axilas.

— Um pouco cedo para dizer isso.

— Vamos lá, cara, essas buscas de mariquinhas? Já vi fazerem mais esforços para achar o cachorro do prefeito — declarou, o rosto queimado de sol.

Eu podia sentir o calor emanando dele enquanto se aproximava, me lançando um bafo de Listerine e tabaco.

— Por que ainda não prenderam ninguém? Tanta gente na cidade para escolher e ainda não trancaram nenhuma delas? Nem *uma* pessoa? E quanto aos Garotos da Blue Book? Foi o que eu perguntei à senhora detetive: e os Garotos da Blue Book? Ela não quis nem me responder.

— O que são os Garotos da Blue Book? Uma gangue?

— Todos aqueles caras demitidos da fábrica da Blue Book no inverno passado. Sem indenização, nada. Sabe esses sem-teto que a gente vê circulando em bando pela cidade, parecendo realmente putos da vida? Provavelmente Garotos da Blue Book.

— Continuo sem entender: fábrica da Blue Book?

— Você sabe: River Valley Printworks. No limite da cidade. Eles faziam aqueles cadernos azuis que as pessoas usavam para trabalhos e merdas assim na faculdade.

— Ah. Eu não sabia.

— Agora as faculdades usam computadores e coisas assim; então, puff, adeus, Garotos da Blue Book.

— Meu Deus, a cidade inteira está fechando — murmurei.

— Os Garotos da Blue Book bebem, usam drogas, atormentam as pessoas. Quer dizer, eles faziam isso antes também, mas sempre tinham de parar, voltar para o trabalho na segunda. Agora estão livres, soltos por aí.

Stucks sorriu sua fileira de dentes quebrados para mim. Ele tinha salpicos de tinta nos cabelos — seu trabalho de verão desde o ensino médio, pintar casas. *Eu me especializei em um trabalho limpo*, ele dizia, e esperava que você entendesse a brincadeira. Se você não risse, ele explicava.

— E então, a polícia foi ao shopping? — perguntou Stucks.

Eu comecei a dar de ombros, confuso.

— Que merda, cara, você não era repórter? — reagiu Stucks, que sempre parecera sentir raiva de minha antiga ocupação, como se fosse uma mentira que estivesse durando demais. — Os Garotos da Blue Book criaram uma bela cidadezinha para eles no shopping. Invasão. Venda de drogas. A polícia expulsa de vez em quando, mas eles sempre voltam no dia seguinte. Enfim, foi o que eu disse à senhora detetive: *Procurem na porra do shopping*. Porque alguns deles estupraram uma garota lá há um mês. Quer dizer, você junta um bando de homens com raiva e as coisas não ficam boas para uma mulher que passe por eles.

No meu caminho para a área de buscas da tarde, telefonei para Boney, comecei a falar assim que ela disse alô.

— Por que o shopping não está sendo vasculhado?

— O shopping será vasculhado, Nick. Temos policiais indo para lá neste instante.

— Ah. Certo. Porque um camarada meu...

— Stucks, eu sei, conheço ele.

— Ele estava falando sobre todos os...

— Os Garotos da Blue Book, eu sei. Confie em nós, Nick, estamos cuidando disso. Nós queremos encontrar Amy tanto quanto você.

— Certo, ahn, obrigado.

Com meu espírito de justiça esvaziado, virei meu gigantesco copo descartável com café e fui até a área que me havia sido atribuída. Três pontos estavam sendo vasculhados naquela tarde: o canal de barcos (agora conhecido como O Lugar Onde Nick Passou a Manhã Do, Sem Que Ninguém o Visse); o bosque de Miller Creek (que mal merecia o nome; dava para ver lanchonetes entre as árvores); e o Wolky Park, um terreno natural com trilhas de caminhada e cavalgada. Fui enviado para o Wolky Park.

Quando cheguei, um policial se dirigia a um bando de umas dez pessoas, pernas grossas em shorts justos, óculos escuros e chapéus, pasta d'água nos narizes. Parecia o primeiro dia de um acampamento.

Duas equipes diferentes de TV estavam ali para fazer imagens para as emissoras locais; era o feriado de Quatro de Julho; Amy seria enfiada entre matérias sobre a feira estadual e churrascos. Um foca continuava a circular ao redor de mim como um mosquito, me cobrindo de perguntas sem sentido, meu corpo ficando imediatamente rígido e inumano com a atenção, minha expressão "preocupada" parecendo falsa. Um cheiro de estrume de cavalo pairava no ar.

Os repórteres logo saíram para seguir os voluntários pelas trilhas. (Que tipo de repórter encontra um marido suspeito maduro para ser colhido e *vai embora*? Um repórter ruim, mal remunerado, que sobrou depois que todos os decentes foram demitidos.) Um jovem policial uniformizado me disse para ficar — bem ali — na entrada das várias trilhas, perto de um quadro de avisos que tinha uma barafunda de antigos panfletos, bem como um aviso de pessoa desaparecida para Amy, minha esposa olhando para fora daquela foto. Ela estivera por toda a parte hoje, me seguindo.

— O que devo fazer? — perguntei ao policial. — Eu me sinto um idiota aqui. Preciso fazer algo.

Em algum lugar do bosque, um cavalo relinchou pesarosamente.

— Precisamos mesmo de você bem aqui, Nick. Apenas seja simpático, incentivador — disse, e apontou para a brilhante garrafa térmica laranja perto de mim. — Ofereça um pouco de água. Apenas mande quem chegar na minha direção.

Ele se virou e andou na direção do estábulo. Ocorreu-me então que estavam intencionalmente me afastando de qualquer possível cena de crime. Eu não sabia muito bem o que isso queria dizer.

Enquanto eu ficava ali parado à toa, fingindo me ocupar com o cooler, uma caminhonete retardatária chegou, vermelho-brilhante como esmalte de unhas. Saíram dela as mulheres de quarenta e tantos anos do quartel-general. A mais bonita, que Boney identificara como *groupie*, estava segurando os cabelos em um rabo de cavalo para que as amigas pudessem colocar repelente de insetos em sua nuca. A mulher sacudia as mãos elaboradamente para espantar o cheiro. Ela me olhou de esguelha. Depois se afastou das amigas, deixou os cabelos caírem sobre os ombros e começou a ir na minha direção, aquele sorriso solidário nos lábios, o sorriso de *lamento muito*. Enormes olhos castanhos de pônei, a camisa rosa terminando logo acima de shorts muito brancos. Sandálias de salto alto, cabelos ondulados, argolas de ouro. *É assim que você não se veste para uma busca*, pensei.

Por favor, não fale comigo, senhora.

— Oi, Nick, sou Shawna Kelly. *Eu lamento muito.*

Ela tinha uma voz desnecessariamente alta, um pouco como um zurro, como uma mula encantada e gostosa. Ela estendeu a mão e senti uma pontada de apreensão à medida que as amigas de Shawna começavam a pegar a trilha, lançando olhares femininos pueris para nós, o casal.

Ofereci o que eu tinha: meu agradecimento, minha água, meu desconforto desarticulado. Shawna não fez nenhum movimento para partir, embora eu olhasse para a frente, na direção da trilha pela qual as amigas dela haviam desaparecido.

— Espero que você tenha amigos, parentes, que estejam cuidando de você, Nick — disse ela, dando um tapa em uma mosca. — Os homens se esquecem de cuidar de si mesmos. Você precisa de uma comida caseira.

— Temos comido frios, basicamente, sabe... fácil, rápido.

Ainda podia sentir o gosto de salame no fundo da garganta, a ardência subindo da minha barriga. Eu me dei conta de que não escovava os dentes desde a manhã.

— Ah, coitado de você. Bem, frios não vão bastar — disse ela, balançando a cabeça, as argolas douradas refletindo a luz do sol. — Você precisa manter as forças. Mas você tem sorte, porque *eu* faço uma bela torta de frango. Quer saber? Vou preparar e deixar no centro de voluntários amanhã. Você pode colocar no micro-ondas quando quiser um bom jantar quentinho.

— Ah, isso parece trabalho demais, sério. Estamos bem. Estamos bem mesmo.

— Vocês ficarão melhor depois que comerem uma boa refeição — disse ela, dando um tapinha no meu braço.

Silêncio. Ela tentou outra abordagem.

— Eu realmente espero que no final isso não tenha nada a ver... com o problema dos sem-teto. Juro, fiz uma queixa após a outra. Um deles invadiu meu jardim no mês passado. Meu sensor de movimento deu o alarme, então olhei para fora e lá estava ele, ajoelhado na terra, engolindo tomates. Mastigando como se fossem maçãs, o rosto e a camisa cobertos de suco e sementes. Tentei assustá-lo, mas ele arrancou pelo menos vinte antes de sair correndo. Eles estavam no limite, de qualquer maneira, esses caras da Blue Book. Nenhuma outra habilidade.

Senti uma súbita afinidade com o bando de homens da Blue Book, me imaginei entrando em seu assentamento amargurado, acenando uma bandeira branca: *Sou seu irmão, também trabalhava com impressos. Os computadores também roubaram meu emprego.*

— Não me diga que você é jovem demais para se lembrar da Blue Books, Nick — dizia Shawna.

Ela me cutucou nas costelas, me fazendo dar um sobressalto maior do que eu deveria.

— Sou tão velho que tinha me esquecido da Blue Books até você me lembrar.

Ela riu.

— Quantos anos você tem? Trinta e um, trinta e dois?

— Trinta e quatro.

— Um bebê.

O trio de senhoras idosas e enérgicas chegou nesse instante, acelerando na nossa direção, uma usando o celular, todas vestindo saias de jardinagem de lona grossa, Keds e camisetas de golfe sem manga revelando braços flácidos. Acenaram com a cabeça para mim, respeitosas, depois lançaram um olhar de desaprovação quando viram Shawna. Parecíamos um casal fazendo um churrasco no quintal. Aquilo não era nada adequado.

Por favor, vá embora, Shawna, pensei.

— Enfim, os sem-teto podem ser realmente agressivos, tipo ameaçadores para as mulheres — disse Shawna. — Eu disse isso à detetive Boney, mas fiquei com a sensação de que ela não gosta muito de mim.

— Por que diz isso? — perguntei, já sabendo o que ela iria dizer, o mantra de todas as mulheres bonitas.

— As mulheres não gostam muito de mim — disse, dando de ombros. — É só uma dessas coisas. Amy tinha... tem muitos amigos na cidade?

Várias mulheres — amigas de minha mãe, amigas de Go — haviam convidado Amy para clubes de leitura, reuniões da Amway e noites entre garotas no Chili's. Amy previsivelmente recusara quase todos, menos alguns, aos quais foi e odiou. "Pedimos um milhão de coisinhas fritas e tomamos coquetéis feitos com *sorvete*."

Shawna me observava, querendo saber de Amy, querendo ser colocada no mesmo grupo da minha esposa, que a odiaria.

— Acho que ela talvez tenha o mesmo problema que você — disse eu, de maneira cortante.

Ela sorriu.

Vá embora, Shawna.

— É difícil ir para uma cidade nova — comentou ela. — Quanto mais velhas ficamos, mais difícil fazer amigos. Ela tem sua idade?

— Trinta e oito.

Aquilo também pareceu agradá-la.

Vá embora, porra.

— Homem inteligente, você, gosta de mulheres mais velhas.

Ela tirou um celular de sua enorme bolsa verde-amarelada, rindo.

— Venha aqui — disse, colocando um braço ao meu redor. — Dê um grande sorriso estilo torta de frango.

Quis socá-la naquele instante, com sua falta de consciência, seus ares de *garotinha*: tentando arrancar do marido de uma mulher desaparecida uma massagem no ego. Engoli minha fúria, tentei reverter, tentei compensar demais e *ser gentil*, então sorri roboticamente enquanto ela pressionava o rosto contra minha bochecha e tirava uma foto com o celular, o som falso de clique me despertando.

Ela virou o telefone e vi nossos rostos queimados de sol apertados um contra o outro, sorrindo como se estivéssemos em um encontro romântico durante um jogo de beisebol. Olhando para meu sorriso fingido, meus olhos semicerrados, eu pensei: *eu detestaria esse cara.*

AMY ELLIOTT DUNNE
15 DE SETEMBRO DE 2010

ANOTAÇÃO EM DIÁRIO

Estou escrevendo de algum lugar da Pensilvânia. Canto sudoeste. Um motel de beira de estrada. Nosso quarto dá para o estacionamento, e se olho por trás das cortinas bege rígidas posso ver pessoas circulando sob as luzes fluorescentes. É o tipo de lugar onde as pessoas circulam. Estou com dores emocionais novamente. Coisas demais aconteceram, e tão rápido, e agora estou no sudoeste da Pensilvânia. E meu marido está desfrutando de um sono desafiador em meio aos pacotinhos de batatas fritas e doces que ele comprou na máquina do saguão. Jantar. Está com raiva de mim por eu não levar na esportiva. Achei que estivesse com uma fachada convincente — eba, uma nova aventura! —, mas aparentemente não estou.

Agora, pensando sobre o que houve, é como se estivéssemos esperando que algo acontecesse. Como se Nick e eu estivéssemos sentados sob um enorme jarro à prova de som e de vento, e então o jarro caiu e — havia algo a fazer.

Duas semanas atrás, estávamos em nosso estado desempregado habitual: parcialmente vestidos, densos de tédio, nos aprontando para tomar um café da manhã silencioso que estenderíamos até o final da leitura do jornal. Passáramos a ler até mesmo o suplemento de carros.

O telefone de Nick toca às dez da manhã, e pela voz dele dá para saber que é Go. Ele soa animado, jovial, do modo como sempre é quando fala com ela. Do modo como costumava soar comigo.

Ele vai para o quarto e fecha a porta, deixando-me com dois ovos beneditinos recém-preparados tremendo nos pratos. Coloco o dele na mesa e me sento do outro lado, me perguntando se devo esperar para comer. Se fosse eu, acho, voltaria e diria a ele para comer, ou levantaria um dedo: *um minutinho*. Eu teria consciência da presença da outra pessoa, meu cônjuge, deixado na cozinha com pratos de ovos. Eu me sinto mal por pensar assim. Porque logo ouço murmúrios preocupados, exclamações tristes e palavras gentis atrás da porta, e começo a me perguntar se Go está tendo problemas com rapazes, agora que voltou para sua cidade. Go tem muitas separações. Mesmo aquelas que são iniciativa dela exigem muito cuidado e atenção da parte de Nick.

Então estou com minha habitual expressão de *Coitada da Go* quando Nick sai, os ovos endurecidos no prato. Eu o vejo e sei que não é só mais um problema com Go.

"Minha mãe", ele começa, sentando-se. "Merda. Minha mãe está com câncer. Estágio quatro, e se espalhou para o fígado e os ossos. O que é ruim, o que é..."

Ele coloca o rosto nas mãos, e eu vou até lá e coloco os braços ao redor dele. Quando ele ergue a cabeça, está com os olhos secos. Calmo. Nunca vi meu marido chorar.

"É demais para Go, além do Alzheimer do meu pai."

"Alzheimer? *Alzheimer*? Desde quando?"

"Bem, algum tempo. Inicialmente acharam que era alguma espécie de demência precoce. Mas é mais do que isso, é pior."

Penso imediatamente que há algo errado conosco, talvez sem solução, se meu marido não pensa em me contar isso. Às vezes tenho a impressão de que é seu jogo pessoal, de que ele está em alguma espécie de competição não declarada de impenetrabilidade.

"Por que não me disse nada?"

"Meu pai não é alguém sobre quem eu goste muito de falar."

"Ainda assim..."

"Amy. Por favor."

Ele tem aquele olhar como quem diz que eu não estou sendo razoável, como se ele estivesse tão certo de que não estou sendo razoável que chego a me perguntar se estou.

"Mas agora, Go diz que minha mãe vai precisar de quimio, mas... Ela vai ficar muito doente, muito. Vai precisar de ajuda."

"Devemos começar a procurar cuidados para ela em casa? Uma enfermeira?"

"Ela não tem esse tipo de plano de saúde."

Ele fica olhando para mim, os braços cruzados, e sei qual é o desafio: ele está me desafiando a me oferecer para pagar, e não podemos pagar, porque dei meu dinheiro aos meus pais.

"Tudo bem, então, querido", digo. "O que você quer fazer?"

Ficamos de pé um diante do outro, uma disputa, como se estivéssemos em uma luta e eu não tivesse sido informada. Estico a mão para tocá-lo e ele apenas olha para ela.

"Temos de nos mudar para lá." Ele olha fixamente para mim, arregalando os olhos. Sacode os dedos, como se tentasse se livrar de algo grudento. "Vamos tirar um ano e fazer a coisa certa. Não temos emprego, não temos dinheiro, não há nada que nos segure aqui. Até você tem de admitir isso."

"Até *eu* tenho?" Como se eu já estivesse resistindo. Sinto uma onda de fúria, que engulo.

"É o que vamos fazer. Vamos fazer a coisa certa. Vamos ajudar *meus* pais, para variar."

Claro que é o que temos de fazer, e claro que se ele tivesse me apresentado o problema como se eu não fosse sua inimiga, era o que eu teria dito. Mas ele passou pela porta já me tratando como um problema que precisava ser resolvido. Eu era a voz amarga que tinha de ser silenciada.

Meu marido é o homem mais leal do planeta, até deixar de ser. Eu vi seus olhos literalmente ficando mais escuros nas vezes em que se sentiu traído por um amigo, mesmo um velho amigo querido, e então o amigo nunca mais é mencionado. Ele olhara para mim como se eu fosse um objeto a ser descartado, caso necessário. Isso realmente me gelou, aquele olhar.

Então foi decidido rápido assim, sem quase nenhum debate: estamos deixando Nova York. Estamos indo para o Missouri. Para uma casa no Missouri junto ao rio onde iremos viver. É surreal, e eu não sou de usar a palavra *surreal* do modo errado.

Sei que tudo ficará bem. É só que a coisa toda é tão distante do que eu havia imaginado... Quando imaginava a minha vida. Não quer dizer que seja ruim, só... Se você me desse um milhão de chances de adivinhar aonde a vida iria me levar, eu não teria adivinhado. Acho isso alarmante.

O carregamento do caminhão de mudanças foi uma pequena tragédia: Nick, determinado e culpado, lábios crispados, fazendo as coisas, não querendo olhar para mim. O caminhão parado durante horas, bloqueando o trânsito em nossa ruazinha, piscando suas luzes de alerta — perigo, perigo, perigo — enquanto Nick sobe e desce as escadas, uma linha de montagem de um só homem, carregando caixas de livros, caixas de utensílios de cozinha, cadeiras, mesinhas. Estamos levando nosso sofá vintage — nosso velho e espaçoso *chesterfield* que papai chama de nosso bicho de estimação, de tanto que o amamos. Será a última coisa que iremos pegar, um trabalho suado e desajeitado para duas pessoas. Descer com a coisa enorme pelas nossas escadas (*Espere, preciso descansar. Levante para a direita. Espere, está indo rápido demais. Cuidado, meus dedos, meus dedos!*) será nosso muito necessário trabalho em equipe. Depois do sofá, compraremos o almoço na delicatéssen da esquina, sanduíches de bagel para comer na viagem. Refrigerante gelado.

Nick me deixou manter o sofá, mas nossos outros móveis grandes vão ficar em Nova York. Um dos amigos dele herdará a cama; o cara passará depois em nossa casa vazia — nada além de poeira e cabos — e levará a cama, e então viverá sua vida nova-iorquina em nossa cama nova-iorquina, comendo comida chinesa às duas horas da manhã e fazendo sexo preguiçoso e com camisinha com garotas embriagadas e desbocadas que trabalham em relações públicas. (Nossa casa será ocupada por um casal barulhento, marido e mulher advogados, despudorada e insolentemente felizes com a barganha. Eu os odeio.)

Levo uma carga para cada quatro que Nick carrega resmungando escada abaixo. Eu me desloco lentamente, arrastando-me, como se meus ossos doessem, uma delicadeza febril se abatendo sobre mim. Tudo dói mesmo. Nick passa zumbindo, subindo ou descendo, franze a testa para mim, lança um "Tudo bem?" e continua se movendo antes que eu responda, me deixando de boca aberta, um desenho animado com um buraco negro no lugar da boca. Não estou bem. Ficarei bem, mas neste exato instante não estou bem. Quero que meu marido coloque os braços em volta de mim, me console, me mime um pouquinho. Só por um segundo.

Nos fundos do caminhão, ele remexe nas caixas. Nick orgulha-se de sua habilidade de embalador: ele é (era) quem arrumava o lava-louça, quem fazia as malas das férias. Mas na terceira hora fica claro que vendemos ou doamos um número excessivo de nossos bens. A enorme caverna do caminhão está apenas pela metade. Isso me dá minha única satisfação do dia, aquela satisfação quente e malvada na barriga, como uma pena de mercúrio. *Bom*, penso. *Bom.*

"Podemos levar a cama, se você quiser mesmo", diz Nick, olhando para a rua além de mim. "Temos espaço suficiente."

"Não, você a prometeu a Wally, Wally deve ficar com ela", digo de modo afetado.

Eu estava errado. Apenas diga: eu estava errado, lamento, vamos levar a cama. É bom você ter sua velha cama reconfortante nesse novo lugar. Sorria para mim e seja gentil comigo. Hoje, seja gentil comigo.

Nick suspira. "Certo, se é o que você quer. Amy? É?" Ele se levanta, ligeiramente sem fôlego, apoiado em uma pilha de caixas, a de cima escrita com caneta hidrográfica: ROUPAS INVERNO AMY. "É a última vez que vou ouvir falar na cama, Amy? Porque estou oferecendo agora. Fico feliz de pegar a cama para você."

"Muito gentil de sua parte", digo, apenas uma bufada de ar, que é como retruco na maioria das vezes: um jato de perfume de um vaporizador fedorento. Sou covarde. Não gosto de confrontos. Pego uma caixa e vou na direção do caminhão.

"O que você disse?"

Balanço a cabeça para ele. Não quero que me veja chorar, porque isso o deixará com mais raiva.

Dez minutos depois, pancadas nas escadas — Bang! Bang! Bang! Nick está arrastando nosso sofá sozinho.

Não consigo nem olhar para trás quando deixamos Nova York, porque o caminhão não tem janela traseira. Pelo retrovisor, acompanho o horizonte (*o horizonte recuando* — não é assim que escrevem naqueles romances vitorianos nos quais a heroína condenada é obrigada a deixar a casa de seus ancestrais?), mas não vejo nenhum dos prédios bons — nada do Chrysler, do Empire State ou do Flatiron, eles não surgem naquele pequeno retângulo reluzente.

Meus pais apareceram na noite anterior, nos presentearam com o cuco da família que eu adorava quando criança, e os três choramos e nos abraçamos enquanto Nick remexia as mãos nos bolsos e prometia tomar conta de mim.

Ele prometeu tomar conta de mim, e ainda assim sinto medo. Sinto que algo está errado, muito errado, e que ficará ainda pior. Não me sinto a esposa de Nick. Não me sinto uma pessoa: sou algo a ser carregado e descarregado, como um sofá ou um cuco. Sou algo a ser jogado em um depósito de lixo, lançado no rio, se necessário. Não me sinto mais real. Sinto como se pudesse desaparecer.

NICK DUNNE
TRÊS DIAS SUMIDA

A polícia não iria encontrar Amy a não ser que alguém quisesse que ela fosse encontrada. Isso era claro. Tudo o que era verde e marrom havia sido vasculhado: quilômetros do enlameado rio Mississippi, todas as trilhas e pistas de caminhada, nossa triste coleção de bosques esparsos. Se ela estava viva, alguém precisaria devolvê-la. Se estava morta, a natureza teria de entregá-la. Era uma verdade palpável, como um gosto azedo na ponta da língua. Cheguei ao centro de voluntários e me dei conta de que todos também sabiam disso: havia uma letargia, uma derrota que pairava no lugar. Andei sem objetivo na direção da mesa de doces e tentei me convencer a comer algo. Folheado. Passei a acreditar que não havia comida mais deprimente do que o folheado, um doce que parecia velho logo de cara.

— Continuo a achar que é o rio — dizia um voluntário ao colega, ambos pegando doces com os dedos sujos. — Logo atrás da casa do cara, o que poderia ser mais fácil?

— Ela já teria aparecido com a contracorrente agora, em uma eclusa, alguma coisa.

— Não se tiver sido esquartejada. Corte as pernas, os braços... O corpo pode ir até o Golfo. No mínimo Tunica.

Eu me virei antes que notassem minha presença.

Um antigo professor meu, o Sr. Coleman, estava em uma mesa de carteado, curvado sobre o telefone de denúncias, anotando informações. Quando o encarei, ele fez o sinal de maluco: dedo girando junto à orelha, depois apontando para o telefone. Ele me cumprimentou ontem dizendo: "Minha neta foi morta por um motorista embriagado, então..." Nós murmuramos e demos tapinhas um no outro desajeitadamente.

Meu celular tocou, o descartável — eu não conseguia achar um lugar para guardá-lo, então ficava com ele. Eu dera um telefonema e o telefonema estava sendo retornado, mas eu não podia atender. Desliguei o celular, examinei a sala para ter certeza de que os Elliott não haviam me visto fazendo aquilo. Marybeth estava digitando em seu BlackBerry, depois esticando o braço para conseguir ler a mensagem de texto. Quando me viu, veio com seus passos apertados e rápidos, segurando o BlackBerry diante de si como um talismã.

— Memphis fica a quanto tempo daqui? — perguntou.

— Pouco menos de cinco horas de carro. O que há em Memphis?

— Hilary Handy mora em Memphis. A *perseguidora* de Amy no ensino médio. É uma coincidência e tanto, não é?

Eu não sabia o que dizer: não?

— É, Gilpin também me deixou na mão. *Não podemos autorizar a despesa por causa de algo que aconteceu há vinte e tantos anos*. Idiota. O cara sempre me trata como se eu estivesse à beira da histeria; fala só com Rand quando estou bem do lado, me ignora completamente, como se eu precisasse que meu marido explicasse as coisas para mim, a pobre imbecil. Idiota.

— A cidade está falida — disse. — Tenho certeza de que eles realmente não têm o dinheiro, Marybeth.

— Bem, nós temos. Estou falando sério, Nick, essa garota era maluca. E sei que ela tentou entrar em contato com Amy ao longo dos anos. Amy me contou.

— Ela nunca me disse isso.

— Qual é o custo de ir de carro até lá? Cinquenta pratas? Tudo bem. Você vai? Você disse que iria. Por favor? Não vou conseguir deixar de pensar nisso até saber que alguém falou com ela.

Eu sabia que pelo menos isso era verdade, porque a filha sofria da mesma preocupação tenaz: Amy era capaz de passar a noite inteira com medo de ter deixado o fogão ligado, embora não tivéssemos cozinhado naquele dia. E a porta estava trancada? Eu tinha certeza? Ela era uma criadora de piores situações possíveis em grande escala. Porque nunca era só que a porta estivesse destrancada, era que a porta estava destrancada e havia homens lá dentro, esperando para estuprá-la e matá-la.

Senti uma camada de suor brotar na superfície da minha pele, porque finalmente os temores de minha esposa haviam se concretizado. Imagine a medonha satisfação de saber que todos aqueles anos de preocupação haviam dado frutos.

— Claro que irei. E no caminho pararei em St. Louis para ver o outro, Desi. Considere feito.

Eu me virei, iniciei minha saída dramática, andei seis metros e de repente lá estava Stucks novamente, seu rosto inteiro ainda flácido do sono.

— Ouvi dizer que a polícia vasculhou o shopping ontem de dia — disse ele, coçando o queixo. Na outra mão, ele tinha um *donut* com cobertura, intacto. Havia uma protuberância em forma de *bagel* no bolso da frente de suas calças cargo. Quase fiz uma piada: *isso é um doce no seu bolso ou você...*

— Pois é. Nada.

— De *dia*. Eles foram de *dia*, os idiotas — disse, se encolhendo e olhando ao redor como se preocupado que o tivessem escutado. Ele se inclinou mais na minha direção. — Você tem de ir de noite, que é quando eles estão lá. De dia eles ficam junto ao rio ou então hasteando bandeiras.

— Hasteando bandeiras?

— Você sabe, sentados nas saídas da estrada com aqueles cartazes: *Demitido, Ajude, por favor, Preciso de dinheiro para a cerveja*, esse tipo de coisa — falou, examinando a sala. — Hasteando bandeira, cara.

— Certo.

— De noite eles ficam no shopping.

— Então iremos hoje à noite — afirmei. — Você, eu e quem mais quiser.

— Joe e Mikey Hillsam — disse Stucks. — Eles vão topar.

Os Hillsam eram três, quatro anos mais velhos do que eu, os fodões da cidade. O tipo de cara que nascia sem o gene do medo, imune à dor. Atletas que passavam o verão de shorts, pernas musculosas, jogando beisebol, tomando cerveja, fazendo proezas estranhas: andar de skate em canais de escoamento, escalar torres de caixa-d'água nus. O tipo de cara que puxava um baseado, olhos arregalados, em uma noite tediosa de sábado e você sabia que algo iria acontecer, talvez não algo de bom, mas algo. Claro que os Hillsam iriam topar.

— Bom — falei. — Vamos hoje à noite.

Meu celular descartável tocou em meu bolso. A coisa não havia desligado direito. Tocou novamente.

— Você não vai atender? — perguntou Stucks.

— Não.

— Você deveria atender todas as ligações, cara. Deveria mesmo.

* * *

Não havia mais nada a fazer pelo restante do dia. Nenhuma busca planejada, não eram necessários mais folhetos, todos os telefones com alguém para atendê-los. Marybeth começou a dispensar voluntários; eles estavam ali à toa, comendo, entediados. Eu suspeitava que Stucks saíra com metade da mesa do café nos bolsos.

— Alguém teve notícias dos detetives? — quis saber Rand.

— Nada — respondemos Marybeth e eu.

— Isso pode ser bom, certo? — indagou Rand, os olhos esperançosos, e Marybeth e eu concordamos. Sim, claro.

— Quando você vai para Memphis? — perguntou-me ela.

— Amanhã. Esta noite meus amigos e eu faremos outra busca no shopping. Achamos que não foi feito direito ontem.

— Excelente — disse Marybeth. — É desse tipo de ação que precisamos. Suspeitamos que não havia sido feito direito da primeira vez, fazemos nós mesmos. Porque eu... Não estou muito impressionada com o que tem sido feito até agora.

Rand colocou a mão no ombro da esposa, um sinal de que esse refrão havia sido dito e ouvido muitas vezes.

— Gostaria de ir com vocês, Nick — comentou ele. — Hoje à noite. Gostaria de ir.

Rand estava vestindo uma camisa polo azul-clara e calças verde-oliva, seu cabelo um reluzente capacete escuro. Eu o imaginei tentando cumprimentar os irmãos Hillsam, fazendo sua encenação levemente desesperada de quem tentava ser um dos rapazes — *ei, eu também gosto de uma boa cerveja, e como está aquele seu time?* — e senti uma onda de desconforto iminente.

— Claro, Rand. Claro.

Eu tinha dez boas horas sem obrigações com que me ocupar. Meu carro estava sendo devolvido a mim — depois de vasculhado, aspirado e decalcado, suponho —, então peguei uma carona até a delegacia com uma voluntária mais velha, uma daquelas avós agitadas que pareciam ligeiramente nervosas ao ficarem sozinhas comigo.

— Estou apenas levando o Sr. Dunne à delegacia, mas estarei de volta em menos de meia hora — dissera a uma das amigas. — Não mais de meia hora.

Gilpin não transformara o segundo bilhete de Amy em evidência; ficara animado demais com a lingerie para se preocupar. Entrei em meu carro, abri mais a porta e fiquei sentado enquanto o calor saía, reli a segunda pista de minha esposa:

> *Imagine: estou louca por você*
> *Meu futuro é tudo menos incerto com você*
> *Você me trouxe aqui para que eu ouvisse sua conversa maneira*
> *Sobre suas aventuras de menino: jeans baratos e viseira*
> *Que se dane todo mundo, deles nós vamos nos livrar*
> *E vamos roubar um beijo... Fingir que acabamos de nos casar.*

Era Hannibal, Missouri, terra da infância de Mark Twain, onde eu trabalhara nos verões quando jovem, onde circulara pela cidade vestido como Huck Finn, com um velho chapéu de palha e calças com rasgos artificiais, sorrindo maliciosamente enquanto convencia as pessoas a visitar a Ice Cream Shoppe. Era uma daquelas histórias que você pode passar um jantar inteiro contando, pelo menos em Nova York, porque ninguém consegue superá-la. Ninguém nunca podia dizer: *Ah, é, eu também*.

O comentário sobre a "viseira" era uma piada interna. Quando eu contara a Amy pela primeira vez que interpretava Huck, havíamos saído para jantar, estávamos em nossa segunda garrafa de vinho e ela estava adoravelmente embriagada. O grande sorriso e as bochechas coradas que ganhava quando bebia, inclinando-se sobre a mesa como se eu tivesse um ímã em mim. Ela estava me perguntando se eu ainda tinha a viseira, se eu a colocaria para ela, e quando perguntei por que em nome de tudo o que era mais sagrado ela achava que Huck Finn usava uma viseira, ela engoliu em seco uma vez e disse: "Ah, eu quis dizer chapéu de palha!" Como se fossem palavras equivalentes. Depois disso, sempre que víamos jogos de tênis, elogiávamos os chapéus de palha esportivos dos jogadores.

Mas Hannibal era uma escolha estranha para Amy, já que não me lembro de termos passado um momento particularmente bom ou ruim ali, apenas um momento. Lembro-me de nós dois passeando quase um ano inteiro atrás, apontando para coisas e lendo cartazes e dizendo "Isso é interessante" e o outro concordava, "É mesmo". Eu estivera lá desde então sem Amy (minha veia nostálgica irreprimível) e tive um dia glorioso, um dia de sorriso largo, de bem com a vida. Mas com Amy fora parado, mecânico. Um pouco constrangedor. Recordo-me de, em dado momento, começar a contar uma história boba sobre uma viagem de infância até lá, quando a vi revirar os olhos, e fiquei secretamente furioso, passei dez minutos apenas curtindo minha raiva — porque àquela altura do nosso casamento eu estava tão acostumado a ficar com raiva dela que a sensação era quase agradável, como mastigar cutícula: você sabe que deve parar, que na verdade aquilo não é tão bom quanto você pensa, mas não consegue. Superficialmente, claro, ela não vira nada. Apenas continuamos a andar, a ler placas e apontar.

Era um lembrete bastante horrível da carência de boas lembranças que tínhamos desde nossa mudança, que minha esposa tivesse sido obrigada a escolher Hannibal para sua caça ao tesouro.

Eu cheguei a Hannibal em vinte minutos, passei pelo glorioso tribunal dos anos dourados, que tinha então apenas um restaurante de asas de frango no porão, e me desloquei por uma série de negócios fechados — bancos arruinados e salas de cinemas mortas — na direção do rio. Estacionei em uma vaga bem no Mississippi, bem na frente do barco fluvial *Mark Twain*. O estacionamento era gratuito. (Eu nunca deixava de me encantar com a novidade, a generosidade do estacionamento grátis.) Estandartes do homem de juba branca pendiam flácidos de postes de luz, cartazes se enrolavam sob o calor. Era um dia quente do tipo secador de cabelos, mas ainda assim Hannibal parecia perturbadoramente calma. Enquanto eu caminhava pelos poucos quarteirões de lojas de suvenir — colchas, antiguidades e caramelos —, vi mais placas de vende-se. A casa de Becky Thatchers estava fechada para reformas, a serem custeadas por dinheiro que ainda tinha de ser arrecadado. Por dez pratas você podia escrever seu nome na cerca caiada de Tom Sawyer, mas havia poucos interessados.

Sentei-me no degrau da frente de uma loja vazia. Ocorreu-me então que eu havia trazido Amy para o fim de tudo. Estávamos literalmente experimentando o fim de um modo de vida, expressão que eu aplicara apenas a tribos da Nova Guiné e a sopradores de vidro dos Apalaches. A recessão fora o fim do shopping. Computadores foram o fim da fábrica Blue Book. Carthage falira; sua cidade-irmã, Hannibal, perdia espaço para atrações turísticas mais brilhantes, barulhentas e animadas. Meu amado rio Mississippi estava sendo comido de trás para a frente por carpas asiáticas que abriam caminho rio acima até o lago Michigan. *Amy Exemplar* chegara ao fim. Era o fim da minha carreira, da carreira dela, o fim do meu pai, o fim da minha mãe. O fim do nosso casamento. O fim de Amy.

O chiado fantasma da buzina do navio a vapor soou, vindo do rio. As costas da minha camisa estavam molhadas de suor. Obriguei-me a levantar. Obriguei-me a comprar o ingresso para o passeio. Caminhei pela rota que Amy e eu havíamos seguido, minha esposa ainda ao meu lado em minha mente. Também estivera quente naquele dia. *Você é BRILHANTE.* Em minha imaginação, ela caminhava ao meu lado, e dessa vez sorria. Meu estômago revirou.

Caminhei mentalmente com minha esposa, seguindo o principal roteiro turístico. Um casal grisalho parou para espiar dentro da casa de Huckleberry Finn, mas não se deu o trabalho de entrar. No final do quarteirão, um homem vestido como Mark Twain — cabelos brancos, terno branco — saiu de um Ford Focus, se espreguiçou, olhou para a rua vazia e entrou em uma pizzaria. E então lá estávamos nós, no prédio de tábuas que fora o escritório do pai de Samuel Clemens. A placa na frente dizia: *J.M. Clemens, Juiz de Paz.*

Vamos roubar um beijo... Fingir que acabamos de nos casar.

Você está fazendo pistas tão legais e fáceis, Amy. Como se realmente quisesse que eu as encontrasse, para poder me orgulhar de mim mesmo. Continue assim e vou quebrar meu recorde.

Não havia ninguém lá dentro. Fiquei de joelhos nas tábuas empoeiradas do piso e olhei sob o primeiro banco. Quando Amy deixava uma pista em um local público, sempre a prendia com fita embaixo das coisas, entre o chiclete grudado e a poeira, e sempre se justificava, porque ninguém gosta de olhar debaixo das coisas. Não havia nada sob o primeiro banco, mas uma ponta de papel pendia do banco atrás desse. Fui até lá e peguei o envelope azul-Amy, um pedaço de fita adesiva grudado nele.

Oi, querido marido,

Você encontrou! Homem brilhante. Talvez ajude que eu tenha decidido não transformar a caça ao tesouro deste ano em uma torturante marcha forçada por minhas misteriosas lembranças pessoais.

Peguei uma dica com seu amado Mark Twain:

"O que deveria ser feito ao homem que inventou a celebração de aniversários de casamento? Só assassinato seria leve demais."

Finalmente saquei o que você disse ano após ano, que esta caça ao tesouro deveria ser um momento para celebrarmos um ao outro, não um teste para saber se você se lembra de cada coisa que eu penso ou digo ao longo do ano. Parece algo que uma mulher adulta compreenderia sozinha, mas... Acho que os maridos estão aí para isso. Para apontar o que não conseguimos ver sozinhas, mesmo que demore cinco anos. Então eu queria aproveitar o momento agora, no local onde Mark Twain passou a maior parte da infância, e agradecer a você pelo seu HUMOR. Você realmente é a pessoa mais inteligente e divertida que conheço. Tenho uma incrível memória perceptiva: de todas as vezes ao longo dos anos em que você se inclinou sobre minha orelha — posso sentir seu hálito fazendo cócegas em meu lóbulo, no instante em que escrevo — e sussurrou algo apenas para mim, só para me fazer rir. Eu me dou conta de quão generoso é isso, um marido fazer sua esposa rir. E você sempre escolheu os melhores momentos. Lembra-se de quando Insley e seu marido macaco amestrado nos obrigaram a admirar o bebê, e fizemos a visita obrigatória à sua casa estranhamente perfeita, exageradamente florida, exageradamente confeitada para o *brunch* e apresentação do bebê, e eles foram tão moralistas e superiores quanto a nosso estado sem filhos, e lá estava aquele menino horroroso, coberto de rios de baba, cenoura cozida e talvez fezes — nu a não ser por um babador de renda e um par de calçados de tricô —, e enquanto eu bebericava meu suco de laranja você se inclinou e sussurrou: "Isso é o que vou vestir mais tarde." E eu literalmente cuspi o suco. Foi um daqueles momentos em que você me salvou, me fez rir no momento certo. Mas uma azeitona só. Então vou dizer novamente. Você tem BOM HUMOR. Agora me beije!

Senti minha alma murchar. Amy estava usando a caça ao tesouro para nos reaproximar. E era tarde demais. Quando escreveu aquelas pistas, ela não tinha ideia do meu estado de espírito. *Por que, Amy, por que você não fez isso antes?*
Nosso *timing* nunca foi bom.

Abri a pista seguinte, li, enfiei no bolso e voltei para casa. Eu sabia para onde ir, mas ainda não estava pronto. Não podia suportar outro elogio, outra palavra gentil de minha esposa, outra bandeira branca. Meus sentimentos por ela estavam passando de amargo para doce rápido demais.
Voltei para a casa de Go, passei algumas horas sozinho, bebendo café e trocando de canal de televisão, ansioso e com raiva, passando o tempo até minha carona das onze da noite até o shopping.
Minha gêmea chegou em casa pouco depois das sete horas, parecendo cansada de seu plantão sozinha no bar. O modo como ela olhou para a TV me indicou que eu deveria desligá-la.
— O que você fez hoje? — perguntou ela, acendendo um cigarro e se acomodando na velha mesa de carteado de nossa mãe.
— Cuidei do centro de voluntários... Depois vamos vasculhar o shopping, às onze — respondi.
Não queria contar a ela sobre a pista de Amy. Já me sentia suficientemente culpado.

Go jogou um pouco de paciência, a batida constante das cartas na mesa uma repreensão. Comecei a andar de um lado para outro. Ela me ignorou.

— Só estava assistindo à TV para me distrair.

— Eu sei, mesmo.

Ela virou um valete.

— Tem de haver algo que eu possa *fazer* — refleti, circulando pela sala de estar dela.

— Bem, você vai vasculhar o shopping em algumas horas — disse Go, e não encorajou mais. Virou três cartas.

— Você fala como se achasse que é perda de tempo.

— Ah. Não. Ei, tudo merece ser verificado. Pegaram o Filho de Sam por causa de uma multa de estacionamento, certo?

Go era a terceira pessoa que mencionava aquilo para mim; devia ser o mantra dos casos que demoravam para ser resolvidos. Sentei-me na frente dela.

— Não estou triste o bastante por causa de Amy — disse. — Sei disso.

— Talvez não — concordou ela, finalmente olhando para mim. — Você anda esquisito.

— Acho que em vez de entrar em pânico apenas me concentrei em sentir raiva dela. Porque estávamos tão mal um com o outro ultimamente... É como se eu achasse errado me preocupar demais porque não tenho o direito. Acho.

— Você anda esquisito, não posso mentir. Mas é uma situação esquisita. — Go apagou o cigarro. — Não me importa como você é comigo. Mas tome cuidado com todos os outros, está bem? As pessoas julgam. Rápido.

Ela voltou à sua paciência, mas eu queria a atenção dela. Continuei falando.

— Eu provavelmente deveria ir ver o papai em algum momento — comentei. — Não sei se vou contar a ele sobre Amy.

— Não — disse ela. — Não faça isso. Ele era ainda mais esquisito em relação a Amy do que você está.

— Sempre achei que ela devia lembrar a ele uma antiga namorada ou algo assim; a mulher que ele não conseguiu ter. Depois que ele... — Fiz um gesto com o polegar para baixo que significava seu Alzheimer — Ele era meio grosso e desagradável com ela, mas...

— É, mas ao mesmo tempo meio que queria impressioná-la — arrematou Go. — Um típico garoto chato de doze anos preso no corpo de um babaca de sessenta e oito.

— As mulheres não acham que no fundo todos os homens são garotos chatos de doze anos?

— Ei, se a carapuça serviu...

Às onze e oito da noite, Rand esperava por nós do lado de dentro das portas de correr automáticas do hotel, os olhos semicerrados no escuro para conseguir nos enxergar. Os Hillsam estavam em sua picape; Stucks e eu íamos na caçamba. Rand trotou até nós usando bermuda de golfe cáqui e uma camiseta de Middlebury engomada. Subiu na traseira, acomodou-se no estepe com surpreendente facilidade e fez as apresentações como se fosse o dono de um programa de entrevistas móvel.

— Lamento realmente por Amy, Rand — disse Stucks em voz alta enquanto saíamos do estacionamento com velocidade desnecessária e tomávamos a rodovia. — Ela é uma pessoa tão doce... Uma vez me viu pintando uma casa, suando para caral... para caramba do lado de fora, e foi até o 7-Eleven, comprou um refrigerante enorme e levou para mim, bem lá em cima da escada.

Isso era mentira. Amy se importava tão pouco com Stucks e seu calor que não teria se dado o trabalho de mijar em um copo para ele.

— Isso é a cara dela — disse Rand.

Senti uma onda de incômodo nada bem-vinda e nada cavalheiresca. Talvez fosse o jornalista em mim, mas fatos eram fatos, e as pessoas não podiam transformar Amy na melhor amiga adorada de todos apenas porque era emocionalmente oportuno.

— Middlebury, é? — continuou Stucks, apontando para a camiseta de Rand. — Eles têm um senhor time de rúgbi.

— Isso aí, temos *mesmo* — concordou Rand, o grande sorriso novamente, e ele e Stucks iniciaram uma improvável discussão sobre rúgbi na faculdade acima do barulho do carro, do ar, da noite, durante todo o caminho até o shopping.

Joe Hillsam estacionou a picape em frente à gigantesca loja de departamento Mervyns de esquina. Todos saltamos, esticamos as pernas, nos sacudimos para acordar. A noite estava abafada e iluminada aqui e ali pela lua. Percebi que Stucks vestia — talvez ironicamente, possivelmente não — uma camiseta que dizia: *Economize gás, peide em um pote.*

— Então, esse lugar, o que estamos fazendo, é perigoso para caramba, não vou mentir — começou Mikey Hillsam.

Ele ganhara corpo ao longo dos anos, assim como o irmão; eles não tinham apenas troncos grossos, tinham tudo grosso. De pé lado a lado eles somavam uns duzentos e vinte quilos de homem.

— Viemos aqui uma vez, eu e Mikey, só para... Não sei, para ver, acho, ver no que havia se transformado, e quase nos fodemos. Então não vamos dar mole esta noite — disse Joe.

Pegou uma comprida bolsa de lona na cabine e abriu o zíper, revelando meia dúzia de tacos de beisebol. Começou a distribuí-los solenemente. Quando chegou a Rand, hesitou.

— Ahn, quer um?

— Quero sim, porra, com certeza — disse Rand, e todos acenaram com a cabeça e sorriram aprovando, a energia no círculo como um tapinha amistoso nas costas, um *bom para você, coroa*.

— Vamos lá — incentivou Mikey, e nos guiou pelo lado de fora. — Tem uma porta com a tranca quebrada perto da Spencer's.

Nesse instante passamos pelas vitrines escuras da Shoe-Be-Doo-Be, onde minha mãe trabalhara durante metade da minha vida. Ainda me lembro da animação dela indo pedir um emprego naquele que era o lugar mais maravilhoso — o shopping! —, saindo certa manhã de sábado para a feira de empregos em seu terninho pêssego-brilhante, uma mulher de quarenta anos procurando emprego pela primeira vez, e dela voltando para casa com um sorriso empolgado: não podíamos imaginar como o shopping era movimentado, quantas lojas diferentes! E quem sabia em qual ela poderia trabalhar? Ela se candidatara a nove! Lojas de roupas, lojas de equipamentos de som e até mesmo uma loja de pipocas especiais. Quando anunciou uma semana depois que era oficialmente uma vendedora de sapatos, seus filhos ficaram pouco animados.

"Você vai ter de tocar em todo tipo de pés fedorentos", reclamou Go.

"Vou conhecer todo tipo de pessoas interessantes", corrigiu nossa mãe.

Espiei pela vitrine melancólica. O lugar estava totalmente vazio a não ser por um medidor de pé apoiado inutilmente na parede.

— Minha mãe trabalhava aqui — disse a Rand, forçando-o a ficar para trás comigo.

— Que tipo de lugar era?

— Era um lugar legal, eles foram bons para ela.

— Quer dizer, o que eles vendiam aqui?

— Ah, sapatos. Eles vendiam sapatos.

— É isso aí! Sapatos. Gostei. Algo de que as pessoas realmente precisam. E no final do dia você sabe o que fez: vendeu sapatos a cinco pessoas. Não é como escrever, certo?

— Dunne, venha! — chamou Stucks, apoiado na porta aberta à frente; os outros haviam entrado.

Imaginei que o shopping tivesse um cheiro específico quando entramos: aquele vazio de temperatura controlada. Em vez disso, senti cheiro de grama velha e terra, o cheiro do exterior do lado de dentro, onde ele não deveria estar. O prédio estava quente e abafado, quase fibroso, como dentro de um colchão. Três de nós tinham enormes lanternas de acampamento, o brilho iluminando imagens perturbadoras: era suburbano, pós-cometa, pós-zumbi, pós-humanidade. Um conjunto de trilhas enlameadas de carrinhos de compras fazia várias voltas loucamente ao longo do piso branco. Um guaxinim mastigava um brinquedo de cachorro na entrada do banheiro feminino, os olhos brilhando como moedas.

O shopping inteiro estava silencioso; a voz de Mikey ecoava, nossos passos ecoavam, o riso bêbado de Stucks ecoava. Não seríamos um ataque-surpresa, caso ataque fosse o que tínhamos em mente.

Quando chegamos à praça central do shopping, a área inteira cresceu: quatro andares, escadas rolantes e elevadores se cruzando no escuro. Nós nos reunimos perto de uma fonte seca e esperamos que alguém assumisse a liderança.

— E então, pessoal, qual é o plano aqui? — perguntou Rand, em dúvida. — Todos vocês conhecem o lugar, e eu não. Precisamos descobrir como sistematicamente...

Ouvimos estalidos metálicos altos bem atrás de nós, um portão de segurança subindo.

— Ei, lá está um! — gritou Stucks.

Ele apontou a lanterna para um homem em uma capa de chuva esvoaçante, saindo em disparada da entrada de uma loja Claire's, fugindo a toda de nós.

— Peguem ele! — berrou Joe, e começou a persegui-lo, tênis pesados batendo no piso de cerâmica, Mikey logo atrás, lanterna apontada para o estranho, os dois irmãos gritando em voz áspera: *espere aí, ei, cara, só queremos fazer uma pergunta.*

O homem nem sequer olhou para trás. *Eu disse para esperar, desgraçado!* O sujeito permaneceu calado em meio aos gritos, mas ganhou velocidade e disparou pelo corredor do shopping, entrando e saindo do foco da lanterna, sua capa sacudindo atrás dele como um manto. Então o cara se transformou em acrobata: pulando por cima de uma lata de lixo, desviando da beirada de uma fonte e finalmente deslizando sob um portão de segurança metálico para a Gap e desaparecendo.

— Desgraçado!

O rosto, o pescoço e os dedos dos Hillsam haviam ficado vermelhos tipo ataque cardíaco. Eles se revezaram bufando no portão, esforçando-se para erguê-lo.

Tentei ajudá-los, mas não havia como levantar mais de quinze centímetros. Deitei no chão e tentei passar sob o portão: dedos, panturrilhas, depois fiquei preso pelo peito.

— Nada, não dá — grunhi. — Merda!

Levantei-me e apontei a luz da lanterna para a loja. Estava vazia exceto por uma pilha de prateleiras de roupas que alguém arrastara para o centro, como se para iniciar uma fogueira.

— Todas as lojas se ligam nos fundos a passagens para lixo, encanamentos — expliquei. — A esta altura ele provavelmente está do outro lado do shopping.

— Bem, então vamos para o outro lado do shopping — disse Rand.

— Saiam daí, seus merdas — berrou Joe, a cabeça inclinada para trás, os olhos semicerrados.

Sua voz ecoou pelo prédio. Começamos a caminhar desordenadamente, arrastando os bastões ao lado de nós, com exceção dos Hillsam, que usavam os deles para bater em portões de segurança e portas, como se estivessem em patrulha militar em uma zona de guerra particularmente tensa.

— Melhor virem até nós antes de nós irmos atrás de vocês! — gritou Mikey. — Ah, *olá*!

Na entrada de um pet shop, um homem e uma mulher enrolavam-se em cobertores do exército, os cabelos molhados de suor. Mikey elevou-se acima deles, respirando pesado, enxugando a testa. Era a cena do filme de guerra em que os soldados frustrados se deparam com aldeões inocentes e coisas ruins acontecem.

— Que diabo vocês querem? — perguntou o homem no chão.

Ele era esquelético, o rosto tão fino e chupado que parecia estar derretendo. O cabelo embaraçado chegava aos ombros, os olhos infelizes e erguidos: um Jesus espoliado. A mulher estava em melhor forma, com braços e pernas limpos e roliços, os cabelos escorridos, oleosos, mas penteados.

— Você é um Garoto Blue Book? — perguntou Stucks.

— Num sou garoto nenhum — murmurou o homem, cruzando os braços.

— Tenha um pouco de respeito, porra — interrompeu a mulher. Depois pareceu que ela ia chorar. Desviou os olhos, fingindo olhar para algo distante. — Estou cansada de *ninguém* ter *respeito nenhum*.

— Nós fizemos uma pergunta, camarada — falou Mikey, aproximando-se do cara, chutando a sola do pé dele.

— Não sou Blue Book — respondeu o homem. — Só tenho azar.

— Mentira.

— Tem muita gente diferente aqui, não só Blue Books. Mas se é isso que vocês estão procurando...

— Vão lá, vão lá, então, e encontrem eles — disse a mulher, a boca se curvando para baixo. — Vão incomodar eles.

— Eles fazem negócio lá no Buraco — completou o homem. Quando fizemos cara de que não entendemos, ele apontou. — A Mervyns, no final, depois de onde ficava o carrossel.

— E vão se foder — murmurou a mulher.

Uma mancha circular marcava o lugar onde o carrossel costumava ficar. Amy e eu havíamos dado uma volta nele pouco antes de o shopping fechar. Dois adultos, lado a lado em coelhinhos que levitavam, porque minha esposa queria ver o shopping onde eu passara tanto tempo da minha infância. Queria ouvir minhas histórias. Nem tudo era ruim entre nós.

O portão para a Mervyns fora arrombado, de modo que a loja estava tão escancarada e receptiva quanto na manhã de uma liquidação. O lugar estava vazio a não ser pelas ilhas onde antes havia máquinas registradoras e que agora abrigavam cerca de uma dezena de drogados em estágios diferentes, sob placas que diziam *Joias*, *Beleza* e *Roupas de cama*. Eram iluminadas por lampiões a gás de acampamento que bruxuleavam como archotes decorativos. Alguns caras mal abriram um olho quando passamos, outros estavam apagados. Em um canto distante, dois garotos recém-saídos da adolescência recitavam maniacamente o Discurso de Gettysburg. *Estamos agora envolvidos em uma grande guerra civil...* Um homem estava esparramado no carpete com short jeans imaculado e tênis brancos, como se estivesse a caminho do jogo de T-Ball dos filhos. Rand olhou para ele como se pudesse conhecer o sujeito.

Carthage tinha uma epidemia de drogas maior do que eu imaginava. A polícia estivera aqui ainda ontem e os drogados já haviam se instalado outra vez, como moscas determinadas. Enquanto abríamos caminho entre as pilhas de humanos, uma mulher obesa veio até nós silenciosamente em um patinete elétrico. O rosto dela era cheio de espinhas e molhado de suor, os dentes como os de um gato.

— Estão comprando ou indo embora? Porque isto aqui não é uma exposição — disse ela.

Stucks apontou a luz da lanterna para o rosto dela.

— Tire essa porra da minha cara.

Ele obedeceu.

— Estou procurando minha esposa — comecei. — Amy Dunne. Está desaparecida desde quinta-feira.

— Ela vai aparecer. Vai acordar e se arrastar para casa.

— Não estamos preocupados com drogas — expliquei. — Estamos mais preocupados com alguns dos homens aqui. Ouvimos boatos.

— Pode deixar, Melanie — falou uma voz.

No limite da seção juvenil, um homem esguio se apoiava no tronco nu de um manequim, observando-nos, um sorriso torto no rosto.

Melanie deu de ombros, entediada, aborrecida, e acelerou para longe.

O homem manteve os olhos em nós, mas gritou para o fundo da seção juvenil, onde quatro pares de pés se projetavam para fora dos provadores, sujeitos acampados em seus cubículos individuais.

— Ei, Lonnie! Ei, todo mundo! Os babacas voltaram. Cinco deles — informou o homem.

Ele chutou uma lata de cerveja vazia na nossa direção. Atrás dele, três pares de pés começaram a se mover, homens se levantando. Um par permaneceu imóvel, seu dono dormindo ou desmaiado.

— É, seus merdas, estamos de volta — disse Mikey Hillsam. Ele segurava o bastão como um taco de sinuca e acertou o tronco do manequim entre os seios. O manequim se inclinou na direção do piso e o cara Blue Book retirou o braço graciosamente enquanto ele caía, como se tudo fosse parte de uma cena ensaiada. — Queremos informações sobre uma garota desaparecida.

Os três homens dos provadores se juntaram aos amigos. Todos vestiam camisetas de festas de fraternidades: *Pi Phi Tie-Dye* e *Fiji Island*. Os bazares eram inundados com essas camisetas no verão — formandos se livrando de antigos suvenires.

Os homens eram todos musculosos, braços fortes marcados por veias azuis em alto-relevo. Atrás deles, um cara com um comprido bigode curvado e o cabelo preso num rabo de cavalo — Lonnie — saiu do maior provador do canto, arrastando um grande pedaço de cano, vestindo uma camiseta Gamma Phi. Estávamos olhando para os seguranças do shopping.

— Que que é? — perguntou Lonnie.

Não podemos dedicar... não podemos consagrar... não podemos santificar este solo..., recitavam os garotos em um timbre que era quase um grito.

— Estamos procurando por Amy Dunne, você provavelmente a viu nos noticiários, desaparecida desde quinta — explicou Joe Hillsam. — Uma moça legal, bonita, gentil, tirada da própria casa.

— Eu ouvi falar. E daí? — perguntou Lonnie.

— Ela é minha esposa — falei.

— Sabemos o que vocês fazem aqui — continuou Joe, se dirigindo apenas a Lonnie, que balançava o rabo de cavalo atrás dele, contraindo os maxilares. Tatuagens verdes desbotadas cobriam seus dedos. — Sabemos sobre a gangue de estupradores.

Olhei para Rand para ver se ele estava bem; ele olhava para o manequim nu no chão.

— Gangue de estupradores — repetiu Lonnie, jogando a cabeça para trás. — Que merda é essa que você está falando sobre gangue de estupradores?

— Vocês aí — disse Joe. — Vocês, Garotos Blue Book...

— Garotos Blue Book, como se fôssemos alguma espécie de equipe — bufou Lonnie. — Não somos animais, seu babaca. Não roubamos mulheres. As pessoas querem se sentir bem por não nos ajudarem. *Está vendo, eles não merecem, são um bando de estupradores.* Bem, *porra* nenhuma. Eu daria o fora desta cidade se a fábrica me desse meu salário atrasado. Mas não recebi nada. Nenhum de nós recebeu nada. Então aqui estamos.

— Nós lhes daremos dinheiro, uma boa grana, se puderem nos dizer algo sobre o desaparecimento de Amy — falei. — Vocês conhecem muita gente, talvez tenham ouvido alguma coisa.

Peguei a foto dela. Os Hillsam e Stucks pareceram surpresos, e eu me dei conta, é claro, de que aquilo era apenas uma diversão de macho para eles. Empurrei a foto para o rosto de Lonnie, achando que ele mal iria olhar. Mas ele se inclinou mais para perto.

— Eita, porra — reagiu. — *Ela?*

— Você a reconhece?

Ele parecia realmente abalado.

— Ela queria comprar uma arma.

AMY ELLIOTT DUNNE
16 DE OUTUBRO DE 2010

ANOTAÇÃO EM DIÁRIO

Parabéns para mim! Um mês inteiro como moradora do Missouri e estou a caminho de me tornar uma boa habitante do Meio-Oeste. É, eu abandonei completamente todas as coisas Costa Leste e ganhei minha ficha de trinta dias (aqui, a ficha seria uma batata frita). Estou fazendo anotações, honrando tradições. Eu sou a Margaret Mead do maldito Mississippi.

Vejamos, quais são as novidades? Nick e eu estamos atualmente envolvidos no que eu passei a chamar (para mim mesma) de Dilema do Cuco. A querida herança dos meus pais parece ridícula na casa nova. Mas, bom, todos os nossos móveis de Nova York parecem. Nosso digno e paquidérmico sofá *chesterfield*, com seu pequeno divã combinando, fica na sala de estar parecendo chocado, como se tivesse sido anestesiado com um dardo em seu ambiente natural e acordasse naquele estranho novo cativeiro, cercado por carpete felpudo falso, madeira sintética e paredes sem veios. Sinto falta de nossa antiga casa, todos os calombos, desníveis e fissuras deixados pelas décadas. (Pausa para ajuste de comportamento.) Mas a nova também é legal! Apenas diferente. O relógio discorda. O cuco também está tendo dificuldade para se ajustar ao seu novo espaço: o passarinho se lança para fora ebriamente, dez minutos depois da hora; dezessete minutos antes; quarenta e um depois. Emite um gemido moribundo — cuu-crrruu — que sempre faz Bleecker sair trotando de algum esconderijo, olhos arregalados, todo profissional, o rabo como um escovador de garrafas enquanto inclina a cabeça na direção das penas e mia.

"Nossa, seus pais realmente devem me odiar", diz Nick sempre que estamos ao alcance do barulho, embora ele seja inteligente o bastante para não recomendar que nos livremos do relógio. Na verdade, também quero jogar a coisa no lixo. Sou eu (a sem-emprego) que fico em casa o dia inteiro, apenas esperando por seu guincho, uma cinéfila tensa se preparando para a próxima explosão do espectador maluco atrás de mim — ambos aliviados (aí está!) e raivosos (aí está!) toda vez que acontece.

Houve muita comoção com o relógio durante a festa de open house (*ah, veja só isso, um relógio antigo!*) que Mama Maureen Dunne insistiu que fizéssemos. Na verdade, não insistiu; Mama Mo não insiste. Ela simplesmente torna as coisas realidade supondo que assim são: desde a primeira manhã depois da mudança, quando apareceu em nosso umbral com ovos mexidos de boas-vindas e um grande pacote de papel higiênico (que não dava uma boa impressão sobre os ovos mexidos), ela falara sobre o open house como se fosse um fato. *Então, quando vocês querem fazer a festa de open house? Já pensaram em quem devo convidar para o open house? Querem um open house calmo ou algo mais animado, como um chá de bar? Mas uma festa tradicional é sempre boa também.*

E então de repente havia uma data, e a data era hoje, e a família Dunne e os amigos estavam sacudindo a garoa de outubro de seus guarda-chuvas e cuidadosamente, conscientemente, limpando os pés no capacho que Maureen trouxera para nós naquela manhã. O carpete diz: *São amigos todos os que entram aqui.* É da loja Costco. Aprendi sobre compras no atacado em quatro semanas como moradora do rio Mississippi. Os republicanos vão ao Sam's Club, os democratas vão à Costco. Mas todos compram no atacado, porque — diferentemente dos moradores de Manhattan — todos têm espaço para estocar vinte e quatro potes de picles. E — diferentemente dos moradores de Manhattan — todos têm o que fazer com vinte e quatro potes de picles. (Nenhuma reunião é completa sem uma travessa cheia de picles e azeitonas espanholas tiradas diretamente do pote. E feno.)

Eis a cena: é um daqueles dias de cheiros fortes, quando as pessoas levam o exterior para dentro com elas, o cheiro de chuva em suas mangas, seus cabelos. As mulheres mais velhas — amigas de Maureen — oferecem comidas variadas em recipientes plásticos que podem ser colocados na lavadora e que elas depois pedirão que eu devolva. E pedirão, e pedirão novamente. Eu sei, agora, que se espera que eu lave os recipientes e deixe cada um em seu devido lar — uma entregadora de Ziploc —, mas quando vim para cá eu não conhecia o protocolo. Mandei devidamente para a reciclagem todos os recipientes plásticos, então tive de comprar novos para todas. A melhor amiga de Maureen, Vicky, imediatamente notou que seu recipiente era novo, comprado na loja, um impostor, e quando expliquei minha confusão ela arregalou os olhos de espanto: *Então é assim que eles fazem em Nova York*.

Mas sobre o open house: as mulheres mais velhas são amigas de Maureen de antigas reuniões da associação de pais e mestres, de clubes de leitura, da Shoe-Be-Doo-Be no shopping, onde ela passava quarenta horas por semana colocando confortáveis sapatos de salto quadrado nos pés de mulheres de certa idade. (Ela consegue descobrir o tamanho de um pé só de olhar — 37 feminino, estreito! —, é seu truque nas festas.) Todas as amigas de Mo adoram Nick e todas têm histórias sobre as coisas adoráveis que ele fez para elas ao longo dos anos.

As mulheres mais novas, que representam o conjunto de possíveis-amigas-de-Amy, exibem todas o mesmo corte curto de cabelos descoloridos, as mesmas babuchas. São filhas das amigas de Maureen, e todas adoram Nick, e todas têm histórias sobre as coisas adoráveis que ele fez por elas ao longo dos anos. A maioria está desempregada com os fechamentos no shopping, ou seus maridos estão desempregados por causa dos fechamentos no shopping, então todas me oferecem receitas de "comidas baratas e fáceis", que normalmente envolvem um refogado de sopa enlatada, manteiga e salgadinhos.

Os homens são simpáticos, silenciosos e se reúnem em círculos, conversando sobre esportes e sorrindo com benevolência para mim.

Todos são simpáticos. São literalmente *o mais simpáticos que podem ser*. Maureen, a paciente de câncer mais durona de três estados, me apresenta a todos os seus amigos da mesma forma que você mostraria um novo animal de estimação ligeiramente perigoso: "Esta é a esposa de Nick, Amy, *nascida e criada* na cidade de Nova York." E suas amigas, roliças e simpáticas, imediatamente sofrem de algum estranho surto de síndrome de Tourette: repetem as palavras — *cidade de Nova York!* — com as mãos juntas e dizem algo que dispensa resposta: *Deve ter sido maravilhoso*. Ou, com vozes roucas, cantam "New York, New York", dançando de leve de um lado para outro com mãos espalmadas. A amiga de Maureen da sapataria, Barb, manda um "*Nue* York *Ceety*! Peguem uma corda", e quando eu olho confusa, ela diz: "Ah, isso é daquele velho comercial de molho!", e quando eu continuo sem entender, ela fica vermelha, coloca a mão em meu braço e diz: "Eu nunca enforcaria você."

No fim das contas, todas começam a rir e confessam que nunca estiveram em Nova York. Ou que estiveram — uma vez — e não gostaram muito. Então digo algo como *Você iria gostar* ou *Decididamente não é para todo mundo* ou *Hum*, porque não tenho mais nada a dizer.

"Seja simpática, Amy", cospe Nick em meu ouvido quando estamos na cozinha enchendo novamente os copos (habitantes do Meio-Oeste adoram dois litros de refrigerante, sempre dois litros, e você os coloca em grandes copos plásticos vermelhos da marca Solo, sempre).

"*Estou* sendo", reclamo. Fico realmente magoada, porque se perguntassem a qualquer um naquela sala se estou sendo simpática, sei que todos diriam que sim.

Às vezes tenho a impressão de que Nick se fixou em uma versão de mim que não existe. Desde que nos mudamos para cá eu saí à noite com outras mulheres e fiz caminhadas beneficentes, preparei refogados para o pai dele e ajudei a vender bilhetes de rifas. Liberei o resto do meu dinheiro para dar a Nick e Go para que eles pudessem comprar o bar que sempre quiseram, e até coloquei o cheque dentro de um cartão em forma de um caneco de cerveja — *Tim-tim para vocês!* —, e Nick simplesmente soltou um obrigado seco de má vontade. Não sei o que fazer. Estou tentando.

Nós distribuímos os refrigerantes, eu sorrindo e rindo ainda mais, uma visão de graça e alegria, perguntando a todos se posso oferecer algo mais, elogiando as mulheres por suas saladas de frutas com creme, molhos de caranguejo e fatias de picles com *cream cheese* enrolados em salame.

O pai de Nick chega com Go. Eles ficam de pé em silêncio na soleira da porta, gótico do Meio-Oeste, Bill Dunne rígido e ainda bonito, um pequeno Band-Aid na testa, Go com uma expressão furiosa, os cabelos com prendedores, os olhos desviados do pai.

"Nick", diz Bill Dunne, apertando a mão dele, e entra, franzindo a testa para mim. Go o segue, agarra Nick e o leva para trás da porta, sussurrando. "Não tenho ideia de onde ele está agora, mentalmente falando. Tipo, se está tendo um dia ruim ou apenas sendo um babaca. Nenhuma ideia."

"Certo, certo. Não se preocupe, vou ficar de olho nele."

Go dá de ombros, irritada.

"Estou falando sério, Go. Pegue uma cerveja e relaxe. Está liberada de cuidados com o papai pela próxima hora."

Eu penso: *Se fosse eu, ele se queixaria de que estava sendo sensível demais.*

As mulheres mais velhas continuam a girar ao meu redor, me contando que Maureen sempre dissera como Nick e eu éramos um casal maravilhoso, e ela está certa, claramente somos feitos um para o outro.

Prefiro esses clichês bem-intencionados ao papo que ouvimos antes do casamento. *Casamento significa concessões e trabalho duro, e depois mais trabalho duro e comunicação e concessões. E depois trabalho. Abandone toda esperança, aquele que aqui entrar.*

A festa de noivado em Nova York ficou pior por isso, todos os convidados quentes de vinho e ressentimento, como se todos os casais tivessem tido uma discussão a caminho do clube. Ou tivessem se lembrado de alguma discussão. Como Binks. Binks Moriarty, a mãe de oitenta e oito anos da melhor amiga da minha mãe, me parou no bar — gritou "Amy! Preciso falar com você!" em tom de emergência médica. Torceu seus preciosos anéis em dedos de nós grossos — torceu, girou, estalou — e acariciou meu braço (aquele gesto de velho — dedos frios cobiçando sua pele bonita, macia, quente e novinha), e então Binks me contou como seu falecido marido com quem fora casada durante sessenta e três anos tivera dificuldade em "segurar o passarinho na gaiola". Binks disse isso com um daqueles sorrisos de *estou quase morta, posso dizer esse tipo de coisa* e olhos anuviados de catarata. "Ele simplesmente não conseguia mantê-lo dentro das calças", disse a velha senhora com urgência, sua mão gelando meu braço em um aperto mortal. "Mas ele me amava mais do que a qualquer uma delas. *Eu* sei disso, e *você* sabe disso." Com a moral da história sendo: o Sr. Binks era um traidor cretino, mas, você sabe, casamento implica concessões.

Eu me retirei rapidamente e comecei a circular em meio à multidão, sorrindo para uma série de rostos enrugados, com aquele olhar flácido, exausto, desapontado que as pessoas ganham na meia-idade, e todos os rostos eram assim. A maioria deles também estava bêbada, fazendo passos de dança de sua juventude — se remexendo ao som de funk de country club —, e aquilo parecia ainda pior. Eu estava indo na direção da janela para respirar um pouco, quando uma mão apertou meu braço. A mãe de Nick, Mama Maureen, com seus grandes olhos negros de laser, seu rosto ansioso de cão pug. Enfiando um pedaço de queijo de cabra e biscoitos na boca, Maureen conseguiu dizer: "Não é fácil se juntar a alguém para sempre. É uma coisa admirável, e estou contente que estejam fazendo isso, mas, ah, crianças, haverá dias em que desejarão nunca ter feito isso. E esses serão os momentos bons, quando forem apenas *dias* de arrependimento, e não *meses*." Devo ter parecido chocada — definitivamente estava chocada —, porque ela disse rapidamente: "Mas então vocês também terão momentos bons. Sei que terão. *Os dois*. Muitos momentos bons. Então apenas... Perdoe-me, querida, pelo que disse antes. Estou apenas sendo uma velha divorciada e tola. Ah, nossa senhora dos bêbados, acho que bebi *vinho* demais." E deu um aceno de despedida para mim e saiu correndo alegremente em meio a todos os outros casais desapontados.

"Você não deveria estar aqui", Bill Dunne está dizendo de repente, e estava dizendo isso a mim. "Por que está aqui? Você não pode entrar aqui."

"Sou Amy", digo, tocando seu braço como se isso fosse acordá-lo. Bill sempre gostou de mim; mesmo que não conseguisse pensar em nada para me dizer, eu sabia que ele gostava de mim, pelo modo como me olhava, como se eu fosse um pássaro raro. Agora ele está franzindo a testa, empurrando o peito na minha direção, uma caricatura de um jovem marinheiro prestes a se meter em uma briga. A alguns passos de distância, Go pousa sua comida e se prepara para vir em nossa direção, silenciosamente, como se tentasse apanhar uma mosca.

"Por que está em nossa casa?", pergunta Bill Dunne, sua boca fazendo uma careta. "Que ousadia, senhora."

"Nick?", chama Go virada para trás, não alto, mas com urgência.

"Pode deixar", diz Nick, aparecendo. "Oi, pai, essa é minha esposa, Amy. Lembra-se de Amy? Nós nos mudamos para cá para podermos ver mais você. Esta é nossa nova casa."

Nick crava os olhos em mim: fui eu quem insistiu em convidar o pai dele.

"Só estou dizendo, Nick", diz Bill Dunne, apontando, agora sacudindo um indicador na direção do meu rosto, a festa ficando silenciosa, vários homens se deslocando lentamente, com cautela, vindos da outra sala, as mãos coçando, prontos para se mover, "que este não é o lugar *dela*. A piranhazinha acha que pode fazer tudo o que quer."

Mama Mo então se adianta, o braço ao redor do ex-marido, sempre, sempre à altura da ocasião. "Claro que é o lugar dela, Bill. É a casa dela. É a esposa do seu filho. Lembra?"

"Eu a quero fora daqui, está me entendendo, Maureen?" Ele se livra dela e começa a ir na minha direção novamente. "Piranha burra. Piranha burra."

Não está claro se ele se refere a mim ou a Maureen, mas então ele olha para mim e aperta os lábios. "Este *não é* o lugar dela."

"Vou sair daqui", digo, e dou as costas, passo pela porta, vou para debaixo da chuva. *Ele tem Alzheimer*, penso, tentando relevar. Dou uma grande volta pelo bairro, esperando que Nick apareça e me leve de volta para nossa casa. A chuva cai sobre mim gentilmente, me encharcando. Acredito de verdade que Nick virá atrás de mim. Eu me viro na direção da casa e vejo apenas uma porta fechada.

NICK DUNNE
QUATRO DIAS SUMIDA

Rand e eu nos sentamos no vazio quartel-general Encontre Amy Dunne, às cinco da manhã, tomando café enquanto esperávamos que os policiais falassem com Lonnie. Amy olhava para nós de seu pôster na parede. Sua foto parecia preocupada.

— Só não entendo por que ela não diria nada a você, se estava com medo — disse Rand. — Por que não contaria a você?

Amy fora ao shopping para comprar uma arma logo no Dia dos Namorados, dentre todos os dias, segundo nosso amigo Lonnie dissera. Ela estava um pouco envergonhada, um pouco nervosa: *Talvez eu esteja sendo boba, mas... realmente acho que preciso de uma arma.* Mas estava sobretudo nervosa. Alguém a estava assustando, ela dissera a Lonnie. Não deu mais detalhes, mas, quando ele perguntou que tipo de arma queria, disse: *Uma que pare alguém rapidamente.* Ele disse a ela para voltar dentro de alguns dias, e ela voltou. Ele não havia conseguido arranjar uma arma para ela ("Não é muito a minha área, dona"), mas agora gostaria de ter conseguido. Lembrava-se bem dela; ao longo dos meses, ele se perguntara como ela estaria, aquela loura gentil com o rosto assustado, tentando conseguir uma arma no Dia dos Namorados.

— De quem ela estaria com medo? — perguntou Rand.

— Conte novamente sobre Desi, Rand — pedi. — Você o encontrou alguma vez?

— Ele veio à nossa casa algumas vezes — respondeu Rand, franzindo a testa, recordando. — Era um garoto de boa aparência, muito solícito com Amy, a tratava como uma princesa. Mas nunca gostei dele. Mesmo quando as coisas iam bem entre eles, amor jovem, o primeiro amor de Amy, mesmo então, eu desgostava dele. Era muito rude comigo, inexplicavelmente. Muito possessivo com Amy, os braços ao redor dela o tempo todo. Eu achava estranho, muito estranho, que não tentasse ser simpático conosco. A maioria dos jovens quer se dar bem com os sogros.

— Eu queria.

— E conseguiu! — Rand sorriu. — Você tinha a dose certa de nervosismo, era muito meigo. Desi não era nada além de desagradável.

— Ele está a menos de uma hora da cidade.

— Verdade. E Hilary Handy? — perguntou Rand, esfregando os olhos. — Não quero ser sexista: ela era mais assustadora que Desi. Porque o tal Lonnie do shopping não disse que Amy estava com medo de um homem.

— Não, só disse que ela estava com medo. *Há* a tal garota, Noelle Hawthorne, aquela que mora perto de nós. Ela disse à polícia que era a melhor amiga de Amy, quando eu sei que não era. Elas não eram sequer *amigas*. O marido diz que ela está histérica. Que ficou olhando para fotos de Amy, chorando. Na época, achei que eram fotos da internet, mas... E se eram fotos de verdade que ela tinha de Amy? E se ela estava obcecada com Amy?

— Ela tentou falar comigo quando eu estava meio ocupado ontem — disse Rand. — Citou umas coisas de *Amy Exemplar*. Na verdade, *Amy Exemplar e a guerra da melhor amiga*. "Melhores amigos são aqueles que nos conhecem melhor."

— Isso soa como algo que Hilary diria — completei. — Uma Hilary adulta.

Encontramos com Boney e Gilpin pouco depois das sete da manhã em uma lanchonete na rodovia para um confronto. Era ridículo que estivéssemos fazendo o trabalho deles. Era loucura que nós estivéssemos descobrindo pistas. Era hora de chamar o FBI se a polícia local não conseguia dar conta.

Uma garçonete roliça de olhos cor de âmbar anotou nossos pedidos, serviu café e, claramente me reconhecendo, ficou a uma distância em que podia escutar, até Gilpin a dispensar. Mas ela era como uma mosca doméstica determinada. Entre novas doses de café, distribuição de talheres e a chegada magicamente rápida de nossa comida, toda nossa discussão saiu em espasmos entrecortados. *Isso é inaceitável... Chega de café, obrigado... É inacreditável que... Ahn, claro, centeio está bom...*

Antes que terminássemos, Boney interrompeu.

— Entendo, rapazes, é natural querer se sentir envolvido. Mas o que vocês fizeram foi perigoso. Vocês precisam deixar que cuidemos desse tipo de coisa.

— Mas é exatamente isso, vocês não estão cuidando — retruquei. — Vocês nunca teriam conseguido essa informação sobre a arma se não tivéssemos ido lá ontem à noite. O que Lonnie disse quando vocês falaram com ele?

— O mesmo que você disse que ele falou — respondeu Gilpin. — Amy queria comprar uma arma, estava assustada.

— Vocês não parecem muito impressionados com essa informação — falei, irritado. — Acham que ele estava mentindo?

— Não achamos que ele estava mentindo — respondeu Boney. — Não há motivo para o cara chamar a atenção da polícia para si. Ele pareceu muito impressionado com sua esposa. Muito... Não sei, abalado que isso tenha acontecido a ela. Ele se lembrava de detalhes específicos. Nick, ele disse que ela estava usando uma echarpe verde naquele dia. Sabe, não um cachecol de inverno, mas uma da moda — falou, fazendo movimentos flutuantes com os dedos para mostrar que achava moda algo infantil, que não merecia sua atenção. — Verde-esmeralda. Isso lhe diz algo?

Eu confirmei com um aceno de cabeça.

— Ela usa muito com calça jeans.

— E um broche no casaco; um A de ouro em letra cursiva?

— Sim.

Boney deu de ombros: *Bem, isso resolve a questão.*

— Você não acha que ele pode ter ficado tão impressionado com ela que... a sequestrou? — perguntei.

— Ele tem um álibi. Sólido — respondeu Boney, me olhando com determinação. — Para falar a verdade, começamos a procurar... um tipo diferente de motivação.

— Algo mais... pessoal — acrescentou Gilpin. Ele olhou desconfiado para suas panquecas cobertas com morangos e bolotas de chantili. Começou a raspá-los para o lado do prato.

— Mais pessoal — repeti. — Então isso significa que finalmente vão falar com Desi Collings ou Hilary Handy? Ou eu preciso fazer isso?

Na verdade, eu prometera a Marybeth que iria hoje.

— Vamos, sim — confirmou Boney. Ela tinha o tom tranquilizador de uma garota prometendo à mãe chata que iria comer melhor. — Duvidamos que seja uma pista, mas vamos falar com eles.

— Bem, ótimo, obrigado por fazer seu trabalho, mais ou menos — falei. — E quanto a Noelle Hawthorne? Se vocês querem alguém perto de casa, ela está bem no nosso condomínio, e parece um pouco obcecada por Amy.

— Eu sei, ela ligou para nós, e está em nossa lista. — Gilpin balançou a cabeça. — Hoje.

— Bom. O que mais estão fazendo?

— Nick, na verdade gostaríamos que você nos desse um pouco do seu tempo, deixasse que forçássemos seu cérebro um pouco mais — disse Boney. — Os cônjuges com frequência sabem mais do que imaginam. Gostaríamos que pensasse um pouco mais sobre a discussão, aquela briga que sua vizinha, a Sra., ahn, Teverer, ouviu você e Amy tendo na noite antes de ela desaparecer.

A cabeça de Rand virou bruscamente na minha direção.

Jan Teverer, a mulher cristã do refogado que não olhava mais nos meus olhos.

— Quer dizer, poderia ter sido porque, e sei que isso é duro de ouvir, Sr. Elliott, porque Amy estava sob a influência de algo? — perguntou Boney. Olhos inocentes. — Quer dizer, talvez ela *tenha* tido contato com figuras menos respeitáveis da cidade. Há muitos outros traficantes de drogas. Talvez ela tenha perdido o controle, e por isso queria uma arma. Precisa haver uma razão para ela querer uma arma para se proteger e não contar ao marido. E Nick, gostaríamos que pensasse novamente em onde esteve durante aquele tempo... entre o momento da discussão, por volta das onze horas da noite, a última vez em que alguém ouviu a voz de Amy e...

— Além de mim.

— Além de você... E meio-dia, quando chegou ao seu bar. Se você esteve fora, circulando pela cidade, dirigindo até a praia, passando tempo na área do cais, alguém deve ter visto. Mesmo que fosse alguém apenas, sabe, passeando com o cachorro. Se puder nos ajudar, acho que isso seria realmente...

— Útil — concluiu Gilpin. Ele espetou um morango.

Ambos olhavam para mim atentamente, com simpatia.

— Seria muito útil, Nick — repetiu Gilpin de forma ainda mais amigável.

Era a primeira vez que eu ouvia falar sobre a discussão — que eles sabiam sobre ela — e eles escolhiam me contar na frente de Rand. E escolhiam fingir que não era uma armadilha.

— Certamente — concordei.

— Você se importaria de nos dizer sobre o que foi? — perguntou Boney. — A discussão?

— Sobre o que a Sra. Teverer disse que foi?

— Odeio ficar com a palavra dela quando você está bem aqui. — Ela colocou creme no café.

— Foi uma discussão sobre nada — comecei. — Por isso não cheguei a mencionar. Apenas ambos irritando um ao outro, como casais às vezes fazem.

Rand olhou para mim como se não tivesse ideia do que eu estava falando: *Irritando? O que é esse irritando de que você fala?*

— Foi só... Sobre o jantar — menti. — Sobre o que faríamos para o jantar no nosso aniversário de casamento. Sabem, Amy é tradicional a respeito dessas coisas...

— A lagosta! — interrompeu Rand. Ele se virou para os policiais. — Amy faz lagosta todo ano para Nick.

— Certo. Mas não há nenhum lugar onde conseguir lagosta nesta cidade, não viva, do aquário, então ela estava frustrada. Eu tinha a reserva no Houston's...

— Achei que você tinha dito que *não* tinha uma reserva no Houston's — disse Rand franzindo a testa.

— Bem, sim, desculpe-me, estou ficando confuso. Apenas tive a ideia da reserva no Houston's. Mas eu realmente deveria ter dado um jeito de mandar vir lagosta de avião.

Os policiais, ambos, acidentalmente ergueram uma sobrancelha. *Que elegante.*

— Não é tão caro de fazer. De qualquer forma, estávamos nesse bate-boca ridículo, e foi uma daquelas brigas que ficam maiores do que deveriam — falei, comendo um pedaço de panqueca. Podia sentir o calor subindo por debaixo do meu colarinho. — Estávamos rindo daquilo uma hora depois.

— Ahn. — Foi tudo o que Boney disse.

— E em que ponto você está da caça ao tesouro? — perguntou Gilpin.

Eu me levantei, coloquei algum dinheiro na mesa, pronto para partir. Não era eu quem devia estar sendo atacado ali.

— Em ponto nenhum, não no momento; é difícil pensar claramente com tanta coisa acontecendo.

— Certo — disse Gilpin. — É menos provável que a caça ao tesouro seja uma pista, agora que sabemos que ela já se sentia ameaçada meses atrás. Mas, ainda assim, me mantenha informado, está bem?

Todos saímos para o calor. Quando Rand e eu entrávamos no carro, Boney chamou:

— Ei, Amy ainda veste trinta e seis, Nick?

Franzi a testa.

— Tamanho trinta e seis? — repetiu.

— Sim, veste, acho — respondi. — Sim, é isso que ela veste.

Boney fez uma cara que dizia *Hummm*, e entrou no carro.

— O que você acha que foi isso? — perguntou Rand.

— Com aqueles dois, quem sabe?

Permanecemos em silêncio durante a maior parte do caminho até o hotel, Rand olhando pela janela para as filas de lanchonetes piscando, eu pensando em minha mentira — minhas mentiras. Tivemos de dar uma volta no quarteirão para encontrar uma vaga no Days Inn; a reunião dos contadores aparentemente era um sucesso.

— Sabe, é engraçado como sou provinciano, um nova-iorquino da vida inteira — disse Rand, os dedos na maçaneta da porta. — Quando Amy falou sobre se mudar para cá, para o velho rio Mississippi, com você, eu imaginei... Verde, fazendas, macieiras e aqueles celeiros vermelhos grandes e antigos. Tenho de dizer, na verdade é bastante feio aqui. — Ele riu. — Não consigo pensar em um único elemento de beleza na cidade inteira. Exceto minha filha.

Ele saiu e caminhou rapidamente na direção do hotel, e eu não tentei acompanhar. Entrei no quartel-general alguns minutos depois dele, ocupei um assento em uma mesa escondida no fundo da sala. Precisava concluir a caça ao tesouro antes que as pistas desaparecessem, descobrir para onde Amy estivera me levando. Após algumas horas de dever cumprido aqui, tenho de cuidar da terceira pista. Enquanto isso, telefonei.

— Sim — atendeu uma voz impaciente. Um bebê chorava ao fundo. Eu podia ouvir a mulher soprando cabelo do rosto.

— Oi, quem está falando? É... é Hilary Handy?

Ela desligou. Eu liguei novamente.

— Alô?

— Oi. Acho que a ligação anterior caiu.

— Coloque este número em sua lista de *não telefonar*...

— Hilary, não estou vendendo nada, estou ligando por causa de Amy Dunne... Amy Elliott.

Silêncio. O bebê guinchou novamente, um gemido que oscilava perigosamente entre riso e chilique.

— O que houve?

— Não sei se você viu isso na TV, mas ela desapareceu. Ela sumiu em cinco de julho, em circunstâncias potencialmente violentas.

— Ah. Lamento.

— Sou Nick Dunne, marido dela. Estou só ligando para seus antigos amigos.

— Ah, é?

— Queria saber se você teria entrado em contato com ela. Recentemente.

Ela respirou ao telefone, três respirações profundas.

— Isso é por causa daquela, daquela besteira no ensino médio? — Ao fundo, uma criança gritou com voz irritante: "Ma-mãããão, preciso de vocêêêê." — Um minuto, Jack — pediu ela para o vazio atrás de si. Depois voltou a falar comigo com uma voz vermelho-brilhante. — É isso? É por isso que está ligando para mim? Porque isso foi há malditos vinte anos. Mais, até.

— Eu sei. Eu sei. Olha, eu tenho que perguntar. Eu seria um babaca se não perguntasse.

— Meu Deus, que merda. Sou mãe de *três filhos* agora. Não falo com Amy desde o ensino médio. Aprendi minha lição. Se eu a visse na rua, correria na outra direção. — O bebê berrou. — Tenho que ir.

— É rapidinho, Hilary...

Ela desligou e imediatamente meu descartável vibrou. Eu o ignorei. Eu tinha de achar um lugar para guardar a maldita coisa.

Eu podia sentir a presença de alguém, uma mulher, perto de mim, mas não ergui os olhos, esperando que ela fosse embora.

— Não é nem meio-dia e você já parece ter tido um dia inteiro, pobrezinho.

Shawna Kelly. Ela tinha os cabelos presos em um alto rabo de cavalo de adolescente fútil. Apontou lábios cobertos de *gloss* para mim em um biquinho solidário.

— Pronto para minha *frito pie*?

Ela estava segurando um prato logo abaixo dos seios, o filme plástico salpicado de suor. Ela disse essas palavras como se fosse a estrela de um vídeo de *hair rock* dos anos oitenta: quer um pouco da minha *torta*?

— Comi muito no café da manhã. Mas obrigado. Muito gentil de sua parte.

Em vez de ir embora, ela se sentou. Sob uma saia de tênis turquesa, suas pernas estavam tão hidratadas que reluziam. Ela me chutou de leve com a ponta de um Tretorn imaculado.

— Você tem dormido, querido?

— Estou aguentando o tranco.

— Você tem que dormir, Nick. Não vai conseguir ajudar em nada se estiver exausto.

— Talvez eu dê uma fugidinha daqui a pouco, para ver se consigo cochilar algumas horas.

— Acho que você deveria. Acho mesmo.

Senti uma súbita e ávida gratidão a ela. Era minha postura filhinho da mamãe brotando. Perigoso. *Pare com isso, Nick.*

Esperei que ela fosse embora. Ela tinha de ir embora — as pessoas estavam começando a nos observar.

— Se quiser, posso levar você para casa agora — disse ela. — Um cochilo pode ser a melhor coisa para você.

Ela estendeu a mão para tocar meu joelho, e senti um surto de fúria por ela não se dar conta de que tinha de ir embora. *Deixe a maldita comida, sua vagabunda grudenta, e suma.* A postura filhinho do papai brotando. Igualmente ruim.

— Por que você não vai falar com Marybeth? — disse eu bruscamente, apontando para minha sogra junto à máquina de xerox, fazendo infinitas cópias da foto de Amy.

— Está bem.

Ela continuou ali, então comecei a ignorá-la abertamente.

— Vou deixar você quieto, então. Espero que goste da torta.

Deu para ver que minha rejeição a magoara, porque ela não fez contato visual ao sair, apenas se virou e saiu rebolando. Eu me senti mal, pensei em me desculpar, me redimir. *Não vá atrás daquela mulher*, ordenei a mim mesmo.

— Alguma novidade?

Era Noelle Hawthorne, entrando no mesmo espaço que Shawna acabara de desocupar. Ela era mais jovem que Shawna, mas parecia mais velha — um corpo roliço com seios que pareciam dois montes rígidos e separados. O rosto fechado.

— Por enquanto, não.

— Você certamente parece estar levando tudo numa boa.

Virei a cabeça na direção dela, sem saber o que dizer.

— Você ao menos sabe quem eu sou? — perguntou.

— Claro. Você é Noelle Hawthorne.

— Sou a *melhor* amiga de Amy aqui.

Eu tinha de lembrar à polícia: só havia duas possibilidades com Noelle. Ou ela era uma mentirosa que queria atenção da mídia — gostava da distinção de ser ligada a uma mulher desaparecida — ou era maluca. Uma mulher obcecada, determinada a fazer amizade com Amy, e quando Amy a rejeitou...

— Você tem alguma informação sobre Amy, Noelle? — perguntei.

— Claro que tenho, *Nick*. Ela era minha *melhor amiga*.

Ficamos olhando um para o outro por alguns segundos.

— E você vai dividir essa informação? — perguntei.

— A polícia sabe onde me encontrar. Se eles um dia tiverem tempo.

— Isso ajuda muito, Noelle. Vou garantir que falem com você.

As bochechas dela ficaram vermelhas, duas manchas expressionistas de cor.

Ela foi embora. Eu tive o pensamento grosseiro, um daqueles que fermentavam fora do meu controle. Pensei: *As mulheres são malucas, porra*. Sem classificação. Não *algumas* mulheres, não *muitas* mulheres. As mulheres são malucas.

Quando a noite caiu totalmente, dirigi até a casa vazia do meu pai, a pista de Amy no banco ao meu lado.

> *Talvez você se sinta culpado por ter me trazido a este lugar*
> *Devo admitir que pareceu um pouco difícil de aceitar*
> *Mas não é como se tivéssemos muita opção*
> *Fazer deste o nosso lugar era uma decisão.*
> *Vamos levar nosso amor para esta casinha marrom*
> *Me dê um pouco de boa vontade, marido gostoso, meu bombom!*

Aquela era mais críptica que as outras, mas eu estava certo de que entendera. Amy estava aceitando Carthage, finalmente me perdoando por termos nos mudado para cá. *Talvez, por ter me trazido aqui, você se sinta culpado... [mas] fazer deste o nosso lugar era uma decisão.* A casinha marrom era a casa de meu pai, que na verdade era azul, mas Amy estava fazendo outra piada interna. Sempre gostei muito de nossas piadas internas — faziam com que me sentisse mais ligado a Amy do que qualquer quantidade de confissões, de sexo apaixonado ou de conversas até o amanhecer. A história da "casinha marrom" era sobre meu pai, e Amy é a única pessoa a quem contei: depois do divórcio, eu o via tão pouco que decidi pensar nele como um personagem de um livro. Ele não era meu pai de verdade — que teria me amado e passado tempo comigo —, mas uma figura benevolente e vagamente importante chamada Sr. Brown, que estava muito ocupado fazendo coisas muito importantes para os Estados Unidos e que (muito) ocasionalmente me usava como disfarce para circular mais facilmente pela cidade. Amy ficou com lágrimas nos olhos quando contei isso, o que não era minha intenção, eu contara como uma história do tipo *crianças são engraçadas*. Ela me disse que era minha família agora, que me amava o bastante para compensar dez pais de merda e que *nós* éramos os Dunne, agora, nós dois. E então sussurrou em meu ouvido: "Tenho uma missão para a qual você pode ser bom..."

Quanto ao pouco de boa vontade, essa era outra conciliação. Depois que meu pai foi totalmente tomado pelo Alzheimer, nós decidimos vender a casa dele, então Amy e eu vasculhamos o lugar, enchendo caixas para o bazar. Ela, claro, foi um dervixe rodopiante do fazer — embalar, estocar, jogar fora —, enquanto eu selecionava em câmera lenta as coisas do meu pai. Para mim, tudo era uma pista. Uma caneca com manchas de café mais fortes que as outras devia ser a preferida dele. Teria sido um presente? Quem lhe dera aquilo? Ou ele mesmo comprara? Imaginava que meu pai considerava o simples ato de fazer compras uma emasculação. No entanto, uma inspeção em seu closet revelou cinco pares de sapatos, novos em folha, ainda nas caixas. Será que ele comprara aqueles pessoalmente, imaginando um Bill Dunne diferente, mais sociável do que aquele que se desenrolava lentamente como um carretel solitário? Será que ele fora à Shoe-Be-Doo-Be, fizera com que minha mãe o ajudasse, apenas um acréscimo na lista de gentilezas corriqueiras dela? Claro que não partilhei nenhum desses pensamentos com Amy, de modo que pareci o inútil que frequentemente sou.

"Aqui. Uma caixa. Para o bazar. Da boa vontade", disse ela, me pegando no chão, apoiado em uma parede, olhando fixamente para um sapato. "Você coloca os sapatos na caixa. Está bem?" Eu estava envergonhado, rosnei para ela, ela se irritou comigo e... o de sempre.

Eu deveria acrescentar, em defesa de Amy, que ela me perguntara duas vezes se eu queria conversar, se tinha certeza de que queria fazer aquilo. Eu às vezes deixo de fora detalhes como esse. É mais conveniente para mim. Na verdade, queria que ela lesse minha mente para eu não ter de me rebaixar à arte feminina da articulação. Eu algumas vezes era tão culpado de jogar o "adivinha quem eu sou" quanto Amy. Também deixei essa informação de fora.

Eu sou um grande fã da mentira por omissão.

Estacionei na frente da casa de meu pai pouco depois das dez da noite. Era um lugarzinho jeitoso, uma boa casa para começar (ou para terminar) a vida. Dois quartos, dois banheiros, sala de jantar, uma cozinha datada, mas decente. Uma placa de vende-se enferrujava no jardim da frente. Um ano e nada.

Entrei na casa abafada, o calor passando sobre mim. O sistema de alarme barato que instalamos depois da terceira invasão começou a apitar, como a contagem regressiva de uma bomba. Digitei a senha, aquela que deixava Amy louca porque ia contra todas as regras sobre senhas. Minha data de nascimento: 15877.

Senha rejeitada. Tentei novamente. *Senha rejeitada.* Uma gota de suor escorreu pelas minhas costas. Amy sempre ameaçara mudar a senha. Dizia que não fazia sentido ter uma que fosse tão facilmente descoberta, mas eu sabia a verdadeira razão. Ela se ressentia de ser meu aniversário, não nosso aniversário de casamento. Mais uma vez eu escolhera *eu* em vez de *nós*. Minha saudade quase doce de Amy desapareceu. Soquei os números com o dedo novamente, cada vez mais em pânico enquanto o alarme tocava e tocava e tocava sua contagem regressiva — até entrar em modo de aviso de invasão.

Uóóóóóó-uóóóóóó-uóóóóó!

Meu celular deveria tocar para que eu pudesse dar o aviso de tudo bem: *sou só eu, o idiota.* Mas não tocou. Esperei um minuto, o alarme me lembrando de um filme de submarino que acaba de ser atingido por um torpedo. O calor enlatado da casa em pleno mês de julho vibrava sobre mim. As costas da minha camisa já estavam encharcadas. *Puta merda, Amy.* Examinei o alarme em busca do número de telefone da empresa e não achei nada. Peguei uma cadeira e comecei a puxar o alarme; eu o arrancara da parede, deixando-o pendurado pelos fios, quando meu telefone finalmente tocou. Uma voz irritada do outro lado exigiu o nome do primeiro animal de estimação de Amy.

Uóóóóóó-uóóóóóó-uóóóóó!

Era exatamente o tom errado — presunçoso, petulante, absolutamente indiferente — e exatamente a pergunta errada, pois eu não sabia a resposta, o que me enfureceu. Não importava quantas pistas eu descobrisse, iria me deparar com alguma pergunta de conhecimentos gerais sobre Amy para me emascular.

— Olha, aqui é Nick Dunne, esta é a casa do meu pai, esta conta foi aberta por mim — falei. — Então realmente não tem nenhuma importância qual era o nome do primeiro animal de estimação de minha esposa, porra.

Uóóóóóó-uóóóóóó-uóóóóó!

— Por favor, não use esse tom comigo, senhor.
— Olha, só entrei para pegar uma coisa na casa do meu pai, e agora estou indo embora, está bem?
— Tenho de informar a polícia imediatamente.
— Você pode apenas desligar o maldito alarme para que eu consiga pensar?
Uóóóóóó-uóóóóóó-uóóóóó!
— O alarme está desligado.
— O alarme não está desligado.
— Senhor, eu avisei uma vez, não use esse tom comigo.
Sua piranha desgraçada.
— Quer saber? Foda-se, foda-se, *foda-se*.
Desliguei no instante em que lembrei do nome do gato de Amy, o primeiro: Stuart.
Liguei de volta, falei com uma atendente diferente, uma atendente razoável, que desligou o alarme e, Deus a abençoe, cancelou a polícia. Eu realmente não estava a fim de me explicar.
Sentei no carpete fino e barato e me obriguei a respirar, o coração martelando. Após um minuto, depois que meus ombros relaxaram e meu maxilar se soltou, que minhas mãos se abriram e que meu coração voltou ao normal, levantei-me e por um momento pensei em simplesmente ir embora, como se isso fosse ensinar uma lição a Amy. Mas quando me levantei vi um envelope azul no balcão da cozinha como um bilhete de adeus.
Respirei fundo, soltei o ar — novo comportamento — e abri o envelope, tirando a carta marcada com um coração.

Oi, querido,
Então, ambos temos questões nas quais queremos trabalhar. Para mim, seria meu perfeccionismo, meu ocasional (pensamento positivo?) moralismo. Para você? Sei que você se preocupa por ser algumas vezes distante demais, afastado demais, incapaz de ser terno ou carinhoso. Bem, quero lhe dizer — aqui na casa de seu pai — que não é verdade. Você não é seu pai. Você precisa saber que é um homem bom, um homem doce, gentil. Algumas vezes puni você por não ser capaz de ler minha mente, por não ser capaz de agir exatamente da forma como eu queria que agisse naquele exato momento. Eu o puni por ser um *homem* real, que respira. Fiquei lhe dando ordens em vez de confiar que você encontraria seu caminho. Não lhe dei o benefício da dúvida: não importa quanto você e eu erremos, você sempre irá me amar e querer que eu seja feliz. E isso deveria ser o bastante para qualquer

garota, certo? Temo ter dito coisas sobre você que não são realmente verdade, e que você tenha passado a acreditar nelas. Então agora estou aqui para dizer: você é CALOROSO. Você é meu sol.

Se Amy estivesse ali comigo, como planejara estar, teria me dado um cheiro como costumava fazer, seu rosto no meu pescoço, e teria me beijado, sorrido e dito: *Você é mesmo, sabe. Meu sol.* Com um nó na garganta, dei uma última olhada na casa de meu pai e saí, fechando a porta ao calor. No carro, abri desajeitadamente o envelope em que estava escrito QUARTA PISTA. Tínhamos de estar perto do fim.

Imagine a mim: sou uma garota que se comportou muito mal toda a vida
Eu preciso ser punida, e por punida *quero dizer* comida
É onde você guarda bens para o aniversário cinco do casal
Me perdoe se isto está ficando artificial!
Um bom momento foi vivido aqui, bem ao sol do meio-dia
Depois na rua para um coquetel, tudo tão terrivelmente cheio de alegria.
Então corra para lá agora mesmo, cheio de uma doce visão,
E abra a porta para uma grande surpresa que vai iluminar seu coração.

Senti um nó no estômago. Eu não sabia o que aquela pista significava. Reli. Não conseguia nem imaginar. Amy parara de pegar leve comigo. Eu não iria terminar a caça ao tesouro depois de tudo.
Senti uma onda de ansiedade. Que merda de dia. Boney estava me atacando, Noelle estava insana, Shawna, furiosa, Hilary, ressentida, a mulher da empresa de segurança era uma piranha e minha esposa finalmente me pegara. Era hora de encerrar esse maldito dia. Só havia uma mulher que eu suportaria ter por perto agora.

Go deu uma olhada em mim — agitado, os lábios contraídos e exausto do calor da casa de meu pai — e me colocou no sofá, anunciando que prepararia um jantar tardio. Cinco minutos depois, vinha com cuidado na minha direção, equilibrando minha refeição em uma velha mesinha portátil. Um clássico Dunne: queijo-quente e batatas sabor churrasco, um copo descartável com...
— Não é Kool-Aid — explicou Go. — É cerveja. Kool-Aid me pareceu um pouco regressivo demais.
— Isso é muito maternal e estranho da sua parte, Go.
— Você vai cozinhar amanhã.

— Espero que goste de sopa enlatada.

Ela se sentou ao meu lado no sofá, roubou uma batata do meu prato e perguntou, tranquilamente demais:

— Alguma ideia de por que a polícia iria perguntar a *mim* se Amy ainda vestia manequim trinta e seis?

— Deus do céu, eles não param com isso, porra! — exclamei.

— Isso não assusta você? Tipo, eles encontraram as roupas dela ou algo assim?

— Eles teriam pedido que eu as identificasse. Certo?

Ela pensou nisso por um segundo, o rosto contraído.

— Faz sentido — disse. O rosto continuou contraído até ela me flagrar olhando, então sorriu. — Gravei o jogo, quer ver? Você está bem?

— Estou bem.

Eu me sentia péssimo, meu estômago revirando, minha psique estalando. Talvez fosse a pista que não conseguia decifrar, mas de repente tive a sensação de ter deixado algo passar. De que tinha cometido algum erro enorme, e que meu lapso seria desastroso. Talvez fosse minha consciência, tentando voltar de sua masmorra secreta à superfície.

Go colocou o jogo, e pelos dez minutos seguintes comentou apenas a partida, e só entre goles de cerveja. Go não gostava de queijo-quente; estava tirando manteiga de amendoim do pote com uma colher e passando-a em torradinhas. Quando houve um comercial, ela deu pausa e disse:

— Se eu tivesse um pau iria meter nesta manteiga de amendoim — falou, deliberadamente soprando pedaços de biscoito na minha direção.

— Acho que se você tivesse um pau, todo tipo de coisa ruim aconteceria.

Ela avançou durante um *inning* em que não aconteceu nada. Os Cardinals cinco pontos atrás. Quando chegou a hora do outro intervalo, Go deu pausa e comentou:

— Então, liguei para mudar o plano do meu celular e a música de espera era Lionel Ritchie; você escuta Lionel Ritchie de vez em quando? Eu gosto de "Penny Lover", a música não era "Penny Lover", mas enfim, uma mulher atendeu e disse que os funcionários de atendimento ao consumidor são baseados em Baton Rouge, o que era estranho, porque ela não tinha sotaque, mas disse que havia sido criada em Nova Orleans, e pouca gente sabe que... Como você chama alguém de Nova Orleans? Neo-orleansiano?... Enfim, que eles quase não têm sotaque. Então ela disse que pelo meu pacote, pacote A...

Go e eu tínhamos uma brincadeira inspirada em nossa mãe, que costumava contar umas histórias escandalosamente banais e intermináveis, e Go tinha certeza de que ela estava nos sacaneando em segredo. Durante uns dez anos, sempre que Go e eu chegávamos a um silêncio na conversa, um de nós começava com uma história sobre conserto de equipamentos ou preenchimento de cupons. Mas Go tinha mais disposição do que eu. Suas histórias podiam se arrastar, sem nenhum esforço, para sempre — duravam tanto que se tornavam genuinamente irritantes, e então davam a volta e ficavam hilárias outra vez.

Go estava passando para uma história sobre a luz da sua geladeira e não dava sinal de tropeçar. Tomado por uma súbita e densa gratidão, eu me inclinei para a frente no sofá e lhe dei um beijo na bochecha.

— Por que isso?

— Só um obrigado.

Senti meus olhos se encherem de lágrimas. Virei o rosto por um segundo para piscar e me livrar delas, e Go disse:

— Então eu precisava de uma pilha palito, que, descobri, é diferente de uma *bateria*, então tive que encontrar o recibo para devolver a bateria...

Terminamos de ver o jogo. Os Cardinals perderam. Quando terminou, Go tirou o som da TV.

— Você quer conversar ou quer mais distração? Qualquer coisa de que você precisar.

— Vá para a cama, Go. Vou dar uma zapeada. Provavelmente dormir. Preciso dormir.

— Você quer um Ambien?

Minha gêmea acreditava piamente na forma mais fácil. Nada de fitas de relaxamento ou sons de baleias para ela; tome um comprimido, fique inconsciente.

— Não.

— Estão no armário de remédios, caso mude de ideia. Se algum dia houve um bom momento para sono assistido...

Ela pairou acima de mim durante mais alguns segundos, depois, do jeito Go, seguiu pelo corredor, claramente sem sono, e fechou a porta, sabendo que a coisa mais gentil a fazer era me deixar sozinho.

Muitas pessoas carecem deste dom: saber quando se mandar. As pessoas adoram falar, e eu nunca fui um grande falador. Tenho um monólogo interno, mas as palavras com frequência não chegam aos meus lábios. *Ela está bonita hoje*, penso, mas por alguma razão não me ocorre dizer isso em voz alta. Minha mãe falava, minha irmã falava. Fui criado para escutar. Então, ficar sentado no sofá sozinho, sem falar, parecia decadente. Folheei uma das revistas de Go, fiquei passeando pelos canais de TV, finalmente parando em um velho programa em preto e branco, homens de chapéus de feltro fazendo anotações enquanto uma dona de casa bonita explicava que o marido estava em Fresno, o que fez com que os dois policiais trocassem olhares significativos, acenando com a cabeça. Pensei em Gilpin e Boney e meu estômago deu um nó.

No meu bolso, meu celular descartável fez um som de caça-níqueis que significava que eu tinha uma mensagem de texto:

estou do lado de fora abra a porta

AMY ELLIOTT DUNNE
28 DE ABRIL DE 2011

ANOTAÇÃO EM DIÁRIO

Só é preciso continuar a continuar, é o que Mama Mo diz, e quando diz isso — sua certeza, cada palavra enfatizada, como se realmente fosse uma estratégia de vida viável —, o clichê deixa de ser um conjunto de palavras e se torna algo real. Valioso. Eu penso: *Continue a continuar, exatamente!*

Isto é algo que eu adoro no Meio-Oeste: as pessoas não fazem drama com tudo. Nem mesmo com a morte. Mama Mo vai simplesmente continuar a continuar até que o câncer a apague, e então ela morrerá.

Então estou *mantendo a cabeça abaixada* e *tirando o melhor de uma situação ruim*, e digo isso no sentido profundo e literal usado por Mama Mo. Mantenho minha cabeça baixa e faço meu trabalho: levo Mo às consultas no médico e às sessões de quimio. Troco a água doentia do vaso de flores no quarto do pai de Nick e deixo biscoitos para a equipe, para que cuidem bem dele.

Estou tirando o melhor de uma situação muito ruim, e a situação está ruim principalmente porque meu marido, que me trouxe para cá, que me desenraizou para ficar mais perto de seus pais doentes, parece ter perdido todo o interesse em mim e nos ditos pais doentes.

Nick apagou totalmente o pai: nem sequer diz o nome do homem. Sei que sempre que recebemos um telefonema da Comfort Hill, Nick espera que seja o aviso de que seu pai está morto. Quanto a Mo, Nick se sentou com a mãe em uma única sessão de quimio e declarou aquilo insuportável. Disse que odiava hospitais, odiava gente doente, odiava o tempo que passava lentamente, a bolsa de soro pingando lentamente como melado. Simplesmente não conseguia fazer aquilo. E quando tentei convencê-lo a tentar outra vez, quando tentei fortalecê-lo com um pouco de *você precisa fazer o que tem que ser feito*, ele me disse para eu mesma fazer. Então eu fiz, tenho feito. Mama Mo, claro, assume para si a culpa de Nick. Certo dia estávamos sentadas, meio que assistindo a uma comédia romântica em meu computador, mas principalmente conversando, enquanto o soro pingava... tão... lentamente, e no momento em que a heroína corajosa tropeçou em um sofá, Mo se virou para mim e disse: "Não seja muito dura com Nick. Por ele não querer fazer este tipo de coisa. É que eu o mimei demais sempre, eu o papariquei; como não paparicar? Aquele *rosto*. Então ele tem dificuldade para fazer coisas difíceis. Mas eu realmente não ligo, Amy. Realmente."

"Deveria ligar", falei.

"Nick não precisa provar seu amor por mim", retrucou, dando um tapinha na minha mão. "Eu sei que ele me ama."

Admiro o amor incondicional de Mo, mesmo. Então não conto a ela o que encontrei no computador de Nick, a proposta de livro de memórias sobre um jornalista de revista de Manhattan que retorna às suas raízes no Missouri para cuidar dos pais doentes. Nick tem todo tipo de coisa bizarra em seu computador, e algumas vezes não consigo resistir a bisbilhotar um pouco. Seu histórico de buscas me deu as últimas: filmes *noir*, o site de sua antiga revista e um estudo sobre o rio Mississippi, se é possível ou não flutuar daqui até o Golfo. Sei o que ele imagina: flutuar Mississippi abaixo, como Huck Finn, e escrever uma matéria sobre isso. Nick está sempre procurando pautas.

Eu estava xeretando isso quando encontrei a proposta de livro.

Vidas duplas: Memórias de fins e começos terá apelo principalmente entre homens da geração X, os originais homens-meninos, que estão apenas começando a sentir o estresse e as pressões envolvidas em cuidar de pais que envelhecem. Em *Vidas duplas* eu detalharei:

- Minha crescente compreensão de um pai problemático e antes distante.
- Minha dolorosa transformação forçada de jovem despreocupado em chefe de família enquanto lido com a morte iminente de uma mãe adorada.
- O ressentimento de minha esposa de Manhattan com esse desvio em sua vida antes encantada. Minha esposa, devo mencionar, é Amy Elliott Dunne, a inspiração para a série de best-sellers *Amy Exemplar*.

A proposta nunca foi concluída, suponho que porque Nick se deu conta de que nunca iria entender seu pai antes distante; porque Nick estava fugindo de todos os deveres de "chefe de família"; e porque eu não estava expressando nenhuma fúria com minha nova vida. Um pouco de frustração, sim, mas não uma fúria merecedora de livro. Durante tantos anos, meu marido elogiou a solidez emocional dos nativos do Meio-Oeste: estoicos, humildes, sem afetação! Mas esse não é o tipo de pessoa que fornece bom material para um livro de memórias. Imagine o texto das orelhas: *Pessoas basicamente se comportaram bem e depois morreram.*

Ainda assim, dói um pouco, "o ressentimento de minha esposa de Manhattan". Talvez eu me sinta mesmo... teimosa. Penso em como Maureen é consistentemente adorável e me preocupo com o fato de que Nick e eu talvez não devêssemos estar juntos. Que ele seria mais feliz com uma mulher que se encanta em cuidar do marido e da casa, e não estou desprezando essas habilidades: gostaria de tê-las. Gostaria de me preocupar mais com que Nick sempre tivesse sua pasta de dentes preferida, de saber de cor o número do seu colarinho, de ser uma mulher que amasse incondicionalmente e cuja maior felicidade fosse fazer seu homem feliz.

Eu fui assim, por algum tempo, com Nick. Mas era insustentável. Não sou suficientemente abnegada. Filha única, como Nick lembra com frequência.

Mas tento. Continuo a continuar, e Nick circula pela cidade como um garoto novamente. Ele está feliz de estar de volta a seu lugar de legítimo rei do baile de formatura — perdeu uns cinco quilos, fez um novo corte de cabelo, comprou jeans novos, está com uma aparência ótima mesmo. Mas só sei disso por vislumbres dele chegando ou saindo de casa, sempre com uma pressa fingida. *Você não gostaria de lá* é sua resposta-padrão quando peço para ir com ele, aonde quer que vá. Assim como ele se livrou dos pais quando não tinham mais utilidade, está me largando porque não me encaixo em sua nova vida. Ele teria de dar duro para me deixar à vontade aqui, e não quer fazer isso. Ele quer se divertir.

Pare com isso, pare com isso. Devo *ver o lado bom*. Tenho de tirar meu marido de meus pensamentos sombrios e lançar uma boa luz dourada e alegre sobre ele. Preciso me esforçar mais para adorá-lo como antes. Nick responde à adoração. Só gostaria que fosse mais equilibrado. Meu cérebro está muito ocupado com pensamentos sobre Nick, é um enxame dentro da minha cabeça: *Nicknicknicknicknick*! E quando imagino a mente dele, ouço meu nome como um tímido *ping* cristalino que ocorre uma vez por dia, talvez duas, e some rapidamente. Só queria que ele pensasse em mim tanto quanto penso nele.

    Isso é errado? Já nem sei mais.

NICK DUNNE
QUATRO DIAS SUMIDA

Ela estava ali de pé sob o brilho laranja do poste, com um vestido leve de verão, seus cabelos ondulados com a umidade. Andie. Passou apressada pelo umbral, os braços estendidos para me abraçar, e sussurrei:

— Espere, espere! — E fechei a porta imediatamente antes que ela me abraçasse com o corpo todo.

Ela apertou a bochecha contra meu peito, e eu coloquei a mão em suas costas nuas e fechei os olhos. Senti uma mistura nauseante de alívio e horror: quando você finalmente para de coçar e se dá conta de que foi porque abriu um buraco em sua pele.

Tenho uma amante. Este é o momento em que tenho de contar que tenho uma amante e você para de gostar de mim. Se é que você gostava de mim antes. Tenho uma amante bonita, jovem, muito jovem, e seu nome é Andie.

Eu sei. É ruim.

— Amor, por que você não me ligou, *porra*? — exclamou ela, o rosto ainda apertado contra mim.

— Eu sei, querida, eu sei. Você não pode nem imaginar. Tem sido um pesadelo. Como me encontrou?

Ela continuou presa a mim.

— Sua casa estava toda apagada, então pensei em tentar a de Go.

Andie conhecia meus hábitos, meus hábitats. Estamos juntos há algum tempo. Tenho uma amante bonita, muito jovem, e estamos juntos há algum tempo.

— Estava preocupada com você, Nick. *Desesperada*. Estava sentada na casa de Madi, com a TV, tipo, ligada, e de repente eu vejo na TV, tipo, um *cara* que parece você falando sobre a esposa desaparecida. E então me dou conta: *é* você. Você tem noção de como surtei? E você nem tentou falar comigo?

— Liguei para você.

— *Não diga nada, fique quieta, não diga nada até falarmos.* Isso é uma ordem, não é tentar *falar* comigo.

— Não tenho passado muito tempo sozinho; as pessoas têm estado ao meu redor o tempo todo. Os pais de Amy, Go, a polícia — expliquei, respirando nos cabelos dela.

— Amy simplesmente sumiu? — perguntou.

— Ela simplesmente sumiu — disse, me afastando dela e me sentando no sofá, e ela se sentou ao meu lado, a perna colada na minha, seu braço roçando o meu. — Alguém a levou.

— Nick? Você está bem?

Seus cabelos cor de chocolate caíam em ondas sobre queixo, clavículas e seios, e vi uma única mecha balançar na corrente de sua respiração.

— Não, na verdade, não — falei, fazendo o sinal de silêncio para ela e apontando para o corredor. — Minha irmã.

Ficamos sentados lado a lado, em silêncio, a TV tremeluzindo com o velho programa policial, os homens de chapéu de feltro prendendo alguém. Senti a mão dela se encaixar na minha. Ela se inclinou na minha direção como se fôssemos nos acomodar para assistir a um filme, um casal preguiçoso e despreocupado, e então puxou meu rosto para si e me beijou.

— Andie, não — sussurrei.

— Sim, eu preciso de você — disse, me beijando de novo e se sentando no meu colo, montando em mim, seu vestido de algodão subindo até os joelhos, um de seus chinelos caindo no chão. — Nick, eu estava tão preocupada com você... Preciso sentir suas mãos em mim, é só no que tenho pensado. Estou com medo.

Andie era uma garota táctil, e isso não é código para *só há sexo entre nós*. Ela era de abraçar, de tocar, gostava de correr os dedos por meus cabelos ou minhas costas em um carinho amigável. O toque lhe trazia conforto e tranquilidade. E sim, tudo bem, ela também gostava de sexo.

Com um gesto rápido, ela baixou a parte de cima do vestido e levou minhas mãos aos seus seios. Minha lascívia, fiel como um cão, veio à superfície.

Eu quero foder você, eu quase disse em voz alta. *Você é CALOROSO*, minha esposa disse em meu ouvido. Eu me afastei. Estava muito cansado, a sala rodando.

— Nick? — O lábio inferior molhado com minha saliva. — O que foi? *Nós* não estamos bem? É por causa de Amy?

Andie sempre parecera jovem — ela tinha vinte e três anos, claro que parecia jovem —, mas naquele exato instante me dei conta de quão grotescamente jovem ela era, quão irresponsavelmente, desastrosamente jovem era. Prejudicialmente jovem. Ouvir o nome de minha esposa nos lábios dela sempre me irritava. Ela o dizia muito. Gostava de discutir Amy, como se Amy fosse a heroína de uma novela. Andie nunca fez de Amy a inimiga; fez dela uma personagem. Fazia perguntas, o tempo todo, sobre nossa vida juntos, sobre Amy: *o que vocês faziam juntos em Nova York, tipo, o que vocês faziam no fim de semana?* A boca de Andie fez um O quando contei a ela sobre a ópera. *Vocês iam à ópera? O que ela vestia? Longo? E uma echarpe ou uma pele? E as joias e o cabelo?* E também: Como eram os amigos de Amy? Sobre o que vocês conversavam? Como era Amy, tipo, como ela era *realmente*? Era tipo a garota dos livros, perfeita? Era a história da hora de dormir preferida de Andie: Amy.

— Minha irmã está no outro quarto, querida. Você não deveria nem estar aqui. Deus, como eu quero você aqui, mas você realmente não deveria ter vindo, amor. Até sabermos com o que estamos lidando.

VOCÊ É BRILHANTE VOCÊ TEM HUMOR VOCÊ É CALOROSO. Agora me beije!

Andie continuou em cima de mim, seus seios à mostra, mamilos endurecendo com o ar-condicionado.

— Amor, estamos lidando agora com o fato de que eu preciso ter certeza de que estamos bem. É só disso que preciso. — Ela apertou-se contra mim, quente e sensual. — É só disso que preciso. Por favor, Nick, estou em pânico. Conheço você: sei que você não quer conversar agora, e tudo bem. Mas eu preciso que você... esteja comigo.

E eu então quis beijá-la, do modo como eu a beijara na primeira vez: nossos dentes se batendo, o rosto dela inclinado para o meu, seus cabelos fazendo cócegas em meus braços, um beijo de língua molhado, eu sem pensar em nada além do beijo, porque seria perigoso pensar em qualquer coisa além de quão gostoso era. A única coisa que me impediu de arrastá-la para o quarto naquele instante não foi como aquilo era errado — foi tudo muito errado, desde sempre —, mas como agora era realmente perigoso.

E porque havia Amy. Finalmente, havia Amy, aquela voz que se instalara em meu ouvido havia meia década, a voz da minha esposa, mas agora não era crítica, era doce outra vez. Eu odiava que três bilhetinhos de minha esposa pudessem fazer com que eu me sentisse assim, meloso e sentimental.

Eu não tinha o menor direito de ser sentimental.

Andie estava se aninhando em mim, e eu me perguntando se a polícia estava vigiando a casa de Go, se eu deveria esperar uma batida na porta. Tenho uma amante muito jovem, muito bonita.

Minha mãe sempre dissera aos filhos: se você está prestes a fazer algo, e se quer saber se é má ideia, imagine impresso no jornal para o mundo todo ver.

Nick Dunne, ex-jornalista de revista, ainda com o orgulho ferido por uma demissão em 2010, concordou em dar aula de jornalismo na faculdade de North Carthage. O homem mais velho e casado imediatamente se valeu de sua posição, mergulhando em um tórrido caso sexual com uma de suas jovens alunas impressionáveis.

Era a encarnação do maior medo de todo escritor: um clichê.

Agora me deixe juntar mais clichês para sua diversão: aconteceu aos poucos. Eu nunca quis magoar ninguém. Ficou mais sério do que eu esperava. Mas era mais que um caso. Era mais que uma massagem no ego. Eu realmente amo Andie. Amo mesmo.

A minha turma — "Como iniciar uma carreira em revista" — tinha quatorze alunas com graus de habilidade variados. Todas garotas. Eu diria *mulheres*, mas acho que *garotas* é factualmente correto. Todas queriam trabalhar em revistas. Não eram garotas desmazeladas de jornal, eram arrumadinhas. Elas haviam visto o filme: se imaginavam disparando por Manhattan, *latte* em uma das mãos, celular na outra, adoravelmente quebrando um salto de sapato de estilista enquanto chamavam um táxi e caíam nos braços de uma alma gêmea encantadora e sedutora com cabelos irresistivelmente bagunçados. Elas não tinham ideia de como era tola, como era ignorante sua escolha de curso. Eu estava planejando contar a elas, usando minha demissão como alerta. Embora não tivesse interesse em ser a figura trágica. Imaginava contar a história despreocupadamente, brincando — nada demais. Mais tempo para trabalhar no meu romance.

Mas então passei a primeira aula respondendo a tantas perguntas de meninas boquiabertas, e me transformei tanto em um falastrão envaidecido, um escroto carente, que não tive coragem de contar a história real: o chamado para o escritório do editor-executivo na segunda rodada de demissões, a caminhada por aquela trilha soturna ao longo da comprida fila de cubículos, todos os olhos se virando para mim, um condenado caminhando, eu ainda esperando ouvir algo diferente — que a revista precisava de mim *mais que nunca*; isso! Seria um discurso encorajador, um discurso de vamos-juntar-nossas-forças! Mas não, meu chefe simplesmente disse: *imagino que você saiba, infelizmente, por que o chamei aqui*, esfregando os olhos sob os óculos, para mostrar como estava cansado e deprimido.

Eu queria me sentir um vencedor superbacana, então não contei às minhas alunas sobre minha derrocada. Contei a elas que havíamos tido uma doença na família que exigira minha atenção aqui, o que era verdade, sim, disse a mim mesmo, totalmente verdade, e muito heroico. E a bela e sardenta Andie estava sentada a pouca distância na minha frente, grandes olhos azuis sob ondas de cabelo cor de chocolate, lábios carnudos apenas ligeiramente separados, seios de verdade ridiculamente grandes e pernas e braços compridos e finos — uma boneca inflável de outro mundo, deve ser dito, tão diferente quanto possível de minha elegante esposa aristocrata —, e Andie irradiava calor humano e lavanda, digitando anotações em seu laptop, fazendo perguntas com uma voz rouca do tipo "Como você faz para que uma fonte confie em você, se abra com você?", e pensei comigo mesmo naquele instante: *De onde vem esta garota, porra? Isso é uma piada?*

Você se pergunta: *Por quê?* Sempre fui fiel a Amy. Eu era o cara que saía mais cedo do bar se uma mulher começava a flertar demais, se seu toque começava a parecer muito agradável. Não era um cara que traía. Não gosto (gostava?) de gente que traía: desonestos, desrespeitosos, mesquinhos, mimados. Eu nunca sucumbira. Mas isso era quando eu era feliz. Odeio pensar que a resposta é tão simples assim, mas fui feliz minha vida inteira, e agora não era, e Andie estava ali, demorando depois da aula, fazendo perguntas sobre mim que Amy nunca fazia, não ultimamente. Fazendo com que eu me sentisse um homem de valor, não o idiota que perdera o emprego, o cretino que se esquecia de baixar o assento da privada, o desajeitado que nunca acertava, fosse o que fosse.

Certo dia, Andie me levou uma maçã. Uma Red Delicious (título do livro de memórias de nosso caso, se eu fosse escrevê-lo). Pediu que eu desse uma olhada em sua matéria. Era um perfil de uma stripper de uma boate de St. Louis, parecia um texto da *Penthouse*, e Andie começou a comer minha maçã enquanto eu lia, se inclinando sobre meu ombro, o suco repousando grotescamente em seu lábio, e então pensei: *Porra, essa garota está tentando me seduzir*, tolamente chocado, um Benjamin Braddock envelhecido.

Funcionou. Comecei a pensar em Andie como uma fuga, uma oportunidade. Uma opção. Eu ia para casa e encontrava Amy enrolada no sofá, Amy olhando para a parede, em silêncio, nunca me dirigindo a primeira palavra, sempre esperando, um interminável jogo de quebrar o gelo, um desafio mental constante — o que fará Amy feliz hoje? Eu pensava: *Andie não faria isso.* Como se eu conhecesse Andie. *Andie riria dessa piada, Andie gostaria dessa história.* Andie era uma agradável, bonita garota irlandesa de seios fartos de minha cidade natal, despretensiosa e divertida. Andie se sentava na primeira fila de minha turma, e ela parecia afável, e ela parecia interessada.

Quando pensava em Andie, meu estômago não doía do modo como doía com minha esposa — o medo constante de voltar para minha própria casa, onde eu não era bem-vindo.

Comecei a imaginar como aquilo poderia acontecer. Comecei a ansiar pelo toque dela — sim, era exatamente assim, como a letra de uma canção ruim dos anos oitenta —, eu ansiava pelo toque dela, ansiava por toque em geral, porque minha esposa evitava o meu: em casa ela deslizava por mim como um peixe, passando longe o suficiente para evitar que nos esbarrássemos na cozinha ou na escada. Assistíamos à TV calados nos dois assentos do sofá, separados um do outro como se fôssemos balsas. Na cama, ela me dava as costas, colocava cobertores e lençóis entre nós. Certa vez acordei no meio da noite e, sabendo que ela estava dormindo, baixei a alça da sua camiseta um pouco e pressionei minha bochecha e a palma da mão sobre seu ombro nu. Não consegui voltar a dormir naquela noite, de tão enojado que estava de mim mesmo. Saí da cama e me masturbei no chuveiro, imaginando Amy, o modo lascivo como costumava olhar para mim, aqueles olhos de lua nascendo com pálpebras pesadas me avaliando, fazendo com que eu me sentisse visto. Quando terminei, sentei na banheira e olhei para o ralo através da água. Meu pênis repousava pateticamente sobre minha coxa esquerda, como um animalzinho jogado na praia. Fiquei sentado no fundo da banheira, humilhado, tentando não chorar.

Então aconteceu. Em uma estranha e repentina tempestade de neve no começo de abril. Não abril deste ano, abril do ano *passado*. Eu estava trabalhando sozinho no bar porque Go estava tendo uma Noite com

Mamãe; nós nos revezávamos sem trabalhar, ficando em casa com nossa mãe e assistindo a programas ruins na TV. Ela estava definhando rápido, não ia durar até o fim do ano, nem perto disso.

Eu estava até me sentindo bem naquele momento — minha mãe e Go aninhadas em casa vendo um filme de praia com Annette Funicello, e O Bar tivera uma noite movimentada, agitada, uma daquelas noites em que todos pareciam chegar ao fim de um dia bom. Garotas bonitas estavam sendo legais com caras comuns. Pessoas pagavam rodadas para estranhos sem razão. Era festivo. E então era o final da noite, hora de fechar, todos para fora. Estava prestes a trancar a porta quando Andie a escancarou e entrou, quase em cima de mim, e pude sentir uma leve doçura de cerveja em seu hálito, o cheiro de madeira queimada em seus cabelos. Fiquei parado durante aquele momento perturbador em que você tenta assimilar alguém que só viu em um ambiente, colocar a pessoa em um novo contexto. Andie n'O Bar. Certo. Ela deu um riso de pirata sexy e me empurrou de volta para dentro.

— Acabei de ter o encontro mais fantasticamente medonho e você tem de tomar uma bebida comigo.

Flocos de neve se acumulavam nas ondas escuras de seus cabelos, suas adoráveis sardas reluziam, suas bochechas estavam em um tom rosa-brilhante, como se alguém a tivesse estapeado. Ela tinha uma voz fantástica, uma voz grasnada indistinta que começava ridiculamente meiga e terminava totalmente sensual.

— Por favor, Nick, eu preciso tirar aquele gosto de encontro ruim da minha boca.

Lembro-me de nós dois rindo e eu pensando que alívio era estar com uma mulher e ouvi-la rir. Ela vestia calça jeans e uma blusa de caxemira com gola em V; é uma daquelas garotas que ficam melhores de calça jeans do que de vestido. Seu rosto, seu corpo são descontraídos da melhor forma. Assumi meu posto atrás do bar e ela subiu em um banco, os olhos avaliando todas as garrafas de bebida atrás de mim.

— O que você quer, moça?

— Surpreenda-me — respondeu.

— Buu — disse, a palavra deixando meus lábios em posição de beijo.

— Agora me surpreenda com um drinque.

Ela se inclinou para a frente, e seu decote apoiou no bar, os seios pularam. Usava um pingente em uma fina corrente de ouro; o pingente deslizou para o espaço entre os seios sob o suéter. *Não seja esse cara*, eu pensei. *O cara que arfa pensando onde o pingente termina*.

— Você está a fim de que sabor? — perguntei.

— O que você me der, eu vou gostar.

Foi essa frase que me fisgou, a simplicidade dela. A ideia de que eu podia fazer algo e deixar uma mulher feliz, e que seria fácil. *O que você me der, eu vou gostar.* Senti uma enorme onda de alívio. E então soube que já não amava Amy.

Eu não amo mais minha esposa, pensei, me virando para apanhar dois copos. *Nem um pouquinho. Fui extirpado de amor, estou limpo.* Preparei meu drinque preferido, Manhã de Natal: café quente e licor de hortelã gelado. Tomei um com ela, e quando ela estremeceu e riu — aquela gargalhada alta — servi outra rodada. Bebemos juntos durante uma hora depois da hora de fechar, e mencionei a palavra *esposa* três vezes, porque estava olhando para Andie e me imaginando tirar suas roupas. Um aviso para ela, o mínimo que eu podia fazer: *eu tenho uma esposa. Faça o que quiser com isso.*

Ela ficou sentada na minha frente, queixo apoiado nas mãos, sorrindo para mim.

— Anda comigo até minha casa? — perguntou.

Ela havia mencionado como morava perto do centro, como precisava passar n'O Bar um dia e dizer oi, e ela mencionou como morava perto d'O Bar? Minha mente havia sido treinada: eu muitas vezes caminhara os poucos quarteirões na direção do prédio de tijolos sem graça onde ela morava. Então, quando de repente estava do lado de fora, levando-a para casa, aquilo não pareceu de modo algum estranho — não houve nenhum alerta que me dissesse: *Isso é estranho, nós não fazemos isso.*

Eu a levei para casa, contra o vento, neve voando por todo lado, ajudando-a a enrolar o cachecol de tricô uma, duas vezes; na terceira eu o estava colocando bem para dentro e nossos rostos estavam próximos, as bochechas dela tinham um tom de rosa alegre de deslizar de trenó nas férias, e era o tipo de coisa que nunca teria acontecido em cem outras noites, mas naquela noite foi possível. A conversa, o álcool, a tempestade, o cachecol.

Nós nos agarramos ao mesmo tempo, eu a empurrando contra uma árvore para ter mais apoio, os galhos secos derrubando um monte de neve sobre nós, um momento chocante, cômico, que apenas me deixou com mais desejo de tocar nela, tocar em tudo ao mesmo tempo, uma das mãos subindo por dentro de seu suéter, a outra entre suas pernas. E ela deixando.

Ela se afastou de mim, os dentes batendo.

— Suba comigo.

Parei.

— Suba comigo — repetiu. — Quero ficar com você.

O sexo não foi tão bom, não na primeira vez. Éramos dois corpos acostumados a ritmos diferentes, nunca pegando bem o jeito um do outro, e fazia tanto tempo que eu não estava dentro de uma mulher que gozei primeiro, rápido, e continuei me mexendo, trinta segundos cruciais enquanto começava a murchar dentro dela, apenas tempo suficiente para que ela chegasse lá antes que eu ficasse totalmente mole.

Foi legal mas decepcionante, um anticlímax, o que as garotas devem sentir quando perdem a virgindade: *então o bafafá todo era por isso?* Mas gostei quando ela me envolveu com seu corpo, e gostei que ela fosse tão macia quanto eu imaginara. Pele nova. *Jovem*, pensei vergonhosamente, imaginando Amy e sua constante aplicação de hidratante, sentada na cama se estapeando, raivosa.

Fui ao banheiro de Andie, dei uma mijada, me olhei no espelho e me obriguei a dizer: *você é um homem que trai. Você foi reprovado em um dos testes masculinos mais básicos. Você não é um homem bom.* E quando isso não me incomodou, pensei: *Você* realmente *não é um homem bom.*

A coisa horripilante foi que, se o sexo tivesse sido escandalosamente fantástico, aquela poderia ter sido minha única falta. Mas foi apenas decente, e como eu já era um traidor, não podia destruir meu histórico de fidelidade com algo apenas mediano. Então soube que haveria uma próxima vez. Não prometi a mim mesmo o nunca mais. Assim, a próxima foi muito, muito boa, e a próxima depois dessa foi ótima. Logo Andie se tornou um contraponto físico a todas as coisas Amy. Ela ria comigo e me fazia rir, ela não me contradizia ou criticava imediatamente. Nunca me censurava. Ela era fácil. Tudo era fácil para caralho. E pensei: *O amor faz você querer ser um homem melhor* — certo, certo. *Mas talvez amor, amor de verdade, também lhe dê permissão para ser apenas o homem que é.*

Eu ia contar a Amy. Eu sabia que tinha de acontecer. Mas continuei a não contar, durante meses e meses. E depois mais meses. Foi sobretudo covardia. Não podia suportar ter a conversa, ter de me *explicar*. Não conseguia imaginar ter de discutir o divórcio com Rand e Marybeth, já que eles certamente iriam se meter. Mas na verdade foi também meu forte pragmatismo — era quase grotesco quão prático (interesseiro?) eu podia ser. Eu não pedira o divórcio a Amy também porque o dinheiro de Amy financiara O Bar. Ela basicamente era dona dele, e certamente o tomaria de volta. E eu não poderia suportar olhar para minha gêmea tentando ser corajosa enquanto perdia mais dois anos de sua vida. Então me permiti permanecer naquela situação infeliz, supondo que em algum momento Amy iria assumir o comando, Amy exigiria o divórcio, e então eu poderia bancar o cara bonzinho.

Esse desejo — de sair da situação sem culpa — era desprezível. Quanto mais desprezível eu me tornava, mais desejava Andie, que sabia que eu não era tão ruim quanto parecia, se minha história fosse publicada nos jornais para que estranhos lessem. *Amy vai se divorciar de você*, eu ficava pensando. *Ela não pode deixar isso se arrastar durante muito mais tempo*. Mas à medida que a primavera acabava e chegava o verão, depois o outono e depois o inverno, e eu me tornava um traidor de todas as estações — um traidor com uma amante agradavelmente impaciente —, ficou claro que algo teria de ser feito.

— Quer dizer, eu amo você, Nick — admitiu Andie ali, surrealmente, no sofá de minha irmã. — Não importa o que aconteça. Eu realmente não sei mais o que dizer, eu me sinto bem... — disse, jogando as mãos para o alto antes de concluir: — Burra.

— Não se sinta burra — falei. — Também não sei o que dizer. Não há nada a dizer.

— Você pode dizer que me ama, não importa o que aconteça.

Eu pensei: *Não posso mais dizer isso em voz alta*. Eu o dissera uma ou duas vezes, um murmúrio salivoso junto ao pescoço dela, com saudade de algo. Mas as palavras estavam ali à mostra, assim como muitas outras coisas. Então pensei na trilha que havíamos deixado, nosso romance agitado, semiescondido, com o qual não me preocupara o suficiente. Se o prédio dela tinha câmera de segurança, eu estava nela. Eu comprara um telefone descartável apenas para suas ligações, mas todas aquelas mensagens de voz e texto iam para o celular muito permanente dela. Eu lhe escrevera um cartão de dia dos namorados safadinho, que já podia ver no noticiário, rimando *caceta* com *boceta*. E mais: Andie tinha vinte e três anos. Eu supunha que minhas palavras, minha voz, até mesmo fotos minhas tivessem sido capturadas por uma variedade de aparelhos eletrônicos. Certa noite, eu ficara olhando fotos no celular dela, ciumento, possessivo, curioso, e vira muitas imagens de um ou dois ex-namorados sorrindo orgulhosos em sua cama, e imaginei que em algum momento eu entraria para o clube — eu meio que *queria* entrar para o clube —, e por alguma razão aquilo não me preocupara, embora pudesse ser baixado e enviado para um milhão de pessoas no espaço de um segundo vingativo.

— Esta é uma situação extremamente bizarra, Andie. Só preciso que você tenha paciência.

Ela se afastou de mim.

— Você não pode dizer que me ama, não importa o que aconteça?

— Eu amo você, Andie. Mesmo.

Eu sustentei seu olhar. Dizer *eu amo você* era perigoso naquele momento, mas não dizer também era.

— Então trepa comigo — sussurrou.

Ela começou a puxar meu cinto.

— Temos de ser muito cuidadosos agora. Eu... É uma situação muito, muito ruim para mim se a polícia descobrir sobre nós. Parece mais que ruim.

— É com isso que você está preocupado?

— Sou um homem com uma esposa desaparecida e uma... namorada secreta. É, isso parece ruim. Parece criminoso.

— Dito assim parece uma safadeza — disse, os seios ainda à mostra.

— As pessoas não nos conhecem, Andie. Elas *irão* pensar que é safadeza.

— Jesus, parece um filme *noir* ruim.

Sorri. Eu apresentara Andie ao *noir* — a Bogart e *À beira do abismo*, *Pacto de sangue*, todos os clássicos. Era uma das coisas de que mais gostava entre nós, que eu pudesse ensinar coisas a ela.

— Por que simplesmente não contamos à polícia? — sugeriu. — Isso não seria melhor do que...

— Não. Andie, nem pense nisso. Não.

— Eles vão descobrir...

— Por quê? Por que descobririam? Você contou a alguém sobre nós, querida?

Ela me lançou um olhar inquieto. Eu me senti mal. A noite não estava indo como ela achava que seria. Ela ficara animada em me ver, ficara imaginando um encontro lascivo, um consolo físico, e eu estava ocupado demais protegendo meu próprio rabo.

— Querida, desculpe-me, eu só preciso saber — declarei.

— Não pelo nome.

— Como assim, não pelo nome?

— Quer dizer — falou, finalmente levantando o vestido —, meus amigos, minha mãe, sabem que estou saindo com alguém, mas não pelo nome.

— E não por qualquer tipo de descrição, certo? — perguntei, com mais urgência do que pretendia, com a sensação de estar segurando um teto que desabava. — Duas pessoas sabem sobre isto, Andie. Você e eu. Se você me ajudar, se você me ama, seremos apenas nós a saber, e a polícia nunca irá descobrir.

Ela percorreu meu maxilar com um dedo.

— E se... E se eles nunca encontrarem Amy?

— Você e eu, Andie, ficaremos juntos não importa o que aconteça. Mas *só* se tivermos cuidado. Se não tivermos cuidado, é possível... A situação parece ruim o bastante para que eu vá para a prisão.

— Talvez ela tenha fugido com alguém — disse ela, apoiando a bochecha em meu ombro. — Talvez...

Eu podia ver seu cérebro de garota zumbindo, transformando o desaparecimento de Amy em um romance efervescente e escandaloso, ignorando qualquer realidade que não se encaixasse na narrativa.

— Ela não fugiu. É muito mais sério que isso — afirmei, colocando um dedo sob seu queixo para que ela olhasse para mim. — Andie? Preciso que você leve isso muito a sério, está bem?

— Claro que estou levando isso a sério. Mas preciso poder falar mais com você. Ver você. Estou pirando, Nick.

— Precisamos ficar quietos por ora — disse, segurando seus ombros para que ela olhasse para mim. — Minha esposa está desaparecida, Andie.

— Mas você nem...

Eu sabia o que ela estava prestes a dizer — *você nem a ama* —, mas ela foi suficientemente inteligente para se interromper.

Andie colocou os braços em volta de mim.

— Olha, não quero brigar. Sei que você gosta de Amy, e sei que deve estar realmente preocupado. Também estou. Sei que você está sob... Não posso nem imaginar a pressão. Então, não me incomodo em ser ainda mais discreta do que antes, se é que isso é possível. Mas lembre-se de que isso também me afeta. Preciso saber de você. Uma vez por dia. Ligue quando puder, mesmo que só por alguns segundos, para que eu possa ouvir sua voz. Uma vez por dia, Nick. Todo dia. Senão, vou enlouquecer. Eu vou enlouquecer.

Ela sorriu para mim e sussurrou:

— Agora me beije.

Eu a beijei bem de leve.

— Eu amo você — declarou ela, e eu beijei seu pescoço e murmurei minha resposta.

Ficamos sentados em silêncio, a TV tremeluzindo.

Deixei meus olhos se fecharem. *Agora me beije*, quem dissera isso?

Acordei sobressaltado pouco depois das cinco da manhã. Go estava acordada, eu podia ouvi-la no final do corredor, água correndo no banheiro. Sacudi Andie — *são cinco da manhã, são cinco da manhã* —, e, com promessas de amor e telefonemas, empurrei-a rapidamente para a porta como um caso envergonhado de uma noite.

— Lembre-se: telefone todo dia — sussurrou Andie.

Ouvi a porta do banheiro sendo aberta.

— Todo dia — falei, e me escondi atrás da porta enquanto a abria e Andie saía.

Quando me virei, Go estava de pé na sala. Sua boca estava aberta, chocada, mas o resto do corpo estava em fúria total: mãos nos quadris, sobrancelhas em V.

— Nick. Seu imbecil.

AMY ELLIOTT DUNNE
21 DE JULHO DE 2011

ANOTAÇÃO EM DIÁRIO

Sou uma idiota completa. Algumas vezes olho para mim mesma e penso: *Não é de espantar que Nick me ache ridícula, frívola, mimada, comparada com a mãe dele.* Maureen está morrendo. Ela esconde a doença atrás de grandes sorrisos e largos suéteres bordados, respondendo a todas as perguntas sobre sua saúde com: "Ah, estou bem, mas como *você* está, querida?" Ela está morrendo, mas não vai admitir isso, não ainda. Então me telefonou ontem de manhã, perguntando se eu queria dar um passeio com ela e as amigas — está tendo um dia bom e quer ficar fora de casa o máximo possível —, e aceitei imediatamente, embora saiba que não vão fazer nada que me interesse particularmente: jogos de cartas, como pinochle e bridge, alguma atividade na igreja, que normalmente envolve separar coisas.

"Passaremos aí em quinze minutos", informa ela. "Use mangas curtas."

Limpeza. Deve ter a ver com limpeza. Algo que exija trabalho braçal. Coloco uma camiseta de mangas curtas e em exatos quinze minutos estou abrindo a porta para Maureen, careca sob um gorro de tricô, rindo com as duas amigas. Estão todas usando camisetas com a mesma imagem estampada, sinos e fitas, com as palavras *As Plasmães* pintadas com *air-brush* sobre o peito.

Fico achando que elas criaram um grupo de blues, mas então entramos no velho Chrysler de Rose — velho-*velho*, daqueles em que o banco da frente ocupa toda a largura, um carro de avó que cheira a cigarros femininos — e partimos alegremente para o *centro de doação de plasma*.

"Nós vamos todas as segundas e quintas", explica Rose, olhando para mim pelo retrovisor.

"Ah", digo. De que outro jeito eu poderia responder? *Ah, esses são ótimos dias para doar plasma!*

"A gente pode doar duas vezes por semana", diz Maureen, os sinos em seu suéter balançando. "Na primeira vez você recebe vinte dólares, na segunda, trinta. Por isso todas estão tão animadas hoje."

"Você vai adorar", diz Vicky. "Todas ficam sentadas conversando, como em um salão de beleza."

Maureen aperta meu braço e diz em voz baixa: "Não posso mais doar, mas achei que você poderia ser minha representante. Pode ser um belo modo de você ganhar algum dinheiro... é bom para uma garota ter seu próprio dinheiro."

Engulo um breve sopro de raiva. *Eu costumava ter mais do que algum dinheiro próprio, mas eu dei ao seu filho.*

Um homem magricela usando uma jaqueta jeans pequena demais está parado no estacionamento como um cachorro de rua. Do lado de dentro o lugar é limpo. Bem iluminado, cheirando a pinho, com cartazes cristãos nas paredes, pombas e névoa. Mas sei que não vou conseguir fazer isso. Agulhas. Sangue. Não suporto nenhum dos dois. Na verdade não tenho nenhuma outra fobia, mas essas duas são sólidas — eu sou a garota que desmaia quando corta o dedo com papel. Algo sobre pele se abrindo: descascando, ralando, furando. Durante a quimio com Maureen, eu nunca olhava quando eles enfiavam a agulha.

"Oi, Cayleese!", chama Maureen quando entramos, e uma negra pesada em um uniforme vagamente médico responde: "Oi, Maureen! Como está se sentindo?"

"Ah, estou bem, bastante bem — mas como *você* está?"

"Há quanto tempo você faz isso?", pergunto.

"Há algum tempo", diz Maureen. "Cayleese é a preferida, enfia a agulha bem suavemente. O que sempre foi bom para mim, porque as minhas fogem." Ela estende seu antebraço com grossas veias azuis. Quando conheci Mo, ela era gorda, mas não mais. É estranho, ela na verdade fica melhor gorda. "Olha, tente colocar o dedo numa."

Olho ao redor, esperando que Cayleese venha nos levar para dentro.

"Vamos lá, tente."

Coloco a ponta do dedo na veia e a sinto fugir para o lado. Uma onda de calor sobe dentro de mim.

"Então, essa é nossa nova recruta?", pergunta Cayleese, de repente ao meu lado. "Maureen fala bem de você o tempo todo. Vamos precisar que preencha uma papelada..."

"Lamento, não posso. Não suporto agulhas, não posso ver sangue. Tenho uma fobia grave. Eu *literalmente* não posso fazer isso."

Eu me dou conta de que não comi hoje, e uma tonteira toma conta de mim. Meu pescoço parece fraco.

"Tudo aqui é muito higiênico, você está em ótimas mãos", diz Cayleese.

"Não, não é isso, de verdade. Nunca tirei sangue. Meu médico fica bravo comigo porque não dou conta nem de um exame de sangue anual para, sei lá, colesterol."

Em vez disso, esperamos. Leva duas horas, Vicky e Rose presas a máquinas que giram. Como se estivessem sendo colhidas. Até marcaram os dedos delas, para que não possam doar mais de duas vezes por semana em nenhum lugar — as marcas aparecem sob uma luz violeta.

"Essa é a parte James Bond da coisa", diz Vicky, e todas riem. Maureen cantarola a música tema de Bond (acho) e Rose faz uma arma com os dedos.

"Será que vocês, galinhas velhas, não conseguem ficar quietas nem sequer uma vez?", fala uma mulher de cabelos brancos quatro poltronas depois. Ela se inclina sobre os corpos reclinados de três homens gordurosos — tatuagens verde-azuladas nos braços, barba por fazer no queixo, o tipo de homem que eu imaginava doando plasma — e acena com um dedo do braço livre.

"Mary! Achei que você só viesse amanhã!"

"Era o plano, mas meu seguro-desemprego está uma semana atrasado e eu estava reduzida a uma caixa de cereal e uma lata de creme de milho!"

Todas riem, como se quase morrer de fome fosse divertido — esta cidade algumas vezes é demais, tão desesperada e tão cega em relação a isso. Começo a me sentir mal, o som de sangue girando, as compridas fitas plásticas de sangue indo de corpos para máquinas, as pessoas sendo, sei lá, *ordenhadas*. Sangue por todo lado, à mostra, onde não deveria estar. Denso e escuro, quase roxo.

Levanto-me para ir ao banheiro, jogar água fria no rosto. Dou dois passos e meus ouvidos se fecham, meu campo de visão estreita, sinto meu próprio batimento cardíaco, meu próprio sangue, e enquanto caio, digo: "Ah. Desculpe-me."

Mal me lembro da volta para casa. Maureen me põe na cama, um copo de suco de maçã e uma tigela de sopa ao meu lado. Tentamos ligar para Nick. Go diz que ele não está n'O Bar, e ele não atende ao telefone.

O homem desaparece.

"Ele também era assim quando menino, ele é um ser errante", diz Maureen. "A pior coisa que você podia fazer com ele era deixá-lo de castigo no quarto." Ela coloca um pano úmido e frio em minha testa; seu hálito tem o cheiro ácido de aspirina. "Sua obrigação é descansar, está bem? Vou continuar telefonando até trazer aquele garoto para casa."

Quando Nick chega em casa, estou dormindo. Acordo e o ouço tomando banho, e verifico a hora: onze e quatro da noite. Ele deve ter ido para O Bar, finalmente — ele gosta de uma chuveirada depois do turno, tirar do corpo o cheiro de cerveja e pipoca salgada. (Diz ele.)

Ele desliza para a cama, e quando me viro para ele de olhos abertos, ele parece consternado que eu esteja acordada.

"Passamos horas tentando achar você", digo.

"Meu telefone estava sem bateria. Você desmaiou?"

"Você não disse que seu telefone estava sem bateria?"

Ele faz uma pausa e sei que está prestes a mentir. O pior sentimento: quando você tem simplesmente que esperar e se preparar para a mentira. Nick é antiquado, ele precisa de sua liberdade, não gosta de se explicar. Ele sabe que tem planos com os amigos uma semana antes, mas ainda assim espera até uma hora antes do jogo de pôquer para me dizer, despreocupado: "Ei, então, pensei em jogar pôquer com o pessoal esta noite se não for problema para você", e me deixar ser a vilã da história se eu tiver feito outros planos. A gente nunca quer ser a esposa que impede o marido de jogar pôquer — não quer ser a megera com os bobes no cabelo e o rolo de macarrão. Então você engole sua decepção e diz que tudo bem. Não acho que ele faça isso por maldade, apenas foi criado assim. O pai sempre fazia o que queria, e a mãe aceitava. Até se divorciar dele.

Ele começa sua mentira. Eu nem presto atenção.

NICK DUNNE
CINCO DIAS SUMIDA

Eu me apoiei na porta, olhando para minha irmã. Ainda podia sentir o cheiro de Andie, e queria aquele momento para mim por um segundo, porque, agora que ela partira, eu podia curtir a ideia dela. Ela sempre tinha gosto de caramelo e cheiro de lavanda. Xampu de lavanda, hidratante de lavanda. *Lavanda dá sorte*, ela me explicara uma vez. Eu precisaria de sorte.

— Quantos anos ela tem? — Go exigia, com as mãos nos quadris.
— É por aí que você quer começar?
— Quantos *anos* ela tem, Nick?
— Vinte e três.
— Vinte e três. Brilhante.
— Go, não...
— Nick. Você não se dá conta de como está *fodido*? — perguntou. — Fodido e *burro*.

Ela fez *burro* — uma palavra de criança — me ferir como se eu tivesse dez anos outra vez.

— Não é a situação ideal — concedi, a voz baixa.
— Situação ideal! Você é... Você é um *traidor*, Nick. Quer dizer, o que aconteceu com você? Você sempre foi um dos caras legais. Ou será que eu fui uma idiota o tempo todo?
— Não — respondi, olhando para o chão, para o mesmo ponto para o qual olhava quando criança quando minha mãe me sentava no sofá e me dizia que eu era melhor do que aquilo que acabara de fazer.
— E agora? Você é um *homem que trai a esposa*, você nunca vai poder desfazer isso — disse Go. — Meu Deus, nem mesmo *papai* traía.

Você é tão... Quer dizer, sua esposa está desaparecida, Amy está sabe-se lá onde, e você está aqui passando o tempo com uma pequena...

— Go, estou gostando desse revisionismo histórico em que você é defensora de Amy. Quer dizer, você nunca gostou de Amy, nem no começo, e desde que tudo isso aconteceu, é como se...

— É como se eu tivesse compaixão por sua esposa desaparecida, é, Nick. Estou preocupada. É, estou. Lembra-se de antes, quando eu disse que você estava esquisito? Você está... É uma loucura o modo como está agindo.

Ela andou de um lado para outro da sala, roendo a unha do polegar.

— Se a polícia descobrir isso, eu nem sei — refletiu ela. — Estou *assustada* para caralho, Nick. Esta é a primeira vez que estou realmente com medo por você. Não acredito que eles ainda não descobriram. Eles devem ter pedido seu histórico telefônico.

— Eu usei um celular descartável.

Ela parou ao ouvir isso.

— Isso é ainda pior. Isso é... tipo premeditação.

— Traição premeditada, Go. Sim, sou culpado disso.

Ela sucumbiu por um momento, desabou no sofá, a nova realidade assentando em sua mente. Na verdade eu estava aliviado por Go saber.

— Quanto tempo? — perguntou ela.

— Pouco mais de um ano — respondi, obrigando-me a erguer os olhos do chão e encará-la.

— Mais de um *ano*? E você nunca me contou.

— Eu tinha medo de que você me mandasse parar. Que você pensasse mal de mim e então eu teria de parar. E eu não queria. As coisas com Amy...

— Mais de um ano — disse Go. — E nem desconfiei. Oito mil conversas embriagadas e você nunca confiou em mim o suficiente para me contar. Não sabia que você podia fazer isso, esconder totalmente algo de mim.

— É a única coisa.

Go deu de ombros: *Como posso acreditar em você agora?*

— Você a ama? — indaguei, dando um tom brincalhão para mostrar como isso era improvável.

— Sim. Realmente acho que amo. Amava. Amo.

— Você se dá conta de que se você realmente a namorasse, a visse regularmente, *vivesse* com ela, ela iria encontrar alguma falha em você, certo? Que iria encontrar algumas coisas em você que a deixariam louca. Que exigiria coisas de você que você não iria gostar. Que ficaria com raiva de você?

— Eu não tenho dez anos, Go. Sei como os relacionamentos funcionam.

Ela deu de ombros novamente. *Sabe?*

— Precisamos de um advogado — concluiu ela. — Um bom advogado com habilidades de relações públicas, porque as redes, alguns programas da TV a cabo, estão farejando. Precisamos garantir que a imprensa não o transforme no marido mulherengo malvado, porque, se isso acontecer, acho que tudo estará acabado.

— Go, você está soando um pouco dramática.

Eu na verdade concordava com ela, mas não suportava ouvir as palavras de Go em voz alta. Eu tinha de desmerecê-las.

— Nick, isso *é* um pouco dramático. Vou dar uns telefonemas.

— Como quiser, se isso faz com que você se sinta melhor.

Go enfiou dois dedos duros em meu esterno.

— Não venha com essa para cima de mim, *Lance*, porra. "Ah, as garotas exageram demais." Isso é babaquice. Você está realmente em apuros, meu amigo. Largue de ser babaca e comece a me ajudar a consertar isso.

Eu podia sentir sob a camisa o ponto em minha pele ardendo enquanto Go dava as costas e, graças a Deus, voltava para seu quarto. Eu me sentei no sofá, entorpecido. Então me deitei, prometendo a mim mesmo que ia levantar.

Sonhei com Amy: ela engatinhava pelo chão da nossa cozinha, tentando chegar à porta dos fundos, mas o sangue a cegava, e ela se movia muito lentamente, lentamente demais. Sua bela cabeça estava estranhamente deformada, amassada do lado direito. Sangue pingava de um cacho de cabelo comprido, e ela gemia meu nome.

Acordei e soube que era hora de ir para casa. Eu precisava ver o lugar — a cena do crime —, precisava encará-lo.

Não havia ninguém do lado de fora no calor. Nosso bairro estava tão vazio e solitário quanto no dia em que Amy desaparecera. Passei pela minha porta da frente e me obriguei a respirar. Estranho que uma casa tão nova pudesse parecer assombrada, e não no sentido romântico de um romance vitoriano, mas simplesmente arruinada de um jeito macabro, horroroso. Uma casa com história, e tinha apenas três anos. Os peritos haviam percorrido o lugar todo; superfícies estavam sujas, grudentas e manchadas. Eu me sentei no sofá, e ele tinha o cheiro de alguém, de uma pessoa real, o odor de um estranho, de uma loção pós-barba forte. Abri as janelas apesar do calor, deixei entrar um pouco de ar. Bleecker desceu as escadas trotando, e eu o peguei no colo e o acariciei enquanto ele ronronava. Alguém, um policial, enchera a tigela dele por mim. Um gesto simpático, após desmontarem minha casa. Eu o coloquei cuidadosamente no primeiro degrau, depois subi para o quarto, desabotoando a camisa. Deitei atravessado na cama e coloquei o rosto no travesseiro, a mesma fronha azul-marinho para a qual olhara na manhã de nosso aniversário de casamento, A Manhã Do.

Meu telefone tocou. Go. Eu atendi.

— Ellen Abbott está fazendo um programa especial ao meio-dia. É sobre Amy. Você. Eu, hã, não parece bom. Quer que eu passe aí?

— Não, posso assistir sozinho, obrigado.

Ambos aguardamos na linha. Esperando que o outro se desculpasse.

— Certo, nos falamos depois — disse Go.

Ellen Abbott Live era um programa da TV a cabo especializado em mulheres desaparecidas, assassinadas, estrelado pela permanentemente furiosa Ellen Abbott, uma ex-promotora e defensora dos direitos das vítimas. O programa começava com Ellen, cabelo armado e brilho nos lábios, olhando fixamente para a câmera. "Uma história chocante para relatarmos hoje: uma linda e jovem mulher que foi a inspiração para a série de livros *Amy Exemplar*. *Desaparecida*. Casa *revirada*. O marido é Lance Nicholas Dunne, um *jornalista desempregado* que hoje é dono de um *bar* que *comprou* com o *dinheiro* da esposa. Querem saber quão preocupado ele está? Eis as fotos tiradas desde que sua esposa, Amy Elliott Dunne, desapareceu em 5 de julho — seu quinto *aniversário de casamento*."

Corta para minha foto na coletiva, o sorriso babaca. Outra de mim acenando e sorrindo como em um concurso de beleza enquanto saía do carro (eu estava acenando *de volta* para Marybeth; estava sorrindo porque sorrio quando aceno).

Depois veio a foto de celular de mim e Shawna Kelly, cozinheira de *frito pie*. Nossas bochechas se encostando, dentes branco-pérola brilhando. Depois a verdadeira Shawna apareceu na tela, bronzeada, esculpida e soturna enquanto Ellen a apresentava aos Estados Unidos. Gotas de suor brotaram no meu corpo todo.

ELLEN: Então, Lance Nicholas Dunne — você pode descrever para nós o comportamento dele, Shawna? Você o conheceu quando todos procuravam pela esposa desaparecida dele, e Lance Nicholas Dunne estava... Como?
SHAWNA: Ele estava muito calmo, muito simpático.
ELLEN: *Desculpe-me, desculpe-me*. Ele foi *simpático* e *calmo*? A esposa dele está *desaparecida*, Shawna. Que tipo de homem fica *simpático* e *calmo*?

A foto grotesca surgiu novamente na tela. De alguma forma, parecíamos ainda mais alegres.

SHAWNA: Ele foi até um pouco sedutor...

Você deveria ter sido mais legal com ela, Nick. Você deveria ter comido a porra da torta.

ELLEN: *Sedutor*? Enquanto a esposa está Deus sabe *onde*, Lance Dunne é... Bem, lamento, Shawna, mas essa foto é simplesmente... Não conheço palavra melhor que *revoltante*. Não é a aparência de um *homem inocente*...

O restante do bloco foi basicamente Ellen Abbott, insufladora profissional, obcecada com minha falta de álibi: "Por que *Lance Nicholas Dunne* não tem um álibi até o *meio-dia*? Onde ele esteve naquela *manhã*?", questionou ela, em seu sotaque arrastado de xerife texano. Seu grupo de convidados concordou que não parecia nada bom.
Telefonei para Go e ela disse:
— Bem, você conseguiu quase uma semana antes que eles voltassem os olhos para você.
Depois xingamos um pouco. *Shawna desgraçada puta piranha maluca.*
— Faça alguma coisa realmente, realmente útil hoje, proativa — aconselhou Go. — As pessoas agora estarão prestando atenção.
— Não conseguiria ficar parado mesmo que quisesse.

Dirigi até St. Louis quase furioso, repassando o bloco do programa na cabeça, respondendo a todas as perguntas de Ellen, fazendo-a calar a boca. *Hoje, Ellen Abbott, sua piranha desgraçada, rastreei um dos perseguidores de Amy. Desi Collings. Eu o rastreei para descobrir a verdade.* Eu, o marido herói. E se eu tivesse uma música tema grandiosa eu a teria tocado. Eu, o cara legal da classe trabalhadora, enfrentando o garoto rico e mimado. A imprensa teria de engolir isto: perseguidores obsessivos são mais intrigantes do que um assassino de esposa qualquer. Os Elliott, pelo menos, iriam ficar agradecidos. Liguei para Marybeth, mas caiu na caixa postal. Em frente.

À medida que entrava no bairro dele, tive de mudar minha visão de Desi de rico para extremamente, doentiamente rico. O cara vivia em uma mansão em Ladue que provavelmente custava pelo menos cinco milhões de dólares. Tijolos caiados, venezianas laqueadas de preto, iluminação a gás e hera. Eu tinha me vestido para a ocasião, um terno decente com gravata, mas me dei conta, enquanto tocava a campainha, de que um terno de quatrocentos dólares naquele bairro era mais patético do que se eu tivesse ido de jeans. Pude ouvir o barulho de sapatos sociais vindo dos fundos da casa, e a porta se abriu com um ruído de sucção, como uma geladeira. Ar frio saiu na minha direção.

Desi tinha a aparência que eu sempre quisera ter: um camarada muito bonito, muito decente. Algo nos olhos, ou no maxilar. Ele tinha olhos castanho-claros fundos, olhos de ursinho de pelúcia, e covinhas nas duas bochechas. Se você nos visse juntos, suporia que ele era o cara bonzinho.

— Ah — disse Desi, analisando meu rosto. — Você é Nick. Nick Dunne. Deus do céu, lamento muito por Amy. Entre, entre.

Ele me conduziu a uma sala de estar severa, de uma masculinidade imaginada por um decorador. Muito couro escuro e desconfortável. Apontou para uma poltrona com encosto particularmente rígido; tentei ficar confortável, como me fora solicitado, mas descobri que a única posição que a cadeira permitia era a de um estudante repreendido: *Preste atenção e sente direito.*

Desi não me perguntou por que eu estava na sala da sua casa. Nem explicou como me reconhecera imediatamente. Embora eles estivessem se tornando mais comuns, as espiadelas e os sussurros disfarçados.

— Posso oferecer uma bebida? — perguntou Desi, apertando as duas mãos: primeiro, negócios.

— Estou bem.

Ele se sentou à minha frente. Vestia tons impecáveis de azul-marinho e creme; até os seus cadarços pareciam passados a ferro. Mas tudo aquilo lhe caía bem. Não era o almofadinha inútil que eu estivera esperando. Desi parecia a definição de um cavalheiro: um cara que poderia citar um grande poeta, pedir um scotch raro e comprar a joia vintage certa para uma mulher. De fato, ele parecia um homem que sabia inerentemente o que as mulheres queriam — diante dele, eu sentia meu terno amassar, meus modos se tornarem desajeitados. Eu tinha uma necessidade crescente de discutir futebol e peidar. Esse tipo de cara sempre mexia comigo.

— Amy. Alguma pista? — perguntou Desi.

Ele parecia alguém conhecido, um ator, talvez.

— Nenhuma boa.

— Ela foi levada... de casa. Correto?

— De nossa casa, sim.

Então soube quem ele era: o sujeito que aparecera sozinho no primeiro dia de buscas, o sujeito que não parava de olhar para a foto de Amy.

— Você esteve no centro de voluntários, não esteve? No primeiro dia.

— Estive — respondeu Desi, sensato. — Estava prestes a dizer isso. Gostaria de ter podido conhecê-lo naquele dia, apresentar minhas condolências.

— Fez uma viagem longa.

— Poderia dizer o mesmo a você — falou, sorrindo. — Veja, eu gosto muitíssimo de Amy. Ao ouvir o que havia acontecido, bem, tinha de fazer algo. Eu simplesmente... É terrível dizer isso, Nick, mas quando vi no noticiário eu apenas pensei: *é claro*.

— Claro?

— Claro que alguém iria... querê-la — disse. Ele tinha uma voz grave, uma voz de lareira. — Você sabe, ela sempre teve aquele jeito. De fazer com que as pessoas a quisessem. Sempre. Você conhece o velho clichê: os homens a querem e as mulheres querem ser como ela. Com Amy, isso era verdade.

Desi cruzou as mãos grandes sobre as calças elegantes. Eu não conseguia decidir se ele estava me sacaneando. Eu disse a mim mesmo para ir com calma. É a regra de todas as entrevistas potencialmente espinhosas: não parta para o ataque até ser obrigado; primeiro descubra se eles se enforcarão sozinhos.

— Você teve uma relação muito intensa com Amy, certo? — perguntei.

— Não era apenas a aparência dela — refletiu Desi. Ele se apoiou sobre um joelho, o olhar distante. — Pensei muito nisso, claro. Primeiro amor. Decididamente pensei nisso. O autocentrado que há em mim. Filosofia demais. — Ele deu um sorriso tímido. As covinhas surgiram.

— Veja bem, quando Amy gosta de você, quando está interessada em você, os cuidados dela são calorosos e tranquilizadores, totalmente envolventes. Como um banho de banheira quente.

Eu ergui as sobrancelhas.

— Acompanhe meu raciocínio — instruiu. — Você se sente bem consigo mesmo. Totalmente bem, talvez pela primeira vez. E então ela vê suas falhas, se dá conta de que você é apenas outra pessoa comum com a qual tem de lidar. Você na verdade é Andy, o Capaz, e na vida real, Andy, o Capaz, nunca estaria com a Amy Exemplar. Então o interesse dela se esvai e você deixa de se sentir bem, você pode sentir aquela velha frieza novamente, como se estivesse nu no piso do banheiro, e tudo o que você mais quer é voltar para a banheira.

Eu conhecia aquela sensação — eu estava no piso do banheiro havia uns três anos — e senti uma onda de desgosto por partilhar essa emoção com aquele homem.

— Estou certo de que você entende o que quero dizer — disse Desi, e sorriu para mim, piscando.

Que homem estranho, pensei. *Quem compara a esposa de outro homem a uma banheira na qual gostaria de afundar? A esposa* desaparecida *de outro homem?*

Atrás de Desi, uma comprida mesa lateral envernizada com várias fotos em porta-retratos prateados. No centro havia uma foto grande demais de Desi e Amy no ensino médio, em trajes brancos de tênis — os dois tão absurdamente estilosos, tão cobertos de dinheiro que poderiam estar em um filme de Hitchcock. Imaginei Desi, o adolescente Desi, entrando no dormitório de Amy, jogando as roupas no chão, se acomodando nos lençóis frios, engolindo cápsulas de remédio. Esperando para ser encontrado. Era uma forma de punição, de fúria, mas não do tipo que ocorria em minha casa. Eu podia entender por que a polícia não estava muito interessada. Desi acompanhou meu olhar.

— Ah, bem, você não pode me culpar por isso. — Sorriu. — Quero dizer, *você* jogaria fora uma foto tão perfeita?

— De uma garota que não vejo há vinte anos? — retruquei, antes que conseguisse me conter. Eu me dei conta de que meu tom fora mais agressivo do que deveria.

— Conheço Amy — explicou Desi, irritado. Tomou fôlego. — Eu a conhecia. Conhecia muito bem. Não há nenhuma pista? Eu tenho de perguntar... O pai dela, ele está... lá?

— Claro que está.

— Eu não suponho que... Ele certamente estava em Nova York quando aconteceu, certo?

— Ele estava em Nova York. Por quê?

Desi deu de ombros. *Apenas curioso, nenhuma razão*. Ficamos sentados em silêncio por meio minuto, brincando de quem desviaria os olhos primeiro. Nenhum de nós piscou.

— Na verdade vim aqui para ver o que você poderia me contar, Desi.

Novamente tentei imaginar Desi fugindo com Amy. Será que ele tinha uma casa no lago em algum lugar por perto? Todos esses tipos tinham. Seria plausível aquele homem refinado e sofisticado mantendo Amy em alguma sala de jogos elegante no porão; Amy andando de um lado para outro sobre o carpete, dormindo em um sofá empoeirado com uma cor brilhante exclusiva dos anos sessenta, amarelo-limão ou coral? Desejei que Boney e Gilpin estivessem ali, que tivessem testemunhado o tom de voz proprietário de Desi: *Conheço Amy*.

— Eu? — reagiu Desi, rindo. *Ele tinha um riso rico*. A frase perfeita para descrever o som. — Não tenho nada a contar. Como você disse, eu não a conheço.

— Mas você acabou de dizer que conhecia.

— Certamente não a conheço como você.

— Você a perseguia no ensino médio.

— Eu a *perseguia*? Nick, ela era minha namorada.

— Até deixar de ser — falei. — E você não arredava o pé.

— Ah, eu provavelmente sofri por ela, sim. Mas nada fora do comum.

— Você chama tentar se matar no quarto dela de comum?

Ele balançou a cabeça, apertou os olhos. Abriu a boca para falar, depois baixou os olhos para as mãos.

— Não estou certo do que você está falando, Nick — disse, finalmente.

— Estou falando de você perseguir minha esposa. No ensino médio. Agora.

— É disso *mesmo* que se trata? — perguntou, novamente rindo. — Deus do céu, achei que você estivesse levantando dinheiro para uma recompensa ou algo assim. Que, aliás, fico feliz em bancar. Como já disse, nunca deixei de desejar o melhor para Amy. Se eu a amo? Não. Não a conheço mais, não de verdade. Nós às vezes trocamos cartas. Mas é interessante você vir aqui. Você está confundindo as coisas. Porque tenho de lhe dizer, Nick, na TV, caramba, *aqui*, agora, você não parece um marido sofrido e preocupado. Você parece... afetado. A polícia, aliás, já conversou comigo, graças, creio, a você. Ou aos pais de Amy. Estranho você não saber; achei que eles contassem tudo ao marido se ele não fosse suspeito.

Meu estômago deu um nó.

— Estou aqui porque queria ver seu rosto quando falasse sobre Amy — admiti. — E tenho de lhe dizer, isso me preocupa. Você parece um pouco... inquieto.

— Um de nós tem de estar — disse Desi, novamente de modo sensato.

— Querido? — disse uma voz vinda dos fundos da casa, e outro par de sapatos caros estalou na direção da sala de estar. — Qual era o nome daquele *livro*...

A mulher era uma visão borrada de Amy. Amy em um espelho embaçado — a cor exata, traços extremamente semelhantes, mas um quarto de século mais velha, a pele, os traços, tudo um pouco alargado como um tecido fino. Ela ainda era esplêndida, uma mulher que escolhera envelhecer com elegância. Suas formas eram uma espécie de origami: cotovelos em ângulos agudos, clavículas de cabide. Usava um vestido justo azul-celeste e tinha a mesma atração que Amy: quando estava em um aposento, você ficava virando a cabeça na direção dela. Ela me deu um sorriso um tanto predatório.

— Olá, sou Jacqueline Collings.

— Mãe, esse é o marido de Amy, Nick — apresentou Desi.

— Amy. — A mulher sorriu de novo. Ela tinha uma voz que parecia vir do fundo de um poço, grave e estranhamente ressonante. — Temos andado muito interessados nessa história por aqui. Sim, muito interessados. — Ela se virou friamente para o filho. — Nunca conseguimos deixar de pensar na esplêndida Amy Elliott, não é mesmo?

— Amy Dunne agora — cortei.

— Claro — concordou Jacqueline. — Lamento muito, Nick, pelo que está passando. — Ela me encarou por um instante. — Lamento, devo... Eu não imaginava Amy com um rapaz tão... *americano* — disse, parecendo não falar comigo nem com Desi. — Deus do céu, ele tem até furinho no queixo.

— Vim ver se seu filho tinha alguma informação — expliquei. — Sei que ele escreveu muitas cartas para minha esposa ao longo dos anos.

— Ah, as *cartas*! — Jacqueline sorriu com raiva. — Uma forma muito interessante de passar o tempo, não concorda?

— Amy as mostrou a você? — perguntou Desi. — Fico surpreso.

— Não — respondi, virando-me para ele. — Ela sempre as jogava fora, fechadas.

— Todas elas? Sempre? Tem certeza? — perguntou Desi, ainda sorrindo.

— Certa vez eu revirei o lixo para ler uma — disse, voltando-me para Jacqueline. — Só para saber exatamente o que estava acontecendo.

— Bom para você — concluiu Jacqueline, ronronando para mim. — Não esperaria nada menos de meu marido.

— Amy e eu sempre trocamos cartas — contou Desi. Ele tinha a cadência da mãe, o tom que indicava que tudo o que ele dizia era algo que você queria ouvir. — Era uma coisa nossa. Acho e-mail algo tão... pobre. E ninguém os guarda. Ninguém guarda e-mails, porque são inerentemente impessoais. Eu me preocupo com a posteridade em geral. Todas as grandes cartas de amor, de Simone de Beauvoir para Sartre, de Samuel Clemens à sua esposa, Olivia, não sei, sempre penso no que será perdido...

— Você guardou todas as minhas cartas? — perguntou Jacqueline. Estava de pé junto à lareira, olhando de cima para nós, um braço comprido e definido na cornija.

— Claro.

Ela se virou para mim dando de ombros, elegante.

— Apenas curiosidade.

Estremeci. Estava prestes a ir na direção da lareira em busca de calor, mas lembrei que era julho.

— Parece uma devoção bastante estranha de se manter por todos esses anos — falei. — Quer dizer, ela não lhe escrevia de volta.

Aquilo acendeu os olhos de Desi.

— Ah — foi tudo o que ele disse, o som de alguém avistando fogos de artifício.

— A mim soa estranho, Nick, que você venha aqui e pergunte a Desi sobre a relação dele, ou falta de, com sua esposa — disse Jacqueline Collings. — Você e Amy não são próximos? Posso lhe garantir: Desi não teve qualquer contato real com Amy em décadas. Décadas.

— Estou apenas verificando, Jacqueline. Algumas vezes é preciso ver as coisas pessoalmente.

Jacqueline começou a andar na direção da porta; virou-se e fez um único gesto de cabeça para me garantir que era hora de partir.

— Muito *intrépido* de sua parte, Nick. Muito faça-você-mesmo. Você também constrói seus próprios *deques*?

Ela riu com a palavra e abriu a porta para mim. Olhei fixamente para seu pescoço e me perguntei por que ela não estava usando um colar de pérolas. Mulheres daquele tipo sempre têm grossos colares de pérolas fazendo barulho. Mas eu podia sentir seu cheiro, um cheiro feminino, vaginal e estranhamente lascivo.

— Foi interessante conhecê-lo, Nick — disse ela. — Esperamos que Amy volte para casa em segurança. Até que isso aconteça, da próxima vez que quiser entrar em contato com Desi...

Ela colocou um cartão grosso e cremoso em minhas mãos.

— Ligue para nosso advogado, por favor.

AMY ELLIOTT DUNNE
17 DE AGOSTO DE 2011

ANOTAÇÃO EM DIÁRIO

Sei que isso soa como coisa de adolescente sonhadora, mas tenho vigiado o humor de Nick. Em relação a mim. Só para ter certeza de que não estou maluca. Tenho um calendário, e coloco corações nos dias em que Nick parece me amar outra vez, e quadrados negros nos outros. O ano passado foi todo de quadrados negros, basicamente.

Mas agora? Nove dias de corações. Seguidos. Talvez ele só precisasse saber quanto eu o amo e quão infeliz eu me tornara. Talvez ele tenha tido uma *mudança de atitude*. Nunca gostei tanto de uma expressão.

Teste: Após mais de um ano de frieza, seu marido de repente parece amá-la novamente. Você:

a) Não para de falar sobre quanto ele a magoou para que ele possa se desculpar um pouco mais.
b) Continua dando um gelo nele por um tempo — para que ele aprenda a lição!
c) Não o pressiona a respeito de sua nova atitude — sabe que ele se abrirá com você no momento certo, e, enquanto isso, o cobre de afeto para que se sinta seguro e amado, pois é assim que essa coisa de casamento funciona.
d) Exige saber o que deu errado; exige que ele fale sobre isso de modo a acalmar as próprias neuroses.

Resposta: C

Em agosto, eu não poderia suportar mais quadrados negros, mas não, são apenas corações, Nick agindo como meu marido, doce, amoroso e brincalhão. Ele encomenda para mim chocolates da minha loja preferida em Nova York como presente, e escreve um poema bobo para acompanhá-los. Um poeminha curto e engraçado, na verdade:

Um dia houve uma garota de Manhattan
Que só dormia em lençóis de cetim
Seu marido escorregava e deslizava
O corpo deles se chocava
Então eles faziam algo sujo em latim.

Seria mais engraçado se nossa vida sexual fosse tão despreocupada quanto a rima sugeria. Mas semana passada nós... *Trepamos? Transamos?* Algo mais romântico que *fodemos*, porém menos piegas que *fizemos amor*. Ele voltou para casa do trabalho, me beijou em cheio na boca e me tocou como se eu realmente estivesse ali. Eu quase chorei, de tão sozinha que estivera. Ser beijada na boca pelo seu marido é a coisa mais indecente.

O que mais? Ele me leva para nadar no mesmo lago ao qual vai desde que era criança. Eu posso imaginar o pequeno Nick correndo loucamente, rosto e ombros vermelhos de sol porque (exatamente como agora) ele se recusa a usar filtro solar, obrigando Mama Mo a correr atrás dele com um creme que passa sempre que consegue alcançá-lo.

Ele tem me levado a uma excursão completa por todos os seus esconderijos de menino, como peço há séculos. Ele me leva à beira do rio, me beija enquanto o vento açoita meus cabelos ("As duas coisas no mundo para as quais eu mais gosto de olhar", sussurra em meu ouvido). Ele me beija em um pequeno forte de brinquedo engraçado que um dia considerou seu próprio clube ("Sempre quis trazer uma garota aqui, uma garota perfeita, e olhe só para mim agora", sussurra em meu ouvido). Dois dias antes de o shopping fechar de vez, andamos nos coelhos do carrossel lado a lado, nosso riso ecoando pelos quilômetros vazios.

Ele me leva para tomar um sundae em sua sorveteria preferida, e temos o lugar só para nós de manhã, o ar pegajoso de doces. Ele me beija e diz que foi naquele lugar que ele gaguejou e sofreu em tantos encontros, e gostaria de poder dizer a ele mesmo no ensino médio que um dia estaria ali de volta com a garota dos seus sonhos. Tomamos sorvete até termos de rolar até em casa e entrar sob as cobertas. A mão dele em minha barriga, um cochilo acidental.

A neurótica em mim, claro, está perguntando: qual é o porém? A reviravolta de Nick é tão repentina e grandiosa que dá a sensação de que... dá a sensação de que ele quer alguma coisa. Ou já fez algo e está sendo preventivamente gentil para quando eu descobrir. Eu me preocupo. Eu o flagrei semana passada folheando minha grande caixa de arquivo marcada OS DUNNE! (escrito com minha melhor letra cursiva em dias mais felizes), uma caixa cheia da estranha papelada que forma um casamento, uma vida conjunta. Eu me preocupo que ele vá me pedir uma segunda hipoteca sobre O Bar, ou um empréstimo tendo como garantia nossa apólice de seguro, ou para vender algumas daquelas ações que-não-podem-ser-tocadas-antes-de-trinta-anos. Ele disse que só queria ter certeza de que tudo estava em ordem, mas disse isso nervoso. Meu coração ficaria partido se, no meio de uma colherada de sorvete sabor chiclete, ele se virasse para mim e dissesse: *Sabe, a coisa interessante sobre uma segunda hipoteca é...*

Tive de escrever isso, tive de botar para fora. E só de ver, sei que parece maluquice. Parece neurótico, inseguro e suspeito.

Não vou deixar o pior de mim arruinar meu casamento. Meu marido me ama. Ele me ama, voltou para mim e por isso está me tratando tão bem. É a única razão.

Apenas isso. *Eis minha vida. Ela finalmente voltou.*

NICK DUNNE
CINCO DIAS SUMIDA

Eu me sentei no calor sufocante do meu carro diante da casa de Desi, as janelas abertas, e verifiquei meu telefone. Uma mensagem de Gilpin: "Oi, Nick. Precisamos bater um papo hoje, atualizar você sobre algumas coisas, fazer umas perguntas. Encontre conosco em sua casa às quatro horas, certo? Hã... Obrigado."

Era a primeira vez que eu recebia uma ordem. Nada de *Poderíamos, adoraríamos, se você não se importar*. Mas *Precisamos. Encontre conosco...*

Conferi meu relógio de pulso. Três horas. Melhor não me atrasar.

O show aéreo de verão — um desfile de jatos e aviões a hélice rodopiando pelo Mississippi, zumbindo nos barcos a vapor dos turistas, fazendo dentes tremer — seria em três dias, e os treinamentos estavam a toda quando Gilpin e Rhonda apareceram. Estávamos todos de volta à minha sala de estar pela primeira vez desde O Dia Do.

Minha casa ficava bem no caminho dos voos; o barulho era algo entre uma britadeira e uma avalanche. Meus amigos policiais e eu tentamos conversar nos intervalos entre os rugidos. Rhonda parecia mais um passarinho do que de costume — apoiando-se em uma perna, depois na outra, virando a cabeça para todos os lados enquanto o olhar pousava em diferentes objetos, ângulos —, uma gralha tentando forrar o ninho. Gilpin estava junto a ela, mordendo o lábio, batendo um dos pés. Mesmo a sala parecia impaciente: o sol vespertino iluminava uma nuvem atômica de partículas de poeira. Um jato disparou por cima da casa, aquele som medonho de céu se rasgando.

— Certo, duas coisas aqui — disse Rhonda quando o silêncio voltou. Ela e Gilpin se sentaram como se de repente tivessem decidido ficar mais um pouco. — Algumas coisas a esclarecer, algumas coisas para lhe contar. Tudo rotina. E, como sempre, caso queira um advogado...

Mas eu sabia pelos meus programas de TV, meus filmes, que só caras culpados pediam advogados. Maridos reais, sofridos, preocupados, inocentes, não faziam isso.

— Não quero, não, obrigado — disse. — Na verdade tenho algumas informações para dar a vocês. Sobre o antigo perseguidor de Amy, o cara que ela namorou no ensino médio.

— Desi... hã, Collins — começou Gilpin.

— Collings. Sei que vocês falaram com ele, sei que por alguma razão vocês não estão muito interessados nele, então eu mesmo fui visitá-lo hoje. Para ter certeza de que ele parecia... tranquilo. E não acho que pareça tranquilo. Acho que ele é alguém que vocês deveriam investigar. Realmente investigar. Quero dizer, ele se muda para St. Louis...

— Ele já morava em St. Louis três anos antes de vocês virem para cá — informou Gilpin.

— Legal, mas ele está em St. Louis. Uma viagem fácil, de carro. Amy comprou uma arma porque estava com medo...

— Desi é tranquilo, Nick. Um cara legal — declarou Rhonda. — Você não acha? Na verdade, ele me lembra você. Garoto de ouro, o bebê da família.

— Sou gêmeo. Não o bebê. Na verdade sou três minutos mais velho.

Rhonda claramente estava tentando me provocar, ver se conseguia uma explosão, mas mesmo sabendo disso eu não conseguia evitar a descarga de raiva no meu sangue correr para meu estômago toda vez que ela me acusava de ser um bebê.

— Enfim — interrompeu Gilpin. — Ele e a mãe negam que ele tenha perseguido Amy, ou mesmo que tenha tido muito contato com ela nesses últimos anos, a não ser por meio de bilhetes eventuais.

— Minha esposa lhes diria algo diferente. Ele escreveu para Amy durante anos, *anos*, e depois ele aparece *aqui* para a busca, Rhonda. Você sabia disso? Ele esteve aqui no primeiro dia. Vocês falaram sobre ficar de olho em homens se metendo na investigação...

— Desi Collings não é um suspeito — interrompeu ela, erguendo uma das mãos.

— Mas...

— Desi Collings não é um suspeito — repetiu.

A notícia me feriu. Eu quis acusá-la de estar sendo influenciada por *Ellen Abbott*, mas provavelmente era melhor não mencionar *Ellen Abbott*.

— Está bem, e quanto a todos aqueles, aqueles *caras* que bloquearam a linha telefônica da investigação? — perguntei, indo até a mesa da sala de jantar e pegando a folha com nomes e números que eu jogara ali sem cuidado. Comecei a ler nomes. — Intrometendo-se na investigação: David Samsom, Murphy Clark, esses são antigos namorados, Tommy O'Hara, Tommy O'Hara, Tommy O'Hara, são três ligações, Tito Puente, esse é só uma piada sem graça.

— Você telefonou para algum deles? — perguntou Boney.

— Não. Esse não é o trabalho de vocês? Não sei quais valem a pena e quais são malucos. Não tenho tempo para ligar para algum babaca fingindo ser Tito Puente.

— Eu não daria muita atenção à linha telefônica, Nick — disse Rhonda. — É uma situação meio complicada. Quer dizer, recebemos muitos telefonemas de suas antigas *namoradas*. Só queriam dizer oi. Ver como você está. As pessoas são estranhas.

— Talvez devêssemos começar com nossas perguntas — cutucou Gilpin.

— Certo. Bem, acho que é bom começarmos por onde você estava na manhã em que sua esposa desapareceu — disse Boney, de repente se desculpando, me tratando com deferência.

Ela estava posando de policial boazinha, e ambos sabíamos que ela estava posando de policial boazinha. A menos que realmente estivesse do meu lado. Parecia possível que algumas vezes um policial simplesmente estivesse do seu lado. Certo?

— Quando eu estava *na praia*.

— E ainda não se lembra de ninguém ter visto você lá? — perguntou Boney. — Ajudaria se pudéssemos eliminar essa coisinha de nossa lista.

Ela permitiu um silêncio compreensivo. Rhonda não apenas conseguia ficar quieta, ela conseguia inundar a sala com o clima que escolhia, como um polvo com sua tinta.

— Acredite, eu gostaria disso tanto quanto você. Mas não. Não me lembro de ninguém.

Boney sorriu um sorriso preocupado.

— É estranho, nós mencionamos para algumas pessoas, apenas de passagem, que você estava na praia, e todas elas disseram... Todas ficaram surpresas, digamos assim. Disseram que não era muito a sua cara. Que você não era uma pessoa de praia.

Dei de ombros.

— Bom, eu vou à praia e fico deitado o dia inteiro? Não. Mas para tomar meu café, de manhã? Certamente.

— Ei, isso pode ajudar — disse Boney, se animando. — Onde você comprou o café naquela manhã? — perguntou, se virando para Gilpin como se buscasse aprovação. — Poderia pelo menos reduzir o espaço de tempo, certo?

— Eu fiz aqui — respondi.

— Ah — exclamou ela, franzindo a testa. — Isso é estranho, porque você não tem café aqui. Em nenhum lugar da casa. Lembro-me de achar isso estranho. Uma viciada em cafeína repara nessas coisas.

Certo, apenas algo que você notou por acaso, pensei. *Conheci uma policial chamada Bony Moronie... As armadilhas dela são tão óbvias que são claramente falsas...*

— Eu tinha uma xícara de café sobrando na geladeira que esquentei — disse, dando de ombros novamente: *Nada de mais*.

— Hã. Devia estar lá havia muito tempo; não tinha embalagem de café no lixo.

— Alguns dias. O gosto ainda fica bom.

Ambos sorrimos um para o outro. *Eu sei e você sabe. Manda ver.* Eu realmente pensei nestas palavras idiotas: *Manda ver*. Mas de certa forma fiquei contente: a parte seguinte estava começando.

Boney se virou para Gilpin, mãos nos joelhos, e acenou de leve com a cabeça. Gilpin mordeu o lábio mais um pouco e finalmente apontou: para o divã, a mesa de canto, a sala de estar agora arrumada.

— Veja, o nosso problema é o seguinte, Nick — começou. — Já vimos dezenas de invasões de residências.

— Dezenas e dezenas e dezenas — interrompeu Boney.

— Muitas invasões de residência. Isto, toda esta área bem aqui, na sala de estar, lembra? O divã virado, a mesa virada, o vaso no chão. — Colocou uma foto da cena na minha frente. — Toda esta área deveria parecer uma briga, certo?

Minha cabeça se expandiu e depois voltou ao lugar. *Fique calmo.*

— *Deveria*?

— Tinha alguma coisa errada — continuou Gilpin. — Assim que nós vimos. Para ser sincero, a coisa toda parecia encenada. Para começar, há o fato de que tudo estava concentrado nesse único lugar. Por que nada mais estava bagunçado na casa *a não ser* esta sala? Isso é estranho.

— Ele pegou outra foto, um close. — E veja aqui, esta pilha de livros.

Eles deveriam estar na frente da mesa lateral; a mesa lateral é onde eles ficavam, certo?

Confirmei com um gesto de cabeça.

— Então, quando a mesa lateral foi derrubada, eles deveriam ter se espalhado principalmente na frente dela, seguindo a trajetória da mesa em queda. Em vez disso, estão atrás dela, como se alguém os tivesse empurrado *antes* de derrubar a mesa.

Fiquei olhando abobado para a foto.

— E veja isto. Isto me parece muito curioso — continuou Gilpin. Ele apontou para três finas molduras antigas sobre a lareira. Bateu o pé com força, e todas tombaram imediatamente. — Mas de alguma forma elas permaneceram de pé enquanto tudo caía.

Ele mostrou a foto com as molduras de pé. Eu estava esperando — mesmo após terem notado meu deslize com o jantar no Houston's — que fossem policiais tapados, policiais de filmes, caipiras locais procurando agradar, confiando no sujeito da cidade: *Como você quiser, parceiro.* Eu não ganhei policiais tapados.

— Não sei o que querem que eu diga — murmurei. — Isso é totalmente... não sei o que pensar. Só quero encontrar minha esposa.

— Nós também, Nick, nós também — disse Rhonda. — Mas há outra coisa. O divã. Lembra como estava virado de cabeça para baixo?

Ela deu um tapinha no divã baixo, apontou para suas quatro pernas cilíndricas, cada uma com apenas dois centímetros e meio de comprimento.

— Veja, esta coisa é pesada e estável por causa das perninhas minúsculas. O assento está praticamente no chão. Tente virá-lo.

Eu hesitei.

— Vamos lá, tente — incentivou Boney.

Dei um empurrão, mas ele deslizou pelo carpete em vez de virar. Balancei. Concordei. Era estável.

— Sério, abaixe se for preciso e vire essa coisa de cabeça para baixo — ordenou Boney.

Ajoelhei, empurrei de ângulos cada vez mais baixos, finalmente coloquei uma mão sob o divã e o impeli. Mesmo então ele levantou, um lado pairando, e caiu de volta no mesmo lugar; finalmente tive de virá-lo à força.

— Esquisito, né? — questionou Boney, não soando assim tão intrigada.

— Nick, você fez alguma faxina no dia em que sua esposa sumiu? — perguntou Gilpin.

— Não.
— Certo, porque o perito fez uma varredura com Luminol, e lamento dizer que o chão da cozinha acendeu. Uma boa quantidade de sangue foi derramada lá.
— Do tipo de Amy: B positivo — interrompeu Boney. — E não estou falando de um pequeno corte, estou falando de *sangue*.
— Ai, meu Deus. — Um coágulo de calor surgiu no meio do meu peito. — Mas...
— Sim, então sua esposa conseguiu sair desta sala — disse Gilpin. — Teoricamente, de alguma forma, conseguiu chegar à cozinha; sem deslocar nenhuma daquelas quinquilharias na mesa bem na frente da cozinha; e então desabou lá, onde perdeu muito sangue.
— E depois alguém o limpou cuidadosamente — completou Rhonda, me observando.
— Esperem. Esperem. Por que alguém iria querer esconder sangue, mas depois bagunçar a sala de estar...?
— Vamos descobrir isso, não se preocupe, Nick — afirmou Rhonda em voz baixa.
— Eu não entendo, simplesmente não...
— Vamos nos sentar — sugeriu Boney. Ela apontou uma cadeira na sala de jantar. — Você já comeu? Quer um sanduíche, alguma coisa?
Balancei a cabeça em um gesto negativo. Boney estava se revezando na interpretação de diferentes personagens femininos: mulher poderosa, ajudante carinhosa, para ver qual produzia melhor resultado.
— Como vai seu casamento, Nick? — perguntou Rhonda. — Quer dizer, cinco anos, isso é perto da crise dos sete anos.
— O casamento estava bem — repeti. — Está bem. Não perfeito, mas bom, bom.
Ela torceu o nariz: *você está mentindo*.
— Você acha que ela poderia ter fugido? — perguntei, esperançoso demais. — Fez isso parecer uma cena de crime e foi embora? Tipo esposa em fuga?
Boney começou a dar razões para negar essa hipótese:
— Ela não usou o celular, não usou cartões de crédito, não sacou dinheiro. Não fez grandes retiradas em dinheiro nas semanas anteriores.
— E há o sangue — acrescentou Gilpin. — Quer dizer, novamente, não quero soar bruto, mas o volume de sangue derramado? Isso exigiria um sério... Quer dizer, eu não poderia ter feito isso a mim mesmo. Estou falando de ferimentos profundos. Sua esposa tem nervos de aço?

— Sim. Ela tem.

Também tinha uma profunda fobia de sangue, mas eu preferi esperar e deixar que os brilhantes detetives descobrissem isso.

— Parece bastante improvável — disse Gilpin. — Caso ela ferisse a si mesma tão gravemente, por que iria limpar depois?

— Então, de verdade, sejamos sinceros, Nick — falou Boney, se apoiando nos joelhos para fazer contato visual comigo enquanto eu olhava para o chão. — Como estava seu casamento? Estamos do seu lado, mas precisamos da verdade. A única coisa que o deixa mal é esconder coisas de nós.

— Tivemos problemas.

Eu vi Amy no quarto naquela última noite, o rosto tomado pelas manchas vermelhas que ganhava quando estava com raiva. Ela estava cuspindo as palavras — palavras maldosas, brutais —, e eu estava escutando, tentando aceitar as palavras porque elas eram verdadeiras, eram tecnicamente verdadeiras, tudo o que ela disse.

— Descreva os problemas para nós — pediu Boney.

— Nada específico, apenas desentendimentos. Quer dizer, Amy é uma pessoa explosiva. Ela acumula um monte de pequenas coisas e bum! Mas então passa. Nunca fomos para a cama com raiva.

— Nem na noite de quarta-feira? — perguntou Boney.

— Nunca — menti.

— É principalmente sobre dinheiro que vocês discutem?

— Nem sei sobre o que discutimos. Coisas aleatórias.

— Que coisa foi na noite em que ela sumiu? — indagou Gilpin com um sorriso torto, como se tivesse pronunciado o mais inacreditável *peguei você*.

— Como eu disse, foi a lagosta.

— O que mais? Tenho certeza de que vocês não gritaram por causa da lagosta durante uma hora inteira.

Naquele momento Bleecker desceu meio lance de escadas e espiou entre as grades.

— Outras coisas de casa. Coisas de casal-casado. A caixa de areia do gato — falei. — Quem ia limpar a caixa do gato.

— Vocês estavam discutindo aos gritos por causa de uma caixa de gato — afirmou Boney.

— Sabe, o princípio da coisa. Eu trabalho muitas horas, Amy não, e acho que seria bom para ela se fizesse alguma manutenção doméstica básica. Apenas faxina básica.

Gilpin deu um pulo, como um inválido sendo acordado de um cochilo vespertino.

— Você é um cara das antigas, certo? Eu também. Eu digo o tempo todo à minha esposa: "Não sei passar roupa, não sei lavar pratos. Não sei cozinhar. Então, amorzinho, eu prendo os vilões, porque isso eu sei fazer, e você joga umas roupas na máquina de lavar de tempos em tempos." Rhonda, você foi casada: fazia tarefas domésticas?

Boney parecia convincentemente aborrecida.

— Eu também prendo vilões, idiota.

Gilpin revirou os olhos na minha direção; quase achei que ele fosse fazer uma piada — *parece que* alguém *está naqueles dias* — de tanto que o cara estava pegando pesado.

Gilpin coçou seu queixo vulpino.

— Então você só queria uma dona de casa — concluiu, fazendo a ideia parecer razoável.

— Eu queria... Eu queria o que Amy quisesse. Eu realmente não me importava — disse, apelando então para Boney, a detetive Rhonda Boney, com o ar compreensivo que parecia pelo menos em parte autêntico. (*Não é*, lembrei a mim mesmo.) — Amy não conseguia resolver o que fazer aqui. Não conseguia encontrar um emprego, e não se interessava pel'O Bar. O que não é um problema, se você quer ficar em casa, tudo bem, eu disse. Mas quando ela ficava em casa também se sentia infeliz. E ficava esperando que eu consertasse isso. Era como se eu estivesse encarregado da felicidade dela.

Boney não disse nada, me mostrou um rosto inexpressivo como água.

— E, quer dizer, é divertido ser o herói durante um tempo, ser o cavaleiro branco, mas isso na verdade não funciona por muito tempo. Eu não conseguia *fazê-la* feliz. Ela não queria ser feliz. Então eu achei que se ela começasse a cuidar de algumas coisas práticas...

— Como a caixa do gato — disse Boney.

— É, limpar a caixa do gato, fazer compras, chamar um bombeiro para resolver o vazamento que a deixava louca.

— Uau, parece um plano de felicidade e tanto. Que maravilha.

— O que eu queria dizer era *faça algo*. Seja lá o que for, faça algo. Tire algum proveito da situação. Não fique sentada esperando que eu resolva tudo por você.

Eu me dei conta de que estava falando alto, e soava quase irritado, certamente moralista, mas era um grande alívio. Eu começara com uma mentira — a caixa de areia do gato — e transformara aquilo em uma explosão surpreendente de pura verdade, e entendi por que os criminosos falavam demais, porque é bom contar sua história a um estranho, alguém que não irá dizer que é besteira, alguém obrigado a escutar o seu lado. (Alguém *fingindo* escutar o seu lado, corrigi.)

— E a mudança para o Missouri? — perguntou Boney. — Você trouxe Amy para cá contra a vontade dela?

— *Contra a vontade dela?* Não. Fizemos o que tínhamos de fazer. Eu não tinha emprego, Amy não tinha emprego, minha mãe estava doente. Eu faria o mesmo por Amy.

— Gentil de sua parte — murmurou Boney.

E de repente ela soou exatamente como Amy: as malditas respostas quase inaudíveis ditas no volume perfeito para que eu tivesse quase certeza de ter ouvido mas não pudesse jurar. E se eu perguntava o que devia perguntar — *O que você disse?* —, ela sempre respondia a mesma coisa: *Nada*. Olhei furioso para Boney, minha boca apertada, e então pensei: *Talvez isso seja parte do plano dela, ver como você age com mulheres irritadas, insatisfeitas*. Tentei me obrigar a sorrir, mas isso só pareceu lhe causar mais repulsa.

— E você pode bancar isso, Amy trabalhando, não trabalhando, tanto faz, você podia dar conta das finanças? — indagou Gilpin.

— Tivemos alguns problemas de dinheiro recentemente — respondi. — Quando nos casamos, Amy era rica, tipo extremamente rica.

— Certo — disse Boney —, aqueles livros da *Amy Exemplar*.

— É, eles fizeram uma tonelada de dinheiro nos anos oitenta e noventa. Mas a editora cancelou a série. Disse que *Amy* já tinha dado o que devia dar. E tudo desmoronou. Os pais dela tiveram de pegar dinheiro emprestado conosco para não falirem.

— Com sua esposa, você quer dizer?

— Certo, isso. E depois usamos a maior parte do restante do pecúlio de Amy para comprar o bar, e eu tenho nos sustentado desde então.

— Então quando você se casou com Amy ela era muito rica? — perguntou Gilpin.

Confirmei com um gesto de cabeça. Estava pensando na história do herói: o marido que fica ao lado da esposa durante a horrível decadência da situação financeira da família dela.

— Então vocês tinham um belo estilo de vida.

— É, era ótimo, era sensacional.

— E agora ela está quase falida, e você tem um estilo de vida muito diferente daquele que tinha quando se casou. Daquele com o qual você concordou.

Eu me dei conta de que minha história estava totalmente errada.

— Porque, certo, nós examinamos suas finanças, Nick, e, caramba, elas não parecem nada bem — começou Gilpin, quase transformando a acusação em uma preocupação, uma inquietude.

— O Bar está indo bem, até — falei. — Normalmente demora dois ou três anos para que novos negócios saiam do vermelho.

— Foram aqueles cartões de crédito que chamaram minha atenção — comentou Boney. — Duzentos e doze mil dólares em dívidas de cartões de crédito. Quer dizer, eu fiquei sem fôlego. — Exibiu uma pilha de extratos vermelhos.

Meus pais eram radicais em relação a cartões de crédito — usados apenas para fins especiais, quitados todo mês. *Não compramos o que não podemos pagar.* Era o lema da família Dunne.

— Nós não... Pelo menos eu não... Mas não acho que Amy iria... Posso dar uma olhada?

Gaguejei bem no momento em que um bombardeiro voando baixo sacudiu as janelas. Uma planta na cornija da lareira imediatamente perdeu cinco belas folhas roxas. Forçados ao silêncio por dez segundos de sacudir o cérebro, todos assistimos às folhas flutuarem até o chão.

— Toda essa briga que deveríamos acreditar que aconteceu aqui, mas nenhuma pétala estava no chão então — murmurou Gilpin com desgosto.

Peguei os papéis com Boney e vi meu nome, apenas meu nome, versões dele — Nick Dunne, Lance Dunne, Lance N. Dunne, Lance Nicholas Dunne, em uma dúzia de cartões de crédito diferentes, débitos de sessenta e dois dólares e setenta e oito centavos até quarenta e cinco mil, seiscentos e dois dólares e trinta e três centavos, todos em diferentes graus de atraso, grandes ameaças impressas em letras sinistras no alto: PAGUE AGORA.

— Porra! Isso é, tipo, falsidade ideológica ou algo assim! — exclamei. — Eles não são meus. Quer dizer, olhem para algumas dessas coisas, caramba: eu nem jogo golfe.

Alguém havia pagado mais de sete mil dólares por um conjunto de tacos.

— Qualquer um pode dizer a vocês: eu *realmente* não jogo golfe.

Tentei fazer com que soasse modesto — *mais uma coisa na qual não sou bom* —, mas os detetives não estavam caindo.

— Sabe Noelle Hawthorne? — perguntou Boney. — A amiga de Amy que você nos mandou investigar?

— Espere, eu quero falar sobre as contas, porque elas não são minhas — interrompi. — Quer dizer, por favor, falando sério, precisamos rastrear isto.

— Vamos rastrear, sem problemas — disse Boney, inexpressiva. — Noelle Hawthorne?

— Certo. Eu disse para vocês darem uma investigada nela porque ela tem circulado por toda a cidade se lamentando por causa de Amy.

Boney ergueu uma sobrancelha.

— Você parece bravo com isso.

— Não, como eu disse, ela parece um pouco abalada demais, meio que de modo falso. Ostensivo. Buscando atenção. Um pouco obsessivo.

— Conversamos com Noelle — explicou Boney. — Ela diz que sua esposa estava muito perturbada com o casamento, chateada com a coisa do dinheiro, com medo de que você tivesse casado com ela por causa do dinheiro. Diz que sua esposa se preocupava com seu temperamento.

— Não sei por que Noelle diria isso; não acho que ela e Amy tenham trocado mais de cinco palavras na vida.

— Engraçado, porque a sala de estar dos Hawthorne está cheia de fotos de Noelle e sua esposa — disse Boney, franzindo a testa.

Eu também franzi a testa: fotos reais dela e Amy?

Boney continuou:

— No zoológico de St. Louis em outubro passado, em um piquenique com os trigêmeos, em um fim de semana de junho passeando de bote. Junho no sentido de *mês passado*.

— Amy nunca pronunciou o nome de Noelle durante todo o tempo que moramos aqui. Estou falando sério.

Revirei meu cérebro pensando em junho passado e esbarrei em um fim de semana em que viajei com Andie, dizendo a Amy que faria uma viagem com os rapazes a St. Louis. Voltei para casa e a encontrei com bochechas rosadas e com raiva, reclamando de um fim de semana de coisas ruins na TV a cabo e leituras tediosas no cais. E ela estivera em um passeio pelo rio? Não. Não podia pensar em nada que interessasse menos Amy do que o típico passeio de bote do Meio-Oeste: cerveja boiando em recipientes amarrados a canoas, música alta, jovens bêbados, acampamentos salpicados de vômito.

— Vocês têm certeza de que era minha esposa nas fotos?

Eles trocaram olhares que diziam: *ele está falando sério?*

— Nick — chamou Boney. — Não temos razão para crer que a mulher nas fotos, que é exatamente igual à sua esposa, e que Noelle Hawthorne, mãe de três filhos, melhor amiga de sua esposa na cidade e que diz que é sua esposa, não seja sua esposa.

— A esposa com quem, devo dizer, segundo Noelle, você se casou por dinheiro — acrescentou Gilpin.

— Não estou brincando — falei. — Atualmente qualquer um pode montar fotos em um laptop.

— Certo, então há um minuto você tinha certeza de que Desi Collings estava envolvido, e agora passou para Noelle Hawthorne — concluiu Gilpin. — Parece que você está mesmo procurando alguém para culpar.

— Além de mim? Sim, estou. Olhe, não me casei com Amy por dinheiro. Vocês realmente deveriam conversar mais com os pais dela. Eles me conhecem, conhecem meu caráter.

Eles não conhecem tudo, pensei, meu estômago dando um nó. Boney estava me observando; ela parecia estar meio com pena de mim. Gilpin nem sequer parecia prestar atenção.

— Você aumentou o seguro de vida de sua esposa para um milhão e duzentos mil — disse Gilpin com cansaço fingido. Até passou uma das mãos sobre o rosto comprido de maxilar estreito.

— Foi a própria Amy quem fez isso! — expliquei rapidamente. Os policiais apenas olharam para mim e esperaram. — Quer dizer, eu preenchi a papelada, mas a ideia foi de Amy. Ela insistiu. Eu juro, eu não estava nem aí, mas Amy disse... Ela disse que, considerando a mudança em sua renda, se sentia mais segura ou algo assim, ou era uma decisão de negócios inteligente. Porra, não sei, não sei por que ela quis fazer isso. Não perguntei a ela.

— Há dois meses alguém fez uma busca em seu laptop — continuou Boney. — *Corpo flutuando no rio Mississippi*. Pode explicar isso?

Respirei fundo duas vezes, nove segundos para me controlar.

— Deus do céu, foi apenas uma ideia idiota para um livro — respondi. — Eu estava pensando em escrever um livro.

— Humm — retrucou Boney.

— Olhe, o que eu acho que está acontecendo é o seguinte — comecei. — Acho que muita gente assiste a esses noticiários em que o marido é sempre o cara horrível que mata a esposa, e está me vendo dessa forma, e algumas coisas muito inocentes e normais estão sendo distorcidas. Isso está se transformando em uma caça às bruxas.

— É assim que você explica essas faturas de cartão de crédito? — perguntou Gilpin.

— Eu já disse, não consigo explicar a porra das faturas de cartão de crédito porque não tenho nada a ver com elas. É o trabalho de vocês descobrir de onde elas vieram, porra!

Eles ficaram sentados em silêncio, lado a lado, esperando.

— O que está sendo feito para encontrar minha esposa? — perguntei. — Que pistas vocês estão seguindo, além de mim?

A casa começou a tremer, o céu foi rasgado, e pudemos ver pela janela dos fundos um jato em disparada sobre o rio, zumbindo.

— F-10 — disse Rhonda.

— Não, pequeno demais — retrucou Gilpin. — Só pode ser um...

— É um F-10.

Boney se inclinou na minha direção, mãos entrelaçadas.

— Nosso trabalho é ter certeza de que você está cem por cento limpo, Nick. Sei que você também quer isso. Agora, se você puder simplesmente nos ajudar com algumas complicações... porque é o que elas são, e elas ficam nos fazendo tropeçar.

— Talvez seja a hora de eu arranjar um advogado.

Os policiais trocaram outro olhar, como se tivessem encerrado uma aposta.

AMY ELLIOTT DUNNE
21 DE OUTUBRO DE 2011

ANOTAÇÃO EM DIÁRIO

A mãe de Nick está morta. Eu não tenho conseguido escrever porque a mãe de Nick está morta e seu filho está à deriva. A doce e forte Maureen. Estava de pé e ativa até poucos dias antes de morrer, recusando-se a discutir qualquer tipo de desaceleração. "Eu só quero viver até que não possa mais", disse. Ela começara a tricotar gorros para outros pacientes de quimio (ela mesma disse *chega chega chega* após uma sessão, sem interesse em prolongar a vida se isso significasse "mais tubos"), então vou me lembrar dela sempre cercada de novelos de lã de cores vivas: vermelho, amarelo e verde, e seus dedos se movendo, as agulhas estalando enquanto ela falava em sua voz de gato satisfeito, um ronronar grave e sonolento.

E então, certa manhã de setembro, ela acordou sem realmente acordar, sem se tornar Maureen. Virou uma mulher do tamanho de um pássaro da noite para o dia, rápido assim, toda rugas e casca, os olhos disparando pelo quarto, incapazes de localizar nada, incluindo ela mesma. Então veio o asilo, um lugar alegre de iluminação suave com pinturas de mulheres de touca e colinas onduladas exuberantes, máquinas de salgadinhos e cafés pequenos. O asilo não servia para curá-la ou ajudá-la, apenas para garantir que morreria confortavelmente, e apenas três dias depois isso aconteceu. Muito pragmático, do jeito que Maureen teria querido (embora eu tenha a certeza de que ela teria revirado os olhos com esta frase: *do jeito que Maureen teria querido*).

Seu funeral foi modesto, mas simpático — com centenas de pessoas, sua irmã de Omaha, idêntica a ela, agitada na posição de substituta, servindo café e Baileys, oferecendo biscoitos e contando histórias engraçadas sobre Mo. Nós a enterramos em uma manhã quente de ventania, Go e Nick se apoiando um no outro enquanto eu ficava perto, sentindo-me uma intrusa. Naquela noite, na cama, Nick deixou que eu colocasse os braços em volta dele, as costas viradas para mim, mas após alguns minutos ele se levantou, sussurrou "Preciso de um pouco de ar" e saiu de casa.

A mãe de Nick sempre fora *maternal* com ele — insistia em aparecer uma vez por semana e passar as roupas para nós, e quando acabava, dizia "Vou só ajudar a arrumar", e depois que ela saía eu olhava na geladeira e descobria que ela havia descascado e fatiado o grapefruit para ele, colocado os pedaços em uma embalagem com tampa, depois eu abria o saco de pão e descobria que todas as cascas haviam sido cortadas, cada fatia devolvida seminua. Estou casada com um homem de trinta e quatro anos de idade que ainda se ofende com cascas de pão.

Tentei fazer o mesmo nas primeiras semanas depois que sua mãe se foi. Tirava as cascas do pão, passava suas camisetas, assei uma torta de mirtilo segundo a receita da mãe dele. "Eu não preciso que você me mime, Amy, de verdade", ele disse ao olhar para a pilha de pães pelados. "Eu deixava minha mãe fazer isso porque ela ficava feliz, mas sei que você não gosta dessas coisas de mãe."

Então estamos de volta aos quadrados pretos. O Nick gentil, carinhoso e amoroso foi embora. O Nick rude, ressentido e raivoso voltou. Teoricamente devemos buscar apoio do nosso cônjuge em momentos difíceis, mas Nick parece ter se afastado ainda mais. Ele é um filhinho da mamãe cuja mãe morreu. Ele não quer nada comigo.

Ele me usa para sexo quando precisa. Ele me empurra contra uma mesa ou sobre a beirada da cama e me come, em silêncio até os instantes finais, aqueles poucos grunhidos rápidos, e então me solta, coloca a palma da mão na base das minhas costas, seu único gesto de intimidade, e diz algo para fazer aquilo parecer um jogo: "Você é tão sexy que às vezes não consigo me controlar." Mas diz isso com uma voz morta.

Teste: Seu marido, com quem você um dia teve uma vida sexual maravilhosa, se tornou distante e frio — ele só quer sexo do jeito dele, no tempo dele. Você:

a) Nega sexo ainda mais — ele não vai vencer este jogo!

b) Chora, reclama e exige respostas que ele ainda não está pronto para dar, afastando-o ainda mais.
c) Tem fé em que isso é apenas um contratempo em um longo casamento — ele está vivendo um momento difícil —, então tenta ser compreensiva e espera passar.
Resposta: C. Certo?

Fico incomodada que meu casamento esteja se desintegrando e eu não saiba o que fazer. É de imaginar que meus pais, os dois psicólogos, seriam as pessoas óbvias com as quais conversar, mas sou orgulhosa demais. Não seriam bons para conselhos matrimoniais: são almas gêmeas, lembra? Com eles há apenas altos, nada de baixos — um único surto infinito de êxtase matrimonial. Não posso dizer a eles que estou estragando a única coisa que me resta: meu casamento. Eles de algum modo escreveriam outro livro, uma censura ficcional na qual Amy Exemplar celebraria o mais fantástico casamentinho, o mais pleno e livre de problemas de todos os tempos... *Porque ela se esforçou para que fosse assim.*

Mas eu me preocupo. O tempo todo. Sei que já estou velha demais para os gostos do meu marido. Porque eu costumava ser o ideal dele, há seis anos, então ouvia seus comentários impiedosos sobre mulheres perto dos quarenta: como ele as acha patéticas, arrumadas demais, nos bares, alheias à sua falta de encanto. Ele voltava de uma noite regada, e eu perguntava como o bar estava, qualquer que fosse, e ele costumava dizer: "Completamente inundado de Causas Perdidas", seu apelido para mulheres da minha idade. Na época, uma garota com trinta anos recém-completos, eu sorria junto com ele como se aquilo nunca fosse acontecer comigo. Agora eu sou a Causa Perdida dele, e ele está preso a mim, e talvez seja por isso que sente tanta raiva.

Tenho me autorizado alguma terapia com bebês. Vou à casa de Noelle todo dia e deixo que os trigêmeos me apalpem com suas patinhas. As mãozinhas roliças em meus cabelos, o hálito pegajoso em meu pescoço. Dá para entender por que as mulheres sempre ameaçam devorar crianças: *Dá vontade de morder! Eu o comeria com uma colher!* Embora ver as três crianças cambaleando até ela, amarrotadas do cochilo, esfregando os olhos enquanto vão até mamãe, mãozinhas tocando o joelho ou o braço dela como se ela fosse a linha de chegada, como se soubessem que estavam a salvo... Algumas vezes me dói assistir a isso.

Ontem tive uma tarde particularmente carente na casa de Noelle, então talvez seja por isso que fiz uma burrice.

Nick chega em casa e me encontra no quarto, após uma chuveirada, e logo está me apertando contra a parede, se enfiando dentro de mim. Quando ele acaba e me solta, posso ver o beijo molhado de minha boca sobre a tinta azul. Enquanto se senta na beirada da cama, ofegante, ele diz: "Desculpe por isso. É que eu precisava de você."

Sem olhar para mim.

Vou até ele, coloco meus braços ao seu redor, fingindo que o que acabamos de fazer foi normal, um agradável ritual matrimonial, e digo: "Estive pensando."

"É, no quê?"

"Bem, talvez agora seja o momento certo. De começar uma família. De tentar engravidar." Sei que é maluquice no momento que digo aquilo, mas não consigo me conter — eu me tornei a mulher maluca que quer engravidar porque isso irá salvar seu casamento.

É humilhante se tornar exatamente a coisa de que um dia você debochou.

Ele se afasta bruscamente de mim. "Agora? Agora é mais ou menos o pior momento para começar uma família, Amy. Você está sem emprego..."

"Eu sei, mas de qualquer forma eu iria querer ficar em casa com o bebê no começo..."

"Minha mãe acabou de morrer, Amy."

"E isso seria vida nova, um recomeço."

Ele me agarra pelos braços e me olha nos olhos pela primeira vez em uma semana. "Amy, acho que você pensa que agora que minha mãe morreu nós vamos voltar alegremente para Nova York e ter alguns bebês, e você terá sua velha vida de volta. Mas não temos *dinheiro* suficiente. Mal temos dinheiro suficiente para nós dois vivermos *aqui*. Você não pode imaginar a pressão que eu sinto, todo dia, para dar um jeito nessa confusão em que estamos. Para *prover*, porra. Não posso dar conta de você, de mim e de *mais* algumas crianças. Você vai querer dar a eles tudo o que teve quando criança, e eu *não posso*. Nada de escola particular para os pequenos Dunne, nada de tênis e aulas de violino, nada de casa de veraneio. Você iria odiar quão pobres seríamos. Você iria odiar."

"Não sou tão superficial, Nick..."

"Você realmente acha que estamos em uma fase ótima agora, para ter filhos?"

Isso é o mais perto que chegamos de discutir nosso casamento, e posso ver que ele já está arrependido de ter dito algo.

"Estamos sob muita pressão, amor", digo. "Tivemos alguns problemas, e sei que muito disso é minha culpa. Eu só me sinto muito desocupada aqui..."

"Então vamos ser um daqueles casais que têm um filho para dar um jeito no casamento. Porque isso sempre funciona tão bem..."

"Vamos ter um filho porque..."

Os olhos dele ficam escuros, caninos, e ele agarra meus braços novamente.

"Simplesmente... Não, Amy. Não agora. Não posso suportar mais nem um pingo de estresse. Não posso dar conta de mais nenhuma coisa com que me preocupar. Estou cedendo à pressão. Eu vou explodir."

Pela primeira vez, eu sei que ele está dizendo a verdade.

NICK DUNNE
SEIS DIAS SUMIDA

As primeiras quarenta e oito horas são cruciais em qualquer investigação. Agora Amy já está sumida há quase uma semana. Uma vigília à luz de velas acontecerá esta noite no Tom Sawyer Park, que, segundo a imprensa, era "um dos lugares preferidos de Amy Elliott Dunne". (Nunca soube que Amy tivesse colocado os pés no parque; a despeito do nome, o lugar não é nem remotamente charmoso. Genérico, sem árvores, com uma caixa de areia que está sempre cheia de fezes de animais; é profundamente não Twain.) Nas últimas vinte e quatro horas, a história se tornara nacional — estava em toda parte, assim, de repente.

Deus abençoe os fiéis Elliott. Marybeth me telefonou ontem à noite enquanto eu tentava me recuperar do chocante interrogatório policial. Minha sogra assistira ao *Ellen Abbott Show* e classificara a mulher de "piranha oportunista em busca de audiência". Ainda assim, passáramos a maior parte do dia de hoje concebendo uma estratégia para lidar com a imprensa.

A imprensa (minha antiga turma, meu pessoal!) estava moldando a história, e adorava a faceta *Amy Exemplar* e o longo casamento dos Elliott. Nenhum comentário sarcástico sobre o fim da série ou a quase falência dos autores — no momento eram apenas gentilezas para com os Elliott. A imprensa os adorava.

A mim, nem tanto. A imprensa já estava apresentando *motivos de preocupação*. Não apenas as coisas que haviam vazado — minha falta de álibi, a cena do crime possivelmente "forjada" —, mas traços de personalidade reais. Contavam que no ensino médio eu nunca namorara nenhuma garota por mais que alguns meses e que, portanto, eu era claramente um mulherengo. Descobriram que havíamos internado meu pai na Comfort Hill e que eu raramente o visitava, portanto eu era um ingrato que abandonara o pai.

— Isto é um problema: eles não gostam de você — dizia Go após cada nova matéria. — É um problema muito real, Lance.

A imprensa ressuscitara meu primeiro nome, que eu odiava desde o ensino fundamental, sofrendo no começo de cada ano letivo quando o professor fazia a chamada: "É Nick, todos me chamam de Nick!" Todo setembro, um ritual de primeiro dia de aula: "Nick, todos me chamam de Nick!" Sempre algum espertinho passava o recreio desfilando como um rapaz afetado: "Oi, eu sou Laaaance", com uma voz esvoaçante. Depois isso era esquecido até o ano seguinte.

Mas não agora. Agora estava em todos os noticiários, aquele terrível veredicto de três nomes reservado para assassinos e serial killers — Lance Nicholas Dunne —, e não havia nada que eu pudesse dizer.

Rand e Marybeth Elliott, Go e eu fomos juntos à vigília. Não era claro quanta informação os Elliott estavam recebendo, quantas atualizações condenatórias sobre seu genro. Eu sabia que eles tinham informações sobre o local "forjado":

— Vou levar um pessoal meu lá e eles nos dirão exatamente o oposto; que *foi* claramente o cenário de uma briga — disse Rand, confiante.

— A verdade é flexível; você só precisa escolher o especialista certo.

Rand não sabia sobre as outras coisas, os cartões de crédito, o seguro de vida, o sangue e Noelle, a melhor amiga amarga de minha esposa com as alegações condenatórias: agressão, cobiça, medo. Ela estava programada para o *Ellen Abbott* desta noite, depois da vigília. Noelle e Ellen poderiam ambas ficar ofendidas comigo para os telespectadores.

Nem todos sentiam repulsa por mim. Na última semana, os negócios n'O Bar estavam a toda: centenas de clientes se aglomeravam para tomar cerveja e beliscar pipoca no lugar de propriedade de Lance Nicholas Dunne, o talvez-assassino. Go tivera de contratar quatro garotos novos para cuidar d'O Bar; ela passara lá uma vez e dissera que não podia voltar, não suportava ver como estava cheio, malditos enxeridos, mórbidos, todos bebendo nosso álcool e trocando histórias sobre mim. Era revoltante. Ainda assim, Go raciocinou, o dinheiro seria útil se...

Se. Amy sumida havia seis dias, e todos pensavam em *se*s.

Nós nos aproximamos do parque em um carro silencioso a não ser pelo constante tamborilar das unhas de Marybeth na janela.

— Parece quase um encontro de dois casais. — Rand riu, o riso quase histérico: agudo e guinchado.

Rand Elliott, o genial psicólogo, autor de best-sellers, amigo de todos, estava surtando. Marybeth começara a se automedicar: doses de um álcool claro tomado com absoluta precisão, em quantidade suficiente para relaxar um pouco mas permanecer alerta. Rand, por outro lado, estava literalmente perdendo a cabeça; eu quase esperava vê-la saindo dos seus ombros em um salto de boneco de mola — cucoooo! A natureza simpática de Rand tornara-se maníaca: ele ficava desesperadamente íntimo de todos que conhecia, abraçando policiais, repórteres, voluntários. Ele estava particularmente próximo de nosso ajudante no Days Inn, um garoto desajeitado e tímido chamado Donnie, que Rand gostava de provocar e informá-lo de que estava fazendo isso. "Ah, estou só provocando você, Donnie", dizia, e Donnie dava um sorriso alegre.

"Aquele garoto não pode buscar afeto em algum outro lugar?", reclamei com Go certa noite. Ela disse que eu estava apenas com ciúme porque minha figura paterna gostava mais de outra pessoa do que de mim. Eu estava mesmo.

Marybeth deu tapinhas nas costas de Rand enquanto caminhávamos para o parque, e pensei em quanto eu queria que alguém fizesse aquilo comigo, apenas um toque rápido, e de repente dei um suspiro-soluço, um rápido gemido choroso. Eu queria alguém, mas não sabia se era Andie ou Amy.

— Nick? — chamou Go.

Ela ergueu a mão na direção do meu ombro, mas eu me encolhi e a afastei.

— Desculpe. Uau, desculpe por isso — falei. — Um surto estranho, nada característico dos Dunne.

— Sem problema. Estamos ambos nos descaracterizando — disse Go, e desviou os olhos.

Desde que descobrira minha *situação* — que é como passáramos a chamar minha infidelidade —, Go se afastara um pouco, os olhos distantes, o rosto sempre sorumbático. Eu estava me esforçando muito para não ficar ressentido com isso.

Quando entramos no parque, as equipes de televisão estavam por toda parte, não só emissoras locais, mas as redes. Os Dunne e os Elliott caminharam pela periferia da multidão, Rand sorrindo e acenando com a cabeça como um dignitário em visita. Boney e Gilpin apareceram quase imediatamente, nos nossos calcanhares como cães de caça amistosos; estavam se tornando familiares, como uma mobília, o que claramente era a ideia. Boney vestia as mesmas roupas que usava em qualquer evento público: saia preta simples, blusa listrada cinza, prendedores dos dois lados dos cabelos escorridos. *I got a girl named Bony Moronie...* A noite estava abafada; sob as axilas de Boney, duas manchas escuras de transpiração formavam carinhas sorridentes. Ela até sorriu para mim, como se as acusações de ontem — eram acusações, não eram? — não tivessem sido feitas.

Os Elliott e eu subimos os degraus para um tablado instável e improvisado. Olhei para minha gêmea, ela acenou com a cabeça para mim e simulou respirar profundamente, e eu me lembrei de respirar. Centenas de rostos estavam voltados para nós, e também câmeras disparando e espocando. *Não sorria*, disse a mim mesmo. *Não sorria*.

Da frente de dezenas de camisetas *Encontre Amy*, minha esposa me analisava.

Go disse que eu precisaria fazer um discurso ("Você precisa se humanizar, e rápido"), então foi o que fiz, caminhei até o microfone. Ele estava baixo demais, à altura da barriga, então briguei com ele por alguns segundos e ele subiu poucos centímetros, o tipo de defeito que normalmente iria me enfurecer, mas eu não podia mais ficar furioso em público, então respirei fundo, me abaixei e li as palavras que minha irmã escrevera para mim:

— Minha esposa, Amy Dunne, está desaparecida há quase uma semana. Não tenho como transmitir a angústia que nossa família sente, o grande vazio em nossas vidas deixado pelo desaparecimento de Amy. Amy é o amor da minha vida, o núcleo de sua família. Para aqueles que não a conhecem, ela é engraçada, encantadora e gentil. É inteligente e carinhosa. É minha companheira e parceira em todos os sentidos.

Ergui os olhos para a multidão e, como mágica, vi Andie, com uma expressão de desgosto no rosto; rapidamente voltei os olhos para minhas anotações.

— Amy é a mulher com quem quero envelhecer, e sei que isso acontecerá.

PAUSA. RESPIRE. NÃO SORRIA. Go havia realmente escrito essas palavras em minha ficha. *Acontecerá, acontecerá, acontecerá*. Minha voz ecoou pelos alto-falantes, rolando na direção do rio.

— Pedimos que entrem em contato conosco com qualquer informação. Acendemos velas esta noite na esperança de que ela volte para casa logo e em segurança. Eu amo você, Amy.

Mantive meus olhos se movendo em todas as direções menos na de Andie. O parque se acendeu com velas. Deveria haver um momento de silêncio, mas bebês choravam, e um sem-teto trôpego ficava perguntando em voz alta:

— Ei, o que é isto? Para que é isto?

E alguém sussurrava o nome de Amy, e o cara falava mais alto:

— O quê? Isto é para *quê*?

Noelle Hawthorne começou a avançar, saindo do meio da multidão, os trigêmeos anexados a ela, um no quadril, os outros dois agarrados à sua saia, todos parecendo ridiculamente pequenos para um homem que não passava nenhum tempo perto de crianças. Noelle obrigou a multidão a abrir passagem para ela e os filhos, marchando diretamente para a beirada do tablado, de onde ergueu os olhos para mim. Encarei-a — a mulher que havia me difamado —, então percebi pela primeira vez o volume em sua barriga e me dei conta de que estava grávida de novo. Fiquei boquiaberto por um segundo — quatro filhos em menos de quatro anos, Deus do céu — e depois aquele olhar seria analisado e debatido, a maioria das pessoas acreditando que era uma sequência de raiva e medo.

— Oi, *Nick*.

A voz dela foi captada pelo microfone baixo e ribombou para o público.

Comecei a mexer no microfone, mas não conseguir achar o botão de desligar.

— Só queria ver seu rosto — disse ela, e caiu em prantos. Um soluço molhado percorreu a plateia, todos hipnotizados. — Onde ela está? O que você fez com Amy? O que você fez com sua esposa?

Esposa, esposa, a voz dela ecoou. Dois de seus assustados filhos começaram a chorar.

Noelle não conseguiu falar durante um segundo, de tanto que chorava. Ela estava louca, furiosa, e agarrou o suporte do microfone e puxou a coisa toda para si. Pensei em pegá-lo de volta, mas *sabia* que não podia fazer nada com aquela mulher com vestido de grávida e três crianças pequenas. Esquadrinhei a multidão em busca de Mike Hawthorne — *controle sua esposa* —, mas ele não estava em lugar algum. Noelle se virou para se dirigir à multidão.

— Amy é minha melhor amiga!

Amiga, amiga, amiga. As palavras ecoavam em todo o parque, assim como o lamento dos filhos.

— Apesar dos meus esforços, a polícia parece não estar me levando a sério. Então vou apresentar a questão a esta cidade, esta cidade que Amy amava e que a amava! Este homem, Nick Dunne, precisa responder a certas perguntas. Ele precisa nos dizer o que fez com a esposa dele!

Boney disparou da lateral do palco para alcançá-la, Noelle se virou, e as duas se encararam. Boney fez um gesto frenético simulando cortar a própria garganta: *Pare de falar!*

— A esposa *grávida* dele!

E ninguém mais conseguiu ver as velas, porque os flashes estavam alucinados. Perto de mim, Rand fez um ruído como um balão esvaziando. Abaixo de mim, Boney colocou os dedos entre as sobrancelhas, como se contendo uma dor de cabeça. Eu via todos sob uma frenética luz estroboscópica que correspondia à minha pulsação.

Olhei para a multidão em busca de Andie, a vi me encarando, o rosto rosado e retorcido, as bochechas úmidas, e quando nossos olhos se encontraram, ela fez "Babaca!" com a boca e saiu cambaleando em meio à multidão.

— Melhor irmos embora.

Era minha irmã, de repente ao meu lado, sussurrando em meu ouvido, puxando meu braço. As câmeras disparavam sobre mim enquanto eu ficava parado como uma espécie de monstro de Frankenstein, com medo e perturbado pelas tochas dos aldeões. *Flash, flash.* Começamos a nos mover, dividindo-nos em dois grupos: minha irmã e eu fugindo na direção do carro de Go, os Elliott ali, de boca aberta no tablado, deixados para trás, salve-se quem puder. Os repórteres repetiam a pergunta para mim. *Nick, Amy estava grávida? Nick, você estava aborrecido por Amy estar grávida?* Eu, saindo do parque, encolhido como se sob uma chuva de granizo: *grávida, grávida, grávida,* a palavra pulsando na noite de verão ao ritmo das cigarras.

AMY ELLIOTT DUNNE
15 DE FEVEREIRO DE 2012

ANOTAÇÃO EM DIÁRIO

Que época estranha, esta. Tenho de pensar dessa forma, tentar examiná-la a distância: Rá-*rá*, que período estranho será este de relembrar, como ficarei divertida quando tiver oitenta anos, vestindo lavanda desbotada, uma figura sábia e divertida preparando martínis, e isso não será uma *história* e tanto? Uma história estranha e medonha de algo a que sobrevivi.

Porque há algo terrivelmente errado com meu marido, estou certa disso agora. Sim, ele está de luto pela mãe, mas é algo mais. Parece dirigido a mim, não uma tristeza, mas... Sinto ele me observando às vezes, e ergo os olhos e vejo seu rosto contorcido de desgosto, como se tivesse me flagrado fazendo algo medonho em vez de apenas comendo cereal de manhã ou penteando os cabelos à noite. Está tão irritado, tão instável que fiquei me perguntando se seu humor está relacionado a algo físico — uma daquelas alergias a trigo que deixam as pessoas loucas, ou uma colônia de esporos de mofo que se alojou em seu cérebro.

Desci as escadas certa noite e o encontrei na mesa da sala de jantar, a cabeça nas mãos, olhando para uma pilha de faturas de cartão de crédito. Observei meu marido, totalmente só, sob a luz de um candelabro. Quis ir até ele, me sentar com ele e resolver tudo como parceiros. Mas não o fiz, eu sabia que isso o irritaria. Algumas vezes me pergunto se esta é a raiz de seu desgosto comigo: ele me deixou ver suas deficiências, e me odeia por eu conhecê-las.

Ele me empurrou. Com força. Há dois dias, ele me empurrou, eu caí e bati com a cabeça no balcão da cozinha e não consegui ver por três segundos. Não sei muito bem o que dizer sobre isso. Foi mais chocante que doloroso. Eu estava dizendo a ele que poderia conseguir um emprego, algo como freelance, para podermos começar uma família, ter uma vida de verdade...

"Como você chama isto?", ele perguntou.

Purgatório, eu pensei. Fiquei calada.

"Como você chama isto, Amy? Hein? Como você chama isto? Isto não é vida segundo a Senhorita Exemplar?"

"Não é *minha* ideia de vida", eu disse, e ele deu três grandes passos na minha direção e eu pensei: *parece que ele vai...* E então ele estava se jogando contra mim e eu estava caindo.

Ambos ficamos sem ar. Ele fechou a mão em punho e parecia que ia chorar. Ele estava além do triste, estava chocado. Mas eis o que quero deixar claro: eu sabia o que estava fazendo, sabia que estava forçando a barra com ele. Eu o via se fechando cada vez mais — queria que *dissesse* algo finalmente, *fizesse* algo. Mesmo que seja ruim, mesmo que seja o pior, *faça algo, Nick*. Não me deixe aqui como um fantasma.

Apenas não me dei conta de que ele iria fazer *aquilo*.

Nunca havia pensado no que fazer se meu marido me atacasse, porque não faço exatamente parte do grupo de pessoas que batem nas esposas. (Eu sei, como nos filmes para mulheres que passam na televisão, eu sei: a violência não respeita barreiras socioeconômicas. Ainda assim: Nick?) Estou parecendo superficial. Mas parece inacreditavelmente risível: eu sou uma esposa agredida. *Amy Exemplar e o agressor doméstico*.

Ele se desculpou profusamente. (Alguém faz algo *profusamente* além de se desculpar? Suar, acho.) Concordou em considerar terapia de casal, algo que nunca achei que iria acontecer. O que é bom. Ele é um homem tão bom, no fundo, que estou disposta a deixar isso para lá, a acreditar que realmente foi uma anomalia doentia, produzida pelo estresse pelo qual nós dois estamos passando. Algumas vezes esqueço que todo o estresse que sinto, Nick também sente: ele tem o fardo de ter me trazido para cá, sente o esforço de querer satisfazer a reclamona, e para um homem como Nick — que acredita piamente em uma felicidade como resultado da simples determinação — isso pode ser enfurecedor.

Então o empurrão forte, tão rápido, e pronto, isso não me assustou. O que me assustou foi a expressão em seu rosto quando eu estava caída no chão, piscando, a cabeça zumbindo. Foi a expressão em seu rosto enquanto ele se controlava para não dar outro golpe. Quanto queria me empurrar novamente. Quão difícil foi não fazê-lo. Como ele tem me olhado desde então: culpa e desgosto pela culpa. Desgosto absoluto.

Eis a parte mais sinistra. Ontem fui de carro até o shopping, onde metade da cidade compra drogas, e é tão fácil como entrar na farmácia com uma receita; sei porque Noelle me contou: o marido dela às vezes vai lá comprar um baseado. Mas eu não queria um baseado, queria uma arma, só para me prevenir. Para o caso de as coisas com Nick darem realmente errado. Só quando estava quase chegando me dei conta de que era Dia dos Namorados. Era Dia dos Namorados e eu ia comprar uma arma e depois fazer o jantar do meu marido. E pensei comigo mesma: *O pai de Nick estava certo sobre você. Você é uma piranha burra. Porque se você acha que seu marido vai machucá-la, você deve ir embora. E no entanto você não pode deixar seu marido, que está de luto pela mãe morta. Não pode. Você teria de ser uma mulher biblicamente medonha para fazer isso, a não ser que algo estivesse realmente errado. Você teria de realmente acreditar que seu marido machucaria você.*

Mas eu não acredito realmente que Nick me machucaria.

Apenas me sentiria mais segura com uma arma.

NICK DUNNE
SEIS DIAS SUMIDA

Go me empurrou para dentro do carro e dirigiu em disparada para longe do parque. Passamos por Noelle, que caminhava com Boney e Gilpin até o carro de polícia, seus trigêmeos cuidadosamente vestidos cambaleando atrás dela como a rabiola de uma pipa. Zunindo para além da multidão: centenas de rostos, um pontilhismo carnoso de raiva dirigida diretamente a mim. Nós fugimos, basicamente. Tecnicamente.

— Uau, que emboscada — murmurou Go.

— Emboscada? — repeti, aturdido.

— Você acha que foi por acaso, Nick? A Piranha dos Trigêmeos já deu seu depoimento à polícia. Nada sobre gravidez.

— Ou eles estão jogando as bombas uma de cada vez.

Boney e Gilpin já sabiam que minha esposa estava grávida e decidiram fazer disso uma estratégia. Claramente, eles acreditavam de verdade que eu a matara.

— Noelle estará em todos os noticiários da TV a cabo durante a próxima semana, falando sobre como você é um assassino e ela, a melhor amiga de Amy em busca de justiça. Piranha querendo atenção da mídia. Maldita *piranha* querendo atenção da mídia.

Apertei o rosto contra a janela, desmontei no assento. Vários carros de canais de TV nos seguiam. Dirigimos em silêncio, a respiração de Go desacelerando. Observei o rio, um galho de árvore boiando a caminho do sul.

— Nick? — chamou finalmente. — Isso é... Hã... Você...

— Não sei, Go. Amy não me disse nada. Se ela estava grávida, por que contaria a Noelle e não contaria a mim?

— Por que ela tentaria conseguir uma arma e não contaria a você? — retrucou Go. — Nada disso faz sentido.

Nós fomos para a casa de Go — as equipes de televisão estariam sitiando minha casa —, e assim que passei pela porta meu celular tocou, o de verdade. Eram os Elliott. Respirei fundo, me enfiei em meu antigo quarto, depois atendi.

— Preciso perguntar isso, Nick — disse Rand, a TV tagarelando ao fundo. — Preciso que você me diga. Você sabia que Amy estava grávida?

Fiz uma pausa, tentando descobrir a forma certa de dizer aquilo, a improbabilidade de uma gravidez.

— Responda, caramba!

O volume da voz de Rand fez com que eu falasse mais baixo. Falei em uma voz suave, tranquilizadora, uma voz que vestia um cardigã.

— Amy e eu não estávamos tentando engravidar. Ela não queria engravidar, Rand, não sei se um dia iria querer. Nós nem sequer estávamos... Não estávamos sequer tendo relações com muita frequência. Eu ficaria... muito surpreso se ela estivesse grávida.

— Noelle disse que Amy foi ao médico para confirmar a gravidez. A polícia já pediu uma intimação para os registros. Saberemos esta noite.

Encontrei Go na sala de estar, sentada com uma xícara de café frio à mesa de carteado de minha mãe. Ela se virou apenas o suficiente para mostrar que sabia que eu estava ali, mas não me deixou ver seu rosto.

— Por que você fica mentindo, Nick? — perguntou. — Os Elliott não são seus inimigos. Você não deveria pelo menos dizer a eles que era você que não queria filhos? Por que fazer Amy parecer a vilã?

Engoli a raiva novamente. Meu estômago queimava com ela.

— Estou exausto, Go. Caramba. A gente tem que fazer isto agora?

— A gente vai encontrar um momento melhor?

— Eu queria filhos, sim. Tentamos por um tempo, sem sorte. Começamos até a pesquisar sobre tratamentos de fertilidade. Mas então Amy decidiu que não queria filhos.

— Você me disse que *você* não queria.

— Eu estava tentando ser positivo.

— Ah, que máximo, outra mentira — disse Go. — Eu não sabia que você era tão... O que você está dizendo não faz sentido, Nick. Eu estava lá, no jantar para festejar O Bar, e mamãe entendeu mal, pensou que vocês iam anunciar que estavam grávidos, e isso fez Amy chorar.

— Bem, não posso explicar tudo o que Amy fez na vida, Go. Não sei por que, um maldito ano atrás, ela chorou daquele jeito. Está bem?

Go ficou sentada em silêncio, a luz laranja do poste na rua criando uma aura de estrela do rock ao redor de seu perfil.

— Isso vai ser um verdadeiro teste para você, Nick — murmurou, sem olhar para mim. — Você sempre teve problemas com a verdade, sempre apelou para uma pequena mentira se achava que podia evitar uma discussão de verdade. Você sempre fez as coisas do jeito mais fácil. Dizer à mamãe que foi para o treino de beisebol quando na verdade tinha saído do time; dizer à mamãe que foi à igreja quando estava no cinema. É uma espécie de compulsão estranha.

— Isto é muito diferente de beisebol, Go.

— É bastante diferente. Mas você continua a mentir como um garotinho. Ainda quer desesperadamente que todos pensem que você é perfeito. Você nunca quer ser o vilão. Então você diz aos pais de Amy que ela não queria filhos. Você *não* me diz que está traindo sua esposa. Você jura que os cartões de crédito em seu nome não são seus, jura que estava na praia sendo que você odeia praia, jura que seu casamento era bom. Simplesmente não sei no que acreditar no momento.

— Você está brincando, não é?

— Desde que Amy desapareceu, tudo o que você fez foi mentir. Isso faz com que eu me preocupe. Com o que está acontecendo.

Silêncio total por um momento.

— Go, você está dizendo o que eu acho que está dizendo? Porque se está, algo morreu entre nós, porra.

— Lembra-se da brincadeira que você sempre fazia com mamãe quando éramos pequenos? *Você ainda me amaria se? Você ainda me amaria* se eu socasse Go? *Você ainda me amaria* se eu roubasse um banco? *Você ainda me amaria* se eu matasse alguém?

Eu não disse nada. Minha respiração estava ficando acelerada demais.

— Eu ainda o amaria — disse Go.

— Go, você realmente precisa que eu diga?

Ela permaneceu em silêncio.

— Eu não matei Amy.

Ela permaneceu em silêncio.

— Você acredita em mim? — perguntei.

— Eu amo você.

Ela colocou a mão em meu ombro e foi para seu quarto, fechou a porta. Esperei para ver a luz se acender no quarto, mas ele permaneceu escuro.

* * *

Dois segundos depois, meu celular tocou. Dessa vez era o descartável do qual eu precisava me livrar e não conseguia, porque sempre, sempre, sempre tinha de atender por causa de Andie. *Uma vez por dia, Nick. Precisamos nos falar uma vez por dia.*
Eu me dei conta de que estava trincando os dentes.
Respirei fundo.

Nos limites da cidade havia os restos de um forte do Velho Oeste que agora era mais um parque ao qual ninguém nunca ia. Tudo o que restava era a torre de vigilância de dois andares em madeira, cercada por balanços e gangorras enferrujados. Andie e eu havíamos nos encontrado ali uma vez, nos agarrando à sombra da torre.
Dei três voltas compridas pela cidade no velho carro de minha mãe para ter certeza de que não estava sendo seguido. Era loucura ir — não eram nem dez horas da noite —, mas eu não tinha mais escolha quanto aos nossos encontros. *Preciso ver você, Nick, esta noite, agora mesmo, ou juro que vou surtar.* Enquanto chegava ao forte, eu me dei conta do seu isolamento e do que aquilo significava: Andie ainda estava disposta a me encontrar em um lugar solitário e sem iluminação, eu, o assassino da esposa grávida. Enquanto andava até a torre sobre a grama alta e irregular, podia ver apenas a silhueta dela na pequena janela da torre de madeira.
Ela vai acabar com você, Nick. Acelerei pelo resto do caminho.

Uma hora depois eu estava aninhado em minha casa infestada de paparazzi, esperando. Rand disse que eles saberiam antes da meia-noite se minha esposa estava grávida. Quando o telefone tocou, eu o agarrei imediatamente apenas para descobrir que era da maldita Comfort Hill. Meu pai sumira novamente. A polícia havia sido notificada. Como sempre, eles fizeram parecer que eu era o babaca. *Se isso acontecer novamente, teremos de encerrar a estadia de seu pai.* Senti um arrepio nauseante: meu pai indo morar comigo — dois desgraçados patéticos e raivosos —, isso certamente daria a pior comédia sobre companheiros do mundo. O fim seria um assassinato seguido de suicídio. Ba-dum-dum! Risos gravados.
Eu estava desligando o telefone, olhando para o rio pela janela dos fundos — *fique calmo, Nick* —, quando vi uma figura encolhida junto à casa de barcos. Achei que devia ser um repórter perdido, mas então

reconheci algo naqueles punhos cerrados e nos ombros tensos. Comfort Hill ficava a uma distância de trinta minutos a pé pela River Road. Ele de alguma forma se lembrava de nossa casa, quando não conseguia se lembrar de mim.

Saí para a escuridão e o vi balançando um pé sobre a margem, olhando fixamente para o rio. Menos maltrapilho que antes, embora tivesse um cheiro azedo de suor.

— Pai? O que você está fazendo aqui? Todo mundo está preocupado.

Ele olhou para mim com olhos castanho-escuros, olhos penetrantes, não os de cor leitosa que alguns idosos adquirem. Teria sido menos desconcertante se estivessem leitosos.

— Ela me disse para vir — falou, irritado. — Ela me disse para vir. Esta é minha casa, posso vir sempre que quiser.

— Você caminhou até aqui?

— Posso vir aqui a qualquer hora. Você pode me odiar, mas ela me ama.

Eu quase ri. Até meu pai estava reinventando uma relação com Amy.

Alguns fotógrafos no meu gramado da frente começaram a disparar suas câmeras. Eu tinha de levar meu pai de volta para a casa de repouso. Podia imaginar a matéria que eles teriam de fazer para acompanhar essas imagens exclusivas: que tipo de pai era Bill Dunne, que tipo de homem ele havia criado? Bom Deus, se meu pai começasse uma de suas arengas contra *as piranhas*... Telefonei para a Comfort Hill, e após alguma reticência eles mandaram um funcionário para resgatá-lo. Eu fiz toda uma cena ao conduzi-lo gentilmente até o sedã, murmurando tranquilizadoramente enquanto os fotógrafos obtinham suas imagens.

Meu pai. Eu sorri enquanto ele partia. Tentei dar uma aparência bem filho orgulhoso. Os repórteres me perguntaram se eu matara minha esposa. Eu estava entrando em casa quando um carro da polícia estacionou.

Era Boney que ia à minha casa, enfrentando os paparazzi, para me contar. Ela fez isso gentilmente, com uma voz mansa de pontinha do dedo.

Amy estava grávida.

Minha esposa desaparecera com um bebê meu dentro dela. Boney me observou, esperando minha reação — para incluir isso no relatório policial —, então eu disse a mim mesmo, *Aja da forma certa, não estrague tudo, aja do modo como um homem age ao receber essa notícia.* Enfiei a cabeça nas mãos e murmurei *Meu Deus, Meu Deus*, e enquanto fazia isso, vi minha esposa no chão de nossa cozinha, as mãos na barriga e a cabeça esmagada.

AMY ELLIOTT DUNNE
26 DE JUNHO DE 2012

ANOTAÇÃO EM DIÁRIO

Nunca me senti mais viva em toda a minha existência. É um dia radiante de céu azul, os pássaros estão alucinados com o calor, o rio do lado de fora está correndo e eu estou completamente viva. Assustada, animada, mas *viva*.

Quando acordei esta manhã, Nick havia saído. Sentei-me na cama olhando para o teto, vendo o sol deixá-lo dourado pedacinho por pedacinho, os azulões cantando do lado de fora de nossa janela, e quis vomitar. Minha garganta estava se contraindo e relaxando como um coração. Disse a mim mesma que não iria vomitar, depois corri para o banheiro e vomitei: bile, água quente e uma pequena ervilha boiando. Enquanto meu estômago se contraía, meus olhos se enchiam de lágrimas e eu ofegava, comecei a fazer a única conta que uma mulher faz encolhida junto ao vaso. Eu tomo pílula, mas também tinha esquecido um dia ou dois — que importância isso tem, tenho trinta e oito anos, tomo pílula há quase duas décadas. Não vou ficar grávida acidentalmente.

Encontrei os testes atrás de uma vitrine trancada. Tive de achar uma mulher apressada e bigoduda para destrancá-la e mostrar qual eu queria enquanto ela esperava impacientemente. Ela o colocou na minha mão com um olhar clínico e disse: "Boa sorte."

Eu não sabia o que seria boa sorte: sinal de mais ou de menos. Voltei para casa e li as instruções três vezes, segurei o palito no ângulo certo pelo número certo de segundos, depois o coloquei na beirada da pia e saí correndo como se fosse uma bomba. Três minutos, então eu liguei o rádio e, claro, era uma música de Tom Petty — será que há um momento em que você liga o rádio e não ouve uma música de Tom Petty? Cantei a letra inteira de "American Girl", depois andei na ponta dos pés de volta ao banheiro como se o teste fosse algo que eu tivesse de surpreender, meu coração batendo mais freneticamente do que deveria, e eu estava grávida.

De repente estava correndo pelo gramado de verão e pela rua, batendo na porta de Noelle, e quando ela abriu caí em prantos, mostrei o teste a ela e gritei "Estou grávida!".

E então alguém além de mim sabia, e daí fiquei com medo.

Quando voltei para casa, pensei duas coisas.

Primeira: nosso aniversário de casamento é na semana que vem. Usarei as pistas como cartas de amor, um belo berço antigo de madeira esperando no fim. Irei convencê-lo de que devemos ficar juntos. Como uma família.

Segunda: gostaria de ter conseguido aquela arma.

Agora às vezes fico assustada quando meu marido chega em casa. Há algumas semanas Nick me convidou para sair de jangada com ele, flutuar na corrente sob um céu azul. Cheguei a passar as mãos em volta do corrimão da escada quando ele perguntou isso, me aferrei a ele. Porque vi uma imagem de Nick balançando a jangada — inicialmente provocando, rindo do meu pânico, depois o rosto dele ficando rígido, determinado, e eu caindo na água, aquela água marrom enlameada, cheia de gravetos e areia, e ele acima de mim, me mantendo sob a superfície com um braço forte até que eu parasse de lutar.

Não consigo evitar. Nick se casou comigo quando eu era uma mulher jovem, rica e bonita, e agora sou pobre, desempregada, mais perto dos quarenta que dos trinta; não sou mais só bonita, sou *bonita para minha idade*. É a verdade: meu valor diminuiu. Posso dizer pelo modo como Nick olha para mim. Mas não é o olhar de um sujeito que se deu mal em uma aposta honesta. É o olhar de um homem que se sente enganado. Logo poderá ser o olhar de um homem preso em uma armadilha. Talvez ele pudesse se divorciar de mim antes do bebê. Mas ele nunca fará isso agora, não o Nick Bom Sujeito. Ele não suportaria todo mundo nesta cidade de valores familiares acreditando que ele é o tipo de pessoa que abandona esposa e filho. Preferiria ficar e sofrer comigo. Sofrer, se ressentir e ter raiva.

Não vou fazer um aborto. O bebê faz seis semanas dentro da minha barriga hoje, do tamanho de uma lentilha, está criando olhos, pulmões e orelhas. Há algumas horas fui à cozinha e encontrei um pote de grãos secos que Maureen me dera para a sopa preferida de Nick, tirei uma lentilha e a coloquei no balcão. Era menor que a unha do meu mindinho, mínima. Não consegui deixá-la no balcão frio, então a peguei, coloquei na palma da mão e acariciei com a pontinhazinha do dedo. Agora está no bolso da minha camiseta, onde posso mantê-la perto de mim.

Não vou fazer um aborto e não vou me divorciar de Nick, não ainda, porque me lembro de como ele mergulhava no oceano em um dia de verão e plantava bananeira, as pernas balançando para fora da água, e voltava com a melhor concha para mim, e eu deixava que meus olhos ficassem ofuscados pelo sol, fechava-os e via cores piscando como gotas de chuva do lado de dentro das minhas pálpebras enquanto Nick me beijava com lábios salgados, e eu pensava: *Tenho muita sorte, este é meu marido, este homem será o pai dos meus filhos. Todos seremos muito felizes.*

Mas posso estar enganada, posso estar muito enganada. Porque algumas vezes, o modo como ele olha para mim... Aquele garoto doce da praia, o homem dos meus sonhos, pai do meu filho... Eu o flagro olhando para mim com aqueles olhos atentos, os olhos de um inseto, puro cálculo, e penso: *Esse homem talvez me mate.*

Então, se você achar isso aqui e eu estiver morta, bem...

Desculpe, não tem graça.

NICK DUNNE
SETE DIAS SUMIDA

Estava na hora. Exatamente às oito da manhã, zona central, nove da manhã em Nova York, peguei meu telefone. Definitivamente minha esposa estava grávida. Eu definitivamente era o principal — único — suspeito. Eu ia conseguir um advogado, *hoje*, e ele seria exatamente o advogado que eu não queria e do qual decididamente precisava.

Tanner Bolt. Uma sinistra necessidade. Assista a qualquer dos canais legais, aos programas de crimes reais, e o rosto artificialmente bronzeado de Tanner Bolt aparece, indignado e preocupado em nome de qualquer cliente bizarro que esteja representando. Ele ficou famoso aos trinta e quatro anos por representar Cody Olsen, um dono de restaurante de Chicago acusado de estrangular a esposa grávida e jogar o corpo em um aterro sanitário. Cães treinados sentiram o cheiro de um cadáver na mala do Mercedes de Cody; uma busca em seu laptop revelou que alguém imprimira um mapa para o aterro mais próximo na manhã em que a esposa de Cody desaparecera. Era óbvio. Quando Tanner Bolt acabou, todos — o departamento de polícia, dois integrantes de uma gangue do West Side de Chicago, um segurança de boate insatisfeito — estavam implicados, exceto Cody Olsen, que saiu do tribunal e pagou bebidas para todos.

Na década desde então Tanner Bolt ficara conhecido como o Falcão de Maridos — sua especialidade era se lançar em casos badalados para representar homens acusados de assassinar as esposas. Ele era vitorioso na metade dos casos, o que não era mau, considerando que os casos eram geralmente condenatórios, os acusados extremamente impopulares — traidores, narcisistas, sociopatas. O outro apelido de Tanner Bolt era Defensor de Babacas.

Eu tinha uma reunião com ele às duas da tarde.

— Aqui é Marybeth Elliott. Por favor, deixe um recado e retornarei a ligação imediatamente... — disse ela em uma voz igual à de Amy. Amy, que não retornaria imediatamente.

Eu estava acelerando para o aeroporto de modo a pegar um voo para Nova York e me encontrar com Tanner Bolt. Quando pedira a Boney permissão para sair da cidade, ela pareceu achar graça: *Policiais não fazem isso de verdade. Isso é só na TV.*

— Oi, Marybeth, é Nick de novo. Estou ansioso para falar com você. Quer dizer... Hã, eu realmente não sabia sobre a gravidez, estou tão chocado quanto você deve estar... Hã, também estou contratando um advogado, só para você saber. Acho que até Rand sugeriu isso. Então, enfim... Você sabe como sou ruim com mensagens. Espero que você me ligue de volta.

O escritório de Tanner Bolt ficava no centro, perto de onde eu costumava trabalhar. O elevador me lançou vinte e cinco andares para cima, mas era tão suave que não tive certeza de que estava me movendo até que meus ouvidos taparam. No vigésimo sexto andar, uma loura de lábios apertados com um terninho elegante entrou. Bateu o pé, impaciente, esperando que as portas se fechassem, depois se virou para mim, irritada.

— Por que você não aperta fechar?

Lancei para ela o sorriso que lanço para mulheres petulantes, o sorriso "ei, relaxa", aquele que Amy chamava de "sorriso amado do Nicky", e então a mulher me reconheceu.

— Ah — disse ela.

Fez uma cara de quem tinha sentido cheiro de algo azedo. Pareceu sentir uma vingança pessoal quando saltei no andar de Tanner.

O cara era o melhor, e eu precisava do melhor, mas também me ressentia de me associar a ele de qualquer forma que fosse — esse sórdido, esse exibido, esse advogado dos culpados. Odiava Tanner antecipadamente de tal forma que achei que seu escritório iria parecer um cenário de *Miami Vice*. Mas Bolt & Bolt era exatamente o oposto — tinha uma aparência digna, jurídica. Por trás de portas de vidro impecavelmente limpas, pessoas em ótimos ternos iam apressadas de uma sala para outra.

Um jovem bonito com uma gravata cor de fruta tropical me cumprimentou, instalou-me na recepção reluzente de vidro e espelhos e grandiosamente ofereceu água (recusada), depois retornou a uma escrivaninha cintilante e pegou um telefone cintilante. Fiquei sentado no sofá, observando a silhueta dos prédios, guindastes subindo e descendo como pássaros mecânicos. Depois desdobrei a última pista de Amy que estava em meu bolso. Cinco anos é madeira. Qual seria o prêmio final da caça ao tesouro? Algo para o bebê: um berço de carvalho trabalhado, um chocalho de madeira? Algo para nosso bebê e para nós, para recomeçarmos, os Dunne refeitos.

Go telefonou enquanto eu ainda olhava fixamente para a pista.

— Nós estamos bem? — perguntou ela de imediato.

Minha irmã achava que eu podia ser um assassino de esposa.

— Estamos tão bem quanto acho que jamais ficaremos outra vez, dadas as circunstâncias.

— Nick, me desculpe. Telefonei para me desculpar — disse Go. — Acordei e me senti totalmente louca. E muito mal. Perdi a cabeça. Foi um surto momentâneo. Eu sinceramente, de verdade, peço desculpas.

Permaneci em silêncio.

— Você tem que me conceder isso, Nick: exaustão, estresse e... Eu lamento... muito.

— Tudo bem — menti.

— Mas na verdade fico contente. Isso limpou o ar...

— Ela definitivamente estava grávida.

Meu estômago deu um nó. De novo tive a sensação de que tinha esquecido algo crucial. Eu deixara alguma coisa passar, e pagaria por isso.

— Lamento — disse Go. Ela esperou alguns segundos. — A questão é...

— Não posso conversar sobre isso. Não posso.

— Tudo bem.

— Estou em Nova York — comuniquei. — Tenho uma hora marcada com Tanner Bolt.

Ela soltou uma lufada de ar.

— Graças a Deus. Conseguiu marcar com ele rápido assim?

— Para você ver quão fodido é meu caso.

Eu havia sido transferido imediatamente para Tanner — esperei um total de três segundos após dizer meu nome — e quando contei a ele sobre meu interrogatório na sala de estar, sobre a gravidez, ele mandou que pegasse o primeiro avião.

— Estou meio que pirando — acrescentei.

— Você está fazendo a coisa inteligente. Sério.
Outra pausa.
— O nome dele não pode realmente ser Tanner Bolt, pode? — falei, tentando aliviar a situação.
— Ouvi dizer que é um anagrama de Ratner Tolb.
— Sério?
— Não.
Eu ri, um sentimento inadequado, mas bom. Então, do outro lado da sala, o anagrama vinha andando na minha direção — terno preto de risca de giz, gravata verde-limão, sorriso de tubarão. Ele caminhava com a mão estendida, em modo aperto de mão e negócio fechado.
— Nick Dunne, sou Tanner Bolt. Venha comigo, vamos trabalhar.

O escritório de Tanner Bolt parecia projetado para lembrar o salão de um clube exclusivo de golfe só para homens — cadeiras de couro confortáveis, prateleiras repletas de livros de Direito, uma lareira a gás com chamas tremulando no ar-condicionado. Sente-se, pegue um charuto, reclame da esposa, conte piadas de gosto duvidoso, *só há nós dois homens aqui*.
Bolt deliberadamente escolheu não se sentar atrás da sua escrivaninha. Ele me conduziu a uma mesa de dois lugares, como se fôssemos jogar xadrez. *Esta é uma conversa de parceiros*, disse Bolt sem precisar dizer. *Vamos sentar à nossa mesinha na sala de guerra e resolver isso.*
— Minha comissão, Sr. Dunne, é de cem mil dólares. É muito dinheiro, evidentemente, então quero deixar claro o que ofereço e o que irei esperar do senhor, certo?
Ele apontou para mim olhos que não piscavam, um sorriso simpático, e esperou que eu fizesse um gesto positivo de cabeça. Apenas Tanner Bolt podia fazer com que eu, *um cliente*, voasse até *ele*, e depois me dizer que tipo de dança eu precisaria fazer de modo a dar a ele meu dinheiro.
— Eu venço, Sr. Dunne. Venço casos que não podem ser vencidos, e o que acho que logo poderá enfrentar é, não quero ser condescendente, um caso difícil. Problemas financeiros, casamento atribulado, esposa grávida. A imprensa se virou contra você, o público se virou contra você.
Ele torceu um anel de sinete na mão direita e esperou que eu mostrasse que estava prestando atenção. Eu sempre ouvira a expressão: *Aos quarenta, o homem usa o rosto que conquistou*. O rosto quarentão de Bolt era bem-cuidado, quase sem rugas, agradavelmente inchado de

ego. Ali estava um homem confiante, o melhor na sua área, um homem que gostava de sua vida.

— Não haverá mais conversas com a polícia sem minha presença — dizia Bolt. — É algo que eu lamento muito que você tenha feito. Mas antes mesmo de entrarmos na faceta legal, precisamos lidar com a opinião pública, porque do modo como as coisas estão, temos de supor que tudo vai vazar: seus cartões de crédito, o seguro de vida, a cena do crime supostamente forjada, o sangue lavado. Parece muito ruim, meu amigo. Então é um círculo vicioso: os policiais acham que você cometeu o crime, e deixam o público saber. O público fica escandalizado, exige uma prisão. Então, um: temos de encontrar um suspeito alternativo. Dois: *precisamos* manter o apoio dos pais de Amy, não posso enfatizar isso o bastante. E três: temos de melhorar sua imagem, porque caso isso vá a julgamento, ela irá influenciar os jurados. Mudança de local de julgamento não significa mais nada, com TV a cabo vinte e quatro horas por dia, internet, o mundo inteiro é um lugar só. Então, é absolutamente fundamental começar a virar a situação a seu favor.

— Também gostaria disso, acredite.

— Como estão as coisas com os pais de Amy? Podemos conseguir que eles façam uma declaração de apoio?

— Não falo com eles desde que foi confirmado que Amy estava grávida.

— Está grávida — disse Tanner, franzindo a testa. — Está. Ela *está* grávida. Nunca, jamais, fale de sua esposa no passado.

— Merda — exclamei, colocando o rosto na palma da mão por um segundo. Eu nem sequer tinha percebido o que dissera.

— Não se preocupe com isso na minha frente — disse Bolt, gesticulando no ar de forma magnânima. — Mas se preocupe em todos os outros lugares. Preocupe-se muito. A partir de agora, não quero que você abra a boca se não tiver pensado muito bem. Então você não tem falado com os pais de Amy. Não gosto disso. Imagino que tenha tentado entrar em contato, não é?

— Deixei alguns recados.

Bolt rabiscou algo em um bloco amarelo.

— Certo, vamos presumir que isso é mau sinal para nós. Mas você precisa localizá-los. Não em público, onde algum babaca com uma câmera de celular possa filmar você. Não podemos ter outro momento Shawna Kelly. Ou então mande sua irmã em missão de reconhecimento, para descobrir o que está acontecendo. Na verdade, faça isso, é melhor.

— Certo.

— Preciso que faça uma lista para mim, Nick. De todas as coisas legais que você fez para Amy ao longo dos anos. Coisas românticas, especialmente nesse último ano. Você preparou uma canja de galinha quando ela estava doente, ou mandou cartas de amor quando estava em viagem de negócios. Nada exagerado demais. Não me importo com joias a não ser que vocês tenham escolhido alguma coisa juntos durante as férias ou algo assim. Precisamos de coisas realmente pessoais, coisas de filme romântico.

— E se eu não for o tipo de cara de filme romântico?

Tanner contraiu os lábios, depois os soltou.

— Pense em algo, está bem, Nick? Você parece um cara legal. Estou certo de que fez algum gesto atencioso recentemente.

Eu não conseguia pensar em uma única coisa decente que tivesse feito nos últimos dois anos. Em Nova York, nos primeiros anos de casamento, eu era desesperado para agradar minha esposa, retornar aos dias relaxados em que ela corria pelo estacionamento de uma farmácia e pulava nos meus braços, uma celebração espontânea de sua compra de spray para cabelos. Seu rosto colado ao meu o tempo todo, os olhos azuis brilhantes arregalados e seus cílios amarelos roçando nos meus, o calor de seu hálito logo abaixo do meu nariz, a tolice daquilo. Esforcei-me durante dois anos enquanto minha antiga esposa desaparecia, e me esforcei muito — sem raiva, sem discussões, a deferência constante, a capitulação, uma versão de mim mesmo que mais parecia um marido de série de TV: *Sim, querida. Claro, amor.* A porra da energia drenada de meu corpo enquanto meus pensamentos frenéticos tentavam descobrir como fazê-la feliz, e cada ato, cada tentativa era recebida com um revirar de olhos ou um pequeno suspiro triste. Um suspiro de *você simplesmente não entende*.

Quando fomos embora para o Missouri eu só estava puto. Envergonhado com a lembrança de mim — o homem pequeno, rastejante, curvado, bajulador que me tornara. Então eu não era romântico; não era nem sequer agradável.

— Também preciso de uma lista de pessoas que possam ter machucado Amy, que possam ter algo contra ela.

— Devo lhe dizer que aparentemente Amy tentou comprar uma arma, no começo deste ano.

— A polícia sabe?

— Sim.

— Você sabia?

— Não até o sujeito de quem ela tentou comprar me dizer.

Ele levou exatamente dois segundos para pensar.

— Então aposto que a teoria deles é de que ela queria uma arma para se proteger de você — disse. — Ela estava isolada, estava assustada. Queria acreditar em você, mas podia sentir que algo estava muito errado, então queria uma arma para o caso de seu pior medo estar certo.

— Uau, você é bom.

— Meu pai era policial — explicou ele. — Mas gosto da ideia da arma; agora só precisamos de alguém para ligá-la a ela além de você. Nada é absurdo demais. Se ela discutia constantemente com um vizinho por causa dos latidos de um cão, se foi obrigada a rejeitar alguém que flertava com ela, qualquer coisa que você tenha eu preciso. O que você sabe sobre Tommy O'Hara?

— Isso! Sei que ele ligou para nosso telefone de denúncias algumas vezes.

— Ele foi acusado de violentar Amy em um encontro em 2005.

Senti meu queixo cair, mas não disse nada.

— Ela estava saindo com ele de vez em quando. Houve um jantar na casa dele, as coisas saíram de controle e ele a estuprou, segundo minhas fontes.

— Quando em 2005?

— Maio.

Fora durante os oito meses em que eu havia perdido Amy — o tempo entre nosso encontro no ano-novo e o dia em que a encontrei novamente na Sétima Avenida.

Tanner apertou a gravata, torceu uma aliança cravejada de diamantes, me avaliando.

— Ela nunca lhe contou.

— Eu nunca ouvi nada sobre isso — disse. — De ninguém. Mas sobretudo não de Amy.

— Você ficaria surpreso com o número de mulheres que ainda acham isso um estigma. Envergonhado.

— Não posso acreditar que eu...

— Tento nunca chegar a uma reunião dessas sem informação nova para meu cliente — explicou ele. — Quero lhe mostrar como levo a sério o seu caso. E quanto você precisa de mim.

— Esse cara pode ser um suspeito?

— Claro, por que não? — disse Tanner despreocupado demais. — Ele tem um passado de violência para com sua esposa.

— Ele foi para a prisão?

— Ela retirou a acusação. Imagino que não quisesse testemunhar. Se você e eu decidirmos trabalhar juntos, mandarei investigá-lo. Enquanto isso, pense em *qualquer um* que se interessou por sua esposa. Mas será melhor se for alguém de Carthage. Mais plausível. Agora... — continuou Tanner, cruzando as pernas, expondo a fileira de baixo de seus dentes, desconfortavelmente apertados e manchados em comparação com a fileira de cima, perfeita como uma cerca branca. Ele apoiou os dentes tortos sobre o lábio superior por um momento. — Agora vem a parte mais difícil, Nick. Preciso de total honestidade de sua parte, porque não vai funcionar de nenhum outro jeito. Então me conte tudo sobre seu casamento, pode me contar o pior. Porque, se eu souber o pior, posso me preparar. Mas se eu for surpreendido, estamos fodidos. E se estivermos fodidos, *você* estará fodido. Porque eu poderei ir embora em meu G4.

Respirei profundamente. Olhei nos olhos dele.

— Eu traí Amy. Tenho traído Amy.

— Certo. Com várias mulheres ou apenas uma?

— Não, não várias. Eu nunca havia traído antes.

— Então, com *uma* mulher? — perguntou Bolt, e desviou os olhos, que pousaram em uma aquarela de um barco a vela, enquanto torcia a aliança. Eu podia imaginá-lo telefonando para a esposa depois, dizendo: *Uma vez só, apenas uma vez, eu quero um cara que não seja um babaca.*

— Sim, uma única garota, ela é muito...

— Não diga *garota*, jamais diga *garota* — cortou Bolt. — Mulher. Uma mulher que é muito especial para você. Era isso que você ia dizer?

Claro que era.

— Sabe, Nick, especial na verdade é pior que... tudo bem. Quanto tempo?

— Pouco mais de um ano.

— Você falou com ela desde que Amy desapareceu?

— Sim, em um celular descartável. E pessoalmente, uma vez. Duas. Mas...

— *Pessoalmente.*

— Ninguém nos viu. Posso jurar isso. Só minha irmã.

Ele respirou fundo, olhou novamente para o barco a vela.

— E o que essa... Qual o nome dela?

— Andie.

— Qual o comportamento dela em relação a isso tudo?

— Ela tem sido ótima; até o... anúncio de gravidez. Agora acho que ela está um pouco... nervosa. Muito nervosa. Muito, hã... *carente* é a palavra errada...

— Diga o que precisa dizer, Nick. Se ela está carente, então...

— Ela está carente. Grudenta. Precisa muito ser tranquilizada. É uma garota muito doce, mas é jovem, e tem... tem sido difícil, obviamente.

Tanner Bolt foi ao seu frigobar e pegou um suco de tomate Clamato. A geladeira inteira estava cheia de suco de tomate. Ele abriu a garrafa e bebeu tudo em três goles, depois limpou os lábios com um guardanapo de pano.

— Você terá de cortar, completamente e para sempre, todo contato com Andie — ordenou ele. Comecei a falar e ele me mostrou a palma da mão. — Imediatamente.

— Não posso simplesmente romper com ela assim. Do nada.

— Isto não está aberto a discussão. *Nick*. Quer dizer, vamos lá, camarada, eu realmente tenho de dizer isto? Você não pode sair por aí tendo encontros românticos enquanto sua esposa grávida está desaparecida. Você irá para a porra de uma prisão. Agora, a questão é fazer isso sem que ela se volte contra nós. Sem a deixar com um desejo de vingança, uma ânsia de fazer declarações públicas, nada além de boas recordações. Faça com que ela acredite que essa era a coisa decente a se fazer, com que queira mantê-lo em segurança. Como você é com términos de relação?

Eu abri a boca, mas ele não esperou.

— Vou prepará-lo para a conversa, da mesma forma que o prepararia para um interrogatório, certo? Agora, se você me quiser, voarei para o Missouri, montarei acampamento e poderemos realmente começar a trabalhar nisso. Posso estar com você já amanhã se me quiser como seu advogado. Você quer?

— Quero.

Eu estava de volta a Carthage antes da hora do jantar. Foi estranho, assim que Tanner tirou Andie do quadro — assim que ficou claro que ela simplesmente não poderia permanecer — com que rapidez aceitei isso, quão pouco lamentei a perda. Durante aquele único voo de duas horas eu fiz a transição de *amando Andie* para *não amando Andie*. Foi como passar por uma porta. Nossa relação imediatamente ganhou um tom sépia: o passado. Que estranho que eu tivesse arruinado meu casamento por causa daquela garotinha com quem não tinha nada em comum a não ser o fato de ambos gostarmos de uma boa risada e de uma cerveja gelada depois do sexo.

Claro que você está bem com o rompimento, diria Go. *A relação ficou difícil.*

Mas havia uma razão melhor: Amy estava crescendo em minha mente. Ela estava desaparecida, e no entanto estava mais presente do que qualquer outra pessoa. Eu me apaixonara por Amy porque eu era um Nick aperfeiçoado com ela. Amá-la me tornava sobre-humano, fazia com que me sentisse vivo. Mesmo no seu momento mais fácil, ela era difícil, porque seu cérebro estava sempre trabalhando, trabalhando, trabalhando — eu tinha de me superar para acompanhá-la. Passava uma hora redigindo um e-mail banal para ela, passei a estudar mistérios para conseguir mantê-la interessada: os poetas do lago, o código do duelo, a Revolução Francesa. A mente dela era tanto ampla quanto profunda, e fiquei mais inteligente por estar ao seu lado. E mais atencioso, mais ativo, mais vivo e quase elétrico, pois, para Amy, o amor era como drogas, álcool ou pornografia: não havia limite. Cada exposição precisava ser mais intensa que a última para alcançar o mesmo resultado.

Amy me fez acreditar que eu era excepcional, que estava à altura do seu nível de jogo. Isso foi tanto a criação quanto a dissolução de nós dois. Porque eu não podia dar conta das suas exigências de grandeza. Comecei a ansiar por leveza e mediocridade, e me odiei por esses sentimentos, e no fim das contas, percebi, puni Amy por isso. Eu a transformei na coisa irritadiça, espinhosa que ela se tornou. Eu fingira ser um tipo de homem e me revelei outro bem diferente. Pior, me convenci de que nossa tragédia fora causada exclusivamente por ela. Passei anos me transformando exatamente na coisa que jurava que ela era: uma bola de ódio moralista.

No voo para casa, eu olhei para a Pista 4 por tanto tempo que a decorei. Eu queria me torturar. Não era de se espantar que seus bilhetes estivessem tão diferentes dessa vez: minha esposa estava grávida, queria um recomeço, queria nos devolver à nossa vitalidade fantástica e feliz. Eu podia imaginá-la percorrendo a cidade para esconder aqueles bilhetes carinhosos, ansiosa como uma colegial para que eu chegasse ao fim — o anúncio de que ela estava grávida do meu filho. Madeira. Só podia ser um berço antigo. Eu conhecia minha esposa: só podia ser um berço antigo. Embora a pista não tivesse exatamente o tom de uma futura mãe.

*Imagine eu: sou uma garota que se comportou muito mal toda a vida
Eu preciso ser punida, e por punida quero dizer comida
É onde você guarda bens para o aniversário cinco do casal
Me perdoe se isto está ficando artificial!
Um bom momento foi vivido aqui, bem ao sol do meio-dia
Depois na rua para um coquetel, tudo tão terrivelmente cheio de alegria.
Então corra para lá agora mesmo, cheio de uma doce visão,
E abra a porta para uma grande surpresa que vai iluminar seu coração.*

Eu estava quase em casa quando descobri. *Guarda bens para o aniversário cinco*: os bens seriam algo feito de madeira. Punir é levar alguém para o depósito de madeira. Era o depósito atrás da casa da minha irmã — um lugar para estocar peças de cortador de grama e ferramentas enferrujadas —, uma velha construção decrépita, como algo saído de um filme de terror em que campistas são assassinados lentamente. Go nunca ia lá; costumava brincar dizendo que ia queimar a coisa toda desde que se mudara para a casa. Em vez disso, deixara que ele ficasse ainda mais tomado por mato e teias de aranha. Sempre brincávamos dizendo que seria um bom lugar para enterrar um cadáver.

Não podia ser.

Atravessei a cidade, meu rosto dormente, minhas mãos geladas. O carro de Go estava na rampa, mas passei pela janela iluminada da sala de estar e desci o íngreme declive, e logo estava fora da linha de visão dela, fora da vista de qualquer um. Um lugar muito privado.

Bem nos fundos do quintal, no limite das árvores, estava o depósito.

Eu abri a porta.

Nãonãonãonãonão.

parte dois
RAPAZ ENCONTRA GAROTA

AMY ELLIOTT DUNNE
O DIA DO

Estou muito mais feliz agora que estou morta.

Tecnicamente, desaparecida. Em breve, considerada morta. Mas para simplificar, digamos morta. São apenas horas, mas já me sinto melhor: articulações soltas, músculos relaxados. Em dado momento desta manhã me dei conta de que meu rosto parecia estranho, diferente. Olhei pelo retrovisor — a horrenda Carthage setenta quilômetros atrás de mim, meu marido autossuficiente fazendo hora em seu bar pegajoso enquanto a tragédia balança em uma fina corda de piano logo acima de sua cabeça alienada de merda — e percebi que estava sorrindo. Rá. Isso é novidade.

Minha lista de tarefas para hoje — uma das muitas listas que fiz no último ano — está no banco do carona, uma gota de sangue ao lado do item 22: me cortar. *Mas Amy tem medo de sangue*, dirão os leitores do diário. (O diário, sim! Vamos chegar ao meu brilhante diário.) Não, não tenho, nem um pouco, mas no último ano fiquei dizendo que tinha. Disse a Nick provavelmente meia dúzia de vezes como tinha medo de sangue, e quando ele falou "Não me lembro de você ter tanto medo de sangue", retruquei: "Eu disse a você, disse tantas vezes!" Nick tem uma memória tão ruim para os problemas dos outros que simplesmente supôs que era verdade. Desmaiar no centro de doação de plasma foi um belo toque. Eu realmente fiz aquilo, não simplesmente escrevi que fiz. (Não se preocupe, vamos esclarecer isto: a verdade, a não verdade, e o que pode muito bem ser verdade.)

O item 22, me cortar, está na lista há muito tempo. Agora é real, e meu braço dói. A pessoa precisa ter uma disciplina muito especial para se cortar além da camada do corte de papel, até o músculo. Você quer muito sangue, mas não a ponto de fazer você desmaiar, e ser encontrada horas depois em uma piscina infantil de sangue com muitas explicações a dar. Primeiro levei um estilete ao pulso, mas olhando para aquela rede de veias eu me senti como uma especialista em bombas em um filme de ação: corte a linha errada e você morre. Acabei me cortando na parte interna do braço, mordendo um pano para não gritar. Um bom corte comprido e fundo. Sentei de pernas cruzadas no chão da cozinha por dez minutos, deixando o sangue escorrer até fazer uma poça densa e bela. Depois limpei tão mal quanto Nick teria feito depois de esmagar minha cabeça. Queria que a casa contasse uma história de conflito entre verdadeiro e falso; *a cena na sala de estar parece forjada, mas o sangue foi limpo: não pode ser Amy!*

Então a automutilação valeu. Ainda assim, horas depois, o corte queima sob a manga, abaixo do torniquete. (Item 30: faça um curativo com cuidado, garantindo que nenhum sangue pingou onde não deveria. Enrole o estilete e guarde no bolso para jogar fora depois.)

Item 18: Forjar a cena na sala de estar. Virar divã. Confere.

Item 12: Embrulhar a primeira pista em sua caixa e a colocar fora do caminho para que a polícia a encontre antes que o marido tonto pense em procurar por ela. Ela tem de fazer parte do registro policial. Quero que ele seja obrigado a iniciar a caça ao tesouro (seu ego fará com que termine). Confere.

Item 32. Vestir roupas comuns, enfiar cabelos em um chapéu, descer a margem do rio e andar rapidamente pela beirada, a água batendo centímetros abaixo, até chegar ao limite do condomínio. Fazer isso embora saiba que os Teverer, únicos vizinhos com vista para o rio, estarão na igreja. Fazer isso porque nunca se sabe. Você sempre dá o passo a mais que os outros não dão, você é assim.

Item 29: Dizer adeus a Bleecker. Sentir seu halitozinho fedido de gato pela última vez. Encher sua tigela de comida para o caso de as pessoas se esquecerem de alimentá-lo quando tudo começar.

Item 33: Cair fora.

Confere, confere, confere.

Posso contar mais sobre como fiz tudo, mas antes quero que você me conheça. Não a Amy do Diário, que é uma obra de ficção (e Nick disse que eu não era escritora de verdade, por que um dia o escutei?), mas eu, a Verdadeira Amy. Que tipo de mulher faria tal coisa? Deixe-me contar uma história para você, uma história *de verdade*, para que comece a compreender.

Para início de conversa: eu nunca deveria ter nascido.

Minha mãe teve cinco abortos e dois bebês natimortos antes de mim.

Um por ano, no outono, como se fosse uma tarefa da estação, como rotação de culturas. Todas meninas; todas chamadas Esperança. Tenho certeza de que foi sugestão do meu pai — seu impulso otimista, sua seriedade descolorida: *Não podemos perder a esperança, Marybeth*. Mas perder a Esperança foi exatamente o que eles fizeram, repetidamente.

Os médicos ordenaram que meus pais parassem de tentar; eles se recusaram. Não são pessoas que desistem. Tentaram e tentaram, e então vim eu. Minha mãe não esperava que eu sobrevivesse, não conseguia pensar em mim como um bebê real, uma criança viva, uma garota que poderia ir para casa. Eu teria sido Esperança 8 caso as coisas tivessem dado errado. Mas vim ao mundo berrando, rosa-néon, elétrica. Meus pais ficaram tão surpresos que se deram conta de que não haviam discutido um nome, não um nome de verdade, para uma criança de verdade. Durante meus dois primeiros dias no hospital eles não me deram um nome. Toda manhã minha mãe ouvia a porta do quarto se abrir e sentia a enfermeira esperando no umbral (sempre a imaginei vintage, com saias brancas sacudindo e um daqueles chapéus dobrados parecidos com caixa de comida chinesa). A enfermeira ficava ali esperando, e minha mãe perguntava sem nem sequer erguer os olhos: "Ela ainda está viva?"

Quando permaneci viva, eles me chamaram de Amy, porque era um nome comum de garota, um nome popular de garota, um nome que mil outros bebês receberam naquele ano, de modo que talvez os deuses não percebessem aquele pequeno bebê aninhado entre os outros. Marybeth disse que se fosse refazer tudo, teria me chamado de Lydia.

Cresci me sentindo especial, orgulhosa. Eu era a garota que lutara contra o esquecimento e vencera. As chances eram de um por cento, mas eu consegui. No processo, arruinei o útero de minha mãe — minha própria terra pré-natal arrasada. Marybeth nunca teria outro filho. Quando criança, eu sentia um grande prazer com isso: apenas eu, apenas eu, só eu.

Minha mãe tomava chá quente nos dias dos nascimentos-mortes das Esperanças, sentada em uma cadeira de balanço com um cobertor, e dizia estar apenas "passando um tempo comigo mesma". Nada dramático, minha mãe é sensível demais para cantar lamentos, mas ficava pensativa, se distanciava, e eu não aceitava isso, coisinha carente que eu era. Subia no colo dela, enfiava um desenho a lápis de cor no rosto dela, ou a lembrava de uma autorização para a escola que precisava de atenção imediata. Meu pai tentava me distrair, tentava me levar ao cinema ou me comprar com doces. Não importava qual fosse o artifício, não funcionava. Eu não daria à minha mãe aqueles poucos minutos.

Sempre fui melhor que as Esperanças, eu era aquela que conseguira.

Mas também sempre fui ciumenta, sempre — sete princesas dançantes mortas. Elas podem ser perfeitas sem nem ao menos tentar, sem nem ao menos enfrentar um momento de existência, enquanto eu estou presa aqui na Terra, e todo dia devo tentar, e todo dia é uma chance de ser menos que perfeita.

É uma forma exaustiva de viver. Vivi assim até os trinta e um anos.

E então, por uns dois anos, tudo ficou bem. Por causa de Nick.

Nick me *amava*. Um tipo de amor com oito as: ele me *amaaaaava*. Mas ele não amava a mim, eu mesma. Nick amava uma garota que não existe. Eu estava fingindo, como muitas vezes fazia, fingindo ter uma personalidade. Não consigo evitar, foi o que sempre fiz: assim como algumas mulheres trocam de estilo regularmente, eu troco de personalidade. Qual persona parece boa, qual é cobiçada, qual está em voga? Acho que a maioria das pessoas faz isso, apenas não admite, ou se acomoda em uma persona porque é preguiçosa ou burra demais para mudar.

Naquela noite da festa no Brooklyn eu estava interpretando a garota que tem estilo, a garota que um homem como Nick quer: a Garota Legal. Os homens sempre dizem isso como *o* elogio definidor, não é? *Ela é uma garota legal.* Ser a Garota Legal significa que eu sou uma mulher gostosa, brilhante, divertida, que adora futebol, pôquer, piadas indecentes e arrotos, que joga video game, bebe cerveja barata, adora *ménage à trois* e sexo anal e enfia cachorros-quentes e hambúrgueres na boca como se fosse anfitriã da maior orgia gastronômica do mundo ao mesmo tempo em que de alguma forma mantém um manequim 36, porque Garotas Legais são acima de tudo gostosas. Gostosas e compreensivas. Garotas Legais nunca ficam com raiva. Apenas sorriem de uma forma desapontada e amorosa e deixam seus homens fazerem o que quiserem. *Vá em frente, me sacaneie, não ligo, sou a Garota Legal.*

Os homens realmente acham que essa garota existe. Talvez se deixem enganar porque muitas mulheres estão dispostas a fingir ser essa garota. Durante muito tempo a Garota Legal me ofendeu. Eu costumava ver homens — amigos, colegas de trabalho, estranhos — babarem por essas medonhas mulheres fingidas, e eu queria sentar com esses homens e dizer calmamente: *Você não está saindo com uma mulher, você está saindo com uma mulher que viu filmes demais escritos por homens socialmente estranhos que gostariam de acreditar que esse tipo de mulher existe e poderia beijá-los.* Tinha vontade de agarrar o pobre coitado pela lapela ou mochila e dizer: *A piranha na verdade não gosta tanto de cachorros-quentes com chili — ninguém gosta tanto de cachorros-quentes com chili!* E as Garotas Legais são ainda mais patéticas: elas nem sequer fingem ser a mulher que querem ser, fingem ser a mulher que um homem quer que elas sejam. Ah, e se você *não* é uma Garota Legal, imploro que você não acredite que seu homem não quer a Garota Legal. Pode ser uma versão ligeiramente diferente — talvez ele seja vegetariano, então a Garota Legal adora carne de soja e é ótima com cachorros; ou talvez seja um artista de vanguarda, de modo que a Garota Legal é uma nerd tatuada e de óculos que adora revistas em quadrinhos. Há variações na fachada, mas, acredite em mim, ele quer a Garota Legal, que é basicamente a garota que gosta das mesmas merdas que ele e nunca reclama. (Como você sabe que *não* é a Garota Legal? Porque ele diz coisas como "gosto de mulheres fortes". Se ele diz isso a você, em algum momento irá trepar com outra. Porque "gosto de mulheres fortes" é código para "odeio mulheres fortes".)

Esperei pacientemente — *anos* — para que o pêndulo oscilasse para o outro lado, para que os homens começassem a ler Jane Austen, aprendessem a tricotar, fingissem amar a revista *Cosmopolitan*, organizassem festas de scrapbooks e dessem uns amassos entre si enquanto nós assistíamos, babando. E então diríamos: *É, ele é um Cara Legal.*

Mas isso nunca aconteceu. Em vez disso, mulheres de todos os Estados Unidos conspiraram para nossa degradação! Em pouco tempo a Garota Legal se tornou a garota-padrão. Os homens acreditaram que ela existia — não era apenas uma garota dos sonhos em um milhão. Toda garota tinha que ser essa garota, e, se você não era, então havia algo de errado com *você*.

Mas é tentador ser a Garota Legal. Para alguém como eu, que gosta de vencer, é tentador querer ser a garota que todo cara deseja. Quando conheci Nick, soube imediatamente que era o que ele queria e, por ele, acho que estava disposta a tentar. Aceito minha parcela de culpa. A questão é que inicialmente fiquei *louca* por ele. Eu o achei perversamente exótico, um bom e velho garoto do Missouri. Era muito gostoso tê-lo por perto. Ele despertava em mim coisas que eu não sabia que existiam: uma leveza, um humor, um relaxamento. Era como se ele me esvaziasse e depois me enchesse de penas. Ele me ajudou a ser a Garota Legal — não poderia ter sido a Garota Legal com mais ninguém. Não teria querido. Não posso dizer que não gostei de parte daquilo: comi biscoitos recheados de marshmallow, andei descalça, parei de me preocupar. Assisti a filmes idiotas e comi comidas cheias de aditivos químicos. Não pensei dois lances à frente em relação a tudo, esse foi o segredo. Bebia uma coca e não me preocupava em como reciclar a lata ou com o ácido fermentando em minha barriga, um ácido tão forte que era capaz de limpar uma moeda. Assistíamos a um filme idiota e eu não me preocupava com o sexismo ofensivo ou a falta de minorias nos papéis principais. Nem sequer me preocupava se o filme fazia sentido. Não me preocupava com nada que vinha depois. Nada tinha consequência, eu estava vivendo o momento, e podia sentir que ficava mais superficial e burra. Mas também feliz.

Até Nick, eu nunca me sentira como uma pessoa de verdade, porque sempre fui um produto. Amy Exemplar tinha de ser brilhante, criativa, gentil, atenciosa, esperta e feliz. *Só queremos que você seja feliz*. Rand e Marybeth diziam isso o tempo todo, mas nunca explicaram como. Tantas lições, oportunidades e vantagens, e eles nunca me ensinaram como ser feliz. Lembro-me de sempre ficar perplexa com as outras crianças. Eu ia para uma festa de aniversário, via as outras crianças rindo e fazendo caretas, e tentava fazer também, mas não entendia *por quê*. Ficava sentada ali com o elástico do chapéu de aniversário apertando meu queixo, com a cobertura granulada do bolo deixando meus dentes azuis, e tentava entender por que aquilo era divertido.

Com Nick, finalmente entendi. Porque ele era muito divertido. Era como namorar uma lontra marinha. Foi a primeira pessoa naturalmente feliz que conheci do meu nível. Era brilhante, deslumbrante, engraçado, encantador e encantado. As pessoas gostavam dele. As mulheres o adoravam. Eu achava que seríamos a união perfeita: o casal mais feliz do pedaço. Não que o amor seja uma competição. Mas não entendo a razão de estar junto se não for para serem os mais felizes.

Provavelmente fui mais feliz naqueles poucos anos — fingindo ser outra pessoa — do que jamais fui antes ou depois. Não consigo decidir o que isso significa.

Mas aquilo tinha de terminar, porque não era real, não era eu. Não era *eu*, Nick! Achei que você soubesse. Achei que fosse uma brincadeira.

Achei que fosse um jogo implícito de piscadelas, de *não pergunte, não diga*. Tentei muito ser relaxada. Mas era insustentável. E na verdade ele também acabou não conseguindo sustentar o lado dele: as provocações inteligentes, os jogos espertos, o romance, o galanteio. Tudo começou a implodir. Odiei Nick por ficar surpreso quando me tornei eu. Odiei-o por não saber que aquilo tinha de terminar, por realmente acreditar que havia se casado com essa criatura, esse fruto da imaginação de um milhão de homens masturbadores, com dedos cobertos de sêmen. Ele realmente pareceu chocado quando pedi que me *escutasse*. Não conseguiu acreditar que eu não adorava depilar minha boceta com cera e pagar boquete quando solicitado. Que eu me importava, *sim*, quando ele não aparecia para os drinques com meus amigos. Aquela grotesca anotação em diário? *Eu não preciso de patéticas cenas de macacos amestrados para repetir para minhas amigas; fico satisfeita deixando que ele seja ele mesmo.*

Aquilo era pura baboseira de Garota Legal burra. Que estúpida do caralho. Mais uma vez, não entendo: se você deixa um homem desmarcar compromissos ou se recusar a fazer coisas para você, você *perde*. Não consegue o que quer. É evidente. Sim, ele pode ficar feliz, pode dizer que você é *a garota mais legal que já existiu*, mas está dizendo isso porque conseguiu *o que ele queria*. Está chamando você de Garota Legal para enganar você! É o que os homens fazem: tentam dar a impressão de que você é a Garota Legal para que faça as vontades deles. Como um vendedor de automóveis dizendo *Quanto quer pagar por esta belezinha?* quando você ainda não concordou em comprá-la. Aquela frase medonha que os homens usam: "Quer dizer, sei que *você* não se importaria se eu..." *Sim, eu me importo*. Simplesmente diga isso. Não perca, sua imbecil de merda.

Então aquilo tinha de parar. Entregar-me a Nick, me sentir segura com Nick, ser feliz com Nick me fez perceber que havia uma Amy Real ali dentro, e ela era muito melhor, mais interessante, complexa e desafiadora do que a Amy Legal. Mesmo assim, Nick queria a Amy Legal. Você consegue imaginar, finalmente revelar seu verdadeiro eu ao seu cônjuge, à sua alma gêmea, e ele *não gostar de você*? E foi assim que o ódio começou. Pensei muito nisso, e foi quando começou, acho.

NICK DUNNE
SETE DIAS SUMIDA

Dei alguns passos dentro do depósito antes de ter de me apoiar na parede e tomar fôlego.

Eu sabia que seria ruim. Soube assim que decifrei a pista: depósito. Diversão ao meio-dia. Coquetéis. Porque a descrição não era de mim e Amy. Era de mim e Andie. O depósito era apenas um de muitos lugares estranhos em que eu fizera sexo com Andie. Nós éramos limitados em nossos pontos de encontro. Seu prédio movimentado era basicamente proibido. Motéis apareciam nos cartões de crédito, e minha esposa não era nem crédula nem burra. (Andie tinha um MasterCard, mas o extrato ia para a mãe dela. Dói admitir isso.) Então o depósito de madeira, bem lá no fundo, atrás da casa da minha irmã, era muito seguro quando Go estava trabalhando. Assim como a casa abandonada do meu pai. (*Talvez, por ter me trazido a esse lugar, você se sinta culpado / Devo admitir que pareceu um pouco difícil de aceitar / Mas não é como se tivéssemos muita opção / Fazer desse o nosso lugar era uma decisão*) e, algumas vezes, minha sala na faculdade (*Eu me imagino como uma estudante, / Com um professor tão belo e brilhante / Minha mente se abre [para não falar em minhas coxas!]*) e, uma vez, o carro de Andie, estacionado em uma estrada de terra em Hannibal após tê-la levado para uma visita certo dia, uma reencenação muito mais satisfatória de minha excursão banal com Amy (*Você me trouxe aqui para que eu ouvisse sua conversa maneira / Sobre suas aventuras de menino: jeans baratos e viseira*).

Cada pista estava escondida em um lugar onde eu traíra Amy. Ela usara a caça ao tesouro para me levar em uma excursão por todas as minhas infidelidades. Tive um estremecimento de náusea ao imaginar Amy seguindo um eu totalmente alheio em seu carro — à casa de meu pai, à casa da Go, à maldita Hannibal —, observando-me trepar com aquela mocinha doce, os lábios de minha esposa se retorcendo de desgosto e triunfo.

Porque ela sabia que iria me punir. Agora, em nossa última parada, Amy estava pronta para que eu soubesse quão esperta ela era. Porque o depósito estava abarrotado com praticamente todas as tralhas que eu jurara a Boney e Gilpin não ter comprado com os cartões de crédito dos quais jurara não ter conhecimento algum. Os tacos de golfe absurdamente caros estavam ali, os relógios e consoles de jogos, as roupas de marca, tudo ali, esperando, no terreno de minha irmã, onde pareceria que eu os havia estocado até minha esposa estar morta e eu poder me divertir um pouco.

Bati na porta da frente de Go, e quando ela atendeu, fumando um cigarro, eu disse que tinha de mostrar algo a ela, dei meia-volta e a guiei, sem uma palavra, até o depósito.

— Olhe — disse, e a conduzi até a porta aberta.
— Essas... Essas são as coisas dos cartões de crédito?

A voz de Go ficou aguda e perturbada. Colocou a mão na boca e deu um passo para longe de mim, e eu me dei conta de que por apenas um segundo ela achou que eu estivesse fazendo uma confissão.

Nunca seríamos capazes de desfazer aquilo, aquele momento. Só por isso, já odiei minha esposa.

— Amy está me dando um golpe, Go — expliquei. — Go, Amy comprou essas coisas. Ela está me dando um *golpe*.

Ela acordou. Suas pálpebras abriram e fecharam uma, duas vezes, e ela sacudiu levemente a cabeça, como se para se livrar da imagem: Nick como assassino de esposa.

— Amy está me incriminando pelo seu assassinato. Não é? Sua última pista me trouxe para cá, e não, eu não sei *nada* sobre essas coisas. É a grandiosa declaração dela. *Apresentando: Nick Vai Para a Cadeia!*

Uma enorme bolha de ar se formou no fundo da minha garganta — eu ia chorar ou rir. Eu ri.

— Quer dizer, não é isso? Puta merda, não é?

Então corra, ande logo, por favor! E desta vez eu ensinarei uma coisinha ou outra ao meu professor. As últimas palavras da primeira pista de Amy. Como não vi isso?

— Se ela está tentando incriminar você, por que deixar que você saiba?

Go ainda estava olhando fixamente, hipnotizada pelo conteúdo do seu depósito.

— Porque ela fez de forma perfeita. Sempre precisou dessa validação, do elogio, o tempo todo. Quer que eu saiba que estou me fodendo. Não consegue resistir. Não seria divertido para ela de outro modo.

— Não — disse Go, roendo uma unha. — Tem mais alguma coisa. Algo mais. Você tocou em alguma coisa aqui?

— Não.

— Bom. Então a questão passa a ser...

— O que ela acha que farei quando descobrir isto, esta evidência incriminadora, no terreno da minha irmã. Essa é a questão, porque o que quer que ela suponha que eu vá fazer, o que quer que deseja que eu faça, tenho de fazer o oposto. Se ela acha que vou surtar e tentar me livrar de todas essas coisas, garanto a você que ela tem um modo de eu ser flagrado fazendo isso.

— Bem, você não pode deixar isso aqui — disse Go. — Você definitivamente vai ser flagrado assim. Tem certeza de que foi a última pista? Onde está seu presente?

— Ah. Merda. Não. Deve estar em algum lugar lá dentro.

— Não entre aí — ordenou Go.

— Tenho que entrar. Deus sabe o que mais ela tem guardado.

Entrei cuidadosamente no depósito úmido, mantendo as mãos coladas ao lado do corpo, caminhando delicadamente na ponta dos pés para não deixar marcas. Logo depois de uma TV de tela plana, o envelope azul de Amy no alto de uma enorme caixa de presente, embrulhada em seu belo papel prateado. Levei o envelope e a caixa para fora, no ar quente. O objeto dentro do pacote era pesado, uns bons quinze quilos, e partido em diversos pedaços que deslizaram com um chacoalhar estranho quando coloquei a caixa no chão aos nossos pés. Go afastou-se involuntariamente com um passo rápido. Abri o envelope.

Querido marido,

É agora que aproveito o momento para dizer que o conheço melhor do que você jamais poderia imaginar. Sei que algumas vezes você acha que desliza por este mundo sozinho, sem ser visto, sem ser percebido. Mas não acredite nisso nem por um segundo. Eu analisei você. Sei o que vai fazer antes que faça. Sei onde você esteve, e sei para onde está indo. Para este aniversário de casamento, eu organizei uma viagem: siga seu amado rio, para cima, para cima, para cima! E você nem sequer tem de se preocupar em tentar encontrar seu presente. Desta vez o presente virá até você! Então sente-se e relaxe, porque você ACABOU.

— O que há rio acima? — perguntou Go, e então eu dei um gemido.
— Ela está me mandando ir *rio acima*, é uma gíria para cadeia.
— Ela que se foda. Abra a caixa.

Ajoelhei-me e destampei com a ponta dos dedos, como se esperando uma explosão. Silêncio. Espiei dentro. No fundo da caixa havia duas marionetes de madeira, lado a lado. Pareciam marido e mulher. O homem usava uma roupa multicolorida, tinha um sorriso raivoso e segurava uma bengala ou uma vara. Tirei a figura do marido de dentro da caixa, os membros sacudindo de forma animada, um dançarino se alongando. A esposa era mais bonita, mais delicada, e mais rígida. Seu rosto parecia chocado, como se tivesse visto algo alarmante. Abaixo dela havia um bebezinho que podia ser preso a ela por uma fita. As marionetes eram antigas, pesadas e grandes, quase tão grandes quanto bonecos de ventríloquo. Peguei o homem, agarrei o grosso manete em forma de bastão usado para movimentá-lo e seus braços e pernas se contorceram loucamente.

— Bizarro — disse Go. — Pare.

Abaixo deles havia um pedaço de papel-manteiga azul dobrado ao meio. A caligrafia desenhada de Amy, cheia de triângulos e pontos. Dizia:

O começo de uma nova história maravilhosa, Nick! "É assim que se faz!"
Aproveite.

Espalhamos todas as pistas da caça ao tesouro de Amy na mesa da cozinha de nossa mãe, junto com a caixa contendo as marionetes. Ficamos olhando para os objetos como se estivéssemos montando um quebra-cabeça.

— Por que se importar com uma caça ao tesouro se ela estava planejando... o plano dela? — perguntou Go.

O plano dela se tornara redução imediata para *simular seu desaparecimento e incriminar você de ter cometido um assassinato*. Soava menos insano.

— Para me manter distraído, para começar. Fazer com que eu acreditasse que ela ainda me amava. Estou perseguindo as pistinhas dela por toda a cristandade, acreditando que minha esposa quer fazer as pazes, recomeçar nosso casamento...

O estado pensativo e sonhador em que seus bilhetes haviam me deixado me dava náusea. Deixava-me envergonhado. Aquela vergonha até a medula, do tipo que se torna parte do seu DNA, que muda você. Depois de todos aqueles anos, Amy ainda podia me manipular. Podia escrever alguns bilhetes e me reconquistar. Eu era sua pequena marionete presa por fios.

Eu vou encontrar você, Amy. Palavras amorosas, intenções odiosas.

— Para que eu não parasse para pensar: *Ei, parece mesmo que assassinei minha esposa, por que será?*

— E a polícia teria achado estranho, você teria achado estranho, se ela não fizesse a caça ao tesouro, a tradição — raciocinou Go. — Pareceria que ela sabia que ia desaparecer.

— Mas isto me preocupa — disse eu, apontando para as marionetes. — São suficientemente incomuns para que signifiquem algo. Quer dizer, se ela só queria me distrair por algum tempo, o presente final poderia ter sido qualquer coisa de madeira.

Go correu um dedo pela roupa multicolorida do homem.

— Eles são claramente muito antigos. Vintage.

Ela virou as roupas de cabeça para baixo e revelou o manete do homem. A mulher tinha apenas um buraco quadrado na cabeça.

— É para ser sexual? O homem tem este enorme manete de madeira, como um pau. E a mulher não tem o dela. Tem apenas o buraco.

— É uma declaração bastante óbvia: homens têm pênis e mulheres têm vaginas?

Go enfiou um dedo no buraco da marionete mulher, revirou para ter certeza de que não havia nada escondido.

— Então o que Amy está dizendo?

— Assim que eu os vi, pensei: *ela comprou brinquedos de criança*. Mãe, pai, bebê. Porque estava grávida.

— Será que ela está grávida mesmo?

Uma sensação de desespero se lançou sobre mim. Ou na verdade o oposto. Não uma onda chegando, passando por cima de mim, mas o puxão do mar voltando: uma sensação de algo se afastando, e eu junto. Eu não podia mais esperar que minha esposa estivesse grávida, mas também não pude me forçar a esperar que não estivesse.

Go pegou o boneco masculino, apertou o nariz, e então a lâmpada se acendeu.

— Você é uma marionete sendo manipulada.

Eu ri.

— Eu pensei essas mesmas palavras. Mas por que um homem e uma mulher? Amy claramente não é uma marionete, ela é a titereira.

— E o que é: *É assim que se faz*? Que se faz o quê?

— Foder minha vida?

— Isso não é alguma expressão que Amy costumava usar? Ou alguma citação dos livros *Amy*, ou...

Ela foi apressada até o computador e procurou *É assim que se faz*. Apareceu a letra de "That's the Way to Do It", do Madness.

— Ah, eu me lembro deles. Um grupo de *ska* maneiro.

— *Ska* — repeti, me encaminhando para um riso delirante. — Ótimo.

A letra era sobre um faz-tudo que podia fazer muitos tipos de consertos domésticos — incluindo elétrica e encanamentos — e preferia ser pago em dinheiro.

— Deus, como eu odeio os anos oitenta, porra — explodi. — Nenhuma letra fazia sentido.

— "O reflexo é filho único" — disse Go, concordando.

— "Ele está esperando no parque" — murmurei de volta automaticamente.

— Então, se é isso mesmo, o que significa? — perguntou Go se virando para mim, analisando meu olhar. — É uma música sobre um faz-tudo. Alguém que poderia ter acesso à sua casa, para consertar coisas. Ou para *instalar* coisas. Que seria pago em dinheiro, portanto não haveria registros.

— Alguém que instalou câmeras de vídeo? — perguntei. — Amy saiu da cidade algumas vezes durante o... o caso. Talvez tenha pensado em nos flagrar em vídeo.

Go olhou para mim com uma expressão interrogativa.

— Não, nunca, nunca em nossa casa — respondi à pergunta em seus olhos.

— Poderia ser uma porta secreta? — sugeriu Go. — Algum falso painel secreto que Amy colocou e onde escondeu algo que irá... Não sei, inocentar você?

— Acho que é isso. Sim, Amy está usando uma canção do Madness para me dar uma pista para minha própria liberdade, se eu pelo menos conseguir decifrar seus códigos maliciosos mergulhados em *ska*.

Então Go também riu.

— Jesus Cristo, talvez sejamos nós os malucos. Quer dizer, nós somos? Isso não é totalmente insano?

— Não é insano. Ela armou para mim. Não há outra forma de explicar o *armazém* de coisas no *seu* quintal. E é a cara de Amy arrastar você para dentro disso, contaminar você um pouco com minha sujeira. Não, isso é Amy. O presente, o maldito bilhete frívolo e malicioso que eu deveria entender. Não, e tem de dizer respeito às marionetes. Tente a citação com a palavra *marionetes*.

Desabei no sofá, meu corpo latejando, insensível. Go interpretou a secretária.

— Ai, meu Deus. Dã! São bonecos de Punch e Judy. Nick! Somos idiotas. Aquela citação é a marca registrada de Punch. *É assim que se faz!*

— Certo, o velho espetáculo de marionetes; é muito violento, não é? — perguntei.

— Isso é uma loucura.

— Go, é violento, não é?

— É. Violento. Deus, ela é totalmente maluca.

— Ele bate nela, certo?

— Estou lendo... certo. Punch mata o bebê deles — diz, erguendo os olhos para mim. — Depois, quando Judy o confronta, ele a espanca. Até a morte.

Minha garganta se enche de saliva.

— E cada vez que ele faz algo medonho e sai impune, ele fala: "É assim que se faz" — diz ela, agarrando Punch e o colocando no colo, seus dedos agarrando as mãos de madeira como se segurasse um bebê. — Ele é descontraído, mesmo enquanto assassina a esposa e o filho.

Olhei para as marionetes.

— Então ela está me dando a narrativa de minha incriminação.

— Eu não consigo nem assimilar isso. *Psicopata* desgraçada.

— Go?

— É, certo: você não queria que ela estivesse grávida, ficou com raiva e matou ela e o bebê ainda na barriga.

— Parece meio que um anticlímax — concluí.

— O clímax é quando você aprende a lição que Punch nunca aprende, é apanhado e acusado de assassinato.

— E há pena de morte no Missouri — refleti. — Jogo divertido, esse.

AMY ELLIOTT DUNNE
O DIA DO

Sabe como descobri? Eu os *vi*. Meu marido é idiota a esse ponto. Certa noite de neve em abril, eu me senti muito só. Estava tomando amaretto quente com Bleecker e lendo, deitada no chão enquanto a neve caía, escutando velhos discos arranhados, como Nick e eu costumávamos fazer (essa anotação foi verdade). Tive um surto de alegria romântica: vou surpreendê-lo n'O Bar, vamos tomar uns drinques e vagar pelas ruas vazias juntos, mãos enluvadas uma na outra. Vamos caminhar pelo centro silencioso da cidade, ele vai me apertar contra um muro e me beijar sob uma neve que parecerá nuvens de açúcar. Isso mesmo, eu o queria de volta de tal forma que estava disposta a recriar aquele momento. Estava disposta a fingir ser outra pessoa mais uma vez. Lembro-me de pensar: *Ainda podemos encontrar um jeito de fazer dar certo. Fé!* Eu o segui até o Missouri porque ainda acreditava que, de algum modo, ele iria me amar novamente, me amar daquele jeito intenso e espesso de antes, o jeito que tornava tudo bom. Fé!

Cheguei lá bem a tempo de vê-lo saindo com ela. Eu estava no maldito estacionamento, seis metros atrás dele, e ele nem sequer me notou, eu era um fantasma. Ele não estava tocando nela, ainda não, mas eu sabia. Sabia porque ele estava muito *consciente* dela. Eu os segui, e de repente ele a apertou contra uma árvore — *no meio da cidade* — e a beijou. *Nick está me traindo*, pensei estupidamente, e antes que pudesse me obrigar a dizer algo, eles estavam subindo para o apartamento dela. Esperei por uma hora, sentada no degrau da porta, então ficou frio demais — unhas azuis, dentes batendo — e fui para casa. Ele nunca soube que eu sabia.

Eu tinha uma nova persona, que eu não escolhera. Eu era a Mulher Idiota Comum Casada com o Homem Escroto Comum. De um golpe, ele tirara o que havia de exemplar na Amy Exemplar.

Conheço mulheres cujas personas inteiras são criadas a partir de uma mediocridade benigna. Suas vidas são uma lista de deficiências: o namorado que não as aprecia, os cinco quilos a mais, o patrão indiferente, a irmã mau-caráter, o marido desgarrado. Sempre pairei acima de suas histórias, concordando com um gesto de cabeça solidariamente e pensando em como essas mulheres são tolas de deixar que essas coisas aconteçam, como são indisciplinadas. E agora ser uma delas! Uma das mulheres com histórias intermináveis que fazem as pessoas concordarem com um gesto de cabeça solidariamente e pensar: *pobre piranha burra.*

Eu podia ouvir a narrativa, como todos iriam adorar contar: como a Amy Exemplar, a garota que nunca fazia nada errado, permitiu ser arrastada, sem um centavo, para o meio do país, onde seu marido a trocou por uma mulher mais nova. Quão previsível, quão perfeitamente comum, quão engraçado. E o marido? Acabou mais feliz que nunca. Não. Não podia permitir isso. Não. Nunca. Nunca. Ele não vai fazer isso comigo e ainda vencer, cacete. Não.

Eu mudei *meu nome* por aquele merda. Registros históricos foram *alterados* — de Amy Elliott para Amy Dunne —, como se não fosse nada. Não, ele *não* vai vencer.

Então comecei a pensar em uma história diferente, uma história melhor, que destruiria Nick por fazer isso comigo. Uma história que restabeleceria minha perfeição. Faria de mim a heroína impecável e adorada.

Porque todo mundo adora a Garota Morta.

É bastante radical incriminar seu marido pelo seu assassinato. Quero que você saiba que sei disso. Todos os que fazem "tsc, tsc" vão dizer: *Ela devia simplesmente ter ido embora, juntado o que restava de sua dignidade. Sair por cima! Dois erros não produzem um acerto!* Todas essas coisas que mulheres frouxas dizem, confundindo suas fraquezas com moralidade.

Não vou me divorciar dele porque é exatamente o que ele gostaria que eu fizesse. E não vou perdoá-lo porque não gosto de *oferecer a outra face*. Posso deixar mais claro? Não vou achar isso um final satisfatório. O vilão vence? Ele que se foda.

Por mais de um ano eu senti o cheiro da boceta dela nos dedos dele quando ele se deitava na cama ao meu lado. Eu o observei se admirando no espelho, se arrumando como um babuíno excitado para os encontros dos dois. Escutei suas mentiras, mentiras, mentiras — de mentirinhas simplistas de criança até elaboradas invenções delirantes. Senti gosto de caramelo em seus lábios de beijos secos, um sabor persistente que nunca estivera lá antes. Toquei em suas bochechas a barba por fazer de que ele sabe que não gosto, mas aparentemente ela sim. Sofri a traição com todos os cinco sentidos. Por mais de um ano.

Então talvez tenha ficado um pouco louca. Sei que implicar seu marido em seu assassinato é além dos limites do que uma mulher comum faria.

Mas é tão *necessário*. Nick precisa aprender uma lição. Ele *nunca* aprendeu uma lição! Ele desliza pela vida com aquele seu sorriso de Nicky, o encantador, sua posição de filho querido, suas mentiras e irresponsabilidades, suas deficiências e seu egoísmo, e ninguém cobra *nada* dele. Acho que essa experiência o tornará uma pessoa melhor. Ou, pelo menos, uma pessoa mais arrependida. Babaca.

Sempre achei que eu poderia cometer o assassinato perfeito. As pessoas que são pegas são pegas porque não têm paciência; elas se recusam a planejar. Sorrio novamente enquanto engreno a quinta marcha em meu carro de fuga vagabundo (Carthage agora está a cento e vinte e cinco quilômetros na poeira) e me preparo para um caminhão em alta velocidade — o carro parece pronto para decolar sempre que um caminhão passa. Mas sorrio, porque este carro mostra como sou inteligente: comprado por mil e duzentos dólares em dinheiro a partir de um anúncio no Craigslist, cinco meses atrás, de modo que a lembrança não estará fresca na cabeça de ninguém. Um Ford Festiva 1992, o menor e mais esquecível carro do mundo. Encontrei os vendedores à noite, no estacionamento de um Walmart em Jonesboro, Arkansas. Peguei o trem com um bolo de dinheiro na bolsa — oito horas para ir e oito horas para voltar, enquanto Nick estava em uma viagem com os rapazes. (E com *viagem com os rapazes* eu quero dizer *trepando com a piranha*.) Comi no vagão-restaurante do trem um punhado de alface com tomates-cereja que o cardápio descrevia como salada. Estava sentada junto a um fazendeiro melancólico voltando para casa após visitar a netinha pela primeira vez.

O casal que vendeu o Ford parecia tão interessado em discrição quanto eu. A mulher permaneceu no carro o tempo todo, um bebê de chupeta no colo, observando enquanto dinheiro por chaves eram trocados entre mim e seu marido. (Essa é a gramática certa, sabe: entre mim e seu marido.) Então ela saiu e eu entrei. Rápido assim. Vi pelo retrovisor o casal entrando no Walmart com o dinheiro. Tenho estacionado o carro em vagas alugadas em St. Louis. Vou até lá duas vezes por mês e estaciono em algum lugar novo. Pago em dinheiro. Uso um boné de beisebol. Simples assim.

Então, esse é apenas um exemplo. De paciência, planejamento e engenhosidade. Estou satisfeita comigo mesma; tenho mais três horas antes de chegar ao meio do planalto de Ozarks, Missouri, e a meu destino, um pequeno arquipélago de chalés na floresta que aceita pagamento em dinheiro para aluguel semanal e tem TV a cabo, uma necessidade; planejo me esconder lá durante a primeira semana, ou as duas primeiras; não quero estar na estrada quando a notícia correr, e é o último lugar onde Nick achará que eu estou escondida quando se der conta de que estou me escondendo.

Este trecho da rodovia é particularmente feio. Flagelo do meio dos Estados Unidos. Após mais trinta e dois quilômetros vejo, na rampa de saída, os restos de um posto de gasolina solitário, vazio mas não trancado, e quando encosto o carro vejo a porta do banheiro feminino escancarada. Entro — nada de eletricidade, mas há um espelho metálico torto, e a água ainda corre. À luz do sol da tarde e no calor de sauna, tiro da minha bolsa tesouras de metal e tintura para cabelo na cor castanho. Corto volumosos pedaços do meu cabelo. Todo o louro vai para um saco plástico. O ar bate na minha nuca, e minha cabeça parece leve, como um balão — eu a giro algumas vezes para desfrutar. Passo a tinta, confiro o relógio e espero no umbral, fitando quilômetros de planície salpicada de lanchonetes e redes de motéis. Quase dá para ouvir um índio chorando. (Nick odiaria essa piada. Derivativa! E depois acrescentaria: "embora a palavra *derivativa* como crítica seja em si derivativa." Tenho de tirá-lo de minha cabeça — ele ainda atrapalha minhas falas a cento e sessenta quilômetros de distância.) Lavo o cabelo na pia, a água quente me fazendo suar, e depois volto ao carro com o saco de cabelos e o lixo. Coloco um par de óculos fora de moda com armação de metal, olho no retrovisor e sorrio novamente. Nick e eu nunca teríamos nos casado se eu tivesse essa aparência quando nos conhecemos. Tudo isso poderia ter sido evitado se eu fosse menos bonita.

Item 34: Mudar aparência. Confere.

Não sei muito bem como ser Amy Morta. Estou tentando descobrir o que isso significa para mim, quem devo me tornar nos próximos meses. Qualquer pessoa, imagino, exceto pessoas que já fui: Amy Exemplar.

Patricinha Rica dos Anos Oitenta. Natureba Jogadora de Frisbee, Ingênua Ruborizada, Perspicaz Sofisticada Estilo Hepburn. Garota Irônica Inteligente e Gata Ecológica (a versão mais recente de Natureba Frisbee). Garota Legal, Esposa Amada, Esposa Não Amada, Esposa Desprezada Vingativa. Amy do Diário.

Espero que você tenha gostado da Amy do Diário. A intenção era que ela fosse amável. Que alguém como você gostasse dela. É *fácil* gostar dela. Nunca entendi por que isso é considerado um elogio — que qualquer um possa gostar de você. Não importa. Achei que as anotações ficaram boas, e não foi fácil. Tive de sustentar uma persona afável, embora um tanto ingênua, uma mulher que amava seu marido e podia ver algumas de suas falhas (do contrário seria uma besta), mas era sinceramente devotada a ele — o tempo todo levando o leitor (neste caso, os policiais, estou muito ansiosa para que o encontrem) à conclusão de que Nick de fato planejava me matar. Tantas pistas para desvendar, tantas surpresas pela frente!

Nick sempre debochou de minhas listas intermináveis. ("É como se você garantisse que nunca está satisfeita, que sempre há algo mais a ser aperfeiçoado, em vez de simplesmente aproveitar o momento.") Mas quem vence, aqui? Eu venço, porque minha lista, a lista mestra intitulada *Foder Nick Dunne*, era rigorosa — a mais completa e meticulosa lista que já foi concebida. Nela havia *Escrever anotações de diário de 2005 a 2012*. Sete anos de anotações em diário, não todo dia, mas pelo menos duas vezes por mês. Sabe quanta disciplina isso demanda? A Amy Garota Legal seria capaz disso? Pesquisar os acontecimentos de cada semana, checar com minhas velhas agendas para ter certeza de que não esqueci nada importante, depois reconstruir como a Amy do Diário iria reagir a cada acontecimento? Foi divertido, na maior parte do tempo. Eu esperava que Nick fosse para O Bar, ou saísse para encontrar a amante, a amante das mensagens de texto constantes, dos chicletes, das unhas de acrílico e das malhas de ginástica com logotipos na bunda (ela não é exatamente assim, mas poderia muito bem ser), e eu fazia café ou abria uma garrafa de vinho, pegava uma de minhas trinta e duas canetas diferentes e reescrevia um pouco minha vida.

É verdade que em certos momentos odiei menos Nick enquanto fazia isso. Uma frívola perspectiva de Garota Legal causa isso. Algumas vezes Nick voltava para casa, fedendo a cerveja ou ao desinfetante que usava para limpar o corpo pós-coito-com-amante (embora nunca eliminasse totalmente o fedor — ela deve ter uma boceta fétida), e sorria culpado para mim, ficava todo doce e tristonho comigo, e eu quase pensava: *Não vou continuar com isso*. E então o imaginava com ela, pensava na calcinha fio dental de stripper dela, deixando que ele a degradasse porque ela estava fingindo ser a Garota Legal, fingindo adorar boquetes e futebol e ficar completamente *bêbada*. E eu pensava: *Sou casada com um imbecil. Sou casada com um homem que sempre irá escolher isso, e quando ele se cansar dessa vagabunda burra, simplesmente encontrará outra garota que finge ser essa garota, e ele nunca terá de fazer algo difícil na vida.*

Determinação fortalecida.

Cento e cinquenta e duas anotações no total, e acho que nunca perdi o tom. Eu a escrevi com muito cuidado, a Amy do Diário. Ela é concebida para conquistar os policiais, conquistar o público caso trechos sejam divulgados. Eles precisam ler esse diário como se fosse uma espécie de tragédia gótica. Uma mulher maravilhosa, de bom coração — *com toda a vida pela frente, tudo a seu favor*, o que quer que digam mais sobre mulheres que morrem —, escolhe o parceiro errado e *paga um grande preço*. Eles têm de gostar de mim. Dela.

Meus pais estão preocupados, claro, mas como posso sentir pena deles, já que me fizeram ser assim e depois me abandonaram? Eles nunca, jamais compreenderam plenamente o fato de que estavam ganhando dinheiro com minha existência, que eu deveria estar recebendo direitos autorais. E então, após terem tomado *meu* dinheiro, meus pais "feministas" deixaram que Nick me empacotasse e levasse para o Missouri como se eu fosse uma espécie de bem móvel, uma noiva por encomenda, uma troca de propriedade. Presentearam-me com uma porra de um cuco para me lembrar deles. *Obrigado por trinta e seis anos de serviços prestados!* Eles merecem achar que estou morta, porque esse é praticamente o estado ao qual me condenaram: sem dinheiro, sem casa, sem amigos. Também merecem sofrer. Se vocês não conseguem cuidar de mim enquanto estou viva, já me deixaram morta. Exatamente como Nick, que destruiu e rejeitou meu verdadeiro eu pedacinho por pedacinho — *você é séria demais, Amy, você é tensa demais, Amy, você pensa demais nas coisas, você analisa demais, você não é mais divertida, você me faz sentir inútil, Amy, faz com que me sinta mal, Amy*. Ele arrancou fatias de mim com golpes entediados: minha independência, meu orgulho, minha autoestima. Eu dei, e ele tirou sem parar. Ele tirou minha existência, como se eu fosse sua própria Árvore Generosa.

Aquela piranha, ele escolheu aquela piranhazinha em vez de mim. Ele matou minha alma, algo que deveria ser um crime. Na verdade é um crime. Na minha opinião, pelo menos.

NICK DUNNE
SETE DIAS SUMIDA

Tive de ligar para Tanner, meu advogado novo em folha, apenas poucas horas após tê-lo contratado, e dizer as palavras que fariam com que ele se arrependesse de ter aceitado meu dinheiro: *acho que minha esposa está me dando um golpe.* Não podia ver o rosto dele, mas podia imaginar — o revirar de olhos, a careta, o cansaço de um homem que ganha a vida ouvindo nada além de mentiras.

— Bem — disse ele finalmente após uma pausa de espanto —, estarei aí amanhã cedo, e resolveremos isso; tudo na mesa; enquanto isso, não faça nada, certo? Vá dormir e não faça nada.

Go seguiu o conselho dele; tomou dois soníferos e me deixou pouco antes das onze horas, enquanto eu não fazia nada, uma bola de raiva em seu sofá. De tempos em tempos eu saía e olhava fixamente para o depósito, as mãos nos quadris, como se ele fosse um predador que eu pudesse assustar. Não sei muito bem o que eu achava que estava conseguindo com isso, mas não podia evitar. Só era capaz de ficar sentado por no máximo cinco minutos antes de ter que sair outra vez e olhar para fora.

Eu acabara de entrar de novo quando uma batida sacudiu a porta dos fundos. Puta merda. Ainda não era meia-noite. Policiais chegariam pela frente — certo? — e repórteres ainda não haviam cercado a casa de Go (isso mudaria em questão de dias, horas). Eu estava em pé, irritado, indeciso, na sala, quando as batidas soaram novamente, mais altas, e eu xinguei em voz baixa, tentei ficar com raiva em vez de com medo. *Lide com isso, Dunne.*

Escancarei a porta. Era Andie. A maldita Andie. Bonita como uma pintura, arrumada para a ocasião, ainda não sacando que iria colocar meu pescoço no laço.

— Bem no laço, Andie — disse, puxando-a para dentro, e ela olhou para minha mão no seu braço. — Você vai colocar meu pescoço no maldito laço.

— Eu vim pela porta dos fundos — falou.

Quando a olhei, ela não se desculpou, ficou rígida. Eu pude ver seus traços endurecendo.

— Eu precisava ver você, Nick. Eu disse. Disse que tinha de ver ou falar com você todo dia, e hoje você desapareceu. Caindo direto na caixa postal, direto na caixa postal, direto na caixa postal.

— Se você não soube de mim é porque eu não podia falar, Andie. Caramba, eu estava em Nova York, arrumando um advogado. Ele estará aqui amanhã cedo.

— Você arrumou um advogado. Foi isso que o manteve tão ocupado que não pôde ligar para mim por dez segundos?

Eu quis socá-la. Respirei fundo. Eu devia terminar com Andie. Não era apenas o alerta de Tanner que tinha em mente. Minha esposa me conhecia: sabia que eu faria quase qualquer coisa para evitar um confronto. Amy dependia de que eu fosse burro, sustentasse a relação, e fosse finalmente pego. Eu tinha de dar um fim naquilo. Mas precisava fazer isso do modo perfeito. *Faça com que ela acredite que essa era a coisa correta a se fazer.*

— Ele meu deu alguns conselhos importantes, na verdade — comecei. — Conselhos que não posso ignorar.

Eu fora tão doce e carinhoso na noite passada, em meu encontro obrigatório em nosso forte de mentira. Fizera tantas promessas, tentando acalmá-la. Ela não estaria esperando por isso. Não iria receber isso bem.

— Conselhos? Que bom. É para parar de ser tão babaca comigo?

Senti a raiva subindo; aquilo já estava se tornando uma briga de ensino médio. Um homem de trinta e quatro anos no meio da pior noite de sua vida, e eu estava tendo uma discussão do tipo *encontre comigo perto dos armários* com uma garota furiosa. Eu a sacudi uma vez, com força, uma pequena gota de saliva pousando em seu lábio inferior.

— Eu... Você não está entendendo, Andie. Isso não é uma brincadeira qualquer, é a minha vida.

— Eu só... Eu preciso de você — disse ela, baixando os olhos para as mãos. — Sei que não paro de falar isso, mas preciso. Eu não consigo,

Nick. Não posso continuar assim. Estou desmoronando. Sinto medo o tempo todo.

Ela estava com medo. Imaginei a polícia batendo na porta, e eu ali com a garota com quem estava trepando na manhã em que minha esposa desapareceu. Eu a procurara naquele dia — não tinha voltado ao apartamento dela desde a primeira noite, mas fui direto para lá naquela manhã, porque passara horas com meu coração batendo atrás de minhas orelhas, tentando me obrigar a dizer as palavras a Amy: *Quero o divórcio. Estou apaixonado por outra pessoa. Nós temos que terminar. Não posso fingir que amo você, não posso fazer o lance do aniversário de casamento — na verdade seria mais errado do que ter traído você.* (Eu sei: questionável.) Mas enquanto eu reunia coragem, Amy se antecipou com o discurso de que ainda me amava (piranha mentirosa!), e perdi a coragem. Eu me senti o pior dos traidores e covardes, e — ardil-22 — ansiei por Andie para que ela me fizesse sentir melhor.

Mas Andie não era mais o antídoto para meu nervosismo. Era exatamente o contrário.

A garota estava se enrolando em mim mesmo naquele momento, alheia a tudo, como uma trepadeira.

— Olha, Andie — comecei, soltando o ar, não deixando que ela se sentasse, mantendo-a perto da porta. — Você é uma pessoa muito especial para mim. Você tem lidado com isso impressionantemente bem.

Faça com que ela queira mantê-lo em segurança.

— É que... — falou ela, a voz fraca. — Eu lamento muito por Amy. O que é maluquice. Sei que não tenho sequer o direito de ficar triste por ela, ou preocupada. E além dessa tristeza, eu me sinto tão culpada...

Ela apoiou a cabeça no meu peito. Eu recuei, segurei-a a um braço de distância para que tivesse de olhar para mim.

— Bem, essa é uma coisa que acho que podemos resolver. Acho que temos de resolver — afirmei, usando as palavras exatas de Tanner.

— Temos de contar à polícia — disse ela. — Eu sou seu álibi para aquela manhã, vamos simplesmente contar a eles.

— Você é meu álibi para uma hora naquela manhã. Ninguém viu ou ouviu Amy depois de onze horas da noite anterior. A polícia pode dizer que eu a matei antes de me encontrar com você.

— Isso é revoltante.

Dei de ombros. Pensei, por um segundo, em contar a ela sobre Amy — *minha esposa está me dando um golpe* —, e rapidamente descartei a ideia. Andie não sabia jogar no nível de Amy. Ela iria querer ser minha colega de time, e me arrastaria para baixo. Andie seria um problema dali em diante. Coloquei as mãos nos braços dela novamente e reiniciei meu discurso.

— Olha, Andie, estamos os dois sob um volume impressionante de estresse e pressão, e muito disso é fruto de nosso sentimento de culpa. Andie, a questão é que somos pessoas boas. Fomos atraídos um para o outro, acho, porque ambos temos valores semelhantes. De tratar as pessoas bem, de fazer a coisa certa. E neste momento nós sabemos que o que estamos fazendo é errado.

Sua expressão dolorida e esperançosa mudou — os olhos molhados, o toque carinhoso desapareceram: um estranho tremor, uma cortina que se fecha, algo escurecido em seu rosto.

— Precisamos acabar com isso, Andie. Acho que ambos sabemos. É muito difícil, mas é o correto. Acho que é o conselho que daríamos a nós mesmos se conseguíssemos pensar direito. Por mais que eu ame você, ainda sou casado com Amy. Tenho de fazer a coisa certa.

— E se ela for encontrada?

Ela não disse *viva ou morta*.

— É algo que poderemos discutir então.

— Então! E até então, o quê?

Dei de ombros, desamparado: *até então, nada.*

— O quê, Nick? Eu me fodo até então?

— Que jeito feio de colocar as coisas.

— Mas é o que você quer dizer — disse ela, com um sorrisinho.

— Lamento, Andie. Não acho que seja certo para mim ficar com você neste momento. É perigoso para você, é perigoso para mim. Minha consciência não está deixando. É como eu sinto.

— É? Você sabe como *eu* me sinto? — Seus olhos se encheram de água, lágrimas correndo por suas bochechas. — Eu me sinto como uma universitária idiota que você começou a comer porque estava entediado com sua esposa e eu tornei tudo extremamente conveniente para você. Você podia ir para casa e para Amy, jantar com ela, brincar no bar que comprou com o dinheiro dela, e depois se encontrar comigo na casa de seu pai moribundo e tocar uma punheta nos meus peitos porque, coitadinho, sua esposa malvada nunca deixaria você fazer isso.

— Andie, você sabe que isso não é...

— Você é um merda. Que tipo de homem você é?

— Andie, por favor. — *Contenha isso, Nick.* — Acho que porque você não pôde falar sobre isso até agora, ficou tudo um pouco exagerado em sua cabeça, um pouco...

— Vá se foder. Você acha que eu sou uma criança idiota, uma estudante patética que você pode *controlar*? Eu fiquei ao seu lado no meio de tudo isso, com esse papo de você poder ser um *assassino*, e quando fica um pouco mais difícil para você... Não, *não*. Não venha me falar sobre consciência, correção, culpa e achar que está fazendo a coisa certa. Está me entendendo? Porque você é um *merda* traidor, covarde e egoísta.

Ela me deu as costas, soluçando, engolindo grandes volumes de ar úmido, e soltando gemidos, e eu tentei detê-la, agarrei-a pelo braço.

— Andie, não é assim que eu quero...

— Tire as mãos de mim! Tire as mãos de mim!

Ela foi na direção da porta dos fundos, e eu podia ver o que ia acontecer, o ódio e o constrangimento emanando dela como calor, sabia que ela iria abrir uma garrafa de vinho, ou duas, e então iria contar a uma amiga, ou à mãe, e aquilo iria se espalhar como uma infecção.

Eu me coloquei na frente dela, bloqueando seu caminho para a porta — *Andie, por favor* —, ela ergueu o braço para me dar um tapa, e eu agarrei seu braço, só para me defender. Nossos braços se moveram juntos para cima e para baixo, para cima e para baixo, como dançarinos loucos.

— Solte meu braço, Nick, ou eu juro...

— Fique só um minuto. Apenas me escute.

— Me solte!

Ela levou o rosto na direção do meu como se fosse me beijar. Ela me mordeu. Eu recuei e ela passou em disparada pela porta.

AMY ELLIOTT DUNNE
CINCO DIAS SUMIDA

Você pode me chamar de Amy de Ozarks. Estou escondida em um conjunto de chalés baratos, sentada em silêncio, observando todas as alavancas e trancas que eu preparei fazendo o trabalho delas.

Eu me livrei de Nick, e no entanto penso nele mais do que nunca. Ontem à noite, às dez e quatro, meu celular descartável tocou. (Isso mesmo, Nick, você não é o único que conhece o velho truque do "celular secreto".) Era a companhia do alarme. Não atendi, claro, mas agora sei que Nick chegou até a casa do pai. Pista três. Troquei a senha duas semanas antes de desaparecer e coloquei meu celular secreto como o primeiro número a chamar. Posso imaginar Nick, com minha pista na mão, entrando na casa empoeirada e embolorada do pai, se atrapalhando com a senha do alarme... e então o tempo acaba. Bip, bip, biiiiip! O celular dele está na lista como segunda opção para o caso de eu não poder ser encontrada (e eu obviamente não posso).

Então ele disparou o alarme, falou com alguém na empresa de segurança, e agora há registros de que ele esteve na casa do pai após meu desaparecimento. O que é bom para o plano. Não é à prova de falhas, mas não precisa ser à prova de falhas. Eu já deixei o suficiente para que a polícia monte um caso contra Nick: a cena forjada, o sangue lavado, as faturas de cartão de crédito. Tudo isso será encontrado mesmo pelo mais incompetente dos departamentos de polícia. Noelle logo irá espalhar a notícia da minha gravidez (se é que já não o fez). É suficiente, especialmente depois que a polícia descobrir Andie, a Capaz (capaz de chupar um pau quando ordenada). Então todos esses elementos extras são apenas um vá se foder de brinde. Armadilhas divertidas. Adoro ser uma mulher com armadilhas.

Ellen Abbott também é parte do meu plano. O maior programa policial da TV a cabo em todo o país. Eu venero Ellen Abbott, adoro como ela fica protetora e maternal com todas as mulheres desaparecidas em seu programa, e como parece um cão raivoso quando escolhe um suspeito, geralmente o marido. Ela é a voz da moralidade feminina nos Estados Unidos. E é por isso que eu gostaria muito que ela se interessasse pela minha história. O público precisa se voltar contra Nick. Isso faz parte de sua punição tanto quanto a prisão, o queridinho Nicky — que passa tanto tempo se preocupando com que as pessoas gostem dele — saber que é universalmente odiado. E eu preciso de Ellen para me manter atualizada sobre a investigação. A polícia já encontrou o diário? Sabe sobre Andie? Descobriram o seguro de vida aumentado? Essa é a parte mais difícil: esperar que pessoas burras descubram as coisas.

Ligo a TV em meu quartinho a cada hora, ansiosa para descobrir se Ellen pegou minha história. Ela tem de pegar, não vejo como poderia resistir. Sou bonita, Nick é bonito, e eu tenho o gancho da *Amy Exemplar*. Ela aparece pouco antes do meio-dia, prometendo uma matéria especial. Eu fico ligada, olhando fixamente para a TV. Rápido, Ellen. Ou: Rápido, *Ellen*. Temos isso em comum: somos ao mesmo tempo pessoas e entidades. Amy e *Amy*, Ellen e *Ellen*.

Comercial de absorvente interno, comercial de sabão em pó, comercial de absorvente externo, comercial de limpa-vidros. Dá a impressão de que as únicas coisas que as mulheres fazem são limpar e sangrar.

E então, finalmente! Aí estou eu! Minha estreia!

No segundo em que Ellen aparece, brilhando como Elvis, eu sei que vai ser bom. Algumas lindas fotos minhas, um instantâneo de Nick com seu sorriso insano de *me amem!* na primeira coletiva. Notícia: houve uma busca inútil em vários lugares pela "linda jovem com tudo a seu favor". Notícia: Nick já se fodeu. Tirando fotos indiscretas com uma mulher da cidade durante uma busca por mim. Claramente foi isso que atraiu Ellen, porque ela está *puta*. Lá está ele, Nick em seu modo fofinho, o modo *todas as mulheres me amam*, seu rosto colado ao da desconhecida, como se fossem colegas de happy hour.

Que idiota. Adorei.

Ellen Abbott está explorando ao máximo o fato de que nosso quintal leva diretamente ao rio Mississippi. Pergunto-me então se já vazou — o histórico de busca no computador de Nick, que eu garanti que incluísse um estudo sobre as oclusas e represas do Mississippi, bem como uma busca no Google pelas palavras *corpo flutuar rio Mississippi*. Sem querer ser grosseira. Poderia acontecer — possivelmente, improvavelmente, mas há um precedente — de o rio carregar meu corpo até o oceano. Cheguei a ficar triste por mim mesma, imaginando meu corpo magro, nu e pálido boiando sob a corrente, uma colônia de lesmas grudada a uma perna nua, meus cabelos se espalhando como algas até eu chegar ao oceano e mergulhar mais e mais até o fundo, minha pele encharcada descascando em camadas macias, eu desaparecendo lentamente na corrente como uma aquarela, até restarem apenas os ossos.

Mas sou uma romântica. Na vida real, se Nick tivesse me matado, acho que apenas teria rolado meu corpo para dentro de um saco de lixo e me levado até um dos aterros sanitários em um raio de cem quilômetros. Apenas me jogado fora. Ele teria levado alguns objetos com ele — a torradeira quebrada que não valia a pena consertar, uma pilha de fitas VHS da qual estivera querendo se livrar — para tornar a viagem eficiente.

Eu mesma estou aprendendo a viver com muita eficiência. Uma garota tem que organizar seu orçamento quando está morta. Tive tempo de planejar, de acumular um dinheiro: eu me dei bons doze meses entre decidir desaparecer e desaparecer propriamente. Por isso a maioria das pessoas é pega quando cometem assassinatos: elas não têm a disciplina de esperar. Estou com dez mil e duzentos dólares em dinheiro. Se tivesse sacado dez mil e duzentos dólares em um mês, isso seria percebido. Mas saquei dinheiro com cartões de crédito que fiz no nome de Nick — os cartões que o farão parecer um traidorzinho ganancioso — e drenei outros quatro mil e quatrocentos de nossas contas bancárias ao longo dos meses: retiradas de duzentos ou trezentos dólares, nada que chamasse atenção. Roubei dos bolsos de Nick, vinte dólares aqui, dez ali, uma acumulação lenta e deliberada — como naquele projeto de orçamento em que você coloca o dinheiro que gastaria toda manhã na Starbucks em um pote e no final do ano tem mil e quinhentos dólares. E eu sempre roubava do pote de gorjetas quando ia para O Bar. Tenho certeza de que Nick culpava Go, e Go culpava Nick, e nenhum dos dois dizia nada porque tinham muita pena um do outro.

Mas a questão é que sou cuidadosa com dinheiro. Tenho o suficiente para viver até me matar. Vou ficar escondida tempo suficiente para ver Lance Nicholas Dunne virar um pária internacional, para assistir a Nick ser preso, julgado, levado para a prisão, perplexo em um macacão laranja e de algemas. Para ver Nick se contorcer, suar e jurar que é inocente, e ainda assim dançar. E então viajarei para o Sul seguindo o rio, onde me encontrarei com meu corpo, meu falso corpo flutuante da Outra Amy no golfo do México. Farei inscrição em uma viagem de barco, algo que me leve até o meio do oceano mas não exija identificação. Tomarei uma coqueteleira gigante de gim gelado, engolirei remédios para dormir e, quando ninguém estiver olhando, me jogarei silenciosamente pela lateral, meus bolsos cheios de pedras estilo Virginia Woolf. Se afogar é algo que exige disciplina, mas tenho disciplina aos montes. Talvez meu corpo nunca seja encontrado, ou talvez volte à superfície semanas, meses depois — corroído a ponto de que a data da minha morte não possa ser confirmada —, e fornecerei a última prova para garantir que Nick seja levado para a cruz, a mesa da prisão onde será enchido de veneno e morrerá.

Gostaria de ficar por aqui para vê-lo morto, mas, considerando o estado do nosso sistema judicial, isso pode levar anos, e não tenho nem o dinheiro nem a disposição. Estou pronta para me juntar às Esperanças.

Eu já fugi um pouco do meu orçamento. Gastei uns quinhentos dólares em coisas para melhorar meu chalé — bons lençóis, uma luminária decente, toalhas que não ficam de pé sozinhas após anos de alvejante. Mas tento aceitar o que me é oferecido. Há um homem a alguns chalés, um sujeito taciturno, um Grizzly Adams hippie do tipo granola feita em casa — barba cheia, anéis de turquesa e um violão que ele toca no cais dos fundos algumas noites. Diz que seu nome é Jeff, assim como eu digo que meu nome é Lydia. Apenas trocamos sorrisos breves, mas ele traz peixe para mim. Já me trouxe peixe duas vezes, fedendo mas sem escamas e sem cabeça, em uma enorme bolsa térmica gelada. "Peixe fresco!", diz, batendo na porta, e se não abro imediatamente ele desaparece, deixando a bolsa no degrau da frente. Preparo o peixe em uma frigideira decente que comprei em outro Walmart e não fica ruim, e é de graça.

"Onde você consegue todos esses peixes?", pergunto.

"No lugar de conseguir", ele responde.

Dorothy, que trabalha na recepção e já parece ter gostado de mim, traz tomates de seu jardim. Como os tomates que cheiram a terra e o peixe que cheira a lago. Acho que já no ano que vem, Nick estará trancado em um lugar que cheira apenas a lugar fechado. Cheiros fabricados: desodorante, sapatos velhos, comidas com amido, colchões mofados. Seu maior medo, seu apavorado sonho pessoal: ele se vê na cadeia, sabendo que não fez nada de errado mas incapaz de prová-lo. Os pesadelos de Nick sempre são sobre ter sido enganado, ter caído em uma armadilha, ser vítima de forças além do seu controle.

Ele sempre se levanta após esses sonhos, anda de um lado para outro da casa, depois se veste e sai, vaga pelas ruas perto de nossa casa, entra em um parque — um parque no Missouri, um parque em Nova York —, indo para onde quiser. Ele é um homem de exteriores, embora não seja exatamente alguém da natureza. Não é de fazer trilhas, acampar, não sabe fazer fogueiras. Não saberia como apanhar peixes e dá-los a mim de presente. Mas gosta da opção, gosta da escolha. Ele quer saber que pode sair, mesmo que em vez disso escolha se sentar no sofá e assistir à luta livre durante três horas seguidas.

Fico pensando na putinha. Andie. Achei que ela iria durar exatamente três dias. Depois não conseguiria resistir a *partilhar*. Sei que ela gosta de partilhar porque sou uma de suas amigas no Facebook — o nome do meu perfil é inventado (Madeleine Elster, rá!), minha foto roubada de um anúncio de hipotecas (loura, sorridente, tirando proveito de taxas de juros historicamente baixas). Há quatro meses, Madeleine aleatoriamente pediu para ser amiga de Andie, e Andie, como um cachorrinho infeliz, aceitou; então conheço bastante bem a garotinha, assim como todos os seus amigos fascinados por minúcias, que tiram muitos cochilos, adoram iogurte grego e pinot grigio, e gostam de partilhar isso uns com os outros. Andie é uma boa garota, no sentido de que não posta fotos suas "na farra" e nunca posta mensagens lascivas. O que é uma pena. Quando ela for revelada como namorada de Nick, eu preferiria que a imprensa encontrasse fotos dela virando bebidas, beijando garotas ou mostrando a calcinha; isso a consolidaria ainda mais como a destruidora de lares que é.

Destruidora de lares. Meu lar estava bagunçado, mas não destruído ainda, quando ela começou a beijar meu marido, a enfiar a mão nas calças dele, a ir para a cama com ele. A colocar o pau dele na boca até a base para que ele se sinta extragrande enquanto ela engasga. Tomando no cu, fundo. Recebendo doses de porra no rosto e nos peitos, depois lambendo, *nham*. Tomando, decididamente tomando. Ela é do tipo que toma. Eles estão juntos há mais de um ano. Todo feriado. Examinei as faturas dos cartões de crédito dele (os verdadeiros) para ver o que ele comprou para ela de presente de Natal, mas ele tem sido chocantemente cauteloso. Pergunto-me qual é a sensação de ser uma mulher cujo presente de Natal precisa ser comprado com dinheiro vivo. Libertador. Ser uma garota não registrada significa ser a garota que não precisa chamar o bombeiro ou ouvir resmungos sobre trabalho ou lembrar a ele o tempo todo de comprar a maldita comida de gato.

Preciso que ela desabe. Preciso que 1) Noelle conte a alguém sobre minha gravidez; 2) a polícia encontre o diário; 3) Andie conte a alguém sobre o caso. Suponho que eu a estereotipei — que uma garota que posta atualizações sobre sua vida cinco vezes por dia para qualquer um ver não compreenderia de verdade o que é um segredo. Ela fez leves menções ocasionais ao meu marido na internet:

Vi o Sr. Tesudo hoje.
(Ah, conta!)
(Quando vamos conhecer o garanhão?)
(Bridget curtiu isso!)
Um beijo de um cara bonitão torna tudo melhor.
(Superverdade!)
(Quando vamos conhecer o Bonitão?!)
(Bridget curtiu isto!)

Mas ela tem sido surpreendentemente discreta para uma garota da sua geração. Ela é uma boa menina (para uma piranha). Posso imaginá-la, aquele rosto em forma de coração inclinado, a testa suavemente franzida. *Só quero que você saiba que estou do seu lado, Nick. Estou aqui para você.* Provavelmente assou biscoitos para ele.

As câmeras de *Ellen Abbott* agora dão uma panorâmica no Centro de Voluntários, que parece um pouco desmazelado. Uma correspondente está falando sobre como meu desaparecimento "abalou esta cidadezinha" e, atrás dela, posso ver uma mesa tomada por ensopados e bolos feitos em casa para o pobre Nicky. Mesmo agora, o babaca tem mulheres cuidando dele. Mulheres desesperadas identificando uma brecha. Um homem vulnerável e bonito — e tudo bem, ele pode ter assassinado a esposa, mas não *sabemos*. Não com certeza. Por ora é apenas um alívio ter um homem para o qual cozinhar, o equivalente das quarentonas a passar de bicicleta pela casa do garoto bonito.

Estão mostrando novamente a foto de celular de Nick sorrindo. Posso imaginar a piranha da cidade em sua cozinha solitária reluzente — uma senhora cozinha comprada com dinheiro de pensão — mexendo panelas e assando enquanto tem uma conversa imaginária com Nick: *Não, na verdade tenho quarenta e três. Não, verdade, tenho mesmo! Não, não tenho enxames de homens atrás de mim, não mesmo, os homens desta cidade não são tão interessantes assim, a maioria deles...*

Tenho um ataque de ciúme daquela mulher com o rosto colado no do meu marido. Ela é mais bonita do que eu estou agora. Eu como barras de chocolate e boio horas na piscina sob o sol quente, o cloro deixando minha pele borrachuda como a de uma foca. Estou bronzeada, coisa que nunca fui antes — pelo menos não um bronzeado escuro, orgulhoso, profundo. Uma pele bronzeada é uma pele danificada, e ninguém gosta de uma garota enrugada; passei minha vida lambuzada de protetor solar. Mas me permiti escurecer um pouco antes de desaparecer, e agora, depois de cinco dias, estou a caminho do dourado. "Morena!" diz a velha Dorothy, a gerente. "Você está morena, garota!", diz com prazer quando apareço para pagar o aluguel da semana seguinte em dinheiro.

Tenho pele escura, cabelos tingidos cortados em cuia, óculos de garota inteligente. Ganhei cinco quilos e meio nos meses antes do meu desaparecimento — cuidadosamente escondidos em vestidos largos de verão, não que meu marido desatento fosse perceber — e quase mais um quilo desde então. Tive o cuidado de não aparecer em fotografias nos meses antes de sumir, para que o público só conheça a Amy pálida e magra. Decididamente não sou mais assim. Algumas vezes posso sentir meu traseiro se mover sozinho quando caminho. Requebrando, como dizem. Nunca fui assim. Meu corpo era uma bela e perfeita economia, cada traço calibrado, tudo em equilíbrio. Não sinto falta disso, não sinto falta de homens olhando para mim. É um alívio entrar em uma loja de conveniência e sair sem ter algum vagabundo de camisa de flanela sem mangas babando enquanto eu ando, um comentário misógino murmurado escapando dele como um arroto de *nachos* com queijo. Agora ninguém é grosseiro comigo, mas também ninguém é gentil. Ninguém faz nenhum esforço fora do comum por mim, não explicitamente, não de verdade, não como costumavam fazer.

Eu sou o oposto de Amy.

NICK DUNNE
OITO DIAS SUMIDA

Quando o sol nasceu, eu estava segurando um cubo de gelo contra minha bochecha. Horas depois e eu ainda podia sentir a mordida: dois pequenos buracos, como furos de grampeador. Eu não podia ir atrás de Andie — um risco maior que a ira dela —, então finalmente telefonei. Caixa postal.

Conter, isto precisa ser contido.

— Andie, sinto muito, não sei o que fazer, não sei o que está acontecendo. Por favor, me perdoe. Por favor.

Eu não deveria ter deixado uma mensagem de voz, mas pensei: *ela pode ter centenas de minhas mensagens de voz arquivadas, pelo que sei.* Bom Deus, se ela mostrasse uma seleção das dez mais obscenas, grosseiras, melosas... qualquer mulher em qualquer júri me mandaria para a cadeia só por isso. Uma coisa é saber que sou um traidor, outra é ouvir minha voz densa de professor falando a uma jovem universitária sobre meu enorme, duro...

Corei à luz do amanhecer. O cubo de gelo derreteu.

Eu me sentei no degrau da frente da casa de Go, comecei a ligar para Andie a cada dez minutos, sem conseguir nada. Estava sem dormir, meus nervos à flor da pele, quando Boney entrou na rampa de carros às seis e doze da manhã. Eu não disse nada enquanto ela caminhava na minha direção trazendo dois copos de isopor.

— Oi, Nick, trouxe café para você. Só vim saber como estava.

— Imagino.

— Sei que provavelmente está perturbado. Com a notícia da gravidez.

Ela fez uma cena elaborada ao colocar duas doses de creme no meu café, do modo como eu gostava, e me entregou o copo.

— O que é isso? — perguntou, apontando para minha bochecha.

— Como assim?

— Quero dizer, Nick, o que há de errado com seu rosto? Há uma marca rosa enorme — disse, se inclinando mais para perto, agarrando meu queixo. — É como uma marca de mordida.

— Deve ser urticária. Tenho urticária quando estou estressado.

— Ahnnn — disse, mexendo seu café. — Você sabe que estou do seu lado, certo, Nick?

— Certo.

— Estou. Mesmo. Gostaria que confiasse em mim. Eu só... Estou chegando ao ponto em que não serei capaz de ajudá-lo se não confiar em mim. Sei que isso parece papo de policial, mas é a verdade.

Ficamos sentados em um estranho silêncio semiamigável, tomando café.

— Ei, então, queria que você soubesse antes que ouça em algum lugar — falou, animada. — Encontramos a bolsa de Amy.

— O quê?

— É, sem dinheiro, mas identidade, celular. Em Hannibal, dentre todos os lugares. Na margem do rio, ao sul do cais do barco a vapor. Nosso palpite é que alguém quis dar a impressão de que havia sido jogada no rio pelo criminoso enquanto saía da cidade, pegando a ponte para Illinois.

— *Dar a impressão?*

— Ela não chegou a afundar totalmente. Ainda há digitais no alto, perto do zíper. Algumas vezes digitais podem resistir mesmo na água, mas... Vou lhe poupar da ciência, só dizer que a teoria é que a bolsa foi colocada na margem para garantir que fosse encontrada.

— Tenho a impressão de que você está me contando isso por alguma razão — falei.

— As digitais que encontramos eram suas, Nick. O que não é tão maluco; os homens mexem nas bolsas das esposas o tempo todo. Ainda assim — disse ela, e riu, como se tendo uma grande ideia. — Tenho de perguntar: você não teria estado em Hannibal recentemente, teria?

Ela disse isso com uma confiança tão descontraída que tive uma visão: um rastreador da polícia escondido em algum lugar embaixo do meu carro, que me foi devolvido na manhã em que fui a Hannibal.

— Por que exatamente eu iria a Hannibal para me livrar da bolsa da minha esposa?

— Digamos que você matou sua esposa e forjou a cena do crime em sua casa, tentando nos fazer pensar que ela foi atacada por alguém de fora. Mas depois se deu conta de que estávamos começando a suspeitar de você, então quis plantar algo para nos obrigar a olhar para fora novamente. Essa é a teoria. Mas neste momento alguns dos meus policiais estão tão certos de que você é o culpado que encontrariam qualquer teoria que se encaixasse. Então, deixe-me ajudá-lo: você esteve em Hannibal recentemente?

Balancei a cabeça em um gesto negativo.

— Você vai ter de falar com meu advogado. Tanner Bolt.

— *Tanner Bolt?* Tem certeza de que quer fazer as coisas assim, Nick? Acho que fomos muito justos com você até agora, muito abertos. Bolt, ele é um... Ele é o último recurso. É o cara que as pessoas culpadas chamam.

— Hã. Bem, eu claramente sou seu principal suspeito, Rhonda. Tenho de me proteger.

— Vamos nos encontrar quando ele chegar, está bem? Conversar sobre isso.

— Decididamente... É o nosso plano.

— Um homem com um plano — disse Boney. — Vou ficar esperando ansiosamente.

Ela se levantou, e enquanto ia embora, disse:

— Hamamélis é bom para urticária.

Uma hora depois, a campainha tocou e Tanner Bolt estava ali de pé em um terno azul-bebê, e algo me disse que era o visual que ele adotava quando ia "ao Sul". Estava inspecionando a vizinhança, olhando os carros nas rampas, avaliando as casas. De certo modo, ele me lembrou os Elliott — examinando e analisando o tempo todo. Um cérebro sem botão de desligar.

— Mostre para mim — disse Tanner antes que eu pudesse cumprimentá-lo. — Aponte o depósito para mim; não venha comigo, e não chegue perto dele outra vez. Depois você me conta tudo.

Nós nos acomodamos à mesa da cozinha — eu, Tanner e uma Go recém-acordada, abraçando sua primeira xícara de café. Espalhei todas as pistas de Amy como um medonho leitor de tarô.

Tanner se inclinou na minha direção, os músculos de seu pescoço contraídos.

— Certo, Nick, defenda sua tese. Sua esposa orquestrou tudo isso. Defenda a tese! — disse, batendo com o indicador na mesa. — Porque eu não vou adiante com meu pau em uma mão e uma história maluca sobre uma armação na outra. A não ser que você me convença. A não ser que funcione.

Respirei fundo e organizei minhas ideias. Eu sempre fui melhor escrevendo que falando.

— Antes de começarmos, você tem de entender uma coisa fundamental sobre Amy: ela é brilhante. Seu cérebro está sempre ocupado e nunca funciona em um só nível. Ela é como uma interminável escavação arqueológica: você acha que chegou à última camada, e então enfia a pá mais uma vez e chega a mais um novo poço de mina abaixo. Com um labirinto de túneis e buracos sem fundo.

— Tudo bem — disse Tanner. — Então...

— A segunda coisa que você precisa saber sobre Amy é que ela é moralista. É uma daquelas pessoas que nunca estão erradas, e adora dar lições, distribuir castigos.

— Certo, bom, então...

— Deixe-me contar uma história, uma rápida. Há uns três anos, estávamos indo de carro para Massachusetts. Estava um trânsito medonho, de irritar qualquer um, e um caminhoneiro mostrou o dedo do meio para Amy, ela não queria deixá-lo passar, então ele disparou e a fechou. Nada perigoso, mas realmente assustador por um segundo. Sabe aqueles avisos na traseira dos caminhões: *Como estou dirigindo?* Ela me fez telefonar e passar o número da placa. Achei que tinha terminado por aí. Dois meses depois, dois *meses* depois, entrei no quarto e Amy estava ao telefone, repetindo o número daquela placa. Ela tinha inventado toda uma história: estava viajando com o filho de dois anos e o motorista quase a tirara da estrada. Disse que era o quarto telefonema. Disse que pesquisara até mesmo os roteiros da empresa para poder escolher as estradas certas para seus falsos quase acidentes. Ela pensara em tudo. Estava muito orgulhosa. Ela ia fazer o sujeito ser demitido.

— Caramba, Nick — murmurou Go.

— É uma história muito... esclarecedora, Nick — disse Tanner.

— É apenas um exemplo.

— Então, agora me ajude a juntar tudo isto. Amy descobre que você a está traindo. Simula a própria morte. Faz a cena do suposto crime parecer esquisita o suficiente para despertar suspeitas. Ela o ferrou com os cartões de crédito, o seguro de vida e seu pequeno santuário masculino lá atrás...

— Ela provocou uma discussão comigo na noite antes de desaparecer, e fez isso ao lado de uma janela aberta para que nossa vizinha ouvisse.

— Qual foi a discussão?

— Eu sou um babaca egoísta. Basicamente, a mesma que sempre temos. O que nossa vizinha não escutou foi Amy se desculpando depois... Porque Amy não queria que ela ouvisse isso. Quer dizer, lembro-me de ficar chocado, porque nunca havíamos feito as pazes tão rapidamente. Na manhã seguinte ela estava fazendo crepes para mim, caramba, pelo amor de Deus.

Eu a vi novamente junto ao fogão, lambendo açúcar do polegar, cantarolando para si mesma, e me vi caminhando até ela e sacudindo-a até...

— Certo, e a caça ao tesouro? — perguntou Tanner. — Qual é a teoria com relação a isso?

Cada pista estava desdobrada sobre a mesa. Tanner pegou algumas e as deixou cair.

— Elas são apenas um vá se foder de bônus — expliquei. — Conheço minha esposa, acredite em mim. Ela sabia que tinha de fazer uma caça ao tesouro, ou pareceria suspeito. Então ela faz isso, e claro que tudo tem dezoito significados diferentes. Veja a primeira pista.

Eu me imagino como uma estudante,
Com um professor tão belo e brilhante
Minha mente se abre (para não falar em minhas coxas!)
Se eu fosse sua pupila, não haveria necessidade de flores
Talvez apenas um encontro safado nos corredores
Então corra, ande logo, por favor
E desta vez eu ensinarei uma coisinha ou outra ao meu professor.

— Isso é a cara de Amy. Eu leio isso e penso: *Ei, minha esposa está flertando comigo.* Não. Ela na verdade está se referindo à minha... infidelidade com Andie. Vá se foder número um. Então eu vou lá, até o meu escritório, com Gilpin, e o que está esperando por mim? Lingerie feminina. Nem perto do tamanho de Amy; os policiais ficaram perguntando a todo mundo que número Amy vestia, e eu não conseguia entender por quê.

— Mas Amy não tinha como saber que Gilpin estaria com você — objetou Tanner, franzindo a testa.

— Era uma aposta bem segura — interrompeu Go. — A Pista Um era parte da *cena do crime*, então os policiais tomariam conhecimento dela, e ela fala sobre o lugar em que eu trabalho. É lógico que eles iriam lá, com ou sem Nick.

— Então de quem é a calcinha? — perguntou Tanner.

Go torceu o nariz para a palavra *calcinha*.

— Quem sabe? — respondi. — Imaginei que fosse de Andie, mas... Amy provavelmente deve ter comprado. A questão principal aqui é que não são do tamanho de Amy. Elas levam qualquer um a acreditar que algo inadequado aconteceu em meu escritório com alguém que não é minha esposa. Vá se foder número dois.

— E se os policiais não estivessem junto quando você foi ao escritório? — perguntou Tanner. — Ou ninguém notasse a calcinha?

— Ela não se *importa*, Tanner! Esta caça ao tesouro é para diverti-la, assim como qualquer outra coisa. Ela não precisa disso. Exagerou tudo só para ter certeza de que houvesse um milhão de pistas condenatórias circulando. Mais uma vez, você tem de entender minha esposa: ela é do tipo prevenida.

— Certo. Pista Dois — prosseguiu Tanner.

Imagine: estou louca por você
Meu futuro é tudo menos incerto com você
Você me trouxe aqui para que eu ouvisse sua conversa maneira
Sobre suas aventuras de menino: jeans baratos e viseira
Que se dane todo mundo, deles nós vamos nos livrar
E vamos roubar um beijo... Fingir que acabamos de nos casar.

— Isso é Hannibal — falei. — Amy e eu fomos lá uma vez, então foi assim que eu li, mas também é outro lugar onde eu tive... relações com Andie.

— E isso não levantou uma bandeira vermelha? — perguntou Tanner.

— Não, não ainda, eu estava muito sonhador com os bilhetes que Amy escrevera. Deus, a garota me conhece bem demais. Ela sabe exatamente o que quero ouvir. Você é *brilhante*. Você *tem humor*. E como deve ter sido divertido para ela saber que *ainda* podia foder com minha cabeça assim. Mesmo a distância. Quer dizer, eu estava... Caramba, eu estava praticamente me apaixonando por ela novamente.

Minha garganta fechou por um momento. A história boba sobre o bebê nojento e seminu de sua amiga Insley. Amy sabia que isso era do que eu mais gostava quando ainda gostava de nós dois: não os grandes momentos, não os momentos Românticos com R maiúsculo, mas nossas piadas particulares secretas. E agora ela estava usando todas elas contra mim.

— E adivinhe? Eles acabaram de encontrar a bolsa de Amy em Hannibal. Tenho certeza absoluta de que alguém pode provar que estive lá. Caramba, paguei pelo ingresso do passeio com meu cartão de crédito. Então, mais uma vez, eis uma prova, e Amy garantindo que eu seja ligado a ela.

— E se ninguém encontrasse a bolsa? — perguntou Tanner.

— Não importa — disse Go. — Ela está fazendo Nick correr em círculos, está se divertindo. Tenho certeza de que ela ficou feliz só em saber como Nick deve ter se sentido culpado ao ler todos esses bilhetes doces sabendo que é um traidor e que ela está desaparecida.

Tentei não fazer uma careta com seu tom de nojo: *traidor*.

— E se Gilpin ainda estivesse com Nick quando ele foi a Hannibal? — insistiu Tanner. — E se Gilpin estivesse com Nick o tempo todo, e soubesse que Nick não havia plantado a bolsa naquela ocasião?

— Amy me conhece suficientemente bem para saber que eu fugiria de Gilpin. Ela sabe que eu não iria querer um estranho me assistindo ao ler essas coisas, avaliando minhas reações.

— Sério? Como você sabe disso?

— Simplesmente sei — respondi, dando de ombros.

Eu sabia, simplesmente sabia.

— Pista Três — disse, e coloquei-a na mão de Tanner.

Talvez por ter me trazido a esse lugar você se sinta culpado
Devo admitir que pareceu um pouco difícil de aceitar
Mas não é como se tivéssemos muita opção
Fazer desse o nosso lugar era uma decisão.
Vamos levar nosso amor para esta casinha marrom
Me dê um pouco de boa vontade, marido gostoso, meu bombom!

— Veja, eu entendi esta errado, achando que *me trazido aqui* significava Carthage, mas na verdade ela está se referindo à casa do meu pai, e...

— E é mais um lugar onde você trepou com essa tal de Andie — concluiu Tanner. Ele se virou para minha irmã: — Perdoe-me pela vulgaridade.

Go fez um gesto de mão para indicar que não havia problema.

Tanner continuou:

— Então, Nick. Há uma calcinha incriminativa no seu escritório, onde você trepou com Andie; há a bolsa incriminativa de Amy em Hannibal, onde você trepou com Andie; e há uma arca do tesouro incriminativa no depósito cheia de compras secretas feitas com o cartão de crédito, onde você trepou com Andie.

— Hã, é. Sim, está certo.

— Então o que há na casa do seu pai?

AMY ELLIOTT DUNNE
SETE DIAS SUMIDA

Estou grávida! Obrigada, Noelle Hawthorne, o mundo agora sabe disso, sua idiotinha. No dia seguinte a sua cena em minha vigília (na verdade eu gostaria que ela não tivesse atrapalhado minha vigília; garotas feias sabem como estragar uma festa), o ódio a Nick inchou como um balão. Pergunto-me se ele consegue respirar com toda essa fúria se erguendo ao redor dele.

Eu sabia que o segredo para uma grande cobertura, uma cobertura de *Ellen Abbott* vinte e quatro horas por dia, frenética, sedenta de sangue, interminável, seria a gravidez. Amy Exemplar já é tentadora. Amy Exemplar prenha é irresistível. Os americanos gostam do que é fácil, e é fácil gostar de mulheres grávidas — elas são como patinhos, coelhinhos ou cachorros. Ainda assim, me choca que essas paquidermes moralistas e encantadas consigo mesmas recebam um tratamento tão especial. Como se fosse muito difícil abrir as pernas e deixar um homem ejacular entre elas.

Sabe o que *é* difícil? Simular uma gravidez.

Preste atenção, porque isso é impressionante. Começou com minha amiga desmiolada Noelle. O Meio-Oeste está cheio desse tipo de gente: os meio-gente-boa. Meio gente boa, mas com uma alma de borracha: fácil de moldar, fácil de apagar. Toda a coleção de música de Noelle é composta de coletâneas da Pottery Barn. Suas estantes de livros estão cheias do lixo que costuma ocupar mesinhas de centro: *Irlandeses na América. Enciclopédia Ilustrada do Futebol Americano. Memorial 11 de Setembro. Alguma bobagem com gatinhos.* Eu sabia que precisava de uma amiga maleável para meu plano, alguém que eu pudesse sobrecarregar com histórias medonhas sobre Nick, alguém que se tornaria totalmente ligada a mim, alguém que fosse fácil de manipular, que não pensasse muito nas coisas que eu diria porque se sentiria privilegiada só de ouvi-las. Noelle era a escolha óbvia, e quando ela me contou que estava grávida novamente — aparentemente trigêmeos não eram o bastante — me dei conta de que eu também podia estar grávida.

Uma busca na internet: como drenar sua privada para conserto.

Noelle convidada para uma limonada. Muita limonada.

Noelle fazendo xixi em minha privada drenada e sem descarga, nós duas terrivelmente constrangidas.

Eu, um pequeno pote de vidro, o xixi na privada indo para o pote de vidro.

Eu, um histórico bem estabelecido de fobia de agulhas/sangue.

Eu, o pote de vidro com xixi escondido na bolsa, uma consulta no médico (ah, não posso fazer exame de sangue, tenho uma terrível fobia a agulhas... Exame de urina, sem problema, obrigada).

Eu, uma gravidez em minha ficha médica.

Eu, correndo para Noelle com a boa-nova.

Perfeito. Nick ganha outra motivação, eu me torno a doce mulher grávida desaparecida, meus pais sofrem ainda mais, *Ellen Abbott* não consegue resistir. De todo o coração, foi emocionante ser finalmente, oficialmente, selecionada para *Ellen* dentre todas as centenas de outros casos. É como uma disputa de talentos: você faz o melhor que pode, e depois não depende mais de você, está nas mãos dos jurados.

E, ah, ela odeia Nick e me *adora*. Mas gostaria que meus pais não estivessem recebendo um tratamento tão especial. Eu os vejo nos noticiários, minha mãe magra e frágil, os tendões em seu pescoço como esguios galhos de árvore, sempre tensos. Vejo meu pai vermelho de medo, os olhos um pouco arregalados demais, o sorriso quadrado. Ele costuma ser um homem bonito, mas está começando a parecer uma caricatura, um palhaço possuído. Sei que deveria ter pena deles, mas não tenho. Nunca fui para eles mais que um símbolo, o ideal vivo. Amy Exemplar de carne e osso. Não faça besteira, você é a Amy Exemplar. Nossa única. Há uma responsabilidade injusta que vem com o fato de ser filha única — você cresce sabendo que não tem o direito de desapontar, não tem nem o direito de morrer. Não há um substituto por perto; é você. Isso a torna desesperada para ser impecável, e também a deixa embriagada de poder. É assim que déspotas são feitos.

* * *

Hoje de manhã caminhei até o escritório de Dorothy para comprar um refrigerante. É uma pequena sala revestida de madeira. A escrivaninha parece não ter outro propósito a não ser sustentar a coleção de globos de neve de lugares que não parecem merecer celebração: Gulf Shores, Alabama. Hilo, Arkansas. Quando vejo os globos de neve, não vejo paraíso, vejo caipiras morrendo de calor, com queimaduras de sol, arrastando crianças desajeitadas e chorosas, esbofeteando-as com uma das mãos, com a outra segurando enormes copos de isopor não biodegradável com bebidas quentes de xarope de milho.

Dorothy tem um daqueles cartazes dos anos setenta de gatinhos na árvore. Ela pendurou o cartaz com toda a sinceridade. Gosto de imaginá-la esbarrando com alguma piranha convencida de Williamsburg, com franja à Bettie Page e óculos de gatinha, que tem o mesmo cartaz ironicamente. Gostaria de ouvi-las tentando entender uma à outra. Pessoas irônicas sempre desmancham quando confrontadas com a sinceridade, é sua criptonita. Dorothy tem outra pérola colada com fita na parede junto à máquina de refrigerante, mostrando uma criança pequena dormindo no vaso — *Cansado demais para fazer pipi*. Tenho pensado em roubar esse, uma unha sob a velha fita amarela, enquanto converso para distrair Dorothy. Aposto que poderia conseguir uma boa oferta por ele no eBay — gostaria de manter algum dinheiro entrando —, mas não posso fazer isso, porque iria criar um *rastro eletrônico*, e li muito sobre isso em minha miríade de livros sobre crimes de verdade. Rastros eletrônicos são ruins: não use um celular registrado em seu nome, porque as torres de celular podem marcar sua localização. Não use caixas eletrônicos ou cartões de crédito. Use apenas computadores públicos, com muito movimento. Atenção ao número de câmeras que podem estar em uma rua, especialmente perto de um banco, um cruzamento movimentado ou mercados. Não que haja mercados aqui. Também não há câmeras em nosso conjunto de chalés. Eu sei — perguntei a Dorothy, fingindo ser uma preocupação com segurança.

"Nossos clientes não são exatamente do tipo Big Brother", explicou ela. "Não que sejam criminosos, mas normalmente não gostam de ser captados pelo radar."

Não, eles não têm cara de que apreciariam isso. Há meu amigo Jeff, que tem horários estranhos e retorna com volumes suspeitos de peixes não registrados que estoca em enormes baús de gelo. Ele é literalmente escorregadio como um peixe. No chalé mais distante fica um casal provavelmente na casa dos quarenta anos, mas desgastados pela metanfetamina, de modo que parecem ter pelo menos sessenta. Ficam trancados a maior parte do tempo, a não ser por eventuais jornadas de olhos assustados até a lavanderia — disparando pelo estacionamento de cascalho com suas roupas em sacos de lixo, uma espécie de faxina de primavera desconjuntada. Oláolá, dizem, sempre duas vezes com dois gestos de cabeça, depois seguem seu caminho. O homem algumas vezes tem uma jiboia enrolada no pescoço, embora a cobra nunca seja mencionada, por mim ou por ele. Além desses fixos, um bom número de mulheres sozinhas costuma aparecer, normalmente com hematomas. Algumas parecem constrangidas, outras terrivelmente tristes.

Uma chegou ontem, uma garota loura, muito jovem, com olhos castanhos e um corte nos lábios. Ficou sentada na varanda da frente — o chalé ao lado do meu — fumando um cigarro, e quando fizemos contato visual, ela se empertigou, orgulhosa, o queixo projetado para a frente. Nada de desculpas nela. Eu pensei: *Preciso ser como ela. Vou estudá-la: ela é quem eu posso ser por um tempo — a garota durona agredida se escondendo até a tempestade passar.*

Após algumas horas de TV matinal — procurando notícias sobre o caso Amy Elliott Dunne —, visto meu biquíni molhado. Vou para a piscina. Boiar um pouco, tirar uma folga de meu cérebro irritante. A notícia da gravidez foi gratificante, mas ainda há muito que não sei. Planejei tanto, mas há coisas fora do meu controle, prejudicando minha visão de como isso deveria seguir. Andie não fez a parte dela. Talvez um pouco de ajuda seja necessária para o diário ser encontrado. A polícia não fez nada para prender Nick. Não sei o que todos eles descobriram, e não gosto disso. Fico tentada a dar um telefonema, fazer uma denúncia, para colocá-los na direção certa. Vou esperar mais alguns dias. Tenho um calendário na parede, e marco três dias a contar de hoje, com as palavras LIGAR HOJE. Para saber que é o tempo que aceitei esperar. Quando eles acharem o diário, as coisas andarão rápido.

Aqui fora está um calor de selva novamente, as cigarras fechando o cerco. Minha boia é rosa com sereias e pequena demais para mim — minhas panturrilhas encostam na água —, mas me mantém flutuando preguiçosamente por uma boa hora, que é algo que aprendi que "eu" gosto de fazer.

Posso ver uma cabeça loura balançando do outro lado do estacionamento, e então a garota com o lábio cortado passa pelo portão de corrente com uma das toalhas de banho dos chalés, não maior que um pano de prato, um maço de Merits, um livro e um protetor solar de FPS cento e vinte. Câncer de pulmão, mas não de pele. Ela se instala e passa o protetor cuidadosamente, diferente das outras mulheres agredidas que aparecem aqui — elas se lambuzam de óleo de bebê, deixam manchas engorduradas nas cadeiras de jardim.

A garota acena com a cabeça para mim, o gesto que homens fazem uns para os outros quando se sentam em um bar. Está lendo *Crônicas marcianas*, de Ray Bradbury. Uma garota *sci-fi*. Mulheres agredidas gostam de escapismo, claro.

— É um bom livro — digo, um papo furado inofensivo.

— Alguém o deixou no meu chalé. Era isso ou *Beleza negra* — diz, colocando óculos escuros grandes e vagabundos.

— Também não é ruim. Mas *O corcel negro* é melhor.

Ela olha para mim ainda com os óculos escuros. Dois olhos de abelha negros.

— Hã.

Ela volta o rosto para o livro outra vez, o gesto claro de *agora estou lendo* normalmente visto em aviões lotados. E eu sou a intrometida chata ao lado que ocupa o apoio de braço e diz coisas como "Negócios ou lazer?".

— Sou Nancy — apresento-me.

Um nome novo — não Lydia —, o que não é inteligente neste lugar pequeno, mas saiu. Meu cérebro às vezes é rápido demais até para mim. Estava pensando no lábio cortado da garota, seu ar triste, desgastado, e depois pensei em agressão e prostituição, e então pensei em *Oliver!*, meu musical preferido quando criança, e na prostituta condenada, Nancy, que amou seu homem violento até o momento em que ele a matou, e então fiquei pensando em por que minha mãe feminista e eu assistimos a *Oliver!*, considerando que "As Long as He Needs Me" é basicamente um hino alegre à violência doméstica, e então pensei que a Amy do Diário também foi morta pelo seu homem, ela na verdade era muito parecida com...

— Sou Nancy — apresento-me.

— Greta.

Parece inventado.

— Prazer em conhecê-la, Greta.

Boio para longe. Ouço atrás de mim o ruído do isqueiro de Greta, e então fumaça passa acima da minha cabeça como vapor d'água.

Quarenta minutos depois, Greta se senta na beira da piscina, balança as pernas na água.

— Está quente — constata ela. — A água.

Ela tem uma voz rouca, vigorosa, cigarros e terra de pradaria.

— Como um banho de banheira.

— Não é muito refrescante.

— O lago não é muito mais fresco.

— De qualquer forma, não sei nadar.

Nunca conheci alguém que não soubesse nadar.

— Eu também não sei direito — minto. — Cachorrinho.

Ela agita as pernas, as ondas balançando suavemente minha boia.

— Como é aqui? — pergunta.

— Bom. Calmo.

— Que bom, é disso que preciso.

Eu me viro e olho para ela. Tem dois colares de ouro, um hematoma perfeitamente redondo do tamanho de uma ameixa perto do seio esquerdo e uma tatuagem de trevo logo acima da marca do biquíni. O traje de banho é novo em folha, vermelho-cereja, vagabundo. Da loja de conveniências da marina onde comprei minha boia.

— Está sozinha? — pergunto.

— Muito.

Não sei bem o que perguntar em seguida. Será que há algum código que mulheres agredidas usam entre si, uma linguagem que eu não conheço?

— Problemas com homens?

Ela ergue uma sobrancelha para mim que parece indicar um sim.

— Eu também — digo.

— Não que não tenhamos sido avisadas — diz ela. Coloca as mãos em concha na água, deixa escorrer pela frente do corpo. — Uma das primeiras coisas que minha mãe me disse na vida, foi no meu primeiro dia na escola: *Fique longe dos garotos. Eles vão jogar pedras em você ou vão olhar debaixo da sua saia.*

— Você devia fazer uma camiseta com essa frase.

Ela ri.

— Mas é verdade. Sempre é verdade. Minha mãe mora em uma aldeia de lésbicas no Texas. Eu sempre penso que devia me juntar a ela. Todas parecem felizes lá.

— Uma aldeia de lésbicas?

— Tipo uma, coméquesediz? Uma comunidade. Um bando de lésbicas comprou um terreno, criou a própria sociedade, tipo assim. Homens não são permitidos. Parece simplesmente fantástico para mim, um mundo sem homens — diz, pegando mais um pouco de água, tirando os óculos e molhando o rosto. — Pena que eu não gosto de boceta.

Ela ri, como um latido raivoso de mulher velha.

— Então, há algum babaca aqui que eu possa começar a namorar? — pergunta. — É o meu, tipo, padrão. Fujo de um, esbarro no seguinte.

— O lugar está vazio a maior parte do tempo. Tem Jeff, o cara de barba, ele na verdade é muito legal — digo. — Está aqui há mais tempo que eu.

— Você vai ficar quanto tempo aqui?

Eu paro. É estranho, não sei exatamente quanto tempo vou passar aqui. Planejara ficar até Nick ser preso, mas não tenho ideia de se ele será preso logo.

— Até ele parar de procurar por você, né? — chuta Greta.

— Tipo isso.

Ela me analisa atentamente, franze a testa. Meu estômago se aperta. Fico esperando ela dizer: você me parece familiar.

— Nunca volte para um homem com hematomas recentes. Não dê a ele essa satisfação — recita Greta. Ela se levanta, pega suas coisas. Enxuga as pernas na toalha minúscula. — Bom dia perdido — diz.

Por alguma razão, eu levanto o polegar, gesto que nunca fiz em minha vida.

— Venha para meu chalé quando sair, se quiser. Podemos ver televisão — diz ela.

Levo comigo um tomate fresco de Dorothy, o seguro na palma da mão como um reluzente presente de boas-vindas. Greta vai até a porta e mal reage, como se eu a visitasse ali há anos. Pega o tomate da minha mão.

— Perfeito, estava fazendo sanduíches — diz. — Sente-se.

Ela aponta para a cama (não temos salas de estar aqui) e vai para a pequena cozinha, que tem a mesma tábua de cortar de plástico, a mesma faca cega que a minha. Ela corta o tomate. Um disco plástico de mortadela espera no balcão, o cheiro doce enjoativo enchendo o quarto. Ela coloca dois sanduíches escorregadios em pratos de papel, junto com punhados de biscoitinhos em forma de peixe, e os leva para a área do quarto, a mão já no controle remoto, passando de um barulho para o outro. Sentamos na beira da cama, lado a lado, assistindo à TV.

— Pode me parar se achar algo — diz Greta.

Dou uma mordida no meu sanduíche. Meu tomate escorrega pelo lado e cai na minha coxa.

A família Buscapé, Suddenly Susan, Armageddon.

Ellen Abbott Live. Uma foto minha enche a tela. Sou a matéria principal. De novo. Estou com uma aparência ótima.

— Você viu isso? — perguntou Greta, sem olhar para mim, falando como se meu desaparecimento fosse uma reprise de um programa de TV decente. — Essa mulher desapareceu no dia do aniversário de cinco anos de casamento dela. O marido agiu de forma muito estranha desde o começo, cheio de sorrisos e tal. Parece que ele aumentou o seguro de vida dela, e acabam de descobrir que a esposa estava *grávida*. E o cara não queria o bebê.

A tela mostra outra foto minha ao lado de um *Amy Exemplar*.

Greta vira para mim.

— Lembra-se desses livros?

— Claro!

— Você *gosta* desses livros?

— Todo mundo gosta desses livros, eles são muito fofos — respondo.

Greta bufa.

— Eles são muito falsos.

Close em mim.

Fico aguardando que ela diga como sou bonita.

— Ela não está mal, hã, tipo, para a idade dela — diz. — Espero estar tão bem quando tiver quarenta anos.

Ellen está contando minha história à plateia; minha foto continua na tela.

— Para mim, parece que ela era uma garota rica mimada — diz Greta. — Complicada. Chata.

Isso é simplesmente injusto. Eu não deixara nenhuma prova para que alguém concluísse isso. Desde que eu me mudara para o Missouri — bem, desde que concebera meu plano — eu tivera o cuidado de ser simples, relaxada, alegre, todas essas coisas que as pessoas querem que as mulheres sejam. Acenei para os vizinhos, fiz favores para as amigas de Mo, uma vez levei refrigerante para o sempre-sujo Stucks Buckley. Visitei o pai de Nick para que todas as enfermeiras pudessem confirmar como eu era gentil, para poder sussurrar repetidamente no cérebro cheio de teias de aranha de Bill Dunne: *Eu amo você, venha morar conosco, eu amo você, venha morar conosco.* Só para ver se pegava. O pai de Nick é o que as pessoas da Comfort Hill chamam de andarilho —

está sempre saindo por aí. Adoro a imagem de Bill Dunne, o totem vivo de tudo o que Nick teme se tornar, objeto do mais profundo desespero de Nick, aparecendo repetidamente à nossa porta.

— Chata como? — pergunto.

Ela dá de ombros. A TV passa um comercial de purificador de ambientes. Uma mulher está borrifando purificador para que sua família seja feliz. Depois um comercial de absorventes diários muito finos, para que uma mulher possa colocar um vestido, dançar e conhecer o homem para o qual depois borrifará purificador de ambientes.

Limpar e sangrar. Sangrar e limpar.

— Dá para ver — diz Greta. — Ela simplesmente parece uma perua rica e entediada. Como aquelas peruas ricas que usam o dinheiro dos maridos para abrir, tipo, empresas de *cupcakes*, *lojas de cartões* e merdas assim. *Butiques*.

Em Nova York, eu tinha amigas com todos esses tipos de negócios — elas gostavam de dizer que trabalhavam, embora só fizessem as coisinhas divertidas: batizar o *cupcake*, encomendar artigos de papelaria, usar o vestido adorável que era de *sua própria* loja.

— Ela definitivamente é uma dessas — disse Greta. — Perua rica metida.

Greta vai ao banheiro e eu entro na cozinha na ponta dos pés, vou até a geladeira e cuspo no leite, no suco de laranja e em um pote de salada de batata dela, depois volto para a cama na ponta dos pés.

Descarga. Greta volta.

— Quer dizer, isso não significa que tudo bem ele ter *matado* ela. Ela é só mais uma mulher que escolheu muito mal seu homem.

Ela está olhando bem para mim, e fico esperando que ela diga: "Ei, espere um pouco..."

Mas ela se vira para a TV, se acomoda deitada de barriga para baixo como uma criança, o queixo apoiado nas mãos, o rosto voltado para minha imagem na tela.

— Ih, merda, lá vai — diz Greta. — As pessoas estão odiando esse cara.

O programa começa e eu me sinto um pouco melhor. É a apoteose de Amy.

Campbell MacIntosh, amiga de infância: "Amy é o tipo de mulher carinhosa, maternal. Ela adorava ser uma esposa. E sei que teria sido uma ótima mãe. Mas Nick, simplesmente dava para ver que Nick tinha alguma coisa errada. Frio, superior e realmente calculista; dava a sensação de que ele definitivamente tinha noção de quanto dinheiro Amy tinha."

(Campbell está mentindo: ela ficava toda boba perto de Nick, ela simplesmente o venerava. Mas tenho certeza de que gostou da ideia de que ele só se casou comigo por causa do meu dinheiro.)

Shawna Kelly, moradora de North Carthage: "Eu achei muito, muito estranho que ele estivesse tão despreocupado durante a busca pela esposa. Ele estava, sabe, batendo papo, passando o tempo. Flertando comigo, que ele nunca tinha visto antes. Eu tentava direcionar a conversa para Amy, e ele simplesmente... simplesmente não se interessava."

(Estou certa de que essa piranha velha desesperada decididamente não tentou direcionar a conversa para mim.)

Steven "Stucks" Buckley, velho amigo de Nick Dunne: "Ela era um doce. Um. Doce. E Nick? Ele simplesmente não parecia muito preocupado com o fato de Amy ter sumido. O cara sempre foi assim: autocentrado. Um pouco arrogante. Como se tivesse sido importantíssimo em Nova York e todos devêssemos nos curvar para ele."

(Desprezo Stucks Buckley, e que porra de nome é esse?)

Noelle Hawthorne, parecendo ter feito luzes no cabelo: "Acho que ele a matou. Ninguém quer dizer isso, mas eu digo. Ele a agredia, ele a atormentava, e ele finalmente a matou."

(Boa garota.)

Greta me olha de lado, as bochechas esmagadas contra as mãos, o rosto tremeluzindo ao brilho da TV.

— Espero que isso não seja verdade — reflete. — Que ele matou ela. Seria legal pensar que ela talvez tenha simplesmente ido embora, simplesmente fugido dele, e esteja se escondendo em algum lugar, sã e salva.

Ela bate as pernas para a frente e para trás como uma nadadora preguiçosa. Não sei dizer se está de sacanagem comigo.

NICK DUNNE
OITO DIAS SUMIDA

Vasculhamos cada buraco da casa do meu pai, o que não levou muito tempo, já que ela está tão pateticamente vazia. Os armários, os closets. Puxei os cantos de tapetes para ver se levantavam. Espiei dentro da lavadora e da secadora dele, enfiei a mão pela chaminé. Até olhei atrás das privadas.

— Muito *Poderoso chefão* da sua parte — disse Go.

— Se isso fosse muito *Poderoso chefão*, eu teria encontrado o que estávamos procurando e sairia atirando.

Tanner estava de pé no centro da sala de estar do meu pai e puxava a ponta de sua gravata verde-limão. Go e eu estávamos sujos de poeira e fuligem, mas de algum modo a camisa social branca de Tanner continuava absolutamente brilhante, como se retivesse um pouco do glamour da iluminação estroboscópica de Nova York. Estava olhando fixamente para o canto de um armário, mordendo o lábio, puxando a gravata, *pensando*. O homem provavelmente passara anos aperfeiçoando esse olhar: o olhar de *Cale a boca, cliente, estou pensando*.

— Não gosto disso — disse ele finalmente. — Temos muitas questões incontidas aqui, e não vou procurar a polícia até que estejamos muito, muito contidos. Meu primeiro instinto é estar à frente da situação, relatar aquelas coisas no depósito antes de sermos flagrados com elas. Mas se não sabemos o que Amy quer que encontremos aqui, e não sabemos qual é o estado de espírito de Andie... Nick, tem um *palpite* sobre o estado de espírito de Andie?

Dei de ombros.

— Puta da vida.

— Quer dizer, isso me deixa muito, muito nervoso. Basicamente estamos em uma situação muito espinhosa. Precisamos contar à polícia sobre o depósito. Temos de estar à frente dessa descoberta. Mas quero descrever a você o que acontecerá quando fizermos isso. E o que irá acontecer é: eles irão atrás de Go. Será uma de duas possibilidades. Primeira: Go é sua cúmplice, estava ajudando você a esconder essas coisas na propriedade dela, e muito provavelmente sabe que você matou Amy.

— Espera aí, você não pode estar falando sério — interrompi.

— Nick, teríamos sorte com essa versão — disse Tanner. — Eles podem interpretar como quiserem. Que tal esta: foi Go quem roubou sua identidade, quem conseguiu aqueles cartões de crédito. Comprou toda aquela merda lá dentro. Amy descobriu, houve um confronto, Go matou Amy.

— Então nos colocamos bem, bem à frente de tudo isso — falei. — Contamos a eles sobre o depósito, e dizemos a eles que Amy está tentando me incriminar.

— Acho que essa é uma má ideia no geral, e neste momento é uma ideia muito ruim se não tivermos Andie do nosso lado, porque teríamos de contar a eles sobre Andie.

— Por quê?

— Porque se vamos procurar a polícia com a sua história, de que Amy lhe deu um golpe...

— Por que você fica dizendo *minha história*, como se fosse algo que eu inventei?

— Ah. Bem observado. Se explicarmos à polícia como Amy está lhe dando um golpe, temos de explicar *por que* ela está lhe dando um golpe. Por quê? Porque ela descobriu que você tem uma namorada muito bonita e muito jovem por fora.

— Temos mesmo de contar isso a eles? — perguntei.

— Amy incriminou você pelo assassinato dela porque... ela estava... o que, entediada?

Eu retraí os lábios.

— Temos de dar a eles a motivação de Amy, senão não funciona. Mas o problema é que se entregarmos Andie de bandeja para eles e eles não acreditarem na teoria do golpe, então teremos dado a eles a sua motivação para o assassinato. Problemas financeiros, confere. Esposa grávida, confere. Namorada, confere. É o triunvirato de um assassino. Você estará perdido. As mulheres farão fila para rasgar você com as unhas — vaticinou, começando a andar de um lado para outro. — Mas se não fizermos nada, e Andie os procurar ela mesma...

— Então o que fazemos? — perguntei.

— Acho que os policiais vão nos expulsar da delegacia às gargalhadas se dissermos agora que Amy deu um golpe em você. É muito inconsistente. Eu acredito em você, mas é inconsistente.

— Mas as pistas da caça ao tesouro... — comecei.

— Nick, nem eu entendo essas pistas — disse Go. — Elas são jogadas pessoais entre você e Amy. Só há a sua palavra de que elas estão levando você a... situações incriminativas. Quer dizer, falando sério: jeans baratos e viseira significam Hannibal?

— Casinha marrom quer dizer a casa do seu pai, que é *azul*? — acrescentou Tanner.

Eu podia sentir a dúvida de Tanner. Eu precisava mostrar de verdade a ele o caráter de Amy. Suas mentiras, sua atitude vingativa, sua competitividade. Precisava que outras pessoas corroborassem... que minha esposa não era a Amy Exemplar, mas a Amy *Vingativa*.

— Vamos ver se conseguimos conversar com Andie hoje — disse Tanner finalmente.

— Não é um risco esperar? — perguntou Go.

Tanner confirmou com um gesto de cabeça.

— É um risco. Temos de agir rápido. Se surgir outra prova, se a polícia conseguir um mandado de busca para o depósito, se Andie procurar a polícia...

— Ela não vai fazer isso — disse eu.

— Ela mordeu você, Nick.

— Não vai. Está furiosa agora, mas ela... Não posso acreditar que ela faria isso comigo. Ela sabe que eu sou inocente.

— Nick, você disse que esteve com Andie por cerca de uma hora na manhã em que Amy desapareceu, sim?

— Sim. De umas dez e meia até pouco antes do meio-dia.

— Então onde esteve entre sete e meia e dez? — perguntou Tanner. — Você disse que saiu de casa às sete e meia, certo? Para onde foi?

Mordi a parte interna de minha bochecha.

— Aonde você foi, Nick? Preciso saber.

— Não é relevante.

— *Nick!* — cortou Go.

— Apenas fiz o que faço algumas manhãs. Fingi sair, então fui de carro até o ponto mais deserto de nosso condomínio e eu... Uma das casas lá tem uma garagem destrancada.

— E? — perguntou Tanner.

— E li revistas.
— Perdão?
— Li números antigos da minha antiga revista.

Eu ainda sentia falta da minha revista — escondera exemplares como se fossem pornografia e os lia em segredo, porque não queria que ninguém sentisse pena de mim.

Ergui os olhos, e tanto Tanner quanto Go sentiram muita, muita pena de mim.

Voltei para minha casa pouco depois do meio-dia, fui recebido por uma rua cheia de carros de reportagem, repórteres acampados em meu gramado. Não consegui chegar à minha rampa, fui obrigado a estacionar na frente da casa. Respirei fundo, então me joguei para fora do carro. Eles se lançaram sobre mim como pássaros famintos, bicando e esvoaçando, saindo de formação e se agrupando novamente. *Nick, você sabia que Amy estava grávida? Nick, qual o seu álibi? Nick, você matou Amy?*

Consegui entrar, me tranquei do lado de dentro. Havia janelas dos dois lados da porta, então tomei coragem e baixei as persianas, enquanto as câmeras disparavam na minha direção, perguntas gritadas. *Nick, você matou Amy?* Assim que as persianas foram fechadas, foi como cobrir um canário para a noite: o barulho do lado de fora parou.

Fui para o segundo andar e satisfiz minha vontade de tomar uma chuveirada. Fechei os olhos e deixei o jato dissolver a sujeira da casa do meu pai. Quando os abri novamente, a primeira coisa que vi foi a gilete rosa de Amy na saboneteira. Pareceu agourenta, malévola. Minha esposa era louca. Eu estava casado com uma mulher louca. É o mantra de todo babaca: *Eu me casei com uma maluca psicótica.* Mas tive uma pequena e nojenta pontada de gratificação: realmente me casei com uma legítima, autêntica maluca psicótica. *Nick, conheça sua esposa: a maior manipuladora de mentes do mundo.* Eu não era tão babaca quanto pensara. Babaca, sim, mas não em escala grandiosa. A traição havia sido estratégia antecipada, uma reação inconsciente a cinco anos preso a uma mulher louca: claro que iria me sentir atraído por uma garota descomplicada e de boa índole da minha cidade natal. É como quando pessoas com deficiência de ferro anseiam por carne vermelha.

Estava me enxugando quando a campainha tocou. Empurrei a porta do banheiro e ouvi as vozes dos repórteres acelerando novamente: *Você acredita em seu genro, Marybeth? Como é saber que será avô, Rand? Você acha que Nick matou sua filha, Marybeth?*

Eles estavam lado a lado no meu degrau da frente, a expressão austera, as costas rígidas. Havia mais ou menos uma dúzia de jornalistas, paparazzi, mas o barulho que faziam era digno do dobro. *Você acredita em seu genro, Marybeth? Como é saber que será avô, Rand?* Os Elliott entraram com olás murmurados e olhos baixos, e bati a porta para as câmeras. Rand colocou a mão em meu braço e imediatamente a tirou sob o olhar de Marybeth.

— Desculpem, eu estava no banho.

Meu cabelo ainda pingava, molhando os ombros de minha camiseta. Os cabelos de Marybeth estavam oleosos, suas roupas, murchas. Ela olhou para mim como se eu fosse louco.

— Tanner Bolt? Sério? — perguntou.

— O que quer dizer?

— Quero dizer, Nick: Tanner Bolt, sério? Ele só representa pessoas culpadas — afirmou, inclinando-se para a frente, agarrando meu queixo. — O que é isso na sua bochecha?

— Urticária. Estresse — menti, e virei o rosto. — Isso sobre o Tanner não é verdade, Marybeth. Não é. Ele é o melhor no ramo. Preciso dele neste momento. Tudo o que a polícia está fazendo é olhar para mim.

— Certamente parece ser o caso — concordou ela. — Parece uma marca de mordida.

— É urticária.

Marybeth deu um suspiro aborrecido e se virou para entrar na sala de estar.

— Foi aqui que aconteceu? — perguntou. Seu rosto desabara em uma série de pontas pelancudas: bolsas sob os olhos e bochechas caídas, lábios voltados para baixo.

— Achamos que sim. Alguma espécie de... altercação, confronto, também aconteceu na cozinha.

— Por causa do sangue — completou Marybeth tocando o divã, testando-o, erguendo-o alguns centímetros e o deixando cair. — Gostaria que você não tivesse arrumado tudo. Fez parecer que não aconteceu nada aqui.

— Marybeth, ele tem de morar aqui — afirmou Rand.

— Ainda não entendo como... Quer dizer, e se a polícia não encontrou tudo? E se... Não sei. Parece que eles desistiram. Se simplesmente deixaram a casa para lá? Aberta para qualquer um?

— Estou certo de que fizeram tudo — comentou Rand, apertando a mão dela. — Por que não perguntamos se podemos dar uma olhada nas coisas de Amy para você escolher alguma lembrança especial? — sugeriu, e olhou para mim. — Tudo bem fazermos isso, Nick? Seria um consolo ter algo dela. — Ele se voltou novamente para a esposa: — Aquele suéter azul que Nana tricotou para ela.

— Não quero o maldito suéter azul, Rand!

Ela empurrou a mão dele e começou a circular pela sala, pegando coisas. Empurrou o divã com um dedo do pé.

— Este é o divã, Nick? O que eles disseram que estava virado, mas não deveria?

— Esse é o divã.

Ela parou de andar, chutou-o novamente e o viu permanecer de pé.

— Marybeth, estou certo de que Nick está exausto — afirmou Rand, olhando para mim com um sorriso significativo. — Assim como todos estamos. Acho que devemos fazer o que viemos fazer e...

— Foi para isso que eu vim aqui, Rand. Não para pegar um suéter idiota de Amy ao qual me agarrar como se tivesse três anos de idade. Quero minha filha. Não quero as coisas dela. As coisas dela não significam nada para mim. Quero que Nick nos diga que diabo está acontecendo, porque a coisa toda está começando a feder. Eu nunca, nunca, nunca me senti tão tola em toda a minha vida. — Começou a chorar, limpando as lágrimas, visivelmente furiosa consigo mesma por estar chorando. — Nós confiamos nossa filha a você. Confiamos em você, Nick. Simplesmente nos diga a verdade!

Ela apontou um indicador trêmulo para o meu nariz.

— É verdade? Você não queria o bebê? Você não ama mais Amy? Você a machucou?

Eu quis bater nela. Marybeth e Rand haviam educado Amy. Ela era fruto do trabalho deles. Eles a haviam criado. Queria dizer as palavras *Sua filha é o monstro nesse caso*, mas não podia — não até termos contado à polícia —, então permaneci perplexo, tentando pensar no que poderia dizer. Mas parecia que eu estava me recusando a cooperar.

— Marybeth, eu nunca iria...

— *Eu nunca iria, eu nunca poderia*, é tudo o que ouço de sua maldita *boca*. Sabe, odeio até *olhar* para você agora. Odeio mesmo. Há algo de errado com você. Falta algo dentro de você, para agir do modo como tem agido. Mesmo que seja provado que você é totalmente inocente, nunca irei perdoá-lo pela forma descontraída como recebeu tudo. Parece que perdeu um maldito guarda-chuva! Depois de todas as coisas de que Amy abriu mão por você, depois de tudo o que fez por você, é isso que ela recebe em troca. Isso... Você... Eu não acredito em você, Nick. Foi o que eu vim aqui lhe informar. Não acredito em você. Não mais.

Ela começou a soluçar, deu as costas e saiu rapidamente pela porta da frente enquanto os cinegrafistas excitados a filmavam. Entrou no carro e dois repórteres grudaram na janela, batendo, tentando fazer com que ela dissesse algo. Na sala, podíamos ouvi-los repetindo seu nome. *Marybeth... Marybeth...*

Rand permaneceu, mãos nos bolsos, tentando descobrir qual papel interpretar. A voz de Tanner — *temos de manter os Elliott do nosso lado* — era um coro grego em meu ouvido.

Rand abriu a boca, eu o interrompi.

— Rand, me diga o que posso fazer.

— Apenas diga, Nick.

— Dizer *o quê*?

— Não quero perguntar, e você não quer responder. Entendo. Mas preciso ouvir você dizer. Você não matou nossa filha.

Ele riu e chorou ao mesmo tempo.

— Jesus Cristo, eu não consigo manter a cabeça no lugar — admitiu. Ele estava ficando rosa, corado, uma queimadura de sol nuclear. — Não consigo entender como isso está acontecendo. Não consigo entender!

Ele continuava a sorrir. Uma lágrima deslizou por seu queixo e caiu no colarinho da camisa.

— Apenas diga, Nick.

— Rand, eu não matei Amy ou a feri de forma alguma. — Ele manteve os olhos fixos em mim. — Você acredita em mim, que não a *feri* fisicamente?

Rand riu de novo.

— Sabe o que estava prestes a dizer? Estava prestes a dizer que não sei mais no que acreditar. E então pensei: essa fala é de outra pessoa. É uma fala de um filme, não algo que eu deveria estar dizendo, e por um segundo me pergunto: será que estou em um filme? Posso não estar mais nesse filme? Então sei que não. Mas por um segundo, você pensa: *vou dizer algo diferente, e tudo isso vai mudar*. Mas não vai, não é?

Com um rápido aceno de cabeça à Jack Russel, ele se virou e seguiu a esposa para dentro do carro.

Em vez de ficar triste, fiquei alarmado. Antes mesmo de os Elliott terem saído da minha rua, eu estava pensando: *Temos de procurar a polícia rapidamente, logo*. Antes que os Elliott começassem a discutir publicamente sua falta de confiança, eu precisava provar que minha esposa não era quem fingia ser. Não *Amy Exemplar*, mas *Amy Vingativa*. Telefonei para Tommy O'Hara — o cara que ligara três vezes para o telefone de denúncias, o cara que Amy acusara de estuprá-la. Tanner conseguira algumas informações sobre ele: não era o irlandês machão que eu imaginara pelo nome, não um bombeiro ou policial. Escrevia para um site de humor do Brooklyn, um site decente, e sua foto de colaborador mostrava que era um magricela com óculos de armação escura e um volume desconfortável de cabelos pretos grossos, com um sorriso irônico e uma camiseta de uma banda chamada Bingos.

Ele atendeu no primeiro toque.

— Sim?

— Aqui é Nick Dunne. Você me ligou sobre minha esposa. Amy Dunne. Amy Elliott. Tenho de falar com você.

Ouvi uma pausa, esperei que desligasse na minha cara como Hilary Handy.

— Ligue para mim de novo em dez minutos.

Fiz isso. O ambiente ao fundo era um bar, eu conhecia o som bastante bem: o murmúrio de pessoas bebendo, o chacoalhar de cubos de gelo, os estranhos surtos de ruído de gente pedindo bebidas ou chamando amigos. Tive uma onda de saudade do meu próprio bar.

— Certo, obrigado — disse ele. — Eu precisava ir a um bar. O papo parecia pedir um scotch.

A voz dele foi ficando cada vez mais próxima, mais densa. Podia imaginá-lo se curvando protetoramente sobre um drinque, colocando a mão em concha no telefone.

— Então — comecei —, recebi seus recados.

— Certo. Ela ainda está desaparecida, certo? Amy?

— Sim.

— Posso perguntar o que você acha que aconteceu? Com Amy?

Foda-se, eu queria um drinque. Entrei na minha cozinha — a segunda melhor opção depois do meu bar — e me servi de um. Estava tentando tomar mais cuidado com o álcool, mas a sensação era boa demais: o sabor de um scotch, um cômodo escuro com o sol ofuscante do lado de fora.

— Posso perguntar por que você ligou? — retruquei.

— Tenho acompanhado a cobertura — explicou ele. — Você está fodido.

— Estou. Queria falar com você porque achei... interessante que você tenha tentado entrar em contato. Considerando... a acusação de estupro.

— Ah, você soube disso — falou.

— Sei que houve uma acusação de estupro, mas não necessariamente acredito que você seja um estuprador. Queria ouvir o que tinha a dizer.

— É. — Ouvi enquanto ele dava um gole no scotch, acabar com ele, chacoalhar os cubos de gelo. — Vi a matéria no noticiário certa noite. Sua história. A de Amy. Estava na cama, comendo comida tailandesa. Cuidando da minha vida. Fodeu com a minha cabeça. *Ela*, depois de todos esses anos.

Ele chamou o barman e pediu outro.

— Meu advogado disse que eu não devia falar com você de jeito algum, mas... O que posso dizer? Sou legal demais, porra. Não posso deixar você se dar mal. Caramba, como eu gostaria que ainda se pudesse fumar nos bares. Esta conversa merece scotch *e* cigarro.

— Conte. Sobre a acusação de agressão. O estupro.

— Como disse, cara, eu vi a cobertura, a imprensa está jogando merda em você. Quer dizer, você é *o cara*. Então eu deveria manter distância; não preciso daquela garota de volta na minha vida. Mesmo que tangencialmente. Mas, que merda. Gostaria que alguém tivesse me feito esse favor.

— Então me faça o favor — disse eu.

— Para começar, ela retirou a queixa... Você sabe disso, certo?

— Sei. Você era culpado?

— Vá se foder. Claro que não. *Você* é culpado?

— Não.

— Bem.

Tommy pediu outro scotch.

— Deixe-me perguntar: seu casamento estava bem? Amy estava feliz?

Fiquei em silêncio.

— Não precisa responder, mas vou chutar que não. Amy não estava feliz. Pouco importa a razão. Nem vou perguntar. Posso imaginar, mas não vou perguntar. Mas sei que você deve saber disto: Amy gosta de brincar de Deus quando não está feliz. O Deus do Velho Testamento.

— Ou seja?

— Ela distribui punições. Brabas — falou, rindo ao telefone. — Quer dizer, você tinha que me ver. Não pareço um estuprador macho alfa. Pareço um otário. Sou um otário. Minha música de caraoquê é "Sister Christian", pelo amor de Deus. Choro com *Poderoso chefão II*. Toda vez.

Ele tossiu após um gole. Pareceu um bom momento para tentar relaxá-lo.

— Fredo? — perguntei.
— Fredo, cara, é. Pobre Fredo.
— Deixado de lado.

A maioria dos homens tem o esporte como língua franca da camaradagem. Aquilo era o equivalente de aficionados por cinema discutindo alguma grande jogada de uma famosa partida de futebol. Ambos conhecíamos a fala, e o fato de que ambos a conhecíamos eliminava um bom dia de papo furado de *nós somos excelentes?*.

Ele tomou outro gole.
— Foi absurdo para cacete.
— Conte.
— Você não está gravando isso ou algo assim, está? Não tem alguém escutando? Porque não quero isso.
— Só nós. Estou do seu lado.
— Bom, conheci Amy em uma festa, há uns sete anos, e ela foi tão legal... Hilária e esquisita e... legal. Tivemos um clique, sabe, e eu não costumo ter cliques com muitas garotas, pelo menos não garotas com a aparência de Amy. Então achei... Bem, primeiro achei que estava sendo sacaneado. Tipo, qual é a armadilha, sabe? Mas começamos a namorar, e namoramos alguns meses, dois, três meses, e então descobri a armadilha: ela não era a garota que eu achava que estava namorando. Ela era capaz de *citar* coisas engraçadas, mas na verdade não gostava de coisas engraçadas. Pelo menos preferia não rir. Na verdade, preferia que eu também não risse, ou fosse engraçado, o que era desconfortável, já que é meu trabalho, mas para ela tudo aquilo era perda de tempo. Quer dizer, não conseguia nem entender por que ela começara a me namorar, porque parecia muito claro que nem sequer gostava de mim. Isso faz sentido?

Eu balancei a cabeça em um gesto positivo, tomei um gole do scotch.
— Sim. Faz.
— Então comecei a dar desculpas para não passar tanto tempo com ela. Eu não terminei, porque sou um idiota, e ela era linda. Tinha esperanças de que a coisa mudasse. Mas sabe, estava dando desculpas com muita regularidade: estou preso no trabalho, o prazo está apertado, estou com um amigo na cidade, meu macaco está doente, qualquer coisa. E comecei a sair com outra garota, meio que sair com ela, nada sério, nada demais. Ou foi o que eu *pensei*. Mas Amy descobriu... Como, ainda não faço ideia, ela podia estar vigiando meu apartamento até onde sei. Mas... *Merda...*

— Beba algo.

Ambos tomamos um gole.

— Daí Amy aparece certa noite na minha casa... Eu estava saindo com a outra garota havia um mês, e Amy aparece e se comporta como antes, como costumava ser. Estava com uma cópia pirata em DVD de um comediante de que eu gosto, uma apresentação underground em Durham, hambúrgueres, e assistimos ao DVD, ela joga a perna sobre a minha, depois se aconchega em mim, e... desculpe. Ela é sua esposa. O importante é: a garota sabia como me manipular. E acabamos...

— Vocês fizeram sexo.

— Sexo *consensual*, sim. E ela foi embora e estava tudo certo. Beijo de despedida na porta, a coisa toda.

— E então?

— Quando eu vejo, há dois policiais à minha porta, e eles fizeram um exame de estupro em Amy, e ela tinha "ferimentos consistentes com estupro forçado". E tinha marcas de corda nos pulsos, e então, quando vasculham meu apartamento, acham na cabeceira da minha cama duas gravatas enfiadas junto ao colchão, e as gravatas são, citando, "consistentes com as marcas de corda".

— Você a havia amarrado?

— Não, o sexo não foi sequer tão... *tão*, entende? Fui pego desprevenido. Ela deve ter amarrado ali quando levantei para mijar ou alguma coisa assim. Quer dizer, a merda era séria. A situação estava feia para mim. E então, de repente, ela retirou as acusações. Duas semanas depois, recebi um bilhete, anônimo, datilografado, dizendo: *Talvez da próxima vez você pense duas vezes*.

— E você nunca mais soube dela?

— Nunca mais soube dela.

— E não tentou prestar queixa contra ela nem nada?

— Hã, não. Não, porra. Eu estava feliz simplesmente por ela ter ido embora. Então, semana passada, estou comendo minha comida tailandesa sentado na cama, vendo o noticiário. Sobre Amy. Sobre você. Esposa perfeita, aniversário de casamento, nada de corpo, uma grande merda. Juro, comecei a suar. Pensei: *É Amy, ela subiu de nível para assassinato. Puta merda*. Estou falando sério, cara, aposto que o que quer que ela tenha armado para você, foi muito bem planejado. Você deveria estar morrendo de medo.

AMY ELLIOTT DUNNE
OITO DIAS SUMIDA

Estou encharcada dos barcos bate-bate; tivemos mais tempo do que o que cinco dólares compram porque as duas adolescentes torradas de sol preferiam folhear revistas de fofocas e fumar cigarros a tentar nos tirar da água. Então passamos bons trinta minutos em nossos barcos movidos a motor de cortador de grama, batendo uns nos outros e fazendo curvas fechadas, e então ficamos entediados e saímos por vontade própria.

Greta, Jeff e eu, uma turma esquisita em um lugar estranho. Greta e Jeff se tornaram bons amigos em apenas um dia, que é o que as pessoas fazem aqui, onde não há mais nada a fazer. Acho que Greta está decidindo se fará de Jeff outra de suas escolhas desastrosas de parceiro sexual. Jeff gostaria disso. Ele a prefere. Ela é muito mais bonita do que estou neste momento, neste lugar. Bonita barata. Está vestindo o sutiã do biquíni e shorts jeans, com uma camisa extra enfiada no bolso de trás para quando quiser entrar em uma loja (camisetas, talhas em madeira, pedras decorativas) ou restaurante (hambúrguer, churrasco, doces). Ela quer que tiremos fotos ao estilo Velho Oeste, mas isso não acontecerá por razões além do fato de que eu não quero piolhos de caipiras do lago.

Acabamos nos contentando com algumas tacadas em um campo de minigolfe decrépito. A grama artificial está arrancada em alguns pontos, os jacarés e moinhos que um dia se moveram mecanicamente estão imóveis. Então Jeff faz o trabalho, girando o moinho, abrindo e fechando os maxilares dos répteis. Alguns buracos são simplesmente inalcançáveis, a grama enrolada como um tapete, a casa de fazenda com seu buraco de rato convidativo desmoronada. Então percorremos o campo sem nenhuma ordem. Ninguém nem sequer está contando os pontos.

Isso teria incomodado profundamente a Velha Amy: a aleatoriedade de tudo, a gratuidade. Mas estou aprendendo a vagar, e faço isso bastante bem. Estou me superando na falta de propósito. Sou uma ociosa tipo A, fêmea alfa, a líder de uma gangue de jovens de corações partidos, percorrendo essa solitária sequência de diversões, cada um de nós sofrendo com as traições da pessoa amada. Flagro Jeff (corneado, divorciado, acordo de custódia complicado) franzindo a testa quando passamos por um Teste do Amor: aperte a barra de metal e veja a temperatura subir de "caso passageiro" para "alma gêmea". A estranha equação — um aperto esmagador significa amor verdadeiro — me faz lembrar da pobre Greta espancada, que com frequência coloca o polegar sobre o hematoma no peito como se fosse um botão que pudesse apertar.

— Sua vez — me diz Greta.

Ela está enxugando sua bola nos shorts — por duas vezes ela caiu na fossa de água suja.

Eu me coloco em posição, balanço uma ou duas vezes e lanço minha bola vermelho-brilhante direto na abertura da casa de passarinho. Ela desaparece por um segundo, depois reaparece saindo de uma rampa e entrando no buraco. Desaparecer, reaparecer. Sinto uma onda de ansiedade — tudo reaparece em algum momento, até mesmo eu. Estou ansiosa porque acho que meus planos mudaram.

Até agora só mudei de plano duas vezes. A primeira foi a arma. Eu ia conseguir uma arma e depois, na manhã em que desaparecesse, ia atirar em mim mesma. Em nenhum lugar perigoso: na canela ou no pulso. Deixaria para trás uma bala com minha carne e meu sangue nela. Uma luta havia ocorrido! Amy fora baleada! Mas então me dei conta de que isso era meio machão demais até para mim. Doeria por semanas, e não morro de amor por dor (meu braço cortado está melhor agora, muito obrigada). Mas eu ainda gostava da ideia da arma. Dava um belo MacGuffin. Não *Amy levou um tiro*, mas *Amy estava com medo*. Então me arrumei toda e fui até o shopping no Dia dos Namorados, para ser lembrada. Não consegui uma, mas isso não era problema, dada a mudança de planos.

A outra foi consideravelmente mais radical. Decidi que não vou morrer.

Tenho a disciplina para me matar, mas não posso suportar a injustiça. Não é justo que eu tenha de morrer. Não morrer *de verdade*. Não quero. Não fui eu quem fez algo errado.

Mas o problema agora é dinheiro. É risível que, de todas as coisas, seja o dinheiro que se torne uma dificuldade para mim. Mas só tenho uma quantia finita — nove mil cento e trinta e dois dólares a esta altura. Vou precisar de mais. Esta manhã fui conversar com Dorothy, como sempre segurando um lenço para não deixar digitais (eu disse a ela que ele pertencia à minha avó — tento dar a ela uma vaga impressão de riqueza sulista dilapidada, muito Blanche DuBois). Eu me apoiei na escrivaninha enquanto ela me contava com grandes detalhes burocráticos sobre um afinador de sangue que não tem dinheiro para comprar — a mulher é uma enciclopédia de produtos farmacêuticos negados —, e então disse, só para testar a situação:

— Entendo o que você quer dizer. Não sei bem como vou conseguir dinheiro para pagar o aluguel do meu chalé daqui a mais uma ou duas semanas.

Ela piscou para mim, e piscou de volta para o aparelho de televisão, um game show em que pessoas gritavam e choravam muito. Ela desenvolveu um interesse de avó por mim, certamente me deixará ficar, indefinidamente. Metade dos chalés estava desocupada, sem problema.

— Então é melhor arrumar um trabalho — disse Dorothy, sem desviar os olhos da TV.

Uma concorrente fez uma escolha ruim, o prêmio foi perdido, um efeito sonoro de buááá transmitiu sua dor.

— Um trabalho como o quê? Que tipo de trabalho posso conseguir aqui?

— Faxineira, babá.

Basicamente, eu tinha de ser uma dona de casa remunerada. Ironia suficiente para um milhão de cartazes de gatinhos.

É verdade que mesmo em nosso humilde estado do Missouri eu nunca tive realmente de poupar. Não podia sair e comprar um carro novo só porque queria, mas nunca tive de pensar nas coisas do cotidiano, recortar cupons, comprar produtos genéricos e saber de cor o preço do leite. Meus pais nunca se deram o trabalho de me ensinar isso, então me deixaram despreparada para o mundo real. Quando Greta, por exemplo, reclamou que a loja de conveniência da marina cobrara cinco dólares por um galão de leite, eu levei um susto, porque o garoto de lá sempre me cobrava dez dólares. Achei que era demais, mas não havia me ocorrido que o adolescentezinho espinhoso simplesmente chutara um número para ver se eu pagaria.

Então estou dentro do orçamento, mas meu orçamento — garantido, segundo a internet, para me sustentar por seis a nove meses — claramente está errado. Então eu estou errada.

Quando terminamos com o golfe — eu venci, claro que venci, sei porque estou contando os pontos na minha cabeça — vamos para a barraca de cachorro-quente almoçar, e me coloco no canto para mexer em meu cinto de dinheiro com zíper sob a camisa, e quando olho para trás Greta me seguiu e me flagra pouco antes que consiga enfiar a coisa de volta.

— Já ouviu falar de uma bolsa, Sra. Dinheirama? — brinca ela.

Esse vai ser um problema — uma pessoa que está fugindo precisa de muito dinheiro vivo, mas uma pessoa que está fugindo por definição não tem onde guardar o dinheiro. Felizmente Greta não insiste no assunto — ela sabe que ambas somos vítimas. Ficamos sentadas ao sol em um banco de metal de piquenique e comemos cachorros-quentes, pães brancos enrolados em volta de cilindros de fosfato com picles tão verdes que parecem tóxicos, e pode ser a melhor coisa que já comi, pois sou Amy Morta e não me importo.

— Adivinhe o que Jeff encontrou no chalé dele para mim? — pergunta Greta. — Outro livro do cara das *Crônicas marcianas*.

— Ray Bradburrow — diz Jeff.

Bradbury, eu penso.

— É, isso. *Algo sinistro vem por aí* — diz Greta — É bom.

Ela fala a última frase com animação, como se fosse tudo o que pudesse ser dito sobre um livro. É bom ou ruim. Gostei ou não gostei. Nada de discussões sobre o estilo, os temas, as nuances, a estrutura. Apenas bom ou ruim. Como um cachorro-quente.

— Eu li quando vim para cá — conta Jeff. — É bom. Assustador.

Ele me flagra olhando para ele e faz uma cara de duende, olhos alucinados e língua maliciosa. Ele não é meu tipo — o pelo no rosto é áspero demais, ele faz coisas suspeitas com peixe —, mas tem boa aparência. É atraente. Seus olhos são muito calorosos, não como os olhos azul-gelados de Nick. Fico pensando se "eu" poderia gostar de ir para a cama com ele — uma boa foda lenta com seu corpo apertado ao meu e sua respiração na minha orelha, os pelos em minhas bochechas, não do modo solitário como Nick trepa, em que nossos corpos mal se conectam: ângulo reto por trás, forma de L pela frente, e então ele sai da cama quase imediatamente, para o chuveiro, me deixando pulsando em seu ponto molhado.

— O gato comeu sua língua? — pergunta Jeff.

Ele nunca me chama pelo nome, como se para deixar claro que ambos sabemos que menti. Ele diz *essa dama*, ou *mulher bonita*, ou *você*. Fico pensando em como me chamaria na cama. *Gata*, talvez.

— Só estou pensando.

— Oh-oh — diz, e sorri novamente.

— Estava pensando em um garoto, dá para ver — sugere Greta.

— Talvez.

— Achei que ficaríamos longe dos babacas por um tempo — fala ela. — Cuidar das nossas galinhas.

Ontem à noite, depois de *Ellen Abbott*, eu estava agitada demais para ir para a casa, então dividimos umas cervejas e imaginamos nossas vidas como garotas hétero reclusas no complexo lésbico da mãe de Greta, criando galinhas e pendurando a roupa para secar ao sol. Alvos do cortejo delicado e platônico de mulheres mais velhas com nós dos dedos envelhecidos e risos tolerantes. Jeans, cotelê e tamancos, nunca nos preocupando com maquiagem, cabelos ou unhas, tamanho de seios e quadris, ou tendo de fingir ser a esposa compreensiva, a namorada companheira que adora tudo o que seu homem faz.

— Nem todos os caras são babacas — afirma Jeff.

Greta faz um ruído de quem não se compromete.

Voltamos aos nossos chalés de pernas bambas. Sinto-me como um balão de água deixado ao sol. Tudo o que quero é me sentar sob meu ar-condicionado barulhento e deixar o frescor bater em minha pele enquanto assisto à TV. Descobri um canal de reprises que só passa velhos programas dos anos setenta e oitenta, *Quincy*, *O barco do amor*, *Oito é demais*, mas primeiro *Ellen Abbott*, meu novo programa preferido!

Nenhuma novidade, nenhuma novidade. Ellen não tem medo de especular, acredite em mim, ela convidou um bando de estranhos do meu passado que juram ser meus amigos, e todos dizem coisas adoráveis a meu respeito, mesmo aqueles que nunca gostaram muito de mim. Afeto pós-vida.

Batida na porta, e sei que serão Greta e Jeff. Desligo a TV e eles estão à minha porta, desocupados.

— Tá fazendo o quê? — pergunta Jeff.

— Lendo — minto.

Ele coloca uma embalagem com seis cervejas em meu balcão, Greta entrando atrás.

— Ah, achei que tínhamos ouvido a TV ligada.

Três é uma multidão nesses chalés pequenos. Eles bloqueiam a porta por um segundo, causando em mim um tremor de nervosismo — por que estão bloqueando a porta? — e então continuam a se mover, bloqueando minha mesinha de cabeceira. Dentro da mesinha de cabeceira está meu cinto de dinheiro com oito mil dólares em espécie. Notas de cem, cinquenta e vinte dólares. O cinto de dinheiro é hediondo, cor de pele e rechonchudo. Não tenho como vestir todo o meu dinheiro de uma vez — deixo um pouco espalhado pelo chalé —, mas tento levar a maior parte comigo, e, quando faço isso, tenho tanta consciência dele quanto uma garota na praia com um absorvente gigantesco. Uma parte perversa de mim gosta de gastar dinheiro, porque sempre que saco um bolo de notas de vinte, é menos dinheiro para esconder, com que me preocupar que seja roubado ou perdido.

Jeff liga a TV e Ellen Abbott — e Amy — entram em foco. Ele confirma com um gesto de cabeça, sorri consigo mesmo.

— Quer ver... Amy? — pergunta Greta.

Não sei dizer se ela usou uma vírgula: *Quer ver, Amy?* Ou *Quer ver Amy?*

— Não. Jeff, por que você não pega seu violão e vamos nos sentar na varanda?

Jeff e Greta trocam olhares.

— Ahhh... Mas é isso que você estava vendo, não é? — pergunta Greta.

Ela aponta para a tela, e sou eu e Nick em um evento beneficente, eu de longe, o cabelo preso em um coque, e se parece mais como estou agora, com o cabelo curto.

— É chato — digo.

— Ah, não acho nada chato — arremata Greta, e se joga na minha cama.

Penso em como sou tola por ter deixado aquelas duas pessoas entrarem. Por ter suposto que conseguiria controlá-las, quando são criaturas selvagens, pessoas acostumadas a dar golpes, explorar as fraquezas, sempre precisando, enquanto eu sou nova nisso. Em precisar. Aquelas pessoas que criam pumas no quintal e chimpanzés na sala de estar — deve ser assim que elas se sentem quando seus adoráveis animais de estimação as estripam.

— Na verdade, será que vocês se importariam...? Estou me sentindo meio mal. Sol demais, acho.

Eles parecem surpresos e um pouco ofendidos, e me pergunto se entendi errado — se eles são inofensivos e estou apenas paranoica. Gostaria de acreditar nisso.

— Certo, certo, claro — concorda Jeff.

Eles se arrastam para fora do meu chalé, Jeff agarrando sua cerveja no caminho. Um minuto depois, ouço Ellen Abbott rosnando no chalé de Greta. As perguntas acusatórias. *Por quê? Por que não? Como explicar?*

Por que me permiti fazer amizade com alguém aqui? *Por que não* fiquei no meu canto? *Como explicar* minhas ações se for encontrada?

Não posso ser descoberta. Se um dia for encontrada, serei a mulher mais odiada do planeta. Passarei da bela, gentil, condenada vítima grávida de um marido egoísta e traidor à piranha amarga que explorou o bom coração de todos os cidadãos dos Estados Unidos. Ellen Abbott dedicaria programas diários a mim, espectadores raivosos telefonando para dar vazão ao seu ódio: "Isso é só mais um exemplo de uma riquinha mimada fazendo o que quer, quando quer, sem pensar nos sentimentos dos outros, Ellen. Acho que ela *deveria* desaparecer pelo resto da vida — na cadeia!" Assim, seria assim. Li na internet informações divergentes sobre as penas por simular uma morte ou incriminar o cônjuge por tal morte, mas sei que a opinião pública seria violenta. Não importaria o que eu fizesse depois disso — alimentar órfãos, cuidar de leprosos —, quando eu morresse, seria conhecida como Aquela Mulher que Simulou a própria Morte e Incriminou o Marido, Como se Lembram.

Não posso permitir isso.

Horas depois, ainda estou acordada, pensando, no escuro, quando minha porta chacoalha, uma batida suave, a batida de Jeff. Fico na dúvida, depois abro, pronta para me desculpar por minha grosseria de antes. Ele está puxando a barba de leve, olhando para meu capacho, depois ergue os olhos cor de âmbar.

— Dorothy disse que você estava procurando trabalho — falou.

— É. Acho que sim. Estou.

— Eu tenho uma coisa esta noite, pago cinquenta pratas.

Amy Elliott Dunne não sairia de seu chalé por cinquenta pratas, mas Lydia e/ou Nancy precisa trabalhar. Tenho de dizer sim.

— Duas horas, cinquenta dólares — diz ele, dando de ombros. — Para mim não faz diferença, só pensei em oferecer.

— Qual é o trabalho?

— Pescar.

Eu tinha certeza de que Jeff dirigiria uma picape, mas ele me guia até um Ford hatch reluzente, um carro desolador, o carro de um rapaz recém-saído da faculdade com grandes planos e orçamento modesto, não o carro que um homem adulto deveria dirigir. Estou usando meu traje de banho sob o vestido leve, conforme fui orientada. ("Não o biquíni, o maiô, aquele com o qual dá para nadar de verdade", recitou Jeff; nunca o vira nem perto da piscina, mas ele conhecia meu traje de banho, o que era ao mesmo tempo lisonjeiro e alarmante.)

Ele deixa as janelas abertas enquanto seguimos pelas colinas arborizadas, o pó de cascalho cobrindo meu cabelo curto e grosso. Parece algo saído de um vídeo de música country: a garota de vestido leve se debruçando para fora do carro para pegar a brisa de uma noite de verão de um estado republicano. Posso ver estrelas. Jeff cantarola vez ou outra.

Ele estaciona a alguma distância de um restaurante construído sobre palafitas acima do lago, um lugar de churrasco conhecido por seus enormes copos de lembrança de drinques com nomes ruins: Gator Juice e Bassmouth Blitz. Sei disso pelos copos jogados fora que boiam nas margens do lago, quebrados e em cores berrantes com o logotipo do restaurante: Catfish Carl's. O Catfish Carl's tem um cais sobre a água — os fregueses podem encher as mãos com ração das máquinas de manivela e jogar nas bocas abertas de centenas de bagres gigantes que esperam lá embaixo.

— O que exatamente vamos fazer, Jeff?

— Você os pega com a rede, eu os mato — orienta ele, saindo do carro, e eu o sigo para a traseira, que está cheia de isopores. — Nós os colocamos aqui, no gelo, e revendemos.

— Revendemos? Quem compra peixe roubado?

Jeff dá seu sorriso de gato preguiçoso.

— Tenho uma clientela.

E então percebo: ele não é um Grizzly Adams tocador de violão, amante da paz e comedor de granola. É um ladrão caipira que quer acreditar que é mais complexo que isso.

Ele tira uma rede, uma caixa de comida de gato e um balde plástico manchado.

Eu não tenho a menor intenção de fazer parte dessa ilícita economia píscea, mas "eu" estou bastante interessada. Quantas mulheres podem dizer que participaram de uma quadrilha de contrabando de peixe? "Eu" topo tudo. Voltei a topar tudo desde que morri. Todas as coisas de que desgostava ou que temia, todos os limites que tinha, descolaram de mim. "Eu" posso fazer praticamente qualquer coisa. Um fantasma tem essa liberdade.

Descemos a colina, vamos para baixo da plataforma do Catfish Carl's e de lá para o cais, que flutua ruidosamente nas ondas originadas por uma lancha de passagem, tocando Jimmy Buffett aos berros.

Jeff me dá uma rede.

— Precisamos que seja rápido: você entra na água, passa a rede, pega os peixes e vira a rede para mim. Mas ela estará pesada e sacudindo, então se prepare. E não grite nem nada.

— Não vou gritar. Mas não quero entrar na água. Posso fazer isso do cais.

— Você deveria pelo menos tirar o vestido, vai estragar.

— Estou bem.

Ele parece aborrecido por um momento — ele é o patrão, eu sou a empregada, e até agora não o estou escutando —, mas então se vira timidamente, tira a camisa e me dá a caixa de comida de gato sem me encarar, como se sentisse vergonha. Seguro a caixa de boca estreita acima da água, e logo cem costas curvadas brilhantes vêm na minha direção, uma multidão de serpentes, as caudas cortando a superfície furiosamente, e então as bocas estão abaixo de mim, os peixes rolando uns sobre os outros para engolir os grãos e depois, como animais amestrados, erguendo os rostos na minha direção para receber mais.

Passo a rede pelo meio do bando e sento com força no cais para ter apoio para erguer a colheita. Quando puxo, a rede está cheia com meia dúzia de bagres bigodudos e escorregadios, todos tentando freneticamente voltar para a água, seus lábios se abrindo e se fechando entre os quadrados de nylon, o movimento coletivo fazendo a rede sacudir para cima e para baixo.

— Levante a rede, levante, garota!

Enfio um joelho sob o cabo da rede e a deixo balançando ali, Jeff se esticando, pegando um peixe com as mãos em luvas de pano para dar firmeza. Ele escorrega as mãos em torno do rabo, então balança o peixe como um porrete, esmagando sua cabeça na lateral do cais. Sangue jorra. Um jorro fino dele cai sobre minhas pernas, um pedaço de carne dura acerta meu cabelo. Jeff joga o peixe no balde e agarra outro com a facilidade de uma linha de montagem.

Trabalhamos grunhindo e bufando por meia hora, quatro redes cheias, até meus braços ficarem molengos e os isopores com gelo estarem cheios. Jeff pega o balde vazio e o enche de água do lago, derrama sobre as entranhas espalhadas que caem de volta dentro dos cercados dos peixes. Os bagres engolem as tripas de seus irmãos caídos. O cais é deixado limpo. Ele joga mais um balde de água sobre nossos pés ensanguentados.

— Por que você tem de esmagá-los? — pergunto.

— Não suporto ver sofrimento — diz ele. — Um mergulho?

— Estou bem — digo.

— Não no meu carro, não está; vamos lá, um mergulho rápido, você tem mais merda no corpo do que acha.

Corremos do cais até a praia pedregosa ali perto. Enquanto entro na água até os tornozelos, Jeff corre com enormes passos barulhentos e se joga para a frente, agitando os braços. Assim que ele se afasta o bastante, solto meu cinto de dinheiro e dobro o vestido ao redor dele, deixando-os à beira da água com os meus óculos em cima. Eu me abaixo até sentir a água quente chegar às minhas coxas, minha barriga, pescoço, e então prendo a respiração e afundo.

Nado para longe e rápido, fico sob a água mais tempo do que deveria para lembrar qual seria a sensação de me afogar — sei que poderia fazê-lo se precisasse — e quando volto à superfície com um único arfar disciplinado, vejo Jeff se adiantando na direção da margem, e tenho de nadar rápido como um boto de volta para meu cinto de dinheiro, e subo nas pedras pouco antes dele.

NICK DUNNE
OITO DIAS SUMIDA

Assim que encerrei a conversa com Tommy, telefonei para Hilary Handy. Se meu "assassinato" de Amy era uma mentira, e o "estupro" de Amy por Tommy O'Hara era uma mentira, por que não o "assédio" de Hilary Handy a Amy? Uma sociopata tem de começar em algum lugar, como os austeros saguões de mármore da Wickshire Academy.

Quando ela atendeu, falei apressado:

— Aqui é Nick Dunne, marido de Amy Elliott. Preciso muito falar com você.

— Por quê?

— Eu realmente, realmente preciso de mais informações. Sobre sua...

— Não diga *amizade* — falou, e ouvi um sorriso raivoso em sua voz.

— Não. Não diria isso. Só quero ouvir o seu lado. Não estou ligando porque acho que você tem alguma coisa, *qualquer coisa*, a ver com minha esposa, sua situação atual. Mas realmente gostaria de saber o que aconteceu. A verdade. Porque acho que talvez você possa lançar uma luz sobre um... padrão de comportamento de Amy.

— Que tipo de padrão?

— Quando coisas muito ruins acontecem às pessoas que a irritam.

Ela respirou pesado ao telefone.

— Há dois dias, eu não teria falado com você. Mas então eu estava tomando um drinque com amigos, com a TV ligada, e você apareceu na tela, e era sobre Amy estar grávida. Todos os que estavam comigo ficaram com tanta *raiva* de você. *Odiaram* você. E pensei, *sei como é isso*. Porque ela não está morta, certo? Quero dizer, está apenas desaparecida? Nada de corpo?

— Isso mesmo.

— Então vou contar. Sobre Amy. E o ensino médio. E o que aconteceu. Espere.

Podia ouvir o barulho de desenhos animados passando do outro lado da linha — vozes emborrachadas e música de órgão — e de repente não mais. Depois vozes chorosas. *Vão ver lá embaixo. Lá embaixo, por favor.*

— Então, no primeiro ano. Eu era a garota de Memphis. *Todo mundo* era da Costa Leste, juro. Era esquisito, diferente, sabe? Todas as garotas em Wickshire, era como se tivessem sido criadas em uma comunidade: as gírias, as roupas, os cabelos. Não que eu fosse uma pária, era só... insegura, certamente. Amy já era A Garota. Tipo, lembro que no primeiro dia todos já a conheciam, todos falavam sobre ela. Ela era a Amy Exemplar — todas tínhamos lido aqueles livros quando crianças —, e era simplesmente deslumbrante. Quer dizer, ela era...

— É, eu sei.

— Certo. E logo ela estava demonstrando interesse por mim, tipo, me colocando debaixo de suas asas, sei lá. Ela tinha uma brincadeira em que ela era a Amy Exemplar, então eu era sua parceira Suzy, e ela começou a me chamar de Suzy, e logo todo mundo estava fazendo isso. O que por mim não era problema. Quer dizer, eu fazia tudo para agradar: pegue uma bebida para Amy se ela estiver com sede, lave umas roupas se ela precisar de lingerie limpa. Espere.

Pude ouvir mais uma vez os cabelos dela roçando no telefone. Marybeth havia trazido todos os álbuns de fotografia dos Elliott para o caso de precisarmos de mais fotos. Ela me mostrara uma foto de Amy e Hilary, sorrisos e rostos colados. Então eu podia imaginar Hilary agora, os mesmos cabelos louro-manteiga de minha esposa emoldurando um rosto mais banal, com olhos castanho-claros.

— *Jason, estou no telefone; dê uns picolés para eles, não é tão difícil assim, caramba.* Desculpe. Nossos filhos estão de férias e meu marido nunca, jamais cuida deles, então ele parece meio confuso quanto ao que fazer nos dez minutos em que estou no telefone com você. Desculpe. Então... Então, certo, eu era a pequena Suzy, e tínhamos essa brincadeira, e por alguns meses, agosto, setembro, outubro, foi ótimo. Tipo amizade *intensa*, estávamos juntas o tempo todo. Depois aconteceram algumas coisas estranhas de uma vez só, que eu sei que a incomodaram um pouco.

— O quê?

— Conhecemos um cara do internato masculino no baile do outono e no dia seguinte ele ligou para *mim*, em vez de para Amy. Coisa que estou certa que ele fez porque Amy era muito intimidadora, mas não importa... E então, alguns dias depois, saem nossas notas do primeiro semestre, e as minhas são ligeiramente melhores, tipo quatro ponto um contra quatro ponto zero. E pouco tempo depois, uma de nossas amigas me convida para passar o dia de Ação de Graças com a família dela. Eu, não Amy. Mais uma vez, tenho certeza de que foi porque Amy intimidava as pessoas. Não era fácil ficar perto dela, você sentia o tempo todo que precisava impressionar. Mas notei as coisas mudando um pouco. Reparei que ela estava realmente irritada, embora não admitisse.

"Em vez disso, ela começa a me botar para fazer coisas. Na época não percebo, mas ela começa a criar uma armadilha para mim. Pergunta se posso pintar meus cabelos exatamente do mesmo louro que o dela, porque o meu é mais escuro, e vai ganhar um tom brilhante *tão legal*. E começa a reclamar dos pais. Quer dizer, ela sempre reclamou deles, mas agora realmente não para de falar, sobre como eles só a amam como uma ideia, e não por quem ela realmente é, então diz que quer sacanear os pais. Faz com que eu comece a passar trotes para sua casa dizendo aos pais dela que sou a nova Amy Exemplar. Nós pegávamos o trem para Nova York alguns fins de semana e ela me dizia para ficar de pé na frente da casa deles. Certa vez quis que eu corresse até a mãe e dissesse que eu ia me livrar de Amy e ser a nova Amy ou alguma besteira assim.

— E você fez isso?

— Eram apenas coisas bobas que garotas fazem. Antes dos celulares e do assédio moral cibernético. Uma forma de passar o tempo. Fazíamos coisas toda hora, apenas besteiras. Tentar superar uma à outra em quão ousadas e esquisitas podíamos ser.

— E então?

— Então ela começa a se distanciar. Fica fria. E eu acho... Acho que ela não gosta mais de mim. As garotas na escola começam a me olhar de um jeito estranho. Sou afastada do grupo das garotas legais. Tudo bem. Mas então um dia sou chamada à sala da diretora. Amy tivera um acidente horrível: tornozelo torcido, braço quebrado, costelas quebradas. Tinha caído de um comprido lance de escadas e dizia que *eu* a havia empurrado. Espere um instante. *Desçam daí agora. Desçam. Daí. Desçam daíííí.* Desculpe, voltei. Nunca tenha filhos.

— Então Amy disse que você a empurrou? — perguntei.

— É, porque eu era *maluuuca*. Era obcecada por ela, e queria ser Suzy, e então ser Suzy não era o bastante: eu tinha de ser Amy. E ela tinha todas as provas que me fizera criar nos últimos *meses*. Os pais dela, obviamente, haviam me visto *rondando* a casa. Eu teoricamente abordara sua mãe. Meu cabelo tingido de louro e as roupas que eu comprara que eram iguais às de Amy; roupas que comprara *com* ela, mas não podia provar isso. Todos os amigos dela apareceram para dizer que no último mês Amy sentira muito medo de mim. A merda toda. Pareci *totalmente louca*. Completamente louca. Os pais dela conseguiram uma medida cautelar impedindo que eu me aproximasse. E eu continuava jurando que não tinha feito nada, mas àquela altura eu estava tão infeliz que queria mesmo sair da escola. Então não lutamos contra a expulsão. Àquela altura, eu queria me afastar dela. Quer dizer, a garota *quebrou as próprias costelas*. Eu estava assustada; aquela garotinha de quinze anos tinha conseguido armar aquilo tudo. Enganou amigos, pais, professores.

— E tudo isso por causa de um garoto, algumas notas e um convite para um jantar de Ação de Graças?

— Cerca de um mês depois que me mudei de volta para Memphis, recebi uma carta. Não estava assinada, era datilografada, mas obviamente era de Amy. Uma lista de todas as formas pelas quais eu a decepcionara. Coisas loucas: *Esqueceu de me esperar depois do inglês, duas vezes. Esqueceu que sou alérgica a morangos, duas vezes.*

— Meu Deus.

— Mas acho que o verdadeiro motivo nem estava na lista.

— Qual era o verdadeiro motivo?

— Acho que Amy queria que as pessoas acreditassem que ela era realmente perfeita. E quando nos tornamos amigas, passei a conhecê-la. E ela não era perfeita. Sabe? Era brilhante, encantadora e tudo mais, mas também controladora, obsessivo-compulsiva, dramática e um pouco mentirosa. O que não era problema para mim. Era um problema apenas para ela. Ela se livrou de mim porque eu sabia que ela não era perfeita. Isso me fez pensar em você.

— Em mim? Por quê?

— Amigos enxergam a maioria dos defeitos um do outro. Cônjuges enxergam cada horrível pedacinho deles. Se ela puniu uma amiga de alguns meses se jogando de uma escada, o que faria com um homem burro o bastante para se casar com ela?

* * *

Desliguei o telefone quando um dos filhos de Hilary pegou a extensão e começou a cantar uma cantiga de ninar. Telefonei imediatamente para Tanner e relatei minhas conversas com Hilary e Tommy.

— Então temos duas histórias, ótimo, isso vai ser realmente ótimo! — disse Tanner, em um tom que indicava que na verdade não era tão ótimo. — Teve notícias de Andie?

Eu não tivera.

— Uma pessoa da minha equipe está esperando no prédio dela — informou ele. — Discretamente.

— Não sabia que você tinha uma equipe.

— Nós precisamos mesmo é *encontrar Amy* — continuou ele, me ignorando. — Uma garota como aquela, não consigo imaginar que conseguisse ficar escondida muito tempo. Você tem alguma ideia?

Eu ficava imaginando Amy em uma luxuosa varanda de hotel perto do mar, enrolada em um roupão branco grosso como um tapete, tomando um Montrachet muito bom enquanto acompanhava minha ruína pela internet, TV a cabo e tabloides. Enquanto desfrutava a cobertura interminável e a exultação de Amy Elliott Dunne. Indo ao seu próprio funeral. Perguntei-me se ela era autoconsciente o bastante para perceber: ela roubara uma página de Mark Twain.

— Eu a imagino perto do mar — falei. Então parei, me sentindo um médium de fundo de quintal. — Não, não tenho ideia. Ela pode estar literalmente em qualquer lugar. Acho que não a veremos a não ser que decida voltar.

— Isso parece improvável — bufou Tanner, aborrecido. — Então vamos tentar encontrar Andie e descobrir como está a cabeça dela. Estamos ficando sem margem de manobra.

Então era hora do jantar, e depois o sol se pôs e eu estava novamente só em minha casa mal-assombrada. Estava pensando em todas as mentiras de Amy e me perguntei se a gravidez era uma delas. Eu fizera as contas. Amy e eu havíamos feito sexo esporadicamente o bastante para que fosse possível. Mas ela também saberia que eu faria as contas.

Verdade ou mentira? Se era mentira, era concebida para me arrasar.

Eu sempre imaginara que Amy e eu teríamos filhos. Era uma das razões pelas quais sabia que iria me casar com ela, porque nos via tendo filhos juntos. Lembro-me da primeira vez que imaginei isso, com menos de dois meses de namoro: estava caminhando de meu apartamento em Kips Bay para um parquinho discreto que eu adorava ao longo do East River, um caminho que me fazia passar pelo gigantesco bloco de Lego da sede das Nações Unidas, bandeiras de uma miríade de países flutuando ao vento. *Uma criança gostaria disso*, pensei. Tantas cores diferentes, o difícil jogo da memória de ligar cada bandeira ao seu país. *Lá está a Finlândia, e ali a Nova Zelândia*. O sorriso de um olho só da Mauritânia. E então eu me dei conta de que não era *uma* criança, mas *nossa* criança, minha e de Amy, que gostaria daquilo. Nosso filho, deitado no chão com uma velha enciclopédia, exatamente como eu fizera, mas nosso filho não estaria sozinho, pois eu estaria deitado ao lado dele. Ajudando em sua vexilologia nascente, o que soa menos como o estudo de bandeiras do que como um estudo sobre aborrecimento, o que teria correspondido à postura do meu pai em relação a mim. Mas não à minha em relação ao meu filho. Imaginei Amy se juntando a nós no chão, de bruços, os pés para cima, apontando para Palau, o ponto amarelo à esquerda do centro sobre o fundo azul-claro, que certamente seria sua preferida.

A partir de então, o garoto se tornou real (e algumas vezes uma garota, mas quase sempre um garoto). Ele era inevitável. Eu sofria de regulares e insistentes dores paternais. Meses após o casamento, tive um estranho momento diante do armário de remédios, fio dental entre os dentes, em que pensei: *Ela quer filhos, certo? Eu deveria perguntar. Claro que deveria perguntar*. Quando coloquei a questão — dando voltas, vago — ela disse *Claro, claro, um dia*, mas toda manhã ainda se colocava na frente da pia e engolia sua pílula. Durante três anos ela fez isso toda manhã, enquanto eu volteava em torno do tema, mas não conseguia realmente dizer as palavras: *quero um filho*.

Depois das demissões, pareceu que poderia acontecer. De repente, havia um espaço incontestável em nossas vidas, e certo dia no café da manhã Amy ergueu os olhos da torrada e disse: *Parei de tomar pílula*. Assim. Ela havia parado de tomar a pílula três meses antes e nada acontecera, e pouco depois da mudança para o Missouri ela marcou uma consulta para que começássemos a intervenção médica. Quando Amy iniciava um projeto, ela não gostava de perder tempo. "Vamos dizer a eles que estamos tentando há um ano", ela falou. Tolamente, eu concordei — já mal nos tocávamos na época, mas ainda achávamos que um filho faria sentido. Claro.

"Você também terá de fazer sua parte, você sabe", disse ela durante a viagem para St. Louis. "Terá de doar sêmen."

"Eu sei. Por que você está dizendo isso assim?"

"Só imaginei que você teria orgulho. Vergonha e orgulho."

Eu era um coquetel bastante ruim dessas duas características, mas entrei obedientemente na salinha estranha dedicada ao prazer solitário do centro de fertilização: um lugar em que centenas de homens haviam entrado sem outro objetivo que não tocar uma punheta, descabelar o palhaço, fazer um cinco contra um, colocar o careca para chorar, bater uma bronha, descascar a banana, fazer justiça com as próprias mãos.

(Eu às vezes uso humor como defesa pessoal.)

A sala continha uma poltrona revestida de vinil, uma TV e uma mesa com uma coletânea de pornografia e uma caixa de lenços de papel. A pornografia era do começo dos anos noventa, a julgar pelos cabelos das mulheres (sim: em cima e embaixo) e a ação era leve. (Outro bom ensaio: Quem seleciona a pornografia para centros de fertilidade? Quem avalia o que fará os homens gozarem sem ser degradante demais para todas as mulheres do lado de fora da sala do gozo, as enfermeiras, médicas, e as esposas esperançosas entupidas de hormônios?)

Visitei a sala em três ocasiões diferentes — eles gostam de ter muita reserva — enquanto Amy não fazia nada. Ela devia começar a tomar comprimidos, mas não o fez, e depois não o fez mais um pouco. Era ela quem ficaria grávida, ela quem entregaria o corpo ao bebê, então adiei o momento de atormentá-la por alguns meses, ficando de olho no frasco de comprimidos para ver se o volume diminuía. Finalmente, após algumas cervejas em uma noite de inverno, subi as escadas de nossa casa, tirei minhas roupas cobertas de neve e me enrolei junto a ela na cama, meu rosto perto do seu ombro, sentindo o cheiro dela, aquecendo a ponta de meu nariz em sua pele. Sussurrei as palavras — *Vamos, Amy, vamos ter um filho* — e ela disse não. Eu estava esperando nervosismo, cautela, preocupação — *Nick, eu serei uma boa mãe?* —, mas recebi um seco e frio *não*. Um não sem ambiguidades. Nada de dramático, nada demais, simplesmente era algo em que ela não estava mais interessada. "Porque me dei conta de que eu ficaria condenada a todas as coisas difíceis", raciocinou. "Todas as fraldas, consultas médicas e toda a disciplina, e você apenas chegaria e seria o Papai Divertido. Eu teria todo o trabalho para fazer deles pessoas boas, e você desfaria tudo, e eles amariam você e me detestariam."

Eu disse a Amy que não era verdade, mas ela não acreditou em mim. Eu disse que não apenas *queria* um filho, eu *precisava* de um filho.

Tinha de saber que podia amar uma pessoa incondicionalmente, que podia fazer uma criaturinha se sentir sempre bem-vinda e querida, não importava o que acontecesse. Que eu podia ser um tipo de pai diferente do meu. Que podia criar um garoto que não fosse como eu.

Implorei a ela. Amy permaneceu inabalável.

Um ano depois, recebi um aviso pelo correio: a clínica iria se livrar do meu sêmen se não tivesse notícias nossas. Deixei a carta na mesa da sala de jantar, uma censura clara. Três dias depois, a vi no lixo. Foi nossa última comunicação sobre o assunto.

Na época, eu já estava saindo com Andie em segredo havia meses, então não tinha o direito de ficar chateado. Mas isso não encerrou minhas dores, e não me impediu de sonhar acordado com nosso filho, meu e de Amy. Eu me apegara a ele. O fato era que Amy e eu faríamos um ótimo filho.

As marionetes me observavam com olhos negros alarmados. Espiei pela janela, vi que os carros de reportagem tinham se recolhido, então saí para a noite quente. Hora de caminhar. Talvez um solitário repórter de tabloide estivesse me seguindo; se estava, eu não me importava. Caminhei pelo condomínio, depois quarenta e cinco minutos pela River Road, depois para a estrada que passava pelo meio de Carthage. Trinta minutos barulhentos e enfumaçados — passando por lojas de carros com picapes exibidas de forma apelativa como sobremesas, por lanchonetes, lojas de bebidas, minimercados e postos de gasolina — até chegar à saída para o centro. Eu não encontrara uma só pessoa a pé o tempo todo, apenas borrões sem rosto passando por mim em disparada nos carros.

Era quase meia-noite. Passei pel'O Bar, tentado a entrar mas dissuadido pela multidão. Devia haver um repórter ou dois acampando ali dentro. Era o que eu faria. Mas eu queria estar em um bar. Queria estar cercado de pessoas, me divertindo, aliviando a pressão. Caminhei mais quinze minutos até o outro lado da cidade, para um bar mais vagabundo, agitado, jovem, onde os banheiros sempre estavam sujos de vômito nas noites de sábado. Era um bar a que a turma de Andie iria, e talvez, quem sabe, arrastasse Andie. Seria uma sorte vê-la ali. Pelo menos avaliar seu humor, do outro lado do salão. E se ela não estivesse lá eu tomaria uma merda de um drinque.

Fui o mais fundo no bar que consegui — nada de Andie, nada de Andie. Meu rosto estava parcialmente coberto por um boné. Ainda assim, senti alguns trancos enquanto passava por grupos de pessoas bebendo: cabeças se virando abruptamente na minha direção, os olhos arregalados com a identificação. *Aquele cara! Certo?*

Meados de julho. Eu me perguntei se ficaria tão execrável até outubro a ponto de ser a fantasia de Halloween de mau gosto de algum rapaz de fraternidade: cachos de cabelos louros, um livro *Amy Exemplar* enfiado sob uma axila. Go dissera que havia recebido meia dúzia de telefonemas perguntando se O Bar tinha uma camiseta oficial à venda. (Não tínhamos, graças a Deus.)

Sentei-me e pedi um scotch ao barman, um cara mais ou menos da minha idade que me encarou durante um tempo um pouco longo demais, decidindo se iria me servir. Finalmente, de má vontade, ele colocou um pequeno copo na minha frente, as narinas se expandindo e contraindo. Quando peguei minha carteira, ele ergueu uma palma da mão alarmada para mim.

— Não quero seu dinheiro, cara. Não mesmo.

Deixei o dinheiro de qualquer maneira. Babaca.

Quando tentei acenar para pedir outra bebida, ele olhou na minha direção, balançou a cabeça e se inclinou na direção da mulher com quem conversava. Alguns segundos depois, ela olhou discretamente para mim, fingindo que estava se alongando. Sua boca se curvou para baixo enquanto ela balançava a cabeça em um gesto positivo. *É ele. Nick Dunne.* O barman não voltou.

Você não pode gritar, não pode usar a força: *Ei, imbecil, vai me dar uma maldita bebida ou não?* Você não pode ser o babaca que acham que você é. Tem de ficar sentado e engolir. Mas eu não ia embora. Fiquei sentado com o copo vazio na minha frente fingindo pensar seriamente. Verifiquei meu celular descartável, só para o caso de Andie ter ligado. Não tinha. Então peguei meu telefone de verdade e joguei uma partida de paciência, fingindo estar muito absorto. Minha esposa fizera isso comigo, me transformara em um homem que não conseguia uma bebida na própria cidade. Deus, como a odiava.

— Era scotch?

Uma garota mais ou menos da idade de Andie estava de pé na minha frente. Asiática, cabelos negros à altura dos ombros, bonita no estilo escritório.

— Como?

— O que você estava bebendo? Scotch?

— É. Estou tendo dificuldade para conseguir...

Ela desapareceu, foi até o final do bar, e estava entrando na linha de visão do barman com um grande sorriso de *me ajude*, uma garota acostumada a se fazer notar, e então voltou com um scotch em um copo de gente grande.

— Tome — insistiu, e eu peguei o copo. — Saúde.

Ela ergueu a própria bebida, clara e efervescente. Brindamos.

— Posso me sentar?

— Na verdade não vou ficar muito tempo... — disse, olhando ao redor, garantindo que ninguém estava apontando um celular com câmera para nós.

— Então tudo bem — disse, sorrindo despreocupada. — Eu poderia fingir que não sei que você é Nick Dunne, mas não vou insultá-lo. Estou torcendo por você, inclusive. Você está sendo injustiçado.

— Obrigado. É, hã, um momento esquisito.

— Falando sério. Sabe como eles falam, no tribunal, sobre o efeito *CSI*? Tipo, todo mundo no júri viu tanto *CSI* que acredita que a ciência pode provar qualquer coisa?

— Sei.

— Bem, acho que há um efeito Marido do Mal. Todos viram tantos programas de crimes reais em que o marido é sempre, sempre o assassino que as pessoas automaticamente supõem que o marido é o vilão.

— É exatamente isso — falei. — Obrigado. É exatamente isso. E Ellen Abbott...

— Foda-se Ellen Abbott — disse minha nova amiga. — Ela é uma perversão do sistema judiciário e uma odiadora de homens encarnada em uma mulher que anda e fala.

Ela ergueu seu copo novamente.

— Qual é o seu nome? — perguntei.

— Outro Scotch?

— Que nome lindo.

O nome dela, descobri, era Rebecca. Ela tinha um cartão de crédito a postos e jeito para a bebida. (*Outro? Outro? Outro?*) Era de Muscatine, Iowa (outra cidade no rio Mississippi), e se mudara para Nova York depois da faculdade para ser jornalista (também como eu). Fora assistente editorial em três revistas diferentes — uma revista para noivas, uma para mães que trabalham fora e uma para meninas adolescentes —, todas tendo fechado nos últimos anos, então ela estava no momento trabalhando para um blog de crime chamado Whodunnit, e estava (risos) na cidade para tentar conseguir uma entrevista comigo. Porra, eu tinha de apreciar a audácia daquela garota faminta: *Apenas me mandem para Carthage; as maiores redes de TV não conseguiram, mas tenho certeza de que eu consigo!*

— Tenho esperado em frente à sua casa com o resto do mundo, depois na delegacia, e então decidi que precisava de uma bebida. E aí você entra. É perfeito demais. Estranho demais, não é? — falou.

Usava pequenas argolas de ouro com as quais ficava brincando, os cabelos atrás das orelhas.

— É melhor eu ir embora — comentei.

Minhas palavras estavam grudentas, o começo de um enrolar de língua.

— Mas você ainda não me contou por que está aqui — disse Rebecca. — Devo dizer que é preciso muita coragem, acho, para você sair sem um amigo ou algum tipo de apoio. Aposto que recebeu muitos olhares feios.

Dei de ombros: *Nada demais.*

— As pessoas julgando tudo o que você faz sem sequer conhecê-lo. Como você com a foto de celular no parque. Quero dizer, você provavelmente é como eu: foi criado para ser educado. Mas ninguém quer a história de verdade. Eles querem o... *Peguei você.* Sabe?

— Estou só cansado de pessoas me julgando porque me encaixo em um determinado modelo.

Ela ergueu as sobrancelhas; os brincos sacudiram.

Pensei em Amy sentada em seu misterioso centro de controle, onde quer que fosse a porra do lugar, me avaliando de todos os ângulos, vendo defeitos no meu comportamento mesmo de longe. Haveria algo que ela pudesse ver que a levasse a encerrar essa loucura?

Prossegui:

— Quer dizer, as pessoas acham que estávamos em um casamento com problemas, mas na verdade, logo antes de desaparecer, ela preparou uma caça ao tesouro para mim.

Amy iria querer uma de duas coisas: que eu aprendesse minha lição e fosse para a cadeira elétrica como o menino mau que era; ou que aprendesse minha lição e a amasse do modo como ela merecia, e fosse um garotinho bom, obediente, castigado, castrado.

— Uma maravilhosa caça ao tesouro — disse eu, sorrindo.

Rebecca balançou a cabeça com a testa franzida em forma de V.

— Minha esposa sempre preparava uma caça ao tesouro para nosso aniversário de casamento. Uma pista leva a um lugar especial onde eu encontro a pista seguinte, e assim por diante. Amy... — Tentei levar lágrimas aos olhos, mas me contentando em enxugá-los. O relógio acima da porta marcava meia-noite e trinta e sete. — Antes de desaparecer, ela escondeu todas as pistas. Deste ano.

— Antes de desaparecer no aniversário de casamento de vocês.

— E é isso que tem me mantido inteiro. Fez com que me sentisse mais próximo dela.

Rebecca pegou uma câmera portátil.

— Deixa eu entrevistar você. Para a câmera.

— Péssima ideia.

— Vou contextualizar — disse ela. — É exatamente do que você precisa, Nick, juro. Contexto. Você precisa muito disso. Vamos lá, só algumas palavras.

Balancei a cabeça negativamente.

— Perigoso demais.

— Diga o que acabou de dizer. Estou falando sério, Nick. Sou o oposto de Ellen Abbott. A anti-Ellen Abbott. Você precisa de mim na sua vida.

Ela ergueu a câmera, a luzinha vermelha me encarando.

— Sério, desligue isso.

— Ajude uma pobre garota. Se eu conseguir a entrevista com Nick Dunne, minha carreira está feita e você fez sua boa ação do ano. Por favoooor? Não fará mal nenhum, Nick, um minuto. Só um minuto. Juro que vou passar uma boa imagem de você.

Ela apontou para um reservado próximo onde ficaríamos fora das vistas de intrometidos. Confirmei com um gesto de cabeça, e mudamos de lugar, aquela luzinha vermelha apontada para mim o tempo todo.

— O que você quer saber? — perguntei.

— Fale sobre a caça ao tesouro. Parece romântico. Tipo, um romântico peculiar, incrível.

Assuma o controle da história, Nick. Para o público com P maiúsculo e a esposa com P maiúsculo. *Neste exato momento*, pensei, *sou um homem que ama a esposa e vai encontrá-la. Sou um homem que ama a esposa e sou o cara bom. Sou aquele por quem torcer. Sou um homem que não é perfeito, mas minha esposa é, e serei muito, muito obediente daqui para a frente.*

Eu podia fazer isso mais facilmente do que fingir tristeza. Como disse, eu funciono à luz do sol. Ainda assim, senti minha garganta se apertar enquanto me preparava para dizer as palavras.

— Minha esposa... ela é a garota mais legal que já conheci. Quantos caras podem dizer isso? *Eu me casei com a garota mais legal que já conheci.*

Suapiranhadesgraçadasuapiranhadesgraçadasuapiranhadesgraçada. Venha para casa para que eu possa matar você.

AMY ELLIOTT DUNNE
NOVE DIAS SUMIDA

Acordo me sentindo imediatamente nervosa. Perturbada. *Não posso ser encontrada aqui*, é o que acordo pensando, uma explosão de palavras, como um clarão em meu cérebro. A investigação não está indo rápido o suficiente, minha situação financeira é exatamente oposta e as antenas de cobiça de Jeff e Greta estão ligadas. E eu cheiro a peixe.

Houve algo em Jeff e naquela corrida até a praia, em direção ao meu vestido enrolado e meu cinto de dinheiro. Algo no modo como Greta fica mencionando *Ellen Abbott*. Isso me deixa nervosa. Ou estou paranoica? Estou parecendo a Amy do Diário: *Meu marido vai me matar ou eu estou imaginando coisas!?!?* Pela primeira vez, eu realmente sinto pena dela.

Dou dois telefonemas para o telefone de denúncias sobre Amy Dunne, falo com duas pessoas diferentes e dou duas pistas diferentes. É difícil dizer com que velocidade elas chegarão à polícia — os voluntários parecem totalmente desinteressados. Vou de carro até a biblioteca, com uma disposição soturna. Preciso fazer as malas e ir embora. Limpar meu chalé com água sanitária, tirar minhas digitais de tudo, aspirar quaisquer cabelos. Apagar Amy (e Lydia e Nancy) e ir embora. Se for embora, estarei segura. Mesmo que Greta e Jeff desconfiem de quem sou, desde que não seja apanhada fisicamente, estarei bem. Amy Elliott Dunne é como um abominável homem das neves — cobiçada e folclórica —, e eles são dois vigaristas de Ozarks cuja história confusa será imediatamente desmentida. Irei embora hoje, é o que decido enquanto entro de cabeça baixa na biblioteca gelada e na maior parte do tempo vazia, com seus três computadores livres, e acesso a internet para me atualizar sobre Nick.

Desde a vigília, as notícias sobre Nick têm sido repetidas — os mesmos fatos circulando o tempo todo, cada vez mais alto, mas sem nenhuma informação nova. Mas hoje há algo diferente. Digito o nome de Nick no site de busca e os blogs estão pirando porque meu marido ficou bêbado e deu uma entrevista louca em um bar, com uma garota qualquer segurando uma câmera portátil. Deus do céu, o idiota não aprende nunca.

A CONFISSÃO EM VÍDEO DE NICK DUNNE!!!
NICK DUNNE, DECLARAÇÕES ÉBRIAS!!!

Meu coração dá um pulo tão alto que minha úvula começa a latejar. Meu marido se fodeu novamente.

O vídeo carrega e lá está Nick. Ele tem os olhos sonolentos de quando está bêbado, as pálpebras pesadas, e tem aquele seu sorriso de lado, e está falando de mim, e ele parece um ser humano. Ele parece feliz. "Minha esposa... ela é a garota mais legal que já conheci", ele diz. "Quantos caras podem dizer isso? *Eu me casei com a garota mais legal que já conheci.*"

Meu estômago vibra delicadamente. Eu não esperava isso. Quase sorrio.

"O que há de tão legal nela?", pergunta a voz feminina fora da tela. Seu tom é agudo, com uma animação juvenil.

Nick começa a falar sobre a caça ao tesouro, sobre como aquilo era nossa tradição, como eu sempre me lembrava de piadas internas hilárias, e como nesse momento isso era tudo o que lhe restava de mim, então ele tivera de concluir a caça ao tesouro. Era sua missão.

"Cheguei ao final hoje de manhã", diz. Sua voz está rouca. Ele teve que falar alto para cobrir o barulho da multidão. Ele irá para casa gargarejar com água salgada quente, como sua mãe sempre o obrigou a fazer. Se eu estivesse em casa com ele, me pediria para esquentar a água e preparar, porque nunca coloca a quantidade certa de sal. "E isso me fez... entender muita coisa. Ela é a única pessoa no mundo que consegue me surpreender, sabe? Todos os outros, eu sempre sei o que vão dizer, porque todo mundo diz a mesma coisa. Todos vemos os mesmos programas, lemos as mesmas coisas, reciclamos tudo. Mas Amy, ela é sua própria pessoa perfeita. Ela simplesmente tem um *poder* sobre mim."

"Onde você acha que ela está agora, Nick?"

Meu marido baixa os olhos para a aliança e a gira duas vezes no dedo.

"Você está bem, Nick?"

"A verdade? Não. Falhei totalmente com minha esposa. Fiz tudo errado. Eu só espero que não seja tarde demais. Para mim. Para nós."

"Você está nas últimas. Emocionalmente."

Nick olha diretamente para a câmera.

"Quero minha esposa. Quero que ela esteja bem aqui." Ele respira. "Não sou bom em demonstrar emoções. Sei disso. Mas eu a amo. Preciso que ela esteja bem. Ela tem de estar bem. Tenho muito a acertar com ela."

"Tipo o quê?"

Ele ri, o riso contrariado que mesmo agora eu acho atraente. Em dias melhores, costumava chamá-lo de riso de talk show: era o rápido olhar para baixo, a coçada no canto da boca com o polegar, o riso inalado que um astro de cinema charmoso sempre usa antes de contar uma história fantástica.

"Tipo, não é da sua conta." Ele sorri. "Eu só tenho muito a acertar com ela. Não fui o marido que poderia ter sido. Tivemos alguns anos difíceis, e eu... Eu me perdi. Parei de tentar. Quer dizer, já ouvi essa frase mil vezes: *Paramos de tentar*. Todo mundo sabe que isso significa o fim de um casamento; está nos manuais. Mas parei de tentar. Fui eu. Não fui o homem que precisava ser." As pálpebras de Nick estão pesadas, sua fala desajeitada o bastante para revelar o sotaque. Ele está além do alegre, um drinque antes do bêbado. As bochechas estão rosadas por causa do álcool. As pontas dos meus dedos esquentam, se lembrando do calor de sua pele após alguns coquetéis.

"E como você acertaria as coisas com ela?" A câmera balança por um segundo; a garota está pegando sua bebida.

"Como eu *vou* acertar as coisas com ela? Primeiro vou encontrá-la e trazê-la para casa. Pode apostar. Depois? O que quer que precise de mim, darei a ela. De agora em diante. Porque cheguei ao fim da caça ao tesouro e ela me deixou de joelhos. Humilde. Minha esposa nunca foi mais clara do que agora. Nunca estive tão certo do que precisava fazer."

"Se pudesse falar com Amy agora, o que diria a ela?"

"Eu amo você. Vou encontrar você. Eu *vou*..."

Deu para ver que ele estava prestes a usar a fala de Daniel Day-Lewis em *O último dos moicanos*: "Fique viva... Eu *vou* te encontrar." Ele não consegue resistir a dissolver qualquer franqueza com uma citação rápida de um diálogo de cinema. Posso senti-lo vacilando bem no limite. Ele se controla.

"Te amo para sempre, Amy."

Quão comovido. Quão atípico de meu marido.

Três pessoas morbidamente obesas estão montadas em triciclos motorizados entre mim e meu café matinal. Suas bundas se esparramam pelas laterais das máquinas, mas ainda assim elas precisam de outro Egg McMuffin. Há três pessoas literalmente *estacionadas* na minha frente, em fila, *dentro* do McDonald's.

Na verdade não ligo. Estou curiosamente alegre, a despeito dessa mudança nos planos. O vídeo já está se tornando viral na internet, e a reação é surpreendentemente positiva. Cautelosamente otimista: *Talvez esse cara não tenha matado a esposa, no fim das contas.* Esse é, palavra por palavra, o bordão mais comum. Porque assim que Nick baixa a guarda e demonstra alguma emoção, está tudo ali. Ninguém poderia assistir àquele vídeo e acreditar que ele estava encenando. Não foi o tipo de dor forçada que a gente vê no teatro amador. Meu marido me ama. Ou pelo menos ontem à noite ele me amava. Enquanto eu planejava sua ruína em meu pequeno chalé miserável com cheiro de toalha mofada, ele me amava.

Não é suficiente. Sei disso, claro. Não posso mudar meus planos. Mas isso me permite fazer uma pausa. Meu marido terminou a caça ao tesouro e está apaixonado. Também está profundamente perturbado: juro ter visto urticária em uma bochecha.

Vou para meu chalé e encontro Dorothy batendo em minha porta. Seus cabelos estão molhados por causa do calor, escovados para trás como um pilantra de Wall Street. Ela tem o hábito de limpar o lábio superior, depois lamber o suor dos dedos, então tem o indicador na boca como um sabugo de milho quando se vira para mim.

— Aí está você — diz. — A sumida.

Atrasei o pagamento do chalé. Dois dias. Isso quase me faz rir: atrasei o aluguel.

— Mil desculpas, Dorothy. Vou levar o dinheiro para você daqui a dez minutos.

— Vou esperar aqui, se não se importa.

— Não tenho certeza se vou ficar. Talvez tenha de ir embora.

— Mesmo assim você me deve dois dias. Oitenta dólares, por favor.

Entro no chalé, solto meu cinto de dinheiro. Contei meu dinheiro na cama esta manhã, demorando para retirar cada nota, um provocante striptease econômico, e a grande revelação foi que, *de alguma forma*, tenho apenas mais oito mil oitocentos e quarenta e nove dólares. Custa muito viver.

Quando abro a porta para dar o dinheiro a Dorothy (restam oito mil setecentos e sessenta e nove dólares), vejo Greta e Jeff na varanda de Greta, assistindo ao dinheiro trocar de mãos. Jeff não está tocando seu violão. Greta não está fumando. Eles parecem estar de pé na varanda apenas para dar uma boa olhada em mim. Ambos acenam para mim, *oi, querida*, e eu aceno de volta frouxamente. Fecho a porta e começo a fazer as malas.

É estranho quão pouco tenho neste mundo, comparado com o tanto que costumava ter. Não tenho uma batedeira ou uma tigela de sopa. Tenho lençóis e toalhas, mas não tenho um cobertor decente. Tenho uma tesoura para poder manter meus cabelos curtos. Isso me faz sorrir, porque Nick não tinha uma tesoura quando fomos morar juntos. Nada de tesoura, ferro de passar, grampeador, e me lembro de perguntar se ele achava que podia ser uma pessoa civilizada sem uma tesoura, e ele disse que claro que não era, tomou-me nos braços, jogou-me na cama e montou em cima de mim. E eu ri porque ainda era a Garota Legal. Ri em vez de pensar no que isso significava.

Ninguém deveria se casar com um homem que não possui uma tesoura decente. Esse seria meu conselho. Isso leva a coisas ruins.

Dobrei e guardei minhas roupas em minha pequena mochila — os mesmos três trajes que comprei e guardei no meu carro de fuga há um mês, para não ter de levar nada de casa. Joguei lá dentro minha escova de dentes de viagem, calendário, pente, hidratante, os soníferos que comprei quando ia me drogar e me afogar. Meus trajes de banho baratos. Leva tão pouco tempo, a coisa toda.

Coloquei minhas luvas de látex e comecei a limpar tudo. Tirei os ralos para eliminar qualquer cabelo preso. Não acho realmente que Greta e Jeff saibam quem sou, mas, se souberem, não quero deixar nenhuma prova, e o tempo todo digo a mim mesma: *Isso é o que você ganha por relaxar, o que ganha por não pensar o tempo todo, o tempo todo. Você merece ser pega, uma garota que se comporta de modo tão descuidado, e se você deixou cabelos na recepção, e então, e se há digitais no carro de Jeff ou na cozinha de Greta, e então, por que você achou que podia ser alguém que não se preocupa?* Imagino a polícia vasculhando os chalés sem achar nada e então, como em um filme, dou um close em um único fio de cabelo escuro meu deslizando pelo piso de concreto da piscina, esperando para me condenar.

Então minha mente vai na outra direção: *é claro que ninguém vai aparecer para procurar você aqui.* Tudo o que a polícia tem é a alegação de alguns vagabundos de que viram a verdadeira Amy Elliott Dunne em um conjunto barato de chalés decadentes no meio do nada. Pessoas pequenas querendo se sentir grandes, é o que vão supor.

Uma batida firme na porta. Do tipo que um pai dá antes de escancarar a porta: *sou dono deste lugar.* Fico de pé no meio do quarto e penso em não abrir. Toc, toc, toc. Agora entendo por que tantos filmes de terror usam esse artifício — a batida misteriosa na porta —, porque ele tem o peso de um pesadelo. Você não sabe o que está lá fora, mas sabe que irá abrir. Você pensa o mesmo que eu: *ninguém mau bate na porta.*

Oi, querida, sabemos que está em casa, abra!

Tiro minhas luvas de látex, abro a porta e Jeff e Greta estão na minha varanda, o sol às costas, suas expressões na sombra.

— Oi, moça bonita, podemos entrar? — pergunta Jeff.

— Na verdade... Eu é que ia visitar vocês — digo, tentando parecer desenvolta, apressada. — Estou indo embora hoje à noite... Amanhã ou hoje à noite. Recebi um telefonema de casa, tenho de voltar.

— Casa em Louisiana ou casa em Savannah? — pergunta Greta.

Ela e Jeff têm conversado sobre mim.

— Louisi...

— Não importa — diz Jeff. — Deixe-nos entrar um segundo, viemos dizer tchau.

Ele dá um passo na minha direção, e penso em gritar ou fechar a porta, mas não acho que nenhum dos dois acabará bem. Melhor fingir que está tudo certo e esperar que seja verdade.

Greta fecha a porta atrás deles e se apoia nela, enquanto Jeff anda pelo pequeno quarto, depois pela cozinha, fazendo comentários sobre o tempo. Abrindo portas e armários.

— Você tem de levar tudo; Dorothy vai ficar com seu depósito se não levar. Ela é difícil — comenta ele. Abre a geladeira, espia na gaveta, no congelador. — Nem mesmo um frasco de ketchup você pode deixar. Sempre achei isso estranho. Ketchup não estraga.

Ele abre o guarda-roupa e levanta a roupa de cama que eu dobrei, sacode os lençóis.

— Sempre, sempre sacudo os lençóis. Só para ter certeza de que não há nada dentro; uma meia ou roupa de baixo, o que for.

Ele abre a gaveta da mesa de cabeceira, se ajoelha e olha o fundo.

— Parece que você fez um bom trabalho — diz ele, levantando-se e sorrindo, limpando as mãos na calça jeans. — Pegou tudo.

Ele me examina da cabeça aos pés e ergue o olhar novamente.

— Onde está, querida?

— Onde está o quê?

— Seu dinheiro — diz, dando de ombros. — Não dificulte. Eu e ela precisamos muito.

Greta está em silêncio atrás de mim.

— Tenho umas vinte pratas.

— Mentira — disse Jeff. — Você paga tudo em dinheiro, até o aluguel. Greta viu você com aquele bolo de dinheiro. Então me entregue e você pode ir embora, e nunca nos veremos de novo.

— Vou chamar a polícia.

— Vá em frente! Fique à vontade.

Jeff espera, braços cruzados, polegares nas axilas.

— Seus óculos são falsos — diz Greta. — São só vidro.

Eu não digo nada, apenas a encaro, esperando que ela desista. Esses dois parecem suficientemente nervosos para mudar de ideia, dizer que estão só de sacanagem, e os três vamos rir e saber que não é verdade, mas todos concordaremos em fingir.

— E seu cabelo, as raízes estão aparecendo, e ele é louro, muito mais bonito do que a cor com que você pintou, *hamster*. E esse corte de cabelo é medonho, aliás — diz Greta. — Você está se escondendo de alguma coisa. Não sei se é realmente de um cara ou outra coisa, mas você não vai chamar a polícia. Então entregue logo o dinheiro.

— Jeff convenceu você a fazer isso? — pergunto.

— Eu convenci Jeff a fazer isso.

Vou na direção da porta que Greta está bloqueando.

— Deixe-me sair.

— Dê o dinheiro para a gente.

Tento abrir a porta, e Greta se joga em cima de mim, me empurra contra a parede, uma das mãos esmagada sobre meu rosto, e com a outra ela levanta meu vestido, arranca o cinto do dinheiro.

— Não, Greta, estou falando sério! Pare!

Sua palma quente e salgada está sobre meu rosto, apertando meu nariz; uma de suas unhas arranha meu olho. Então ela me empurra de volta na parede, minha cabeça batendo, meus dentes mordendo a ponta da minha língua. Toda a luta é muito silenciosa.

Estou com a parte do cinto onde fica a fivela em minha mão, mas não consigo enxergar para lutar contra Greta porque meu olho está lacrimejando muito, e ela logo arranca o cinto de minha mão, deixando um arranhão ardendo nos nós dos meus dedos. Ela me empurra novamente e abre o zíper, dedos passando pelo dinheiro.

— Puta merda — exclama, contando. — Isso é tipo, mais de mil, dois ou três. Puta merda. Caramba, garota! Você roubou um banco?

— Deve ter roubado — diz Jeff. — Desfalque.

Em um filme, um dos filmes de Nick, eu lançaria a palma da mão no nariz de Greta, a jogaria no chão sangrando e inconsciente, e então socaria Jeff. Mas a verdade é que não sei lutar, e eles são dois, e não parece valer a pena. Vou me jogar sobre eles e vão me agarrar pelos pulsos enquanto chuto e esperneio como uma criança, ou irão ficar com muita raiva e me dar uma surra. Nunca apanhei. Tenho medo de ser machucada.

— Você ia chamar a polícia, vá em frente e chame — fala Jeff novamente.

— Vá se foder — sussurro.

— Lamento por isso — desculpa-se Greta. — No próximo lugar que você for, tome mais cuidado, certo? Você não pode parecer uma garota viajando sozinha se escondendo assim.

— Você vai ficar bem — anuncia Jeff.

Ele dá um tapinha em meu braço enquanto saem.

Há uma moeda de vinte e cinco centavos e outra de dez na mesa de cabeceira. É todo o dinheiro que tenho no mundo.

NICK DUNNE
NOVE DIAS SUMIDA

Bom dia! Eu estava sentado na cama com o laptop ao lado, apreciando os comentários na internet sobre minha entrevista improvisada. Meu globo ocular esquerdo latejava um pouco, uma leve ressaca de scotch barato, mas o restante de mim estava bastante satisfeito. Ontem à noite lancei a primeira isca para atrair minha esposa de volta. *Desculpe, vou me redimir, farei o que você quiser a partir de agora, vou deixar o mundo saber quão especial você é.*

Porque eu estava fodido a não ser que Amy decidisse aparecer. O detetive de Tanner (um cara musculoso, de boa aparência, não o investigador *noir* bêbado que eu esperava) ainda não havia encontrado nada — minha esposa dera um sumiço perfeito nela mesma. Eu tinha de convencer Amy a voltar para mim, conquistá-la com elogios e capitulação.

Se os comentários serviam de indício, eu tomara a decisão certa, porque eles eram bons. Eles eram muito bons:

O homem de gelo derreteu!
Eu SABIA que ele era um cara legal.
In vino veritas!
Talvez ele não tenha matado a esposa, no fim das contas.
Talvez ele não tenha matado a esposa, no fim das contas.
Talvez ele não tenha matado a esposa, no fim das contas.
E eles tinham parado de me chamar de Lance.

Na frente da minha casa, os cinegrafistas e os jornalistas estavam inquietos, queriam uma declaração do cara que Talvez Não a Tivesse Matado, No Fim das Contas. Gritavam para minhas persianas fechadas: *Ei, Nick, venha aqui para fora e fale sobre Amy. Ei, Nick, conte sobre sua caça ao tesouro.* Para eles era apenas um novo artifício na busca de audiência, mas era muito melhor do que *Nick, você matou sua esposa?*

E então, de repente, eles estavam gritando o nome de Go — eles adoravam Go, ela não tinha uma expressão impenetrável, você sabia se Go estava triste, com raiva, preocupada; coloque uma legenda embaixo e você tem a história inteira. *Margo, seu irmão é inocente? Margo, fale sobre... Tanner, seu cliente é inocente? Tanner...*

A campainha tocou e abri a porta me escondendo atrás dela, pois ainda estava todo desgrenhado; meus cabelos despenteados e minhas cuecas gastas contavam a própria história. Ontem à noite, para a câmera, eu estava adoravelmente abalado, um tanto ébrio, in vino veritástico. Agora parecia apenas um bêbado. Fechei a porta e esperei por mais dois comentários empolgados sobre meu desempenho.

— Nunca mais, *nunca mais*, faça uma coisa dessas novamente — começou Tanner. — Que merda, qual é o seu problema, Nick? Tenho a impressão de que preciso colocar uma daquelas coleiras de criança em você. Como você pode ser tão burro?

— Você viu todos os comentários na internet? As pessoas adoraram. Estou mudando a opinião do público, como você disse para fazer.

— Você não pode fazer esse tipo de coisa num ambiente sem controle — disse ele. — E se ela trabalhasse para Ellen Abbott? E se começasse a fazer perguntas mais difíceis do que *O que você gostaria de dizer para sua esposa, queridinho?*

Ele disse isso com um cantarolar de menininha. O rosto embaixo do spray de bronzeamento laranja estava vermelho, dando a ele um tom radioativo.

— Confiei em meus instintos. Sou jornalista, Tanner, me dê o crédito de saber farejar cretinice. Ela era genuinamente legal.

Ele se sentou no sofá, colocou os pés sobre o divã que nunca teria virado sozinho.

— É, bem, um dia sua esposa também foi — falou. — Andie também, um dia. Como está sua bochecha?

Ainda doía; a mordida pareceu latejar quando ele me lembrou dela. Eu me virei para Go em busca de apoio.

— Não foi esperto, Nick — disse ela, sentando-se em frente a Tanner. — Você teve *muita, muita* sorte; deu *muito* certo, mas poderia não ter dado.

— Vocês estão exagerando *muito*. Podemos curtir as boas-novas um pequeno momento? Apenas trinta segundos de boas-novas nos últimos nove dias? Por favor?

Tanner olhou incisivamente para seu relógio.

— Certo, já.

Quando comecei a falar, ele ergueu o indicador, fez o som de *ahn-ahn* que adultos fazem quando crianças tentam interromper. Seu indicador desceu lentamente, depois pousou no mostrador do relógio.

— Certo, trinta segundos. Aproveitou? — perguntou, fazendo uma pausa para ver se eu diria algo; o silêncio penetrante que um professor permite após perguntar ao aluno bagunceiro: *Acabou de falar?* — Agora precisamos conversar. Estamos em uma situação em que o *timing* perfeito é absolutamente fundamental.

— Concordo.

— Nossa, obrigado — disse, erguendo uma sobrancelha para mim. — Quero procurar a polícia, muito, muito em breve, e informá-la sobre o conteúdo do depósito. Enquanto o *hoi polloi* está...

Apenas hoi polloi, sem artigo, pensei, *não* o *hoi polloi*. Algo que Amy havia me ensinado.

— ...adorando você novamente. Ou, perdão, não *novamente*. Finalmente. Os repórteres descobriram a casa de Go, e não me sinto seguro de deixar aquele depósito e seu conteúdo escondidos por muito mais tempo. Os Elliott estão...?

— Não podemos mais contar com o apoio dos Elliott — informei. — De modo algum.

Outra pausa. Tanner decidiu não me censurar nem perguntar o que havia acontecido.

— Então precisamos partir para o ataque — falei, sentindo-me intocável, pronto, corajoso.

— Nick, não deixe que um bom acontecimento faça com que você se sinta indestrutível — orientou Go. Ela pegou alguns comprimidos de paracetamol superfortes em sua bolsa e os colocou em minha mão. — Dê um jeito nessa ressaca. Você precisa estar bem hoje.

— Vai dar tudo certo — garanti a ela. Tomei os comprimidos e me virei para Tanner. — O que vamos fazer? Vamos fazer um plano.

— Ótimo, o negócio é o seguinte — começou Tanner. — Isso não é nada ortodoxo, mas eu sou assim. Amanhã daremos uma entrevista a Sharon Schieber.

— Uau, isso está... certo?

Sharon Schieber era tudo o que eu podia querer: a mais bem-avaliada (na faixa etária de trinta a cinquenta e cinco anos) apresentadora (para provar que eu podia ter relações respeitosas com pessoas que possuem uma vagina) de uma rede de TV (alcance maior que TV a cabo) em atividade hoje. Era conhecida por muito ocasionalmente singrar as águas impuras do jornalismo policial, mas, quando o fazia, era terrivelmente virtuosa. Havia dois anos ela colocara sob a proteção de sua asa de seda uma jovem mãe presa por sacudir seu bebê até a morte. Sharon Schieber apresentou toda uma defesa legal — e muito emocionada — ao longo de uma série de noites. A mulher está hoje em casa em Nebraska, casada novamente e esperando um filho.

— Está certo, sim. Ela entrou em contato depois que o vídeo se tornou viral.

— Então o vídeo ajudou — comentei, não conseguindo resistir.

— Ele deu a você uma faceta interessante: antes do vídeo, era claro que você era culpado. Agora há uma ligeira chance de que não seja. Não sei como, você finalmente pareceu verdadeiro...

— Porque a noite passada serviu a um objetivo claro: trazer Amy de volta — disse Go. — Foi uma jogada ofensiva. Quando antes era só emoção indulgente, imerecida e fingida.

Eu dei a ela um sorriso de agradecimento.

— Bem, continue se lembrando de que isto serve a um objetivo — orientou Tanner. — Nick, não estou de sacanagem: isto é além do heterodoxo. A maioria dos advogados estaria mandando você ficar quieto. Mas é algo que eu tenho querido tentar. A mídia inundou o ambiente jurídico; com internet, Facebook, YouTube não existe mais júri neutro. Nenhuma tábula rasa. Oitenta, noventa por cento de um caso é decidido antes de você pisar no tribunal. Então por que não usá-la? Controlar a história? Mas é um risco. Quero cada palavra, cada gesto, cada fragmento de informação planejados com antecedência. Mas você tem de soar natural, amável, ou o tiro vai sair pela culatra.

— Ah, isso parece simples — falei. — Cem por cento preparado, mas totalmente natural.

— Você vai precisar ser extremamente cuidadoso com suas palavras, e vamos dizer a Sharon que você não vai responder a certas perguntas. Ela vai perguntar mesmo assim, mas vamos ensinar você a dizer *Por causa de certas ações prejudiciais da polícia envolvida neste caso, eu realmente, infelizmente, não posso responder a isso neste instante, por mais que eu quisesse*; e dizer isso de forma convincente.

— Como um cachorro falante.

— Isso mesmo, como um cachorro falante que não quer ir para a cadeia. Se conseguirmos fazer com que Sharon Schieber assuma você como uma causa, Nick, estamos feitos. Isso tudo é inacreditavelmente heterodoxo, mas eu sou assim — repetiu Tanner.

Ele gostava da fala; era sua música-tema. Ele fez uma pausa e franziu a testa, em seu gesto de quem finge pensar. Ia acrescentar algo de que eu não ia gostar.

— O quê? — perguntei.

— Você precisa contar a Sharon Schieber sobre Andie; porque vai vir à tona, o romance, certamente.

— Logo quando as pessoas finalmente estão começando a gostar de mim. Quer que eu desfaça isso?

— *Juro* a você, Nick... De quantos casos já cuidei? Sempre, de alguma forma, de algum modo, a coisa *sempre* vaza. Deste jeito nós estamos no controle. Você conta a ela sobre Andie e se desculpa. Pede desculpas como se sua vida dependesse disso. Você teve um caso, você é um homem, um homem fraco e idiota. *Mas* você ama sua esposa, e você vai se redimir. Você dá a entrevista, ela vai ao ar na noite seguinte. Todo o conteúdo está embargado, para a rede não poder falar no caso Andie em suas chamadas. Só podem usar a palavra *bomba*.

— Então você já contou a eles sobre Andie?

— Meu Deus, não — respondeu ele. — Falei: *temos uma grande bomba para vocês*. Então você dá a entrevista, e daí temos umas vinte e quatro horas. Antes de ela ir ao ar contamos a Boney e Gilpin sobre Andie e nossa descoberta no depósito. *Ah, meu Deus, juntamos tudo para vocês: Amy está viva e está tentando incriminar Nick! Ela está louca, ciumenta e incriminando Nick! Ah, minha nossa senhora!*

— Então, por que não contar a Sharon Schieber? Sobre Amy estar tentando me incriminar?

— Motivo número um. Você se abre em relação a Andie, pede perdão, o país é compelido em horário nobre a perdoá-lo, a sentir pena de você; os americanos adoram ver pecadores pedindo perdão. Mas você não pode dizer nada que dê uma imagem ruim da sua esposa; ninguém quer ver o marido traidor culpando a esposa por nada. Deixe outra pessoa fazer isso em algum momento no dia seguinte: *fontes ligadas à polícia* revelam que a esposa de Nick, aquela que ele jurou amar de todo o coração, está tentando incriminá-lo! Isso é TV boa.

— Qual o motivo número dois?

— É complicado demais explicar exatamente como Amy está incriminando você. Não dá para fazer isso em uma única fala. Isso é TV ruim.

— Estou enojado — concluí.

— Nick, é... — começou Go.

— Eu sei, eu sei, tem de ser feito. Mas dá para imaginar: é o seu maior segredo e você tem de contar ao mundo sobre ele? Sei que devo fazer isso. E no final das contas é bom para nós, acho. É o único jeito que talvez faça Amy voltar. Ela quer que eu seja publicamente humilhado...

— Castigado — interrompeu Tanner. — Humilhado dá a impressão de que você tem pena de si mesmo.

— ...e peça perdão publicamente — continuei. — Mas vai ser horrível, porra.

— Antes de prosseguirmos, quero ser honesto — admitiu Tanner. — Contar à polícia a história inteira sobre Amy tentar incriminar Nick é um risco. A maioria dos policiais escolhe um suspeito, e não quer de modo algum mudar de direção. Eles não estão abertos a outras opções. Então há o risco de contarmos e eles nos botarem para fora da delegacia às gargalhadas, e depois prenderem você; e então teoricamente teremos dado a eles uma prévia de nossa tática de defesa. Então poderão planejar exatamente como destruí-la no julgamento.

— Certo, espere, isso parece muito, muito ruim, Tanner — disse Go. — Tipo, ruim mesmo, inaceitavelmente ruim.

— Deixe-me terminar — pediu Tanner. — Um, eu acho que você está certo, Nick. Acho que Boney não está convencida de que você é um assassino. Acho que estaria aberta a uma teoria alternativa. Ela tem boa reputação como uma policial que é de fato justa. Como uma policial com bons instintos. Conversei com ela. Tive boa impressão. Acho que as provas a estão conduzindo na sua direção, mas acho que o sexto sentido dela diz que algo está errado. Mais importante, se formos a julgamento, eu de qualquer forma não usaria a armação de Amy como sua defesa.

— O que quer dizer?

— Como falei, é complicado demais, um júri não conseguiria acompanhar. Se não é TV boa, acredite em mim, não é para um júri. Usaremos mais uma coisa no estilo O.J. Uma história simples: a polícia é incompetente e está cismada com você, tudo é circunstancial, se a luva não cabe, blá-blá-blá.

— Blá-blá-blá me dá muita confiança — arrematei.

Tanner deu um sorriso.
— Os júris me adoram, Nick. Eu sou um deles.
— Você é o oposto de um deles, Tanner.
— Vamos inverter: eles gostam de achar que são um de mim.

Tudo o que fazíamos agora, fazíamos na frente de pequenos cachos de paparazzi disparando flashes, então Go, Tanner e eu saímos da casa sob luzes espocando e cliques de câmera. ("Não olhe para o chão", recomendou Tanner. "Não sorria, mas não pareça envergonhado. Também não corra, apenas caminhe, deixe que eles fotografem e feche a porta antes de xingá-los. Depois pode chamá-los do que quiser.") Dirigíamo-nos a St. Louis, onde aconteceria a entrevista, para que eu pudesse me preparar com a esposa de Tanner, Betsy, uma ex-apresentadora de noticiário transformada em advogada. Ela era o outro Bolt em Bolt & Bolt.

Foi um desfile bizarro: Tanner e eu, seguidos por Go, seguidos por meia dúzia de vans de reportagem, mas quando o Arco se ergueu no horizonte, eu já não pensava mais nos paparazzi.

Ao chegarmos à suíte de cobertura no hotel de Tanner, eu estava pronto para fazer o trabalho que precisava para mandar bem na entrevista. Mais uma vez ansiei por minha própria música-tema: uma montagem na qual me preparo para a grande luta. Qual é o equivalente mental de um saco de pancadas?

Uma negra deslumbrante de um metro e oitenta abriu a porta.
— Oi, Nick, sou Betsy Bolt.

Em minha imaginação Betsy Bolt era uma loura pequenina, uma beldade branca do Sul.

— Não se preocupe, todos ficam surpresos quando me conhecem — disse Betsy rindo, percebendo meu olhar e apertando minha mão. — Tanner e Betsy, soa como se devêssemos estar na capa de *The Official Preppy Guide*, certo?

— *Preppy Handbook* — corrigiu Tanner enquanto a beijava na bochecha.

— Estão vendo? Ele até sabe — falou ela.

Ela nos conduziu até uma impressionante suíte de cobertura — uma sala de estar iluminada pelo sol que brilhava através de janelas de parede a parede, com quartos dos dois lados. Tanner jurara que não podia ficar em Carthage, no Days Inn, por respeito aos pais de Amy, mas Go e eu suspeitávamos que ele não podia ficar em Carthage porque o hotel cinco estrelas mais próximo ficava em St. Louis.

Começamos com as preliminares: papo furado sobre a família, a faculdade e a carreira de Betsy (tudo estelar, classe A, impressionante), e drinques para todos (refrigerantes e Clamato, o que Go e eu começáramos a acreditar ser uma afetação de Tanner, uma estranheza que ele achava que lhe daria caráter, como eu usando óculos falsos na faculdade). Depois Go e eu afundamos no sofá de couro, Betsy sentada à nossa frente, as pernas coladas uma à outra, de lado, como uma barra diagonal tipográfica. Bonita/profissional. Tanner andava de um lado para outro atrás de nós, escutando.

— Certo. Então, Nick, serei franca, sim? — disse Betsy.

— Sim.

— Você e TV. Com a exceção daquele treco de bar-blog, o treco do Whodunnit.com da noite passada, você é *péssimo*.

— Houve uma razão para eu ter feito jornalismo impresso — disse. — Quando vejo uma câmera, meu rosto congela.

— Exatamente — concordou Betsy. — Você parece um agente funerário de tão rígido. Mas tenho um truque para dar um jeito nisso.

— Álcool? Funcionou comigo na coisa do blog.

— Não vai funcionar aqui — explicou ela, começando a montar uma câmera de vídeo. — Acho que devemos tentar a seco antes. Serei Sharon. Farei as perguntas que ela provavelmente fará, e você responde do modo como faria normalmente. Assim podemos saber quão longe da marca você está — falou, e riu novamente. — Um momento.

Ela usava um vestido justo azul, e tirou um colar de pérolas de uma bolsa de couro enorme. O uniforme Sharon Schieber.

— Tanner?

O marido fechou o colar para ela, e quando o acessório estava em seu devido lugar, Betsy sorriu.

— Busco total autenticidade. A não ser por meu sotaque da Geórgia. E pelo fato de eu ser negra.

— Só vejo Sharon Schieber na minha frente — falei.

Ela ligou a câmera, se sentou na minha frente, soltou o ar, baixou os olhos e depois os ergueu.

— Nick, tem havido muitas discrepâncias neste caso — começou Betsy com a pesada voz televisiva de Sharon. — Para começar, poderia contar aos telespectadores como foi o dia em que sua esposa desapareceu?

— Aqui, Nick, você fala apenas do café da manhã de aniversário de casamento que vocês tiveram — interrompeu Tanner. — Pois isso já é sabido. Mas não ofereça uma cronologia, não aborde o antes e o depois do café. Enfatize apenas o maravilhoso último café da manhã que tiveram. Certo, continue.

— Sim — concordei, e pigarreei. A luz vermelha da câmera piscava; Betsy estava com sua expressão de jornalista inquisidora. — Bem, como você sabe, era nosso aniversário de cinco anos de casados, e Amy acordou cedo e estava fazendo crepes...

O braço de Betsy se lançou para a frente, e de repente senti uma pontada na bochecha.

— Que diabo? — reagi, tentando entender o que havia acontecido. Havia uma jujuba vermelho-cereja em meu colo. Eu a peguei.

— Sempre que você ficar tenso, sempre que transformar esse belo rosto na máscara de um coveiro, eu vou acertá-lo com uma jujuba — explicou Betsy, como se a coisa toda fosse muito razoável.

— E isso deveria me deixar *menos* tenso?

— Funciona — respondeu Tanner. — Foi assim que ela me ensinou. Mas acho que comigo ela usou pedras.

Eles trocaram sorrisos companheiros de *ah, só você mesmo*. Já dava para ver: eles eram um daqueles casais que sempre pareciam estrelar o próprio programa de entrevistas matinal.

— Agora recomece, mas dedique mais tempo aos crepes — retomou Betsy. — Eram os seus preferidos? Ou os dela? O que você estava fazendo naquela manhã para sua esposa enquanto ela preparava crepes para você?

— Estava dormindo.

— Que presente você tinha comprado para ela?

— Ainda não tinha.

— Ai, caramba — exclamou ela, voltando os olhos para o marido. — Então seja muito, muito, *muito* elogioso em relação aos crepes, certo? E em relação ao presente que você *ia* comprar para ela naquele dia. Porque eu sei que você não ia voltar para casa sem um presente.

Nós recomeçamos, e eu descrevi nossa tradição de crepes que na verdade não existia, descrevi como Amy era cuidadosa e maravilhosa ao escolher presentes (nesse momento outra jujuba acertou meu nariz, e imediatamente relaxei o maxilar), e como eu, sujeito burro ("Definitivamente dê ênfase à coisa do marido otário", recomendou Betsy), ainda estava tentando pensar em algo fantástico.

— E ela nem gostava de presentes caros ou extravagantes — comecei, e fui atingido por Tanner com uma bola de papel.

— O que foi?

— Passado. Pare de usar verbos no passado para falar da sua esposa, que droga.

— Soube que você e sua esposa tiveram alguns contratempos — continuou Betsy.

— Os últimos anos haviam sido difíceis. Ambos perdemos nossos empregos.

— Bom, isso! — exclamou Tanner. — *Ambos* perderam.

— Tínhamos nos mudado para cá para ajudar a cuidar do meu pai, que tem Alzheimer, e de minha falecida mãe, que tinha câncer, e além disso eu estava ralando muito em meu novo trabalho.

— Bom, Nick, bom — elogiou Tanner.

— Lembre-se de mencionar como você era ligado à sua mãe — orientou Betsy, embora eu não tivesse mencionado minha mãe para ela. — Não vai aparecer ninguém contestando isso, certo? Nenhuma história trágica entre mãe e filho aí?

— Não, minha mãe e eu éramos muito ligados.

— Bom — continuou Betsy. — Então a mencione muito. E que você é dono do bar com sua irmã; sempre mencione sua irmã quando falar do bar. Se você é dono de um bar sozinho, você é um mulherengo; se tem um bar junto com sua irmã gêmea querida, você é...

— Irlandês.

— Continue.

— Então as coisas esquentaram... — comecei.

— Não — disse Tanner. — Esquentar implica que depois pegaram fogo.

— Então perdemos o rumo um pouco, mas eu estava vendo nosso aniversário de cinco anos de casados como uma oportunidade de reviver nossa relação...

— *Revigorar nossa relação* — corrigiu Tanner. — *Reviver* significa que algo estava morto.

— Revigorar nossa relação...

— E então, como trepar com uma garota de vinte e três anos se encaixa nesse quadro rejuvenescedor? — perguntou Betsy.

Tanner lançou uma jujuba na direção dela.

— Saiu um pouco do personagem, Bets.

— Desculpem-me, rapazes, mas sou mulher, e isso me cheira a mentira, o tipo de mentira que a gente vê de longe. Revigorar a relação, *por favor*. A garota já estava envolvida quando Amy desapareceu. As mulheres vão odiar você, Nick, a não ser que você seja humilde. Seja franco, não embrome. Você pode ir acumulando: *Perdemos nossos empregos, nos mudamos, meus pais estavam morrendo. E então eu fiz merda. Fiz uma merda muito grande. Perdi a noção de quem eu era e, infelizmente, só quando perdi Amy me dei conta disso.* Você tem de admitir que tudo foi culpa sua e que você é um babaca.

— Como todos os homens — falei.

Betsy lançou um olhar irritado para o teto.

— E essa daí é uma postura, Nick, com a qual você deveria ter muito cuidado.

AMY ELLIOTT DUNNE

NOVE DIAS SUMIDA

Estou sem um centavo e em plena fuga. Muito *noir*. Exceto que estou sentada em meu Festiva nos fundos do estacionamento de um enorme complexo de lanchonetes às margens do rio Mississippi, o cheiro de sal e carne industrializada flutuando na brisa quente. É noite — desperdicei horas —, mas não posso me mover. Não sei para onde me mover. O carro fica menor a cada hora que passa — sou forçada a me encolher como um feto ou minhas pernas ficam dormentes. Certamente não dormirei esta noite. A porta está trancada, mas ainda assim fico esperando a batida no vidro, e sei que vou erguer o olhar e ver ou um assassino em série com dentes ruins e boa lábia (não seria irônico ser realmente assassinada?) ou um policial exigindo um documento de identidade (não seria pior ser descoberta em um estacionamento parecendo uma mendiga?). Os letreiros reluzentes dos restaurantes nunca são desligados aqui; o estacionamento está iluminado como um campo de futebol — penso novamente em suicídio, em como um prisioneiro suspeito de querer se suicidar passa vinte e quatro horas por dia com as luzes acesas, uma ideia medonha. Meu tanque de gasolina está abaixo da marca de um quarto, um pensamento ainda mais medonho: eu só posso seguir durante mais ou menos uma hora em qualquer direção, portanto preciso escolher a direção cuidadosamente. Ao sul fica Arkansas, ao norte Iowa, a oeste a volta para Ozarks. Ou poderia ir rumo ao leste, cruzar o rio para Illinois. Aonde quer que eu vá, lá está o rio. Eu o estou seguindo, ou é ele que me segue.

De repente, sei o que devo fazer.

NICK DUNNE
DEZ DIAS SUMIDA

Passamos o dia da entrevista reunidos no quarto extra da suíte de Tanner, preparando minhas falas, dando um jeito na minha aparência. Betsy reclamou das minhas roupas, depois Go aparou os cabelos acima das minhas orelhas com uma tesoura de unha enquanto Betsy tentava me convencer a usar maquiagem — base — para reduzir o brilho. Todos falávamos em voz baixa porque a equipe de Sharon estava se aprontando do lado de fora; a entrevista seria na sala de estar da suíte, com vista para o Arco de St. Louis. Porta de entrada para o Oeste. Não sei bem qual o intuito do monumento a não ser servir como um símbolo vago do meio do país: *Você Está Aqui*.

— Você precisa de pelo menos um pouco de pó no rosto, Nick — disse finalmente Betsy, indo na minha direção com a almofadinha. — Seu nariz sua quando você fica nervoso. Nixon perdeu uma eleição por causa de suor no nariz.

Tanner supervisionava tudo como um maestro.

— Não tire muito desse lado, Go. Bets, tome muito cuidado com esse pó. Menos é mais.

— Deveríamos ter aplicado Botox nele — refletiu ela.

Aparentemente o Botox combate o suor, além das rugas — alguns dos clientes deles haviam tomado uma série de injeções nas axilas antes de um julgamento, e já estavam sugerindo o mesmo para mim. Gentilmente, sutilmente sugerindo, *caso* fôssemos a julgamento.

— É, eu realmente preciso que a imprensa descubra que eu fazia um tratamento com Botox enquanto minha esposa estava desaparecida. Está desaparecida — corrigi.

Eu sabia que Amy não estava morta, mas também sabia que estava tão fora do meu alcance que era como se estivesse. Ela era uma esposa no pretérito.

— Boa sacada — disse Tanner. — Da próxima vez faça isso antes que as palavras escapem da sua boca.

Às cinco horas da tarde o telefone de Tanner tocou, e ele olhou o visor.

— Boney — disse, deixando cair na caixa postal. — Ligo para ela depois.

Ele não queria que nenhuma nova informação, interrogação ou fofoca nos obrigasse a reformular a mensagem. Eu concordava: não queria Boney em minha cabeça naquele momento.

— Tem certeza de que não deveríamos ver o que ela quer? — perguntou Go.

— Ela quer foder um pouco mais comigo — respondi. — Ligamos para ela. Algumas horas. Ela pode esperar.

Todos nos acomodamos, uma reafirmação grupal de que o telefonema não era nada com que se preocupar. O quarto ficou em silêncio por meio minuto.

— Tenho de dizer, estou estranhamente animada para conhecer Sharon Schieber — disse Go finalmente. — Mulher muito classuda. *Não como aquela Connie Chung.*

Eu ri, o que era a intenção. Nossa mãe adorava Sharon Schieber e odiava Connie Chung — nunca a perdoara por constranger a mãe de Newt Gingrich na TV, algo sobre Newt chamar Hillary Clinton de p-i-r-a-n-h-a. Não me lembro da entrevista em si, apenas do ultraje de nossa mãe com ela.

Às seis horas entramos na sala, onde duas cadeiras haviam sido colocadas de frente uma para a outra, o Arco ao fundo, o momento escolhido com precisão para que o Arco brilhasse mas não houvesse reflexo do pôr do sol nas janelas. Um dos momentos mais importantes da minha vida, pensei, determinado pelo ângulo do sol. Uma produtora cujo nome eu não iria lembrar veio na nossa direção com o clique de saltos perigosamente altos e me explicou o que eu deveria esperar. As perguntas poderiam ser feitas várias vezes, para que a entrevista parecesse o mais natural possível, e para permitir imagens das reações de Sharon. Eu não podia falar com meu advogado antes de dar uma resposta. Podia dar nova formulação a uma resposta, mas não mudar o conteúdo dela. Eis um pouco de água, vamos colocar seu microfone.

Começamos a ir na direção da cadeira, e Betsy puxou meu braço. Quando olhei para baixo ela me mostrou um bolso cheio de jujubas.

— Lembre-se — falou, e sacudiu o dedo indicador para mim.

De repente, a porta da suíte foi escancarada e Sharon Schieber entrou, tão suavemente como se carregada por uma equipe de cisnes. Era uma linda mulher, uma mulher que provavelmente nunca tivera ar de menina. Uma mulher cujo nariz provavelmente nunca suava. Tinha cabelos escuros e grossos e olhos castanhos enormes que podiam lembrar uma corça ou parecer malévolos.

— É Sharon! — disse Go, um sussurro emocionado para imitar nossa mãe.

Sharon se virou para Go e acenou majestosamente com a cabeça, vindo nos cumprimentar.

— Sou Sharon — apresentou-se com uma voz grave e calorosa, segurando as duas mãos de Go.

— Nossa mãe adorava você — comentou Go.

— Fico muito contente — disse Sharon, conseguindo soar calorosa.

Ela se virou para mim e estava prestes a falar quando sua produtora apareceu clicando nos saltos altos e sussurrou em seu ouvido. Depois esperou a reação de Sharon, e sussurrou novamente.

— Ah. Ah, meu Deus — exclamou Sharon.

Quando se virou novamente para mim, não estava sorrindo nem um pouco.

AMY ELLIOTT DUNNE
DEZ DIAS SUMIDA

Tomei uma decisão: dar um telefonema. O encontro não podia acontecer antes daquela noite — há complicações previsíveis —, então passo o dia me arrumando e me preparando.

Eu me limpo no banheiro de um McDonald's — gel verde em toalhas de papel molhadas — e coloco um vestido de verão barato. Penso no que direi. Estou surpreendentemente ansiosa. A vida no buraco estava me cansando: a máquina de lavar comunitária com a roupa íntima molhada de alguém sempre presa no varal no alto, para ser retirada por dedos em pinça reticentes; o canto do carpete do meu chalé que sempre estava misteriosamente úmido; a torneira pingando no banheiro.

Às cinco horas, começo a dirigir rumo ao norte até o local do encontro, um cassino à beira do rio chamado Horseshoe Alley. Ele surge do nada, um calombo em néon piscando no meio de uma floresta escassa. Usando o pouco de gasolina que me resta, estaciono o carro e analiso a paisagem: uma migração de idosos, avançando rapidamente com andadores e bengalas como insetos tristes, arrastando cilindros de oxigênio na direção das luzes brilhantes. Entrando e saindo dos grupos de octogenários estão garotos apressados e arrumados demais que viram filmes demais sobre Vegas e não sabem como são deprimentes, tentando imitar a turma do Rat Pack com ternos baratos nas florestas do Missouri.

Entro abaixo de um cartaz reluzente promovendo — por apenas duas noites — o reencontro de um grupo de doo-wop dos anos cinquenta. Do lado de dentro, o cassino é gelado e apertado. Os caça-níqueis fazem clinc e clang, alegres trinados eletrônicos que não combinam com os rostos embotados e caídos das pessoas sentadas à frente deles, fumando cigarros acima de máscaras de oxigênio penduradas. Colocando moeda, colocando moeda, colocando moeda, colocando moeda, colocando moeda, ding-ding-ding!, colocando moeda, colocando moeda. O dinheiro que eles desperdiçam vai para escolas públicas frequentadas por seus netos entediados e sonolentos. Colocando moeda, colocando moeda. Um grupo de rapazes embriagados passa, uma despedida de solteiro, os lábios dos rapazes molhados de álcool; eles nem sequer percebem minha presença, com suas vozes roucas e cabelos cortados rente. Estão falando sobre garotas, *arrume umas gatas*, mas, além de mim, as únicas gatas que vejo são as Supergatas. Os garotos beberão até afogar a decepção e depois tentarão não matar outros motoristas no caminho de volta para casa.

Espero em um barzinho na extrema esquerda da entrada do cassino, como planejado, e vejo a *boy band* envelhecida se apresentar para uma grande plateia de cabelos de algodão que canta junto e bate palmas, enfiando dedos encarquilhados em tigelas de amendoim de cortesia. Os cantores esqueléticos, enrugados sob smokings ofuscantes, giram lentamente, com cuidado, sobre próteses de quadril, a dança dos moribundos.

Inicialmente o cassino parecera uma boa ideia — perto da rodovia, cheio de bêbados e idosos, que não são conhecidos pela visão boa. Mas estou me sentindo oprimida e agitada, consciente das câmeras em todos os cantos, as portas que podem ser trancadas em um segundo.

Estou prestes a sair quando ele entra descontraidamente.

— Amy.

Chamei o dedicado Desi para me ajudar (e ser meu cúmplice). Desi, com quem nunca perdi realmente o contato, e que — a despeito do que disse a Nick e meus pais — não me assusta nem um pouco. Desi, outro homem à beira do Mississippi. Sempre soube que ele poderia ser útil. É bom ter pelo menos um homem que você pode usar para qualquer coisa. Desi é uma espécie de cavaleiro branco. Adora mulheres problemáticas. Ao longo dos anos, após Wickshire, quando conversávamos, eu perguntava sobre sua última namorada, e não importava qual fosse a garota, ele sempre dizia: "Ah, ela não anda muito bem, infelizmente." Mas sei que Desi gosta disso — os distúrbios alimentares, os vícios em analgésicos, as depressões incapacitantes. Ele nunca é mais feliz do que quando está junto a um leito. Não na cama, apenas instalado ali por perto com uma sopa, um suco e uma voz gentilmente engomada. *Pobrezinha*.

Agora ele está aqui, elegante em um terno branco de meados de verão (Desi troca o guarda-roupa mensalmente — o que era adequado para junho não funciona em julho —, e sempre admirei a disciplina, a precisão do vestir dos Collings). Ele está com boa aparência. Eu não. Tenho plena consciência de meus óculos embaçados, do excesso de carne na minha cintura.

— Amy.

Ele toca minha bochecha, depois me puxa para um enlace. Não um abraço, Desi não abraça, é mais como ser envolvida por algo feito sob medida para você.

— Querida. Você não imagina. Aquele telefonema. Achei que havia enlouquecido. Achei que eu estava inventando! Eu havia sonhado acordado com isso, que de algum modo você estava viva, e então. Aquele telefonema. Você está bem?

— Agora estou — respondo. — Agora me sinto segura. Tem sido horrível.

E então caio em prantos, o que não estava nos planos, mas as lágrimas são um grande alívio, e combinam de forma tão perfeita com o momento que me permito desmoronar totalmente. O estresse pinga para fora de mim: a coragem de colocar o plano em ação, o medo de ser pega, a perda do meu dinheiro, a traição, os maus-tratos, a simples brutalidade de estar por conta própria pela primeira vez na vida.

Fico bem bonita após chorar um pouco — mais que isso e o nariz começa a escorrer, o inchaço se instala no rosto todo, mas até esse ponto meus lábios ficam mais cheios, os olhos maiores, as bochechas coradas. Conto enquanto choro no ombro engomado de Desi: *um Mississippi, dois Mississippi* — aquele rio novamente — e freio as lágrimas depois de um minuto e quarenta e oito segundos.

— Desculpe não ter conseguido chegar aqui antes, querida — diz Desi.

— Sei como Jacqueline mantém sua agenda cheia — hesito.

A mãe de Desi é um assunto delicado em nossa relação.

Ele me analisa.

— Você está *muito*... diferente. Tão cheia no rosto, especialmente. E seu pobre cabelo está... — começa, e se contém. — Amy. Nunca pensei que poderia ser tão grato por algo. Conte o que aconteceu.

Conto uma história gótica de possessividade e fúria, de brutalidade básica do Meio-Oeste, de machismo e domínio animal. De estupro, comprimidos, álcool e punhos. Botas pontudas de caubói nas costelas, medo e traição, apatia paterna, isolamento e as últimas palavras reveladoras de Nick: "Você não pode me deixar nunca. Eu mato você. Eu encontro você não importa o que aconteça. Você é minha."

Sobre como tive de desaparecer pela minha própria segurança e a de meu filho ainda por nascer, e de como precisava da ajuda de Desi. Meu salvador. Minha história satisfaria a ânsia de Desi por mulheres arruinadas — naquele momento eu era a mais arrasada delas. Há muito tempo, no internato, eu contara a ele sobre as visitas noturnas de meu pai ao meu quarto, eu em uma camisola rosa com babados olhando para o teto até que ele terminasse. Desi me amou desde essa mentira, sei que ele se imagina fazendo amor comigo, como seria gentil e tranquilizador enquanto mergulha em mim, acariciando meus cabelos. Sei que me imagina chorando suavemente enquanto me entrego a ele.

— Nunca vou poder voltar para minha antiga vida, Desi. Nick irá me matar. Nunca me sentirei segura. Mas não posso deixar que ele vá para a prisão. Eu só queria desaparecer. Não me dei conta de que a polícia acharia que foi *ele*.

Olho novamente na direção da banda no palco, onde um septuagenário esquelético está cantando sobre o amor. Perto de nossa mesa, um sujeito de costas retas com um bigode bem cuidado joga seu copo na direção de uma lata de lixo perto de nós e acerta de tabela (uma expressão que aprendi com Nick). Gostaria de ter escolhido um lugar mais pitoresco. E agora o cara está olhando para mim, inclinando a cabeça, em confusão exagerada. Se ele fosse um desenho animado, coçaria a cabeça, que faria um som de rangido de *nhec-nhec*. Por alguma razão, penso: *ele parece um policial*. Dou as costas para ele.

— Nick é a última coisa com que você deve se preocupar — fala Desi. — Entregue essa preocupação para mim e cuidarei dela.

Ele estende a mão, um antigo gesto. Ele é meu guardião de preocupações; é um jogo ritual que fazíamos quando adolescentes. Finjo colocar algo na palma da mão dele, ele fecha os dedos sobre a coisa e eu realmente me sinto melhor.

— Não, não vou cuidar dela. Espero que Nick morra pelo que fez a você — diz ele. — Em uma sociedade sã, ele morreria.

— Bem, estamos em uma sociedade insana, então preciso permanecer escondida. Acha que isso é horrível de minha parte? — pergunto, já sabendo a resposta.

— Querida, claro que não. Você está fazendo o que foi obrigada a fazer. Seria loucura agir de qualquer outra forma.

Ele não pergunta nada sobre a gravidez. Sabia que não perguntaria.

— Você é o único que sabe — informo.

— Vou cuidar de você. O que posso fazer?

Finjo vacilar, mordo a beirada do lábio, desvio os olhos, e depois olho para Desi novamente.

— Preciso de dinheiro para sobreviver por um tempo. Pensei em arrumar um emprego, mas...

— Ah, não, não faça isso. Você está *em toda parte*, Amy, em todos os noticiários, todas as revistas. Alguém a reconheceria. Mesmo com este novo corte de cabelo... esportivo — diz, tocando meus fios. — Você é uma mulher linda, e é difícil para uma mulher linda desaparecer.

— Infelizmente acho que você está certo — concordo. — Só não quero que você pense que estou me aproveitando. Apenas não sei para onde mais ir...

A garçonete, uma morena sem graça disfarçada de morena bonita, aparece, coloca nossas bebidas na mesa. Desvio o rosto e vejo que o bigodudo curioso está de pé um pouco mais perto, observando-me com um meio sorriso. Estou sem prática. A Antiga Amy nunca teria vindo aqui. Minha mente apodreceu com Coca-Cola diet e o cheiro do meu próprio corpo.

— Pedi um gim-tônica para você — digo.

Desi faz uma careta delicada.

— O que houve? — pergunto, mas já sei.

— Esse é meu drinque de primavera. Agora vou de Jack e gingers.

— Então vamos pedir um desses, e eu fico com seu gim.

— Não, tudo bem, não se preocupe.

O enxerido aparece novamente em minha visão periférica.

— Aquele cara, aquele cara de bigode... Não olhe agora... Ele está me encarando?

Desi dá uma espiada, nega com um aceno de cabeça.

— Ele está olhando para os... *cantores* — diz a palavra duvidosamente. — Você não precisa apenas de um pouco de dinheiro. Você vai ficar cansada de se esconder assim. De não poder olhar diretamente para ninguém. Viver entre... — diz, abrindo os braços para abranger todo o cassino — pessoas com as quais imagino que não tenha nada em comum. Viver abaixo de seus recursos.

— Vai ser assim pelos próximos dez anos. Até que eu tenha envelhecido o bastante, que a história tenha sido esquecida e que eu possa me sentir à vontade.

— Rá! Você está disposta a fazer isso por *dez* anos? Amy?
— Shhh, não diga o nome.
— Cathy, Jenny, Megan, sei lá o quê, não seja ridícula.

A garçonete retorna, Desi dá a ela uma nota de vinte e a dispensa. Ela sai sorrindo. Erguendo a nota de vinte como se fosse algo fora do comum. Tomo um gole do meu drinque. O bebê não vai se importar.

— Não acho que Nick prestaria queixa caso você retornasse — diz Desi.
— O quê?
— Ele me procurou. Acho que sabe que a culpa é dele...
— Ele procurou você? Quando?
— Semana passada. Antes de eu falar com você, graças a Deus.

Nick demonstrou mais interesse em mim nos últimos dez dias do que nos últimos anos. Sempre quis que um homem se metesse em uma briga por mim — uma briga brutal, sanguinolenta. Nick indo interrogar Desi é um bom começo.

— O que ele disse? Como parecia?
— Parecia um completo babaca. Quis colocar a culpa em *mim*. Contou uma história maluca sobre como eu...

Sempre gostei daquela mentira sobre Desi tentando se matar por minha causa. Ele ficara realmente devastado com o término do nosso namoro, e ficara muito chato, assustador, circulando pelo campus, esperando que eu o aceitasse de volta. Então poderia muito bem ter tentado suicídio.

— O que Nick disse sobre mim?
— Acho que ele sabe que não pode machucá-la agora que o mundo sabe quem você é e se preocupa. Ele teria que deixar você voltar em segurança, e você poderia se divorciar dele e casar com o homem certo — diz, tomando um gole. — Finalmente.
— Não posso voltar, Desi. Mesmo se as pessoas acreditassem nos maus-tratos de Nick. Eu ainda seria a pessoa odiada, fui eu quem os enganou. Eu seria a maior pária do mundo.
— Você seria minha pária, e eu a amaria não importa o que acontecesse, e a protegeria de tudo — afirma Desi. — Você nunca teria de lidar com nada disso.
— Nós nunca mais iríamos poder socializar com ninguém.
— Poderíamos deixar o país se você quisesse. Viver na Espanha, na Itália, onde quiser, passar nossos dias comendo mangas ao sol. Dormir até tarde, jogar Palavras Cruzadas, folhear livros despreocupadamente, nadar no mar.

— E quando eu morresse, seria uma bizarra nota de rodapé, uma aberração. Não. Orgulho eu tenho, Desi.

— Não vou deixar você voltar para a vida de estacionamento de trailers. Venha comigo, eu instalo você na casa do lago. É bem isolada. Levo mantimentos e tudo de que precisar, a qualquer momento. Você pode se esconder lá, totalmente só, até decidirmos o que fazer.

A *casa no lago* de Desi era uma *mansão*, e *levar mantimentos* era se *tornar meu amante*. Podia sentir a necessidade exalando dele como calor. Ele estava se contorcendo um pouco dentro do terno, querendo fazer aquilo acontecer. Desi era um colecionador. Tinha quatro carros, três casas, suítes cheias de ternos e sapatos. Gostaria de saber que eu estava guardada sob uma redoma. A maior fantasia do cavaleiro branco: tirar a princesa agredida de sua situação difícil e colocá-la sob sua proteção dourada em um castelo onde ninguém além dele pode entrar.

— Não posso fazer isso. E se a polícia de algum modo descobrir e fizer uma busca?

— Amy, a polícia acha que você está morta.

— Não, devo ficar sozinha por enquanto. Você pode me dar só algum dinheiro?

— E se eu disser não?

— Então saberei que sua oferta de me ajudar não era sincera. Que você é como Nick e que quer apenas me controlar, do modo que for possível.

Desi fica em silêncio, engolindo seu drinque com o maxilar trincado.

— É uma coisa bastante monstruosa de dizer.

— É uma forma bastante monstruosa de agir.

— Não estou agindo assim. Estou preocupado com você. Tente a casa do lago. Caso se sinta oprimida por mim, caso se sinta desconfortável, vá embora. O pior que pode acontecer é você ter alguns dias de descanso e descontração.

O bigodudo de repente está à nossa mesa, um sorriso incerto no rosto.

— Madame, você não teria parentesco com a família Enloe, teria? — pergunta.

— Não — respondo, e viro o rosto.

— Desculpe, é que você parece...

— Somos do Canadá, agora com licença — corta Desi, e o sujeito revira os olhos, murmura um *caramba* e caminha de volta para o bar. Mas continua a olhar para mim.

— É melhor irmos embora — sugere Desi. — Venha para a casa do lago. Eu a levo para lá agora.

Ele se levanta.

A casa no lago de Desi teria uma cozinha enorme, teria salas pelas quais eu poderia passear — poderia dar uma de noviça rebelde, rodopiando nelas, de tão enormes que seriam. A casa teria wi-fi e TV a cabo para todas as minhas necessidades de centro de comando, uma banheira de cair o queixo, roupões felpudos e uma cama que não ameaçava desabar.

Também teria Desi, mas Desi podia ser administrado.

No bar, o cara continua me encarando, com menos simpatia.

Eu me curvo e beijo Desi de leve nos lábios. Tem de parecer que a decisão foi minha.

— Você é um homem maravilhoso. Lamento colocar você nessa situação.

— Quero estar nessa situação, Amy.

Estamos saindo, passando por um bar particularmente deprimente, TVs zumbindo em todos os cantos, quando eu vejo a Vagabunda.

A Vagabunda está dando uma coletiva.

Andie parece pequena e inofensiva. Parece uma babá, e não uma babá sensual de filme pornô, mas a garota que mora na sua rua, aquela que brinca de verdade com as crianças. Eu sei que essa não é a Andie real, porque eu a segui na vida real. Na vida real ela veste tops diminutos para exibir os seios e jeans justos, e tem cabelos compridos e ondulados. Na vida real ela parece comível.

Agora ela está com um vestido de botões preguead0 com os cabelos atrás das orelhas, e parece ter chorado, dá para ver pelo leve inchaço rosado sob os olhos. Parece exausta e nervosa, mas muito bonita. Mais bonita do que eu pensara antes. Eu nunca a vira tão de perto. Ela tem sardas.

— Ahhh, merda — xinga uma mulher para a amiga, uma ruiva-cabernet barato.

— Ah, nããão, logo quando eu estava começando a sentir pena do cara — diz a amiga.

— Tenho coisas na minha geladeira mais velhas que essa garota. Que babaca.

Andie está de pé atrás do microfone e olha com cílios negros para uma declaração que treme em sua mão. Seu lábio superior está úmido;

ele brilha sob as luzes das câmeras. Ela passa um indicador para eliminar o suor.

— Hã. Minha declaração é a seguinte: tive um caso com Nick Dunne de abril de 2011 até julho deste ano, quando sua esposa, Amy Dunne, desapareceu. Nick era meu professor na faculdade de North Carthage, viramos amigos e depois a relação se tornou algo mais.

Andie para e pigarreia. Uma mulher de cabelos escuros atrás dela, não muito mais velha que eu, estende um copo de água, que ela toma rapidamente, o copo tremendo.

— Estou profundamente envergonhada de ter me envolvido com um homem casado. Isso vai contra todos os meus valores. Eu realmente acreditava estar apaixonada — começa a chorar, a voz falhando — e que Nick Dunne estava apaixonado por mim. Ele me disse que sua relação com a esposa chegara ao fim e que iriam se divorciar em breve. Eu não sabia que Amy Dunne estava grávida. Estou colaborando com a polícia na investigação do desaparecimento de Amy Dunne e farei tudo o que estiver ao meu alcance para ajudar.

Sua voz é miúda, infantil. Ela ergue os olhos para o muro de câmeras diante de si, parece chocada, e os baixa novamente. Duas maçãs ficam vermelhas em suas bochechas redondas.

— Eu... Eu...

Ela começa a soluçar, e sua mãe — aquela mulher tem de ser a mãe dela, ambas têm os mesmos olhos exageradamente grandes de desenho japonês — coloca um braço sobre seu ombro. Andie continua a ler.

— Lamento muito e estou envergonhada pelo que fiz. E quero me desculpar com a família de Amy por qualquer papel que possa ter tido em sua dor. Estou colaborando com a polícia na investigação... Ah, já disse isso.

Ela dá um pequeno sorriso constrangido, e a imprensa dá risinhos de encorajamento.

— Pobre coisinha — diz a ruiva.

Ela é uma vagabundazinha, não merece pena. Não consigo acreditar que alguém possa sentir pena de Andie. Literalmente me recuso a acreditar.

— Sou uma estudante de vinte e três anos — continua. — Só peço um pouco de privacidade para me recuperar durante este momento muito doloroso.

— Boa sorte com isso — murmuro enquanto Andie recua e um policial se recusa a responder a perguntas, e todos saem da imagem. Eu me pego me inclinando para a esquerda como se pudesse segui-los.

— Coitadinha dessa menina — diz a mulher mais velha. — Parecia aterrorizada.

— Acho que ele é culpado mesmo, no fim das contas.

— Ele passou mais de um *ano* com ela.

— Cretino.

Desi me cutuca de leve e arregala os olhos em uma pergunta: eu sabia sobre o caso? Eu estou bem? Meu rosto é uma máscara de fúria — *coitadinha dessa menina o cacete* —, mas posso fingir que é por causa dessa traição. Confirmo com um gesto de cabeça, dou um sorriso fraco. Estou bem. Estamos prestes a sair quando vejo meus pais, de mãos dadas como sempre, indo juntos até o microfone. Minha mãe parece ter cortado os cabelos recentemente. Me pergunto se eu deveria me aborrecer por ela ter feito uma pausa no meio do meu desaparecimento para cuidar do visual. Quando alguém morre e os parentes seguem em frente você sempre os ouve dizer *fulano teria querido que fosse assim*. Eu não quero que seja assim.

Minha mãe fala:

— Nossa declaração será breve, e não responderemos a perguntas depois. Primeiramente, obrigado a vocês pela tremenda efusão pela nossa família. Parece que o mundo ama Amy tanto quanto nós. Amy: sentimos falta de sua voz calorosa e de seu bom humor, sua perspicácia e seu bom coração; você é maravilhosa. Nós traremos você de volta para nossa família. Sei que traremos. Em segundo lugar, não sabíamos até esta manhã que nosso genro, Nick Dunne, estava tendo um caso. Desde o começo deste pesadelo, ele tem estado menos envolvido, menos interessado, menos preocupado do que deveria. Dando a ele o benefício da dúvida, atribuímos esse comportamento ao choque. Com nossa descoberta, já não pensamos assim. Dessa forma, retiramos nosso apoio a Nick. Enquanto avançamos com a investigação, só podemos esperar que Amy volte para nós. Sua história deve continuar. O mundo está pronto para um novo capítulo.

Amém, diz alguém.

NICK DUNNE
DEZ DIAS SUMIDA

O espetáculo terminou, Andie e os Elliott sumiram da tela. A produtora de Sharon desligou a TV com a ponta do sapato. Todos na sala olhavam para mim esperando uma explicação, o convidado da festa que acabou de cagar no chão. Sharon abriu um sorriso brilhante demais para mim, um sorriso de raiva que forçou seu Botox. Seu rosto dobrou nos lugares errados.

— Bem? — começou ela em sua voz calma e afetada. — Que porra foi essa?

Tanner se adiantou.

— Essa era a bomba. Nick estava e está totalmente preparado para revelar e discutir seus atos. Lamento pelo *timing*, mas de certa forma é melhor para você, Sharon. Terá a primeira reação de Nick.

— Melhor ter algumas coisas muito interessantes para dizer, Nick — disse, andando e anunciando para ninguém em particular: — Microfone nele, vamos fazer isso agora.

Revelou-se no final das contas que Sharon Schieber simplesmente me adorava. Em Nova York eu sempre ouvira boatos de que ela mesma havia traído e voltara para o marido, uma história muito confidencial do jornalismo. Isso fora quase dez anos antes, mas imaginei que a necessidade de absolver ainda poderia estar ali. Estava. Ela brilhou, ela me mimou, me bajulou e me provocou. Ela contraiu aqueles lábios carnudos brilhantes para mim com profunda sinceridade — a mão fechada sob o queixo — e me fez as perguntas difíceis, e pela primeira vez eu as respondi bem. Não sou um mentiroso do calibre de Amy, mas mando bem quando tenho de mentir. Pareci um homem que amava sua esposa, que estava envergonhado de suas infidelidades e pronto para fazer o que era certo. Na noite anterior, insone e nervoso, eu entrara na internet e assistira a Hugh Grant no programa de Leno em 1995 se justificando com o país por ter estado com uma prostituta. Gaguejando, vacilando, se remexendo como se não coubesse em sua própria pele. Mas sem desculpas: "Acho que na vida você sabe o que é uma coisa boa a fazer e o que é uma coisa ruim, e eu fiz uma coisa ruim... E aí está." Cacete, o cara era bom — ele parecia constrangido, nervoso, tão abalado que você sentia vontade de pegar na mão dele e dizer: *Amigo, não é tão grave assim, não se torture por causa disso.* Que era o efeito que eu queria. Vi o vídeo tantas vezes que corria o risco de usar um sotaque britânico.

Fui o perfeito homem sem sombra: o marido que Amy sempre alegou que não sabia se desculpar finalmente o fez, usando palavras e emoções tomadas por empréstimo de um ator.

Mas funcionou. *Sharon, eu fiz uma coisa ruim, uma coisa imperdoável. Não posso inventar desculpas para isso. Decepcionei a mim mesmo, nunca havia pensado em mim como um homem que trai. Isso é indesculpável, é imperdoável, e só quero que Amy volte para que eu possa passar o resto da minha vida me redimindo, tratando-a como ela merece.*

Ah, eu decididamente gostaria de tratá-la como ela merece.

Mas o importante é o seguinte, Sharon: eu não matei Amy. Eu nunca a machucaria. Acho que o que está acontecendo aqui é o que eu tenho chamado [um riso] *intimamente de efeito* Ellen Abbott. *Esse estilo de jornalismo constrangedor e irresponsável. Estamos acostumados a ver esses assassinatos de mulheres sendo vendidos como entretenimento, o que é revoltante, e nesses programas quem é o culpado? É sempre o marido. Então acho que o público, e em certa medida até mesmo a polícia, foram forçados a acreditar que esse é sempre o caso. Desde o início, praticamente, presumiram que eu havia matado minha mulher, porque essa é a história que sempre nos contam, e isso é errado, isso é moralmente errado. Não matei minha esposa. Quero que ela volte para casa.*

Eu sabia que Sharon gostaria de uma oportunidade de apresentar Ellen Abbott como uma piranha sensacionalista em busca de audiência. Sabia que a elevada Sharon, com seus vinte anos de jornalismo, suas entrevistas com Arafat, Sarkozy e Obama, ficaria ofendida pela simples ideia de Ellen Abbott. Sou (era) jornalista, eu sei como funciona, e então, quando disse essas palavras — *o efeito Ellen Abbott* —, reconheci o retorcer de boca de Sharon, o erguer delicado de sobrancelhas, a luz no rosto inteiro. Era a expressão de quando você se dá conta: *consegui meu mote*.

No final da entrevista, Sharon pegou minhas mãos nas dela — frescas, um pouco calejadas, eu lera que ela era uma golfista ávida — e me desejou o melhor.

— Ficarei de olho em você, meu caro amigo — disse, e então estava beijando Go na bochecha e se afastando de nós, a parte de trás de seu vestido um campo de batalha cheio de alfinetes para impedir que o pano caísse na parte da frente.

— Você foi perfeito, puta merda — elogiou Go enquanto ela seguia para a porta. — Pareceu totalmente diferente de antes. No comando, mas não pretensioso. Até seu maxilar está menos... babaca.

— Tirei o furinho do queixo.

— Quase, é. Vejo você em casa.

Ela chegou a me dar aquele soco de vamos-campeão no ombro.

Depois da entrevista a Sharon Schieber, eu dei duas rapidinhas — uma para TV a cabo e outra para aberta. No dia seguinte a entrevista de Schieber iria ao ar, e depois as outras se seguiriam, um dominó de desculpas e remorso. Eu estava assumindo o controle. Não iria mais me contentar em ser o marido provavelmente culpado, o marido emocionalmente distante ou o marido traidor desalmado. Eu era o cara que todos conheciam — o cara que muitos homens (e mulheres) já foram: *Eu traí, eu me sinto um merda, farei o que for necessário para consertar a situação porque sou um homem de verdade*.

— A situação está razoável — anunciou Tanner enquanto terminávamos. — A coisa com Andie não será tão medonha quanto poderia graças à entrevista para Sharon. A partir de agora, só precisamos ficar à frente de todo o resto.

Go telefonou e eu atendi. A voz dela era fina e aguda.

— A polícia está aqui com um mandado para o depósito... Também estão na casa de papai. Eles estão.... Estou assustada.

Go estava fumando um cigarro na cozinha quando chegamos, e a julgar pelo cinzeiro kitsch dos anos setenta transbordando, ela estava no segundo maço. Um garoto desajeitado e sem ombros com cabelo à escovinha e um uniforme da polícia estava junto a ela em um dos bancos do balcão.

— Este é Tyler — apresentou ela. — Ele foi criado em Tennessee, e tem um cavalo chamado Custard...

— Custer — corrigiu Tyler.

— Custer, e é alérgico a amendoins. Não o cavalo, Tyler. Ah, e ele tem uma lesão na articulação do ombro, que é a mesma lesão dos arremessadores de beisebol, embora não saiba muito bem como arranjou isso — disse ela, dando um trago no cigarro. Seus olhos lacrimejaram.

— Ele está aqui há muito tempo.

Tyler tentou lançar um olhar severo para mim, terminou olhando para seus sapatos bem engraxados.

Boney apareceu pelas portas deslizantes dos fundos da casa.

— Dia cheio, rapazes — falou. — Gostaria que tivesse se dado o trabalho de nos contar, Nick, que tinha uma namorada. Teria nos poupado muito tempo.

— Ficaremos contentes de discutir isso, bem como o conteúdo do depósito, duas questões que estávamos prestes a revelar a vocês — disse Tanner. — Francamente, se você tivesse feito a cortesia de nos contar sobre Andie, muita dor poderia ter sido evitada. Mas vocês precisavam da coletiva, tinham de conseguir a publicidade. Revoltante, expor aquela garota daquela forma.

— Está bem — disse Boney. — E então, o depósito. Querem vir comigo?

Ela nos deu as costas, abrindo caminho sobre a grama irregular de final de verão até o depósito. Uma teia de aranha pendia de seus cabelos como um véu de noiva. Gesticulou impacientemente quando viu que eu não a seguia.

— Vamos — chamou. — Não vou morder você.

O depósito estava iluminado por várias luzes portáteis, fazendo com que parecesse ainda mais sinistro.

— Quando foi a última vez que esteve aqui, Nick?

— Muito recentemente, quando a caça ao tesouro de minha esposa me trouxe aqui. Mas não são coisas minhas, e não toquei em nada...

Tanner me interrompeu.

— Meu cliente e eu temos uma nova teoria explosiva... — começou Tanner, mas se conteve. A falsa voz de locutor de TV era tão incrivelmente medonha e inadequada que todos estremecemos.

— Ah, explosiva, que empolgante — disse Boney.

— Estávamos prestes a informá-los...

— É mesmo? Que momento conveniente — comentou. — Fiquem aqui, por favor.

A porta pendia frouxamente das dobradiças, um cadeado quebrado pendurado do lado. Gilpin estava do lado de dentro, catalogando os produtos.

— Esses são os tacos de golfe com os quais você não joga? — perguntou Gilpin, empurrando os tacos reluzentes.

— Nada disso é meu; nada disso foi colocado aqui por mim.

— Engraçado, porque tudo aqui corresponde às compras feitas com os cartões de crédito que também não são seus — cortou Boney. — Isso é, como dizem, o recanto do guerreiro? Um santuário masculino em construção apenas esperando que a esposa desaparecesse definitivamente. Você tem belos hobbies, Nick.

Ela tirou três grandes caixas de papelão e as colocou aos meus pés.

— O que é isso?

Boney as abriu com a ponta dos dedos, enojada, a despeito das mãos enluvadas. Dentro havia dezenas de DVDs pornôs, carnes de todas as cores e tamanhos expostas nas capas.

Gilpin deu um risinho.

— Tenho de admitir, Nick, quer dizer, todo homem tem necessidades...

— Os homens são muito visuais, era o que o meu ex sempre dizia quando eu o flagrava — disse Boney.

— Os homens são muito visuais, mas, Nick, essa merda me fez corar — afirmou Gilpin. — Uma parte me deixou um pouco enojado também, e eu não fico enojado com facilidade.

Ele espalhou alguns dos DVDs como um baralho de cartas feias. A maioria dos títulos insinuava violência: *Anal brutal*, *Boquetes brutais*, *Putas humilhadas*, *Foda sádica com piranhas*, *Piranhas estupradas*, e uma série chamada *Machuque a piranha*, volumes 1 a 18, cada um com fotos de mulheres se contorcendo de dor enquanto homens maliciosos enfiavam objetos nelas, rindo.

Virei o rosto.

— Ah, agora ele parece constrangido — constatou Gilpin, sorrindo.

Mas não respondi, porque vi Go sendo conduzida para o banco de trás de um carro da polícia.

Nós nos encontramos uma hora depois na delegacia. Tanner foi contra isso — eu insisti. Apelei para seu ego iconoclasta milionário de caubói de rodeio. Íamos contar a verdade à polícia. Estava na hora.

Eu podia suportar que eles fodessem com minha vida — mas não com a da minha irmã.

— Estou concordando com isso porque acho que sua prisão é inevitável, Nick, não importa o que façamos — disse ele. — Se deixarmos que saibam que estamos prontos para falar, podemos conseguir mais informações sobre o caso que eles têm contra você. Sem um cadáver, eles vão querer muito uma confissão, então vão tentar sufocar você com as provas. E isso pode nos dar o suficiente para melhorar nossa defesa.

— E contamos tudo a eles, certo? Contamos a eles sobre as pistas, as marionetes e Amy.

Eu estava em pânico, ansioso para ir, podia imaginar a polícia naquele instante esquentando minha irmã sob uma lâmpada nua.

— Contanto que você me deixe falar — observou Tanner. — Se for eu a falar sobre a armação, eles não poderão usar isso contra nós no julgamento... Se apresentarmos uma defesa diferente.

Era preocupante que meu advogado achasse a verdade tão totalmente inacreditável.

Gilpin nos encontrou nos degraus da delegacia, uma Coca na mão, jantar fora de hora. Quando virou para nos conduzir para dentro, vi as costas encharcadas de suor. O sol se pusera havia muito, mas a umidade continuava. Ele sacudiu os braços uma vez e a camisa balançou e grudou de volta em sua pele.

— Ainda está calor — comentou. — Deve ficar ainda mais quente ao longo da noite.

Boney esperava por nós na sala de interrogatório, aquela da primeira noite. A Noite Do. Ela trançara os cabelos escorridos e os prendera no alto da cabeça em um coque bastante impressionante, e usava batom. Perguntei-me se ela teria um encontro. Uma situação do tipo *Encontro você depois da meia-noite*.

— Você tem filhos? — perguntei, puxando uma cadeira.

Ela pareceu surpresa e ergueu um dedo.

— Um.

Ela não disse um nome, idade ou qualquer outra coisa. Boney estava em modo trabalho. Tentou esperar que começássemos.

— Você começa — disse Tanner. — Conte o que tem.

— Está bem — concordou Boney. — Certo.

Ela ligou o gravador, dispensou as preliminares.

— Você alega, Nick, que nunca comprou ou tocou os objetos que estão no depósito na propriedade de sua irmã.

— Correto — respondeu Tanner por mim.

— Nick, suas digitais estão em praticamente todos os objetos no depósito.

— Isso é mentira! Eu não encostei em *nada*, nem uma coisa lá! A não ser em meu presente de aniversário de casamento, que *Amy deixou lá dentro*.

Tanner tocou meu braço: *Cale a porra da boca*.

— Nick, suas digitais estão nos pornôs, nos tacos de golfe, nos estojos de relógio, até mesmo na TV.

E então eu vi quanto Amy devia ter gostado disso: meu sono profundo e relaxado (com o qual eu a atormentava, com minha crença de que se pelo menos ela fosse mais relaxada, mais como eu, sua insônia poderia desaparecer) se virou contra mim. Eu podia ver: Amy de joelhos, meu ronco aquecendo suas bochechas, enquanto ela apertava a ponta de um dedo aqui e outra ali, ao longo de meses. Ela poderia ter me drogado, até onde sei. Lembro-me dela olhando para mim certa manhã quando acordei, o visco do sono grudando meus lábios, e ela dizendo: "Você dorme o sono dos condenados, sabia? Ou dos drogados." Eu era as duas coisas e não sabia.

— Quer explicar as digitais? — perguntou Gilpin.

— Contem o resto para nós — disse Tanner.

Boney colocou na mesa entre nós um fichário de capa de couro biblicamente grosso, chamuscado nas beiradas.

— Reconhece isso?

Dei de ombros, balancei a cabeça negativamente.

— É o diário de sua esposa.

— Hã, não. Amy não era chegada a diários.

— Na verdade era, sim, Nick. Manteve por uns sete anos — disse Boney.

— Está bem.

Algo ruim estava prestes a acontecer. Minha esposa estava sendo esperta de novo.

AMY ELLIOTT DUNNE
DEZ DIAS SUMIDA

Vamos cruzando divisas estaduais de carro até Illinois, até um bairro particularmente medonho de uma cidade falida junto ao rio, e passamos uma hora limpando o carro, depois o deixamos com a chave na ignição. Chame isso de ciclo da luta: o casal do Arkansas que o dirigiu antes de mim escondia algo; Amy de Ozarks era obviamente questionável; com sorte, algum marginal de Illinois também tiraria proveito dele por um tempo.

Então dirigimos de volta para o Missouri sobre colinas ondulantes até onde vejo; entre as árvores, o lago Hannafan cintilando. Como Desi tem família em St. Louis, ele gosta de acreditar que esta região é antiga, antiga ao estilo Costa Leste, mas ele está errado. O lago Hannafan não recebeu o nome de um estadista do século XIX ou de um herói da Guerra Civil. É um lago particular, feito por máquinas em 2002 a mando de um empreiteiro de petróleo chamado Mike Hannafan, o qual, acabou-se descobrindo, descartava ilegalmente lixo tóxico no local. A comunidade perturbada está se esforçando para encontrar um novo nome para seu lago. Tenho certeza de que pensaram em lago Collings.

Então, a despeito do lago bem-planejado — no qual alguns poucos moradores selecionados podem velejar, mas não usar barcos a motor — e da casa de bom gosto de Desi — um *château* suíço em escala americana —, eu não me impressiono. Esse sempre foi o problema com Desi. Seja do Missouri ou não, não finja que o lago "Collings" é o lago de Como.

Ele se apoia no Jaguar e volta os olhos para a casa de modo que eu também tenha de fazer uma pausa para apreciar.

— Nós nos inspiramos no maravilhoso pequeno chalé no qual minha mãe e eu ficamos em Brienzersee — comenta. — Só ficou faltando a cordilheira.

Uma senhora falta, penso, mas coloco a mão no braço dele e digo:

— Mostre-me o interior da casa. Deve ser fabulosa.

Ele me conduz em uma pequena excursão "de um centavo", rindo da ideia de centavo. Uma cozinha catedrática — toda granito e cromo —, uma sala com duas lareiras que leva a uma área externa (que moradores do Meio-Oeste chamariam de deque) com vista para a floresta e o lago. Um salão de jogos no porão com mesa de sinuca, dardos, som surround, um bar, com o próprio espaço externo (que moradores do Meio-Oeste chamariam de outro deque). Uma sauna junto ao salão de jogos, e junto a ela a adega. No andar de cima, cinco quartos, dos quais o segundo maior ele concede a mim.

— Mandei pintar — informa ele. — Sei que você adora rosa-chá.

Eu não adoro mais rosa-chá; isso foi no ensino médio.

— Você é adorável, Desi, obrigada — digo, no meu tom mais sincero.

Meus obrigados sempre saem com bastante dificuldade. Não costumo distribuí-los. As pessoas fazem o que devem fazer e depois esperam que você as encha de palavras de gratidão — são como empregados de iogurteria que esperam gorjeta.

Mas Desi recebe os obrigados como um gato sendo acariciado; suas costas quase se arqueiam de prazer. Por ora o gesto vale a pena.

Coloco minha bolsa em meu quarto, tentando indicar que vou me recolher para a noite — preciso ver como as pessoas estão reagindo à confissão de Andie e se Nick foi preso —, mas parece que estou longe de terminar com os agradecimentos. Desi garantiu que estarei para sempre em dívida com ele. Ele dá um sorriso-de-surpresa-especial, toma minha mão (*tenho mais uma coisa para lhe mostrar*) e me leva novamente para baixo (*espero mesmo que goste disto*), para um corredor que sai da cozinha (*deu bastante trabalho, mas valeu muito a pena*).

— Espero mesmo que goste disto — repete, e abre a porta.

É uma sala de vidro, uma estufa, percebo. Dentro há tulipas, centenas, de todas as cores. Tulipas florescem no meio de julho na casa do lago de Desi. Em sua própria sala especial para uma garota muito especial.

— Sei que tulipas são suas preferidas, mas a temporada é tão curta... — explica Desi. — Então dei um jeito nisso para você. Elas irão florir o ano todo.

Ele coloca o braço em minha cintura e me leva até as flores para que eu possa apreciá-las plenamente.

— Tulipas a qualquer dia do ano — digo, e tento fazer meus olhos brilharem. Tulipas eram minhas preferidas no ensino médio. Eram as preferidas de todos, a gérbera do final dos anos oitenta. Hoje eu gosto de orquídeas, que são basicamente o oposto de tulipas.

— Nick algum dia teria pensado em algo assim para você? — sussurra Desi em meu ouvido enquanto as tulipas balançam sob uma chuva artificial.

— Nick nunca nem lembrava que eu gostava de tulipas — digo, a resposta certa.

O gesto é gentil, mais que gentil. Minha própria sala de flores, como em um conto de fadas. E ainda assim, fico um pouco nervosa: telefonei para Desi há apenas vinte e quatro horas, e essas não são tulipas recém-plantadas, e o quarto não cheira a tinta fresca. Isso me faz pensar: o número maior de cartas no ano anterior, seu tom infeliz... Há quanto tempo ele quer me trazer aqui? E quanto tempo ele acha que vou ficar? Tempo suficiente para desfrutar tulipas florescendo todos os dias do ano.

— Deus do céu, Desi. É como um conto de fadas.

— Seu conto de fadas. Quero que veja como a vida pode ser.

Nos contos de fada sempre há ouro. Fico esperando que ele me dê uma pilha de notas, um cartão de crédito, algo útil. A excursão passa novamente por todos os aposentos, para que eu possa fazer ooh e aah para todos os detalhes que perdi na primeira vez, e então retornamos ao meu quarto, um quarto de menina, cetim e seda, rosa e pelúcia, marshmallow e algodão-doce. Enquanto olho por uma janela, noto o muro alto que cerca a casa.

Falo, nervosa:

— Desi, você poderia me deixar com algum dinheiro?

Ele finge estar surpreso.

— Você não vai precisar de dinheiro agora, vai? Não precisa mais pagar aluguel; a casa será abastecida de comida. Posso trazer roupas novas para você. Não que não goste de você no estilo chique-decadente.

— Acho que um pouco de dinheiro apenas me deixaria mais à vontade. Caso algo aconteça. Caso precise sair daqui rapidamente.

Ele abre a carteira e tira duas notas de vinte dólares. Coloca-as delicadamente em minha mão.

— Aqui está — diz, paternalista.

Pergunto-me então se cometi um erro muito grande.

NICK DUNNE
DEZ DIAS SUMIDA

Errei ao me sentir tão confiante. O que quer que fosse a porra daquele diário, ele iria me arruinar. Eu já podia ver a capa do livro policial baseado em fatos reais: nossa foto de casamento em preto e branco, o fundo vermelho-sangue, a chamada: *incluindo dezesseis páginas de fotos inéditas e anotações reais do diário de Amy Elliott Dunne — uma voz do além...* Eu achara estranho e um pouco meigo, os prazeres culpados de Amy, aqueles livros baratos de crimes reais que eu descobrira aqui e ali pela casa. Achei que ela talvez estivesse relaxando, se permitindo um pouco de leitura de entretenimento.

Não. Ela estava apenas estudando.

Gilpin puxou uma cadeira, se sentou nela ao contrário e se inclinou para mim com braços cruzados — seu visual de policial de cinema. Era quase meia-noite; parecia mais.

— Conte sobre a doença de sua esposa nos últimos meses — disse ele.

— Doença? Amy nunca ficava doente. Uma vez por ano pegava um resfriado, talvez.

Boney pegou o caderno, abriu em uma página marcada.

— Mês passado você preparou drinques para você e Amy, se sentaram na varanda de trás. Ela escreve aqui que os drinques estavam insuportavelmente doces e descreve o que acha ser uma reação alérgica: *Meu coração estava acelerado, minha língua, pastosa, grudada no fundo da boca. Minhas pernas fraquejaram enquanto Nick me ajudou a subir as escadas.* — Ela parou, colocou um dedo para marcar o ponto no diário, ergueu os olhos como se talvez eu não estivesse prestando atenção. — Quando ela acordou na manhã seguinte: *Minha cabeça doía e meu estômago estava revirando, mas ainda mais estranho, minhas unhas estavam azul-claras, e quando me olhei no espelho, meus lábios também estavam. Não fiz xixi durante dois dias depois disso. Me sentia muito fraca.*

Balancei a cabeça, enojado. Eu me afeiçoara a Boney; esperava mais dela.

— Essa é a caligrafia de sua esposa? — perguntou Boney inclinando o caderno na minha direção, e eu vi tinta preta e a letra cursiva de Amy, irregular como um gráfico.

— Sim, acho que sim.

— O nosso especialista em caligrafia também acha.

Boney disse as palavras com certo orgulho, e eu me dei conta: este era o primeiro caso desses dois que exigia especialistas externos, que exigia que tivessem contato com profissionais que faziam coisas exóticas como analisar caligrafia.

— Sabe o que mais descobrimos, Nick, quando mostramos essa anotação a nosso especialista médico?

— Envenenamento — soltei.

Tanner franziu a testa para mim: *quieto*.

Boney gaguejou por um segundo; não era uma informação que eu devesse fornecer.

— É, Nick, obrigada: envenenamento por anticongelante — disse ela. — Clássico. Ela deu sorte de sobreviver.

— Ela não *sobreviveu*, porque isso nunca aconteceu — falei. — Como você disse, é clássico, foi tirado de uma busca na internet.

Boney franziu a testa, mas se recusou a morder a isca.

— O diário não pinta um retrato bonito de você, Nick — continuou, um dedo brincando com a trança. — *Agressão*: você a empurrava. *Estresse*: se irritava fácil. Relações sexuais que eram quase *estupros*. Ela estava com muito medo de você no final. É doloroso de ler. Aquela arma sobre a qual estávamos nos perguntando, ela diz que a queria por estar com medo de você. Eis a última anotação: *Esse homem talvez me mate. Esse homem talvez me mate*, em suas próprias palavras.

Minha garganta fechou. Achei que fosse vomitar. Principalmente medo, depois um surto de fúria: *Piranha desgraçada, piranha desgraçada, vadia, vadia, vadia.*

— Que anotação esperta e conveniente com a qual terminar — falei.

Tanner colocou a mão sobre a minha para me calar.

— Parece que você quer matar sua esposa outra vez, nesse momento — disse Boney.

— Você não fez nada além de mentir para nós, Nick — falou Gilpin. — Diz que estava na praia naquela manhã. Todos com quem falamos dizem que você odeia praia. Diz que não tem ideia do que todas aquelas compras estão fazendo em seus cartões de crédito estourados. Agora temos um depósito cheio com exatamente aqueles objetos, *e eles estão cobertos com as suas digitais*. Temos uma esposa sofrendo com o que parece ser envenenamento por anticongelante semanas antes de *desaparecer*. Quer dizer, espera aí... — disse, fazendo uma pausa para criar um efeito.

— Mais alguma coisa digna de nota? — perguntou Tanner.

— Sabemos que você esteve em Hannibal, onde a bolsa de sua esposa apareceu alguns dias depois — completou Boney. — Temos um vizinho que ouviu vocês dois discutindo na noite anterior. Uma gravidez que você não queria. Um bar comprado com o dinheiro de sua esposa e que voltaria para ela no caso de um divórcio. E claro, *claro*: uma namorada secreta de mais de um ano.

— Podemos ajudar você agora, Nick — afirmou Gilpin. — Quando prendermos você, não poderemos mais.

— Onde vocês encontraram o diário? Na casa do pai de Nick? — perguntou Tanner.

— Sim — respondeu Boney.

Tanner acenou com a cabeça para mim: *foi o que não conseguimos achar*.

— Deixa eu adivinhar: denúncia anônima.

Nenhum dos policiais falou nada.

— Posso perguntar onde na casa vocês o encontraram?

— Na fornalha. Sei que você achou que tinha queimado o diário. Ele pegou fogo, mas a chama piloto estava fraca demais; ela foi sufocada. Então apenas as beiradas queimaram — explicou Gilpin. — Uma sorte enorme para nós.

A fornalha — outra piada de Amy! Ela sempre se dissera espantada com quão pouco eu entendia de coisas que homens deveriam entender. Durante nossa busca eu até olhara para o velho aquecedor do meu pai, com seus canos, fios e registros, e recuara, intimidado.

— Não foi sorte. Era para que vocês encontrassem — comentei.

Boney deixou o canto esquerdo de sua boca se transformar em um sorriso. Ela se recostou e esperou, relaxada como o astro de um comercial de chá gelado. Eu acenei com a cabeça raivosamente para Tanner: *vá em frente*.

— Amy Elliott Dunne está viva, e está incriminando Nick Dunne por seu assassinato — começou ele.

Cruzei as mãos e me empertiguei, tentando fazer algo que me desse um ar de razão. Boney me encarou. Eu precisava de um cachimbo, óculos que pudesse retirar rapidamente para causar um efeito, um conjunto de enciclopédias junto ao meu cotovelo. Eu me senti animado. *Não ria*.

Boney franziu a testa.

— Como é?

— Amy está viva e muito bem, e está incriminando Nick — repetiu meu representante.

Eles trocaram olhares, curvados sobre a mesa: *Dá para acreditar nesse cara?*

— Por que ela faria isso? — perguntou Gilpin, esfregando os olhos.

— Porque ela o odeia. Obviamente. Ele era um marido de merda.

Boney olhou para o chão, bufou.

— Eu certamente concordo com você nisso.

Ao mesmo tempo, Gilpin disse:

— Ah, pelo amor de Deus.

— Ela é *maluca*, Nick? — indagou Boney se inclinando para a frente.
— O que você está falando é loucura. Está me ouvindo? Teria demorado uns seis meses, um *ano*, para armar tudo isso. Ela teria de odiar você, querer o seu mal, um mal absoluto, sério, horrendo, durante um *ano*. Você sabe como é difícil sustentar esse tipo de ódio por tanto tempo?

Ela era capaz de fazer isso. Amy era capaz.

— Por que não simplesmente se divorciar de você? — mandou Boney.

— Isso não serviria à... noção de justiça dela — retruquei.

Tanner me lançou outro olhar.

— Meu Deus, Nick, você não está cansado de tudo isso? — perguntou Gilpin. — Temos isso nas palavras da sua própria esposa: *Acho que ele poderia me matar*.

Em algum momento alguém dissera a eles: usem muito o nome do suspeito, isso o deixará à vontade, conhecido. A mesma ideia utilizada em vendas.

— Você esteve na casa do seu pai recentemente, Nick? — questionou Boney. — Tipo em nove de julho?

Merda. *Por isso* Amy mudou o código do alarme. Lutei contra outra onda de desgosto comigo mesmo: que minha esposa tenha me manipulado duas vezes. Não apenas ela me enganou para que eu achasse que ainda me amava, mas ainda *me obrigou a me incriminar*. Que garota perversa. Quase ri. Meu Deus, como eu a odiava, mas não dava para não admirar a piranha.

Tanner começou:

— Amy usou as pistas para obrigar meu cliente a ir a esses vários locais, onde ela deixara provas; Hannibal, a casa do pai, para que ele se incriminasse. Meu cliente e eu trouxemos essas pistas conosco. Como cortesia.

Ele tirou as pistas e as cartinhas de amor, abriu-as na frente dos policiais como um truque de cartas. Suei enquanto eles liam, querendo que erguessem os olhos e me dissessem que agora estava tudo claro.

— Certo. Você diz que Amy o odiava tanto que passou meses armando para incriminar você pelo seu assassinato? — quis saber Boney com a voz baixa e contida de uma mãe desapontada.

Olhei para ela sem expressão.

— Isso não parece uma mulher com raiva, Nick — disse ela.

— Ela está se esforçando para se desculpar com você, sugerir que podem recomeçar, para dizer quanto ela o ama: *Você é caloroso — você é meu sol. Você é brilhante, você tem humor.*

— Ah, puta que pariu.

— Mais uma vez, Nick, uma reação inacreditavelmente estranha para um homem inocente — observou Boney. — Aqui estamos nós, lendo palavras doces, talvez as últimas de sua esposa para você, e você parece estar com raiva. Eu ainda me lembro da primeira noite: Amy desaparecida, você entra aqui, nós o colocamos neste mesmo lugar por quarenta e cinco minutos, e você parecia *entediado*. Nós o observamos na câmera de vigilância, você praticamente adormeceu.

— Isso não tem nada a ver com nada... — argumentou Tanner.

— Eu estava tentando ficar calmo.

— Você parecia calmo, muito calmo — afirmou Boney. — O tempo todo você agiu... de modo inadequado. Sem emoção, de forma leviana.

— É simplesmente como eu sou, você não entende? Sou estoico. Excessivamente. Amy sabe... Ela reclamava disso o tempo todo. Que eu não era empático o bastante, que me escondia dentro de mim mesmo, que não sabia lidar com emoções difíceis — tristeza, culpa. Ela *sabia* que eu pareceria totalmente suspeito. Puta merda! Falem com Hilary Handy, pode ser? Falem com Tommy O'Hara. Eu falei com eles! Eles dirão como ela é.

— Nós falamos com eles — informou Gilpin.

— E?
— Hilary Handy cometeu duas tentativas de suicídio desde o ensino médio. Tommy O'Hara foi para uma clínica de reabilitação duas vezes.
— Provavelmente por causa de *Amy*.
— Ou porque eles são seres humanos profundamente instáveis e cheios de culpa — retrucou Boney. — Vamos voltar à caça ao tesouro.
Gilpin leu em voz alta a Pista 2 em um tom monótono intencional.

Você me trouxe aqui para que eu ouvisse sua conversa maneira
Sobre suas aventuras de menino: jeans baratos e viseira
Que se dane todo mundo, deles nós vamos nos livrar
E vamos roubar um beijo... Fingir que acabamos de nos casar.

— Você diz que isso foi escrito para obrigar você a ir a Hannibal? — perguntou Boney.
Confirmei com um gesto de cabeça.
— Não diz Hannibal em lugar nenhum — rebateu ela. — Nem sequer insinua isso.
— O chapéu-viseira é uma velha piada interna nossa sobre...
— Ah, uma piada interna — repetiu Gilpin.
— E quanto à pista seguinte, sobre a pequena casa marrom? — perguntou Boney.
— Ir à casa do meu pai — respondi.
O rosto de Boney ficou rígido novamente.
— Nick, a casa do seu pai é azul — falou, e se virou para Tanner revirando os olhos: *É isso que vocês estão me dando?*
— Parece que você está inventando "piadas internas" nessas pistas — considerou Boney. — Quer dizer, nada mais conveniente do que isso: descobrimos que você esteve em Hannibal, e, quem diria, esta pista secretamente significa *ir a Hannibal*.
— O último presente — prosseguiu Tanner, colocando a caixa na mesa — é um indício não tão sutil. Bonecos de Punch e Judy. Como tenho certeza de que sabem, Punch mata Judy e seu bebê. Isso foi descoberto por meu cliente. Queríamos entregá-los a vocês.
Boney puxou a caixa, vestiu luvas de látex e tirou as marionetes.
— Pesado — constatou. — Sólido.
Ela examinou a renda do vestido da mulher, a roupa colorida do homem. Pegou o boneco masculino, examinou a barra de madeira grossa com os encaixes para os dedos.

Ela congelou, franzindo a testa, a marionete masculina nas mãos. Então virou a boneca mulher de cabeça para baixo, de modo que a saia subiu.

— Este não tem manete — disse, se virando para mim. — Havia um manete?

— Como eu posso saber?

— Um manete vinte por dez, muito grosso e pesado, com sulcos para dar uma empunhadura realmente boa? — questionou. — Um manete como um maldito bastão?

Ela olhou para mim e eu pude ver o que ela estava pensando: *Você está jogando um jogo. Você é um sociopata. Você é um assassino.*

AMY ELLIOTT DUNNE
ONZE DIAS SUMIDA

Hoje à noite vai passar a tão esperada entrevista de Nick a Sharon Schieber. Eu ia assistir com uma garrafa de um bom vinho após um banho quente de banheira, enquanto gravava para anotar as mentiras dele. Quero escrever cada exagero, meia verdade, mentirinha e calúnia que ele disser, para que possa concentrar minha fúria contra ele. Ela diminuiu depois da entrevista no blog — *uma* entrevista bêbada aleatória! —, e não posso permitir que isso aconteça. Não vou amolecer. Não sou idiota.

Ainda assim, estou ansiosa para ouvir suas ideias sobre Andie agora que ela rompeu. Seu ponto de vista.

Quero assistir sozinha, mas Desi fica perto de mim o dia todo, entrando e saindo de qualquer aposento ao qual me recolho, como uma nuvem repentina no céu, impossível de evitar. Não posso mandá-lo embora, pois a casa é dele. Já tentei isso, e não funciona. Ele diz que quer verificar o encanamento do porão ou examinar a geladeira para ver que alimentos precisam ser comprados.

Isso vai continuar, penso. *É assim que minha vida vai ser. Ele vai aparecer quando quiser e ficar o tempo que quiser, vai perambular por perto puxando papo, e depois vai se sentar, e me convidar a sentar, e vai abrir uma garrafa de vinho e de repente estaremos fazendo uma refeição juntos, e não há como impedir isso.*

— Estou realmente exausta — digo.

— Tolere seu benfeitor só mais um pouco — responde ele, e passa um dedo pelo vinco das pernas da calça.

Ele sabe sobre a entrevista de Nick esta noite, então sai e volta com todas as minhas comidas preferidas: queijo Manchego, trufas de chocolate, uma garrafa de Sancerre gelado e, com um erguer de sobrancelha malicioso, apresenta até mesmo os salgadinhos no sabor chili e queijo nos quais me viciei quando era Amy de Ozarks. Ele serve o vinho. Temos um acordo tácito de não entrar em detalhes a respeito do bebê, ambos sabemos como há abortos em minha família, quão medonho seria para mim ter de falar sobre isso.

— Estou interessado em ouvir o que aquele suíno tem a dizer em sua defesa — comenta ele.

Desi raramente fala *um babaca* ou *um merda*; ele diz *suíno*, que soa mais venenoso em seus lábios.

Uma hora depois, já fizemos uma refeição leve que Desi preparou, e tomamos o vinho que Desi trouxe. Ele me deu um pedaço de queijo e dividiu uma trufa comigo. Ele me deu exatamente dez salgadinhos, depois escondeu o saco. Não gosta do cheiro; diz que o incomoda, mas o que realmente não gosta é do meu peso. Agora estamos lado a lado no sofá, um cobertor macio sobre nós, porque Desi colocou o ar-condicionado no máximo para que seja outono em julho. Acho que fez isso para poder acender a lareira e nos obrigar a ficar juntos sob o cobertor; ele parece ter uma visão de outubro de nós dois. Até me deu um presente — um suéter de gola rulê violeta —, e percebo que combina tanto com o cobertor quanto com o suéter verde-escuro de Desi.

— Sabe, ao longo de todos os séculos, homens patéticos agrediram mulheres fortes que ameaçavam sua masculinidade — Desi está dizendo. — Eles têm uma psique tão frágil que precisam desse controle...

Estou pensando em um tipo diferente de controle. Estou pensando em controle disfarçado de cuidados: *eis um suéter para o frio, meu bem, agora vista-o e corresponda à minha visão.*

Nick pelo menos não fazia isso. Nick me deixava fazer o que eu queria.

Só quero que Desi fique sentado imóvel e em silêncio. Ele está irrequieto e nervoso, como se seu rival estivesse na sala conosco.

— Shhh — faço quando meu rosto bonito surge na tela, depois outra foto, e mais uma, como folhas caindo, uma colagem de Amys.

"Ela era a garota que *toda* garota queria ser", diz a voz de Sharon em *off*. "Linda, brilhante, inspiradora, e muito rica."

"Ele era o sujeito que todos os homens admiravam..."

— Não este homem — murmurou Desi.

"... bonito, engraçado, inteligente e encantador. Mas em cinco de julho, o mundo aparentemente perfeito dos dois desmoronou quando Amy Elliott Dunne desapareceu no dia do quinto aniversário de casamento deles."

Recapitulando, recapitulando, recapitulando. Fotos minhas, de Andie, de Nick. Fotos de um teste de gravidez e de contas atrasadas. Realmente fiz um belo trabalho. É como pintar um mural, recuar e pensar: *perfeito*.

"Agora, com exclusividade, Nick Dunne quebra o silêncio não apenas sobre o desaparecimento da esposa, mas sobre sua infidelidade e *todos os boatos*."

Sinto uma onda de carinho para com Nick, pois está usando minha gravata preferida, que comprei para ele, que ele acha, ou achava, ser brilhante e feminina demais. É um roxo-pavão que deixa seus olhos quase violeta. Ele perdeu sua pança de babaca satisfeito no último mês: a barriga desapareceu, o excesso de carne no rosto sumiu, o queixo está menos fendido. Seus cabelos foram aparados, mas não cortados — tenho uma imagem de Go dando um jeito nele pouco antes de ele aparecer na frente da câmera, assumindo o papel de Mama Mo, cuidando dele, passando o dedo molhado de saliva em algum ponto perto do queixo. Ele está usando minha gravata, e quando ergue a mão para fazer um gesto, vejo que está usando meu relógio, o Bulova Spaceview antigo que comprei para ele no seu aniversário de trinta e três anos, que nunca usou porque *não era o estilo dele*, embora fosse totalmente o estilo dele.

— Ele está maravilhosamente bem-cuidado para um homem que acha que a esposa está desaparecida — comenta Desi. — Que bom que não deixou de ir à manicure.

— Nick nunca iria a uma manicure — digo, olhando para as unhas brilhantes de Desi.

"Vamos direto ao ponto, Nick", diz Sharon. "Você tem algo a ver com o desaparecimento de sua esposa?"

"Não. Não. De modo algum, cem por cento não", diz Nick, mantendo um contato visual bem treinado. "Mas permita-me dizer, Sharon, estou longe de ser inocente ou irrepreensível, ou um bom marido. Se eu não estivesse com tanto medo por Amy, diria que de certa forma foi uma coisa boa o desaparecimento dela..."

"Desculpe-me Nick, mas acho que muitas pessoas acharão difícil de acreditar que você acabou de dizer isso quando sua esposa está desaparecida."

"É o sentimento mais medonho e horrível do mundo, e eu a quero de volta mais que qualquer coisa. Só estou dizendo que isso foi uma forma brutal de me fazer abrir os olhos. A gente odeia acreditar que é um homem tão medonho que é preciso algo como isto para arrancá-lo de sua espiral de egoísmo e despertá-lo para o fato de que é o babaca mais sortudo no mundo. Quero dizer, eu tinha uma mulher que era minha igual, *melhor* que eu, em todos os sentidos, e deixei que minhas inseguranças, sobre perder o emprego, sobre não ser capaz de prover para minha família, sobre envelhecer, encobrissem tudo."

— Ah, por favor — começa Desi, e eu o faço calar.

O fato de Nick admitir para o mundo todo que não é um bom sujeito é uma pequena morte, e não do tipo *petite mort*.

"E Sharon, preciso dizer. Preciso dizer agora mesmo: eu a traí. Desrespeitei minha esposa. Eu não queria ser o homem que me tornara, mas em vez de dar um jeito em mim, escolhi a saída fácil. Eu a traí com uma jovem que mal me conhecia. Para que eu pudesse *fingir* ser o grande homem. Para poder *fingir* ser o homem que eu desejava ser: inteligente, confiante e bem-sucedido. Porque essa jovem não sabia do contrário. Essa jovem não havia me visto chorar com o rosto na toalha, no banheiro, no meio da noite, porque eu tinha perdido o emprego. Não conhecia todas as minhas fraquezas e deficiências. Eu era um tolo que acreditava que, se não fosse perfeito, minha esposa não me amaria. Eu queria ser o herói de Amy, e, quando perdi meu emprego, perdi meu amor-próprio. Não podia mais ser aquele herói. Sharon, sei a diferença entre certo e errado. E eu simplesmente... Eu simplesmente fiz o errado."

"O que você diria à sua esposa caso ela esteja em algum lugar, capaz de ver e ouvir você esta noite?"

"Eu diria: Amy, eu amo você. Você é a melhor mulher que já conheci. Você é mais do que eu mereço, e, se você voltar, passarei o resto da minha vida me redimindo. Encontraremos um jeito de deixar todo esse horror para trás, e serei o melhor homem do mundo para você. Por favor, volte para casa, volte para mim, Amy."

Por um segundo, ele coloca a ponta do indicador na covinha em seu queixo, nosso velho código secreto, aquele que criamos no passado para jurar que não estávamos enganando um ao outro — o vestido realmente estava bem, aquela matéria realmente estava boa. *Estou sendo absolutamente, cem por cento sincero neste instante — quero seu bem, e não vou sacanear você.*

Desi coloca-se na minha frente para romper meu contato visual com a tela e pega o Sancerre.

— Mais vinho, querida? — oferece.

— Shhh.

Ele dá pausa no programa.

— Amy, você é uma mulher de bom coração. Sei que é suscetível a... apelos. Mas tudo o que ele diz é mentira.

Nick está dizendo exatamente o que eu quero ouvir. *Finalmente.*

Desi muda de posição, de modo a me encarar, obstruindo completamente minha visão.

— Nick está fazendo cena. Ele quer passar uma imagem de cara bonzinho e arrependido. Admito que está fazendo um bom trabalho. Mas isso não é real: ele nem sequer mencionou que batia em você, violentava você. Não sei que tipo de controle esse cara tem sobre você. Deve ser uma coisa tipo Síndrome de Estocolmo.

— Eu sei — concordo. Sei exatamente o que devo dizer a Desi. — Você tem razão. Está coberto de razão. Há muito tempo que não me sinto tão segura, Desi, mas ainda estou... Eu o vejo e... Estou lutando contra isso, mas ele me machucou... durante anos.

— Talvez não devêssemos assistir ao resto — reflete ele, brincando com meus cabelos, chegando perto demais.

— Não, deixe ligado. Preciso encarar isso. Com você. Consigo fazer isso com você — digo, colocando minha mão na dele. *Agora cale a porra da boca.*

Só quero que Amy volte para que eu possa passar o resto da minha vida me redimindo, tratando-a como ela merece.

Nick me perdoa — *eu fodi com a sua vida, você fodeu com a minha, vamos fazer as pazes.* E se o código dele for verdade? Nick me quer de volta. Nick me quer de volta para poder me tratar direito. Para poder passar o resto de sua vida me tratando do modo como deveria. Isso soa bastante encantador. Poderíamos voltar para Nova York. As vendas dos livros *Amy Exemplar* dispararam desde meu desaparecimento — três gerações de leitores se lembraram de como me amam. Meus pais gananciosos, idiotas e irresponsáveis finalmente podem devolver meu pecúlio. Com juros.

Porque quero voltar para minha antiga vida. Ou minha antiga vida com meu antigo dinheiro e meu Novo Nick. O Nick Amar-Honrar-Obedecer. Talvez ele tenha aprendido a lição. Talvez volte a ser como antes. Porque eu tenho sonhado acordada — presa em meu chalé em Ozarks, presa na mansão de Desi, tenho muito tempo para sonhar acordada, e eu tenho sonhado acordada com aquele Nick dos primeiros tempos. Achei que iria sonhar acordada mais com Nick sendo enrabado na cadeia, mas na verdade não, não muito, ultimamente. Penso naqueles primeiros, primeiros tempos, quando deitávamos na cama um ao lado do outro, carne nua sobre algodão fresco, ele apenas olhando para mim, um dedo acompanhando meu maxilar do queixo à orelha, me dando arrepios, aquela cócega leve no lóbulo, e depois pelos caracóis de minha orelha, no alto da testa, e então ele segurava um cacho, como fez na primeira vez em que nos beijamos, e o alisava até a ponta e puxava duas vezes, de leve, como se tocasse um sino. E dizia: "Você é melhor que qualquer livro, você é melhor que qualquer coisa que alguém pudesse inventar."

Nick me prendia à Terra. Nick não era como Desi, que me trazia coisas que eu queria (tulipas, vinho) para me levar a fazer as coisas que *ele* queria (amá-lo). Nick queria apenas que eu fosse feliz, apenas isso, muito puro. Talvez eu tenha confundido isso com preguiça. *Só quero que você seja feliz, Amy.* Quantas vezes ele disse isso e eu entendi como: *Só quero que você seja feliz, Amy, porque é menos trabalhoso para mim.* Mas talvez eu fosse injusta. Bem, não injusta, mas confusa. Eu nunca amara ninguém que não tivesse segundas intenções. Como poderia saber?

Era mesmo verdade. Foi preciso essa situação medonha para que nós percebêssemos. Nick e eu nos completamos. Sou um pouco de mais, e ele é um pouco de menos. Sou um espinheiro, eriçado pelo excesso de atenção de meus pais, e ele é um homem de um milhão de pequenos ferimentos paternos, e meus espinhos se encaixam perfeitamente em suas feridas.

Preciso voltar para casa, para ele.

NICK DUNNE
QUATORZE DIAS SUMIDA

Acordei no sofá de minha irmã com uma terrível ressaca e uma ânsia de matar minha esposa. Isso era muito comum nos dias após o Interrogatório do Diário pela polícia. Eu imaginava encontrar Amy escondida em um spa na Costa Oeste, tomando suco de abacaxi em um divã, suas preocupações flutuando bem longe, acima de um céu de um azul perfeito, e eu, sujo, fedendo de uma viagem urgente de carro pelo país, de pé na frente dela, bloqueando o sol até que ela erguesse os olhos, e então minhas mãos ao redor de seu pescoço perfeito, com seus tendões e suas depressões, e a pulsação, primeiro urgente, depois desacelerando, enquanto nos encarávamos e finalmente chegávamos a um acordo.

Eu seria preso. Se não hoje, amanhã; se não amanhã, no dia seguinte. Eu interpretara o fato de a polícia ter me deixado sair da delegacia como um bom sinal, mas Tanner me calara: "Sem um cadáver, uma condenação é incrivelmente difícil. Eles estão apenas colocando os pingos nos is, os traços nos tês. Aproveite esses dias para fazer o que precisar, porque, assim que houver a prisão, ficaremos ocupados."

Eu podia ouvir do lado de fora da janela o barulho de equipes de reportagem — homens desejando bom-dia uns aos outros, como se estivessem batendo ponto na fábrica. Câmeras estalavam sem parar como gafanhotos inquietos, disparando na frente da casa de Go. Alguém vazara a descoberta de meu "recanto do guerreiro" cheio de mercadorias, na propriedade de minha irmã, minha prisão iminente. Nenhum de nós ousava sequer espiar por uma cortina.

Go entrou na sala vestindo calças de pijama de flanela e sua camiseta da banda Butthole Surfers do ensino médio, o laptop embaixo do braço.

— Todo mundo odeia você outra vez — disse.

— Babacas inconstantes.

— Ontem à noite alguém vazou a informação sobre o depósito, sobre a bolsa e o diário de Amy. Agora é tudo *Nick é um mentiroso, Nick é um assassino, Nick é um assassino mentiroso*. Sharon Schieber acabou de divulgar uma declaração dizendo que ficou *muito chocada e desapontada* com o rumo que o caso estava tomando. Ah, e todos sabem sobre a pornografia: *Mate as piranhas*.

— *Machuque a piranha.*

— Ah, desculpe — ironizou ela. — Machuque *a piranha*. Então *Nick é um assassino mentiroso-barra-sádico sexual*. Ellen Abbott vai pirar de ódio. Ela é uma fanática antipornografia.

— Claro que é — disse. — Tenho certeza de que Amy tem plena consciência disso.

— Nick? — chamou ela em sua voz de *acorde agora*. — Isso é ruim.

— Go, não importa o que os outros pensam, precisamos nos lembrar disso — enfatizei. — O que importa neste instante é o que Amy está pensando. Se *ela* está amolecendo em relação a mim.

— Nick, você realmente acha que ela pode passar tão rápido de ódio total a paixão por você novamente?

Era o quinto aniversário de nossa conversa sobre esse assunto.

— Go, é, eu acho. Amy nunca foi uma pessoa com nenhuma espécie de detector de mentira. Se você dizia que ela estava linda, ela considerava um fato. Se você dizia que era brilhante, não era bajulação, era o que ela merecia. Então é, eu acho que boa parte dela realmente acredita que se eu pelo menos pudesse ver como estava agindo de forma errada, *claro* que me apaixonaria por ela novamente. Porque, como, em nome de Deus, eu não me apaixonaria?

— E se por acaso ela tiver desenvolvido um detector de mentira?

— Você conhece Amy; ela precisa vencer. Ela está menos furiosa por eu tê-la traído do que por eu ter escolhido alguém no lugar dela. Ela vai me querer de volta apenas para provar que venceu. Não concorda? Será difícil para ela resistir ao me ver implorando para que ela volte de modo que eu possa idolatrá-la devidamente. Você não acha?

— Acho que é uma ideia decente — disse, do modo como você desejaria a alguém sorte na loteria.

— Ei, se tiver uma ideia melhor, fique à vontade.

Nós tínhamos passado a nos tratar assim. Nunca tínhamos feito isso antes. Depois que a polícia descobriu o depósito, eles pressionaram Go, muito, como Tanner previra: *Ela sabia? Ela ajudou?*

Esperei que ela voltasse para casa naquela noite com xingamentos e fúria, mas tudo o que recebi foi um sorriso constrangido enquanto ela passava por mim em direção a seu quarto na casa que hipotecara duas vezes para cobrir a remuneração de Tanner.

Eu colocara minha irmã em perigo financeiro e legal por causa das minhas decisões de merda. Toda a situação deixava Go ressentida e a mim envergonhado, uma combinação letal para duas pessoas presas num espaço apertado.

Tentei outro assunto.

— Estive pensando em telefonar para Andie agora que...

— É, isso seria brilhante, Nick. Então ela pode aparecer outra vez no *Ellen Abbott*...

— Ela não apareceu no *Ellen Abbott*. Ela deu uma coletiva que *Ellen Abbott* transmitiu. Ela não é má, Go.

— Ela deu a coletiva porque estava puta com você. Eu meio que preferia que você tivesse continuado a trepar com ela.

— Legal.

— O que você iria dizer a ela?

— Iria pedir desculpas.

— Você definitivamente precisa pedir desculpas, puta merda — murmurou ela.

— Eu só... odeio o modo como terminou.

— Na última vez em que você viu Andie, ela *mordeu* você — lembrou Go com uma voz exageradamente paciente. — Não acho que vocês tenham mais nada a dizer um ao outro. Você é o principal suspeito em uma investigação de assassinato. Perdeu o direito a um rompimento cordial. Puta merda, Nick.

Estávamos ficando cansados um do outro, algo que eu nunca achei que poderia acontecer. Era mais do que simples estresse, mais do que o perigo que eu colocara junto à porta de Go. Aqueles dez segundos há apenas uma semana, quando eu abrira a porta do depósito esperando que como sempre Go lesse minha mente, e o que Go lera era que eu matara minha esposa: eu não poderia superar isso, nem ela. Eu a flagrava olhando para mim às vezes com o mesmo calafrio severo com que olhava para nosso pai: apenas mais um homem de merda ocupando espaço. Suponho que eu às vezes olhasse para ela através dos olhos infelizes de nosso pai: apenas outra mulherzinha ressentida.

Soltei o ar de uma vez, me levantei e apertei a mão dela, e ela apertou a minha.

— Acho que é melhor eu ir para casa — falei. Senti uma onda de náusea. — Não aguento mais isso. Ficar esperando a prisão, não aguento.

Antes que ela pudesse me deter, agarrei minhas chaves, escancarei a porta e as câmeras começaram a disparar, os gritos vindo de uma multidão ainda maior do que eu temera: *Ei, Nick, você matou sua esposa? Ei, Margo, você ajudou seu irmão a esconder provas?*

— Bando de merdas — cuspiu Go.

Ela ficou junto a mim em solidariedade, com sua camiseta da Butthole Surfers e sua calça de flanela. Alguns manifestantes levavam cartazes. Uma mulher com cabelos louros pegajosos e óculos escuros sacudia um cartaz: *Nick, onde está AMY?*

Os gritos ficaram mais altos, frenéticos, provocando minha irmã: *Margo, seu irmão é um assassino? Nick matou a esposa e o bebê? Margo, você é considerada suspeita? Nick matou a esposa? Nick matou o bebê?*

Resisti, fincando pé, recusando-me a recuar de volta para casa. De repente, Go estava se agachando atrás de mim, abrindo o registro perto dos degraus. Ela apertou o gatilho da mangueira até o fim — um jato duro e constante — e acertou todos os cinegrafistas, manifestantes e jornalistas bonitos em seus ternos de TV, molhou-os como animais.

Ela estava me oferecendo fogo de cobertura. Disparei para meu carro e fui embora, e os deixei pingando no gramado da frente, Go rindo estridentemente.

Demorei dez minutos para passar com o carro da rampa para dentro da minha garagem, abrindo caminho lentamente, lentamente para a frente, dividindo o oceano raivoso de seres humanos — havia pelo menos vinte manifestantes em frente à minha casa, além das equipes de reportagem. Minha vizinha Jan Teverer era uma delas. Fizemos contato visual, e ela apontou seu cartaz para mim: *ONDE ESTÁ AMY, NICK?*

Finalmente entrei, e a porta da garagem baixou. Eu me sentei no calor do concreto, ofegante.

Todo lugar parecia uma prisão — portas se abrindo e fechando, se abrindo e fechando e eu nunca me sentindo seguro.

Passei o resto do dia imaginando como iria matar Amy. Eu só conseguia pensar nisso: encontrar uma forma de acabar com ela. Eu esmagando o cérebro superativo de Amy. Eu tinha de dar o crédito a ela: eu podia ter estado adormecido nos últimos anos, mas estava totalmente desperto agora. Estava de novo elétrico, como fora nos primeiros dias do nosso casamento.

Eu queria fazer algo, fazer algo acontecer, mas não havia nada a fazer. No final da noite, as equipes de reportagem tinham partido, embora eu não pudesse me arriscar a sair de casa. Eu queria caminhar. Contentei-me em andar de um lado para outro da casa. Eu estava tenso como um elástico perigosamente esticado.

Andie tinha me sacaneado, Marybeth se virara contra mim, Go perdera uma dose crucial de fé. Boney preparara uma armadilha para mim. Amy me destruíra. Servi-me de uma bebida. Tomei um gole, apertei os dedos ao redor das curvas do copo e o arremessei contra a parede, vi o vidro explodir como fogos de artifício, ouvi o barulho tremendo, senti o cheiro da nuvem de bourbon. Fúria em todos os cinco sentidos. *Aquelas piranhas desgraçadas.*

Durante a vida inteira eu tentara ser um sujeito decente, um homem que amava e respeitava as mulheres, um cara sem problemas psicológicos. E ali estava eu, pensando coisas horríveis sobre minha gêmea, minha sogra, minha amante. Estava imaginando esmagar o crânio de minha esposa.

Houve uma batida na porta, um alto e furioso bang-bang-bang que me arrancou do pesadelo que era o meu cérebro.

Abri a porta, escancarei-a, cumprimentando fúria com fúria.

Era meu pai, de pé no meu umbral como um espectro medonho convocado por meu ódio. Ele respirava pesadamente e suava. A manga da camisa estava rasgada e seus cabelos, bagunçados, mas os olhos tinham a habitual atenção soturna que o fazia parecer cruelmente são.

— Ela está aí? — disparou.

— Quem, pai, quem você está procurando?

— Você sabe quem — disse, passando por mim, marchando pela sala de estar, levando lama nos pés, os punhos cerrados, o centro de gravidade, deslocado para a frente, o obrigando a continuar andando ou cair, murmurando *piranhapiranhapiranha*. Ele cheirava a hortelã. Hortelã de verdade, não processada, e eu vi uma mancha verde em suas calças, como se tivesse pisoteado o jardim de alguém.

Putinha, aquela putinha, continuava murmurando. Passando pela sala de jantar, entrando na cozinha, acendendo a luz. Uma barata subiu a parede correndo.

Eu o segui, tentando acalmá-lo, *Pai, pai, por que não se senta, pai, quer um copo d'água, pai...* Ele desceu as escadas pisando duro, torrões de lama caindo de seus sapatos. Meus punhos se cerraram. Claro que aquele desgraçado iria aparecer e tornar as coisas ainda piores.

— Pai! Caramba, pai! Não há ninguém aqui além de mim. Sou só eu.

Ele escancarou a porta do quarto de hóspedes, depois voltou para a sala de estar, me ignorando.

— Pai!

Eu não queria tocar nele. Tinha medo de bater nele. Tinha medo de chorar.

Eu o impedi quando tentou subir para o quarto. Coloquei uma das mãos na parede, outra na grade da escada, uma barricada humana.

— Pai! Olhe para mim.

As palavras saíram dele em uma fúria de perdigotos.

— Diga a ela, diga à putinha feia, que não acabou. Ela não é melhor que eu, diga a ela. Ela não é boa demais para mim. Ela não tem direito de *dar uma opinião*. Aquela piranha feia vai ter que aprender...

Juro que vi um vazio branco por um segundo, um instante de total e chocante clareza. Parei de tentar bloquear a voz do meu pai pela primeira vez e a deixei latejar em meus ouvidos.

Eu não era aquele homem: eu não odiava e temia todas as mulheres. Eu era um misógino de uma só mulher. Se desprezasse apenas Amy, concentrasse toda minha fúria, meu ódio e meu veneno na única mulher que os merecia, isso não me transformava em meu pai. Isso me tornava são.

Putinha, putinha, putinha.

Nunca odiara meu pai mais do que por me fazer realmente amar aquelas palavras.

Piranha desgraçada, piranha desgraçada.

Eu o agarrei pelo braço com força, e o conduzi até o carro, bati a porta. Ele repetiu a ladainha durante todo o caminho até a Comfort Hill. Eu entrei de carro na casa de repouso pela entrada reservada para ambulâncias, fui até o lado dele, escancarei a porta, arranquei-o pelo braço e o coloquei do lado de dentro.

Depois dei as costas e fui para casa.

Piranha desgraçada, piranha desgraçada.

Mas não havia nada que eu pudesse fazer além de implorar. A piranha da minha esposa me deixara sem *nada* além de meu triste pau na mão, implorando que ela voltasse para casa. Por escrito, na internet, pela TV, onde fosse, tudo o que eu podia fazer era esperar que minha esposa me visse interpretando o marido bonzinho, dizendo as palavras que ela queria que eu dissesse: *capitulação, total. Você está certa e eu estou errado, sempre. Volte para casa, para mim (sua vagabunda desgraçada). Volte para casa para que eu possa matá-la.*

AMY ELLIOTT DUNNE
VINTE E SEIS DIAS SUMIDA

Desi está aqui novamente. Ele agora está aqui quase todo dia, desfilando pela casa, de pé na cozinha quando o pôr do sol ilumina seu perfil, para que eu possa admirá-lo, me levando pela mão para a sala das tulipas para agradecer-lhe novamente, me lembrando como estou segura e sou amada.

Ele diz que estou segura e sou amada embora não me deixe sair, o que não faz com que me sinta segura e amada. Ele não deixa as chaves de nenhum carro. Nem chaves da casa nem a senha de segurança do portão. Sou uma prisioneira — o portão tem quatro metros e meio de altura, e não há escadas na casa (eu procurei). Imagino que poderia arrastar vários móveis até o muro, empilhá-los, escalar e saltar para o outro lado, fugindo mancando ou me arrastando, mas essa não é a questão. A questão é que sou a estimada e querida hóspede dele, e uma hóspede deve poder partir quando quiser. Eu mencionei isso há alguns dias.

— E se eu tiver de partir? Imediatamente?

— Talvez eu devesse me mudar para cá — retruca. — Então poderia estar aqui o tempo todo e mantê-la em segurança, e, se algo acontecer, poderíamos partir juntos.

— E se sua mãe desconfiar, aparecer aqui e encontrar você me escondendo? Seria horrível.

A mãe dele. Eu morreria se a mãe dele aparecesse aqui, pois ela me denunciaria imediatamente. A mulher me despreza, tudo por causa daquele incidente no ensino médio — tanto tempo atrás, e ela ainda guarda rancor. Arranhei meu rosto e disse a Desi que ela me atacara (a mulher era tão possessiva, e tão fria comigo, que bem poderia ter atacado). Não se falaram por um mês. Certamente fizeram as pazes.

— Jacqueline não sabe a senha. Esta é *minha* casa no lago. — Faz uma pausa enquanto finge pensar. — Eu realmente deveria me mudar para cá. Não é saudável para você passar tantas horas sozinha.

Mas não estou sozinha, não tanto. Estabelecemos uma espécie de rotina em apenas duas semanas. É uma rotina determinada por Desi, meu carcereiro elegante, meu cortejador mimado. Desi chega pouco depois do meio-dia, sempre cheirando a algum almoço caro que devorou com Jacqueline em algum restaurante com toalha de mesa branca, o tipo de lugar ao qual me levaria caso nos mudássemos para a Grécia. (Esta é a outra opção que ele apresenta repetidamente: poderíamos nos mudar para a Grécia. Por alguma razão, ele acredita que nunca serei identificada em uma pequena aldeia de pescadores na Grécia onde ele passou muitos verões e onde sei que nos imagina tomando vinho, fazendo um amor preguiçoso ao pôr do sol, as barrigas cheias de polvo.) Ele cheira a almoço quando entra, ele o exala. Deve passar fígado de ganso atrás das orelhas (assim como a mãe sempre teve um cheiro levemente vaginal — comida e sexo, o fedor dos Collings, não é uma estratégia ruim.)

Ele entra e me faz salivar. O cheiro. Ele me traz algo bom para comer, mas não tão bom quanto o que ele comeu: está me emagrecendo, ele sempre preferiu suas mulheres diáfanas. Então ele me traz adoráveis carambolas verdes, alcachofras pontudas, caranguejos espinhosos, qualquer coisa que demande uma preparação elaborada e ofereça pouco em troca. Estou quase com meu peso normal novamente, e meus cabelos estão crescendo. Eu os uso presos com uma faixa que ele me trouxe, e os pintei de louro novamente, graças a uma tinta que ele também trouxe para mim.

— Acho que irá se sentir melhor consigo mesma quando começar a parecer mais consigo mesma, querida — diz ele.

Sim, é tudo pelo meu bem-estar, não pelo fato de que ele quer que eu tenha exatamente a mesma aparência de antes. Amy *circa* 1987.

Eu almoço enquanto ele paira ao meu redor, esperando os elogios. (Nunca ter de dizer essa palavra — *obrigada* — novamente. Não me lembro de Nick jamais ter parado para me permitir — me obrigar — a lhe agradecer.) Termino o almoço e ele arruma as coisas o melhor que pode. Somos duas pessoas desacostumadas a arrumar e limpar as coisas que usamos; o lugar começa a parecer habitado — manchas estranhas nos balcões, poeira nas janelas.

Uma vez o almoço encerrado, Desi brinca um pouco comigo: meus cabelos, minha pele, minhas roupas, minha mente.

— Olhe só para você — comenta, colocando meus cabelos para trás das orelhas do modo como ele gosta, desabotoando uma casa de minha camisa e a afrouxando no pescoço para poder olhar para o vazio em minha clavícula. Ele coloca o dedo na pequena depressão, enchendo o vazio. É obsceno. — Como Nick pode ter machucado você, não tê-la amado, ter traído você?

Ele sempre toca nesses pontos, cutucando verbalmente a ferida.

— Não seria adorável simplesmente esquecer Nick, esses cinco anos medonhos, e seguir em frente? Você tem essa chance, sabe, de recomeçar totalmente com o homem certo. Quantas pessoas podem dizer isso?

Quero recomeçar com o homem certo, o Novo Nick. As coisas estão parecendo feias para ele, horríveis. Apenas eu posso salvar Nick de mim. Mas estou presa.

— Se você um dia saísse daqui e eu não soubesse para onde foi, teria de procurar a polícia — diz ele. — Não teria escolha. Precisaria ter certeza de que você está segura, de que Nick não está... prendendo você em algum lugar contra a sua vontade. Violando você.

Uma ameaça disfarçada de preocupação.

Agora olho para Desi com uma aversão absoluta. Às vezes sinto que minha pele deve estar quente de nojo e do esforço de esconder esse nojo. Eu me esquecera de como ele era. A manipulação, a persuasão ronronante, o tormento delicado. Um homem que acha a culpa erótica. E se ele não tiver as coisas do seu jeito, puxará algumas alavancas e colocará a punição em andamento. Ao menos Nick foi homem o bastante para enfiar seu pau em alguma coisa. Desi empurra e empurra com seus dedos lustrosos e finos até eu dar a ele o que deseja.

Achei que poderia controlar Desi, mas não posso. Sinto que algo muito ruim está prestes a acontecer.

NICK DUNNE
TRINTA E TRÊS DIAS SUMIDA

Os dias eram frouxos e longos, e então se chocaram contra um muro. Saí para fazer compras certa manhã de agosto e quando voltei para casa encontrei Tanner em minha sala de estar com Boney e Gilpin. Na mesa, em um saco plástico para provas, estava um comprido e grosso bastão de madeira com sulcos delicados para dedos.

— Encontramos isso perto do rio logo abaixo de sua casa naquela primeira busca — disse Boney. — Na época não pareceu nada, na verdade. Apenas algum destroço estranho na margem do rio, mas nós guardamos tudo em uma busca como aquela. Depois que você nos mostrou os bonecos de Punch e Judy, relacionei tudo. Então mandamos para o laboratório examinar.

— E? — perguntei. Apático.

Boney se levantou, me olhou diretamente nos olhos. Parecia triste.

— Conseguimos identificar o sangue de Amy nele. Este caso agora está classificado como homicídio. E acreditamos que esta é a arma do crime.

— Rhonda, espere aí!

— Chegou a hora, Nick — informou ela. — Chegou a hora.

A parte seguinte estava começando.

AMY ELLIOTT DUNNE

QUARENTA DIAS SUMIDA

Encontrei um pedaço de barbante velho e uma garrafa de vinho vazia, e os tenho usado para meu projeto. Também um pouco de vermute, claro. Estou pronta.

Disciplina. Isso exigirá disciplina e concentração. Estou à altura da tarefa.

Eu me arrumo com o visual preferido de Desi: flor delicada. Meus cabelos em ondas soltas, perfumados. Minha pele empalideceu após um mês dentro de casa. Estou quase sem maquiagem: um toque de rímel, bochechas rosadas e *gloss* transparente nos lábios. Uso um vestido rosa justo que ele comprou para mim. Sem sutiã. Sem calcinha. Sem sapatos, apesar do frio do ar-condicionado. Tenho o fogo aceso na lareira e há perfume no ar, e quando ele chega depois do almoço, sem ser convidado, eu o recebo com prazer. Passo os braços ao redor dele e enterro o rosto em seu pescoço. Esfrego minha bochecha na dele. Tenho sido cada vez mais doce com ele nas últimas semanas, mas isso é novo, esse contato.

— O que é isso, querida? — pergunta ele, surpreso e tão satisfeito que quase me sinto envergonhada.

— Tive um pesadelo horrível na noite passada — sussurro. — Com Nick. Acordei e tudo o que queria era ter você aqui. E de manhã... Passei o dia inteiro desejando que você estivesse aqui.

— Posso estar aqui sempre, se você quiser.

— Eu quero — digo, e, erguendo meu rosto para ele, deixo que me beije.

O beijo dele me enoja; é mordiscado e hesitante, como um peixe. É Desi sendo respeitoso com sua mulher violentada e agredida. Ele mordisca de novo, lábios molhados e frios, suas mãos mal me tocam, e eu só quero que isso termine, quero acabar com isso, então eu o puxo para mim e abro seus lábios com minha língua. Quero mordê-lo.

Ele se afasta.

— Amy. Você passou por muita coisa. Está indo rápido. Não quero que você tenha pressa se não quiser. Se não tiver certeza.

Sei que ele vai ter de tocar meus seios, sei que vai ter de se enfiar dentro de mim, e quero que acabe logo, mal consigo me segurar para não arranhá-lo: a ideia de fazer isso lentamente.

— Tenho certeza — respondo. — Acho que tenho certeza desde que tínhamos dezesseis anos. Só que tinha medo.

Isso não significa nada, mas sei que irá deixá-lo duro.

Eu o beijo novamente, e então pergunto se ele não quer me levar para *nosso* quarto.

No quarto, ele começa a me despir lentamente, beijando partes do meu corpo que não têm nada a ver com sexo — meu ombro, minha orelha —, enquanto eu delicadamente o mantenho longe de meus pulsos e tornozelos. Me coma logo, pelo amor de Deus. Dez minutos disso e eu agarro a mão dele e a enfio entre minhas pernas.

— Você tem certeza? — pergunta, se afastando de mim, corado, um cacho de cabelo caído na testa, como no ensino médio. Poderíamos estar de volta ao dormitório a julgar pelo progresso que Desi fez.

— Sim, querido — digo, enquanto pego timidamente seu pau.

Mais dez minutos e ele enfim está entre minhas pernas, bombeando suavemente, lentamente, lentamente, *fazendo amor*. Parando para beijos e carícias até eu agarrá-lo pelas nádegas e começar a empurrar.

— Me coma — sussurro. — Coma com força.

Ele para.

— Não precisa ser assim, Amy. Eu não sou Nick.

Isso é bem verdade.

— Eu sei, querido, eu só quero que você... me preencha. Eu me sinto tão vazia...

Isso o excita. Faço uma careta por cima do ombro dele, enquanto ele mete mais algumas vezes e goza, eu me dando conta disso quase tarde demais — *Ah, esse é o seu patético som de gozo* — e fingindo ohs e ahs rápidos, delicados barulhos de gato. Tento produzir algumas lágrimas, porque sei que ele me imagina chorando na primeira vez.

— Querida, você está chorando — diz enquanto desliza para fora de mim. Ele beija uma lágrima.
— Estou só feliz — explico. Porque é o que esse tipo de mulher diz.
Preparei alguns martínis, anuncio — Desi adora um decadente drinque vespertino —, e quando ele faz um gesto de vestir a camisa e pegá-los, insisto para que fique na cama.
— Quero fazer algo por você, para variar — afirmo.
Então vou para a cozinha, pego dois grandes copos de martíni, e no meu coloco gim e uma única azeitona. No dele coloco três azeitonas, gim, caldo de azeitona, vermute e o resto dos meus comprimidos para dormir, três deles esmagados.
Levo os martínis, há carinhos e carícias, e tomo meu gim enquanto isso acontece. Tenho uma agitação que precisa ser anestesiada.
— Você não gostou do meu martíni? — pergunto quando ele toma apenas um gole. — Sempre me imaginei como sua esposa, preparando martínis para você. Sei que é bobagem.
Começo a fazer um biquinho.
— Ah, querida, não é bobagem. Estava só aproveitando o momento, desfrutando. Mas... — fala, e vira a coisa toda. — Se isso faz com que se sinta melhor!
Ele está histérico, exultante. Seu pau está escorregadio de conquista. Ele é basicamente como todos os homens. Logo está sonolento, e depois disso roncando.
E eu posso começar.

parte três
RAPAZ CONSEGUE GAROTA DE VOLTA (OU VICE-VERSA)

NICK DUNNE
QUARENTA DIAS SUMIDA

Libertado sob fiança, aguardando julgamento. Passei pelos procedimentos e fui libertado — a despersonalizada entrada e saída da cadeia, a audiência sobre fiança, as digitais e fotos, a rotação, a passagem, a *manipulação*; isso não fez com que me sentisse um animal, fez com que me sentisse como um produto, algo criado em uma linha de montagem. O que eles estavam criando era Nick Dunne, Assassino. Meses se passariam até que meu julgamento começasse (meu julgamento: a palavra ainda ameaçava me desfazer completamente, me transformar em um homem de gargalhadas agudas, um louco). Eu deveria me sentir privilegiado por estar solto sob fiança: permanecera ali mesmo quando estava claro que seria preso, então se considerava que não havia risco de fuga. Boney talvez tivesse falado bem de mim, também. Então pude permanecer em minha própria casa mais alguns meses antes de ser levado para a cadeia e executado pelo estado.

Sim, eu era um homem de sorte, muita sorte.

Estávamos em meados de agosto, o que eu achava permanentemente estranho. *Ainda é verão*, pensava. *Como pode ter acontecido tanta coisa e ainda não ser nem outono?* O calor era violento. Clima de mangas de camisa, era como minha mãe teria descrito, sempre mais preocupada com o conforto de seus filhos do que com o termômetro. Clima de mangas de camisa, clima de casaco, clima de sobretudo, clima de parca — o Ano em Agasalhos. Para mim este ano seria clima de algemas, depois possivelmente clima de macacão de penitenciária. Ou clima de terno de funeral, pois eu não planejava ir para a cadeia. Eu me mataria antes.

Tanner tinha uma equipe de cinco detetives tentando localizar Amy. Até o momento, nada. Como tentar pegar água. Todo dia, durante semanas, eu fizera minha parte de merda: gravar uma mensagem em vídeo para Amy e colocar no blog Whodunnit da jovem Rebecca. (Ao menos ela permanecera leal.) Nos vídeos, eu vestia roupas que Amy comprara para mim, penteava os cabelos do jeito que ela gostava e tentava ler sua mente. Minha raiva por ela era como arame quente.

As equipes de reportagem estacionavam em meu gramado quase todas as manhãs. Éramos como soldados inimigos, instalados ao alcance de tiro durante meses, vigiando uns aos outros do outro lado da terra de ninguém, gerando uma espécie de fraternidade pervertida. Havia um cara com uma voz de fortão de desenho animado ao qual eu me afeiçoara, nunca o vi, sempre o amei. Ele estava saindo com uma garota de quem realmente gostava. Toda manhã, sua voz ribombava por minhas janelas enquanto ele analisava seus encontros; as coisas pareciam estar indo muito bem. Eu queria ouvir como a história acabava.

Terminei a noite gravando o vídeo para Amy. Estava vestindo a camisa verde que ela gostava de me ver usar e contara a ela a história de como havíamos nos conhecido, a festa no Brooklyn, minha medonha frase inicial, *uma azeitona só*, que me constrangia sempre que Amy a mencionava. Falara sobre nossa saída do apartamento aquecido demais para o frio congelante, com a mão dela na minha, o beijo na nuvem de açúcar. Era uma das poucas histórias que contávamos da mesma forma. Eu a contei com o ritmo de uma história de dormir: tranquilizador, familiar e repetitivo. Sempre terminando com *Volte para casa, para mim, Amy*.

Desliguei a câmera e me sentei novamente no sofá (eu sempre gravava sentado no sofá sob seu pernicioso cuco imprevisível, porque sabia que, se não mostrasse o cuco, ela ficaria se perguntando se eu tinha finalmente me livrado do cuco, e então simplesmente deixaria de se perguntar se eu tinha finalmente me livrado do seu cuco, e simplesmente passaria a acreditar que eu tinha, e então não importaria mais que palavras doces saíssem de minha boca, ela silenciosamente retrucaria: "*e ainda assim ele jogou fora meu cuco*"). Inclusive, o cuco estava prestes a aparecer, sua preparação rascante começando acima da minha cabeça — um som que inevitavelmente deixava meu maxilar tenso —, quando as equipes de reportagem emitiram um farfalhar alto, coletivo, oceânico. Alguém estava ali. Ouvi os gritos de gaivota de algumas mulheres, âncoras de noticiário.

Há algo errado, pensei.

A campainha tocou três vezes seguidas: Nick-nick! Nick-nick! Nick--nick!

Não hesitei. Eu parara de hesitar no último mês: traga logo o problema.

Abri a porta.

Era minha esposa.

De volta.

Amy Elliott Dunne estava descalça na minha porta com um vestido rosa fino que grudava nela como se estivesse molhado. Seus tornozelos estavam marcados com um anel violeta-escuro. Um pedaço de barbante pendia de um pulso enfraquecido. Os cabelos estavam curtos e desgastados nas pontas, como se tivessem sido cortados descuidadamente com tesouras cegas. O rosto dela tinha hematomas, os lábios estavam inchados. Ela soluçava.

Quando lançou os braços na minha direção, pude ver que seu tronco inteiro estava sujo de sangue seco. Ela tentou falar; a boca se abriu uma, duas vezes, silenciosa, uma sereia largada na praia.

— Nick! — gemeu finalmente, um uivo que ecoou em todas as casas vazias, e caiu em meus braços.

Eu queria matá-la.

Se estivéssemos sozinhos, minhas mãos poderiam ter encontrado seu lugar ao redor do pescoço dela, meus dedos localizando sulcos perfeitos em sua carne. Sentir aquela forte pulsação sob meus dedos... Mas não estávamos sós, estávamos diante de câmeras, e eles estavam se dando conta de quem era aquela mulher estranha, estavam acordando, assim como o cuco do lado de dentro, alguns cliques, algumas perguntas, e depois uma avalanche de barulho e luz. As câmeras disparavam sobre nós, os repórteres avançando com microfones, todos gritando o nome de Amy, berrando, berrando mesmo. Então fiz a coisa certa, eu a abracei e uivei seu nome de volta:

— Amy! Meu Deus! Meu Deus! Meu amor! — Enfiei o rosto no pescoço dela, meus braços apertados em torno dela, e deixei as câmeras conseguirem seus quinze segundos, e sussurrei bem no ouvido dela:

— Sua piranha desgraçada.

Depois acariciei seus cabelos, amparei seu rosto em minhas mãos amorosas e a puxei para dentro.

Do lado de fora da porta, parecia um concerto de rock exigindo um bis: *Amy! Amy! Amy!* Alguém jogou pedrinhas em nossa janela. *Amy! Amy! Amy!*

Minha esposa recebeu tudo como se fosse merecido, agitando uma mão desdenhosa para a ralé do lado de fora. Ela se virou para mim com um sorriso cansado, mas triunfante — o sorriso da vítima de estupro, da sobrevivente de agressão, da incendiária de camas dos velhos filmes da TV, o sorriso que diz que o desgraçado finalmente recebeu o que merecia e sabemos que nossa heroína será capaz de seguir em frente com sua *vida*! Congela a cena.

Apontei para o barbante, os cabelos picotados, o sangue seco.

— E então, qual é sua história, esposa?

— Voltei — gemeu ela. — Consegui voltar para você.

Ela se adiantou para colocar os braços ao redor de mim. Eu me afastei.

— Qual é sua *história*, Amy?

— Desi — sussurrou, o lábio inferior trêmulo. — Desi Collings me levou. Foi na manhã. Do. Do nosso aniversário de casamento. E a campainha tocou, e eu achei... não sei, achei que talvez fossem flores suas para mim.

Vacilei. É claro que ela daria um jeito de encaixar uma reclamação: que eu nunca mandava flores para ela, quando seu pai mandara flores para sua mãe toda semana desde que se casaram. Isso dá dois mil quatrocentos e quarenta e quatro buquês de flores versus quatro.

— Flores ou... algo — continuou. — Então não pensei, apenas escancarei a porta. E lá estava ele, Desi, com uma expressão estranha no rosto. Determinada. Como se ele estivesse se preparando para isso desde sempre. E eu segurava o manete... da marionete Judy. Você achou as marionetes? — perguntou, sorrindo chorosa para mim. Ela tinha um ar tão doce.

— Ah, eu achei tudo o que você deixou para mim, Amy.

— Eu acabara de achar o manete da marionete Judy, que tinha caído, e estava segurando ele quando abri a porta e tentei acertar Desi, e nós lutamos, e ele bateu em mim com o pedaço de madeira. Com força. E quando dei por mim...

— Você tinha me incriminado por assassinato e desaparecido.

— Posso explicar tudo, Nick.

Eu a encarei por um longo momento, concentradamente. Vi *dias sob o sol quente* esticados na areia da praia, sua mão no meu peito, e vi *jantares de família* na casa dos pais dela, com Rand sempre enchendo meu copo e me dando tapinhas no ombro, e nos vi *esparramados no tapete* em meu apartamento vagabundo de Nova York, conversando enquanto olhávamos para o ventilador de teto preguiçoso, e vi *a mãe do meu filho* e a vida incrível que um dia eu planejara para nós. Tive um instante que durou dois tempos, *um, dois*, em que desejei violentamente que ela estivesse dizendo a verdade.

— Na verdade não acho que você possa explicar tudo — disse eu. — Mas vou adorar vê-la tentar.

— Vou tentar, pode perguntar.

Ela tentou pegar minha mão e eu a afastei. Andei para longe dela, respirei fundo e então me virei para encará-la. Minha esposa sempre devia ser encarada.

— Vá em frente, Nick. Pergunte.

— Certo, está bem. Por que todas as pistas da caça ao tesouro estavam escondidas em lugares onde eu tive... relações com Andie?

Ela suspirou, olhou para o chão. Seus tornozelos estavam esfolados.

— Eu nem sabia sobre Andie até ver na TV, enquanto estava amarrada à cama de Desi, escondida na casa dele no lago.

— Então tudo isso foi... coincidência?

— Todos eram lugares que significavam muito para nós — disse ela, uma lágrima correndo pelo rosto. — Seu escritório, onde você reacendeu sua paixão pelo jornalismo.

Bufei.

— Hannibal, onde eu finalmente entendi quanto esta região significa para você. A casa do seu pai; enfrentando o homem que tanto o feriu. A casa de sua mãe, que hoje é a casa de Go, as duas pessoas que fizeram de você um homem tão bom. Mas... Acho que não me surpreende que você quisesse partilhar esses lugares com alguém por quem você... — disse, curvando a cabeça — tinha se apaixonado. Você sempre gostou de reprises.

— Por que cada um desses lugares acabou incluindo pistas que me implicaram no seu assassinato? Roupa de baixo feminina, sua bolsa, seu *diário*. Explique seu *diário*, Amy, com todas aquelas mentiras.

Ela apenas sorriu e balançou a cabeça como se sentisse pena de mim.

— Tudo, eu posso explicar tudo.

Olhei para aquele rosto doce molhado de lágrimas. Depois baixei os olhos para todo aquele sangue.

— Amy. Onde está Desi?

Ela balançou a cabeça novamente, um sorrisinho triste.

Fui telefonar para a polícia, mas uma batida na porta me disse que eles já estavam ali.

AMY ELLIOTT DUNNE
A NOITE DO RETORNO

Ainda tenho o sêmen de Desi dentro de mim, da última vez em que ele me estuprou, então o exame médico corre bem. Meus pulsos com marcas de corda, minha vagina machucada, meus hematomas — o corpo que dou a eles é um caso clássico. Um médico mais velho com hálito úmido e dedos grossos faz o exame pélvico — raspando e chiando ao mesmo tempo —, enquanto a detetive Rhonda Boney segura minha mão. É como ser agarrada pela pata fria de um pássaro. Ela abre um sorriso quando acha que não estou olhando. Está em êxtase por Nick não ser um cara mau, no fim das contas. Sim, as mulheres dos Estados Unidos suspiram coletivamente.

A polícia foi mandada à casa de Desi, onde o encontrarão nu e exangue, uma expressão chocada no rosto, alguns fios de cabelos meus em suas garras, a cama encharcada de sangue. A faca que usei nele e em minhas amarras estará ali por perto, no chão, onde a deixei cair, tonta, e caminhei descalça, sem levar nada da casa além de suas chaves — do carro, do portão — e entrei, ainda escorregadia com seu sangue, em seu Jaguar antigo e voltei, como um animal de estimação fiel há muito sumido, diretamente para casa e para meu marido. Eu fora reduzida a um estado animalesco; não pensava em nada além de voltar para Nick.

O velho médico me dá boas-novas; nenhum dano permanente, e nenhuma necessidade de curetagem — abortei muito cedo. Boney continua segurando minha mão e murmurando: *Meu Deus, as coisas pelas quais você passou... você acha que poderia responder a algumas perguntas?* Rápido assim, das condolências às realidades básicas. Já constatei que mulheres feias costumam ser ou deferentes demais ou incrivelmente grosseiras.

Você é a Amy Exemplar, e sobreviveu a um sequestro brutal envolvendo agressões repetidas. Matou seu captor e conseguiu voltar para um marido que você descobriu que a traía. Você:

a) Coloca-se em primeiro lugar e exige algum tempo sozinha para se recuperar.

b) Aguenta só mais um pouco para poder ajudar a polícia.

c) Decide qual entrevista conceder primeiro — por que não tirar algo bom de todo o suplício, como um contrato para um livro?

Resposta: B. Amy Exemplar sempre pensa primeiro nos outros.

Eu sou autorizada a me limpar em um quarto particular do hospital, e visto roupas que Nick escolheu para mim lá de casa — jeans com marcas de terem passado muito tempo dobrados, uma blusa bonita cheirando a poeira. Boney e eu vamos do hospital à delegacia quase em silêncio no carro. Pergunto debilmente pelos meus pais.

— Estão esperando por você na delegacia — responde ela. — Eles choraram quando contei a eles. De alegria. Absoluta alegria e alívio. Vamos deixá-los dar uns bons abraços em você antes de fazer nossas perguntas, não se preocupe.

As câmeras já estão na delegacia. O estacionamento tem aquela aparência esperançosa e excessivamente iluminada de um estádio. Não há estacionamento subterrâneo, então temos de parar bem na frente. A multidão enlouquecida se aproxima: vejo lábios molhados e perdigotos enquanto todos berram perguntas, flashes espocando e luzes de televisão. A multidão empurra e puxa coletivamente, indo alguns centímetros para a direita, depois para a esquerda, e todos tentam chegar até mim.

— Não vou conseguir — informo a Boney. A palma carnuda da mão de um homem cola na janela do carro e um fotógrafo tenta manter o equilíbrio. Seguro a mão fria dela. — É demais.

Ela me dá um tapinha e diz: *espere*. As portas da delegacia se abrem e todos os policiais do prédio descem as escadas e formam filas de cada lado, contendo a imprensa, criando uma guarda de honra para mim; Rhonda e eu corremos de mãos dadas, como recém-casados ao contrário, avançando diretamente para meus pais, que esperam do lado de dentro, e todos fazem as fotos de nós nos agarrando e minha mãe sussurrando *minhameninaminhameninaminhamenina* e meu pai soluçando tão alto que quase sufoca.

Continuam a me levar de lá para cá, como se eu já não tivesse sido levada de cá para lá o bastante ultimamente. Sou depositada em uma sala do tamanho de um closet, com cadeiras de escritório confortáveis, mas baratas, do tipo que sempre parece ter restos de comida trançados no tecido. Uma câmera pisca no canto e não há janelas. Não era o que eu imaginara. O lugar não é destinado a fazer com que me sinta segura.

Estou cercada por Boney, seu parceiro, Gilpin, e dois agentes do FBI de St. Louis que ficam quase totalmente em silêncio. Eles me dão água, e então Boney começa:

B: Certo, Amy, primeiro temos de agradecer sinceramente por falar conosco depois de tudo pelo que passou. Em um caso como este, é muito importante registrar tudo enquanto as lembranças estão frescas. Você não pode imaginar quanto é importante. Então é bom poder falar agora. Se conseguirmos ter todos os detalhes, deveremos encerrar o caso e você e Nick poderão retomar suas vidas.

A: Eu certamente gostaria disso.

B: Você merece isso. Então, se estiver pronta para começar, podemos partir da cronologia: a que horas Desi chegou à sua porta? Você se lembra?

A: Por volta das dez horas da manhã. Um pouco depois, porque me lembro de ouvir os Teverer conversando enquanto se dirigiam até o carro para ir à igreja.

B: O que aconteceu quando você abriu a porta?

A: Alguma coisa pareceu errada logo de cara. Para começar, Desi me mandou cartas a vida inteira. Mas sua obsessão parecia ter se tornado menos intensa ao longo dos anos. Ele parecia se ver apenas como um velho amigo, e como a polícia não podia fazer nada a respeito, deixei isso para lá. Nunca senti que ele me queria mal ativamente, embora eu não gostasse de estar tão perto dele. Geograficamente. Acho que isso fez com que ele cruzasse o limite. Saber que eu estava tão perto. Ele entrou em minha casa com... Ele estava suado e meio nervoso, mas também com uma expressão determinada. Eu estava no segundo andar, prestes a passar meu vestido, quando percebi o grande manete de madeira da marionete Judy no chão — acho que tinha desgrudado dela. Uma chatice, porque eu já tinha escondido as marionetes no depósito. Então peguei o manete, e estava com ele na mão quando abri a porta.

B: Muito boa memória.

A: Obrigada.

B: O que aconteceu depois?

A: Desi entrou à força, e estava andando de um lado para outro da sala, agitado e meio frenético, e disse: *O que vocês vão fazer para o aniversário de casamento de vocês?* Isso me assustou, o fato de que ele soubesse que era nosso aniversário de casamento, e ele parecia bravo com isso, e então esticou o braço, me agarrou pelo pulso e o torceu às minhas costas, e lutamos. Eu realmente resisti.

B: E depois?

A: Eu o chutei, me soltei por um segundo e corri para a cozinha. Lutamos mais e ele me acertou uma vez com o grande manete de madeira de Judy, fui arremessada, e então ele me golpeou mais duas ou três vezes. Lembro que não consegui enxergar por um segundo, tonta, minha cabeça latejando, e tentei agarrar o manete, e ele cortou meu braço com o canivete que estava segurando. Ainda tenho a cicatriz. Está vendo?

B: Sim, isso foi registrado em seu exame médico. Você teve sorte: foi apenas um corte superficial.

A: Não doeu como um corte superficial, pode acreditar.

B: Então ele esfaqueou você? O ângulo é...

A: Não sei bem se ele fez de propósito ou se eu mesma me joguei contra a lâmina acidentalmente; estava sem equilíbrio. Mas me lembro do bastão caindo no chão, e então olhei para baixo e vi o sangue do corte fazendo uma poça por cima do bastão. Acho que foi então que desmaiei.

B: Onde você estava quando acordou?

A: Acordei amarrada na minha sala de estar.

B: Você gritou, tentou chamar a atenção dos vizinhos?

A: Claro que gritei. Quer dizer, você ouviu o que eu falei? Fui espancada, esfaqueada e amarrada por um homem que havia sido obcecado por mim durante duas décadas, que uma vez tentou se matar no meu quarto no dormitório.

B: Certo, certo, Amy, desculpe, minha intenção com a pergunta não era dar a impressão de que estamos culpando você, de modo algum; apenas precisamos de um quadro completo para podermos encerrar a investigação e você seguir com sua vida. Quer mais água, um café ou alguma coisa?

A: Algo quente seria bom. Estou com muito frio.

B: Sem problema. Você pode conseguir um café para ela? E o que aconteceu depois?

A: Acho que o plano original dele era me prender, sequestrar e fazer parecer uma história de mulher fugida, porque, quando acordei, ele estava acabando de limpar o sangue na cozinha, e tinha arrumado a mesa de objetos antigos que caíra quando corri para a cozinha. Ele se livrara do bastão. Mas estava ficando sem tempo, e acho que deve ter acontecido o seguinte: ele viu a sala bagunçada e pensou, *Deixe para lá. Deixe parecer que algo ruim aconteceu aqui.* Então ele escancarou a porta da frente, derrubou mais algumas coisas na sala de estar. Virou o divã. Por isso a cena parecia tão estranha: era meio verdadeira e meio falsa.

B: Desi plantou itens incriminatórios em cada um dos locais da caça ao tesouro? O escritório de Nick, Hannibal, a casa do pai de Nick, o depósito de Go?

A: Não entendi o que você quer dizer.

B: Havia uma roupa de baixo feminina, que não era do seu tamanho, no escritório de Nick.

A: Acho que devia ser da garota que ele estava... namorando.

B: Também não era dela.

A: Bem, não posso ajudar com isso. Talvez ele estivesse saindo com mais de uma garota.

B: Seu diário foi encontrado na casa do pai dele. Parcialmente queimado na fornalha.

A: Você *leu* o diário? É medonho. Estou certa de que Nick quis se livrar dele; não o culpo, considerando como vocês se fixaram nele tão rápido.

B: Fico pensando por que ele iria até a casa do pai para queimá-lo.

A: Deveria perguntar a ele. (Pausa.) Nick ia muito lá, para ficar sozinho. Ele gosta de privacidade. Então estou certa de que não pareceu estranho para ele. Quer dizer, ele não podia fazer isso na nossa casa, porque era uma cena de crime; como saber se vocês voltariam, encontrariam algo nas cinzas? Na casa do pai ele tem alguma privacidade. Acho que foi inteligente, considerando que vocês basicamente o estavam culpando.

B: O diário é muito, muito preocupante. Ele alega agressões, e seu medo de que Nick não quisesse o bebê, que quisesse matá-la.

A: Eu realmente gostaria que o diário tivesse sido queimado. (Pausa.) Vou ser honesta: ele inclui algumas de minhas dificuldades com

Nick nos últimos anos. Ele não pinta um quadro muito bom do nosso casamento, ou mesmo de Nick, mas tenho de admitir: eu nunca escrevia no diário a não ser que estivesse superfeliz *ou* muito, muito infeliz, querendo descarregar, e então... Posso ser um pouco exagerada quando fico remoendo essas coisas. Quer dizer, muito daquilo é a verdade feia — ele realmente me empurrou uma vez, não queria um bebê e tinha problemas financeiros. Mas eu ter medo dele? Tenho de admitir, *dói* admitir, mas isso é minha tendência dramática. Acho que o problema é que fui assediada várias vezes; é um problema da vida toda, ter pessoas obcecadas por mim; então fico um pouco paranoica.

B: Você tentou comprar uma arma.

A: Fico muito paranoica, está bem? Desculpe. Se você tivesse meu histórico, entenderia.

B: Há uma anotação sobre uma noite em que vocês tomaram drinques e você teve os sintomas clássicos de envenenamento por anticongelante.

A: (Longo silêncio.) Isso é bizarro. Sim, passei mal.

B: Certo, de volta à caça ao tesouro. Você escondeu os bonecos de Punch e Judy no depósito?

A: Sim.

B: Muito de nosso caso se concentrou na dívida de Nick, um grande número de compras com cartão de crédito, e nossa descoberta de todos esses objetos escondidos no depósito. O que você pensou quando abriu o depósito e viu todas aquelas coisas?

A: Eu estava no terreno de Go, e Go e eu não somos exatamente íntimas, então basicamente achei que estava metendo o nariz em algo que não era da minha conta. Lembro-me de na época pensar que deviam ser coisas dela de Nova York. E depois vi nos noticiários — Desi me obrigava a ver tudo — que as coisas correspondiam às compras de Nick, e... Eu sabia que Nick tinha problemas com dinheiro, que era um gastador. Achei que provavelmente estava constrangido. Ímpetos consumistas que ele não podia desfazer, então escondeu as coisas de mim até que conseguisse vendê-las pela internet.

B: As marionetes de Punch e Judy parecem um pouco sinistras para um presente de aniversário de casamento.

A: Eu sei! Agora eu sei! Eu não me lembrava da história toda de Punch e Judy. Eu só via um marido, uma esposa e um bebê, eram feitos de madeira, e eu estava grávida. Procurei na internet e vi a frase de Punch: *É assim que se faz!* E achei fofo; não sabia o que significava.

B: Então você estava amarrada. Como Desi levou você para o carro?

A: Ele estacionou o carro na garagem, baixou a porta, me arrastou para dentro, me jogou na mala e foi embora.

B: E você gritou nessa hora?

A: Sim, gritei, porra. E se soubesse que durante o mês seguinte Desi iria me estuprar toda noite, depois deitar ao meu lado com um martíni e um sonífero para não ser acordado pelo meu *choro*, e que a polícia iria falar com ele e *ainda assim* não desconfiar e ficar sentada pensando sobre a morte da bezerra, talvez tivesse gritado mais alto. Sim, talvez eu tivesse.

B: Mais uma vez, peço desculpas. Vocês podem trazer uns lenços de papel para a Sra. Dunne, por favor? E onde está o caf... Obrigada. Certo, de lá vocês foram para onde, Amy?

A: Fomos em direção a St. Louis, e a caminho de lá lembro que ele parou em Hannibal... Ouvi o apito do barco a vapor. Acho que foi aí que ele jogou fora minha bolsa. Foi a outra coisa que ele fez para que parecesse que havia algo errado.

B: Isso é muito interessante. Parece haver muitas coincidências estranhas neste caso. Tipo, que Desi jogue a bolsa exatamente em Hannibal, aonde sua pista levaria Nick; e em seguida nós acreditássemos que Nick jogara a bolsa lá. Ou como você decidiu esconder um presente exatamente no lugar onde Nick ocultava produtos comprados com cartões de crédito secretos.

A: É mesmo? Devo lhe dizer que nada disso me soa coincidência. Parece que um bando de policiais enfiou na cabeça que meu marido era culpado, e agora que estou viva e ele obviamente não é culpado, parecem completos idiotas e estão se esforçando para se proteger. Em vez de aceitar a responsabilidade pelo fato de que, se este caso tivesse sido deixado em suas malditas mãos incompetentes, Nick estaria no corredor da morte e eu, acorrentada a uma cama, sendo estuprada todos os dias até morrer.

B: Desculpe, é...

A: Eu me salvei, o que salvou Nick, o que salvou o rabo de vocês.

B: Você está coberta de razão, Amy. Eu lamento, estamos tão... Investimos muito neste caso, queremos descobrir cada detalhe que deixamos passar, para não repetirmos nossos equívocos. Mas você está absolutamente certa, estamos deixando de lado a coisa importante: você é uma heroína. Uma heroína.

A: Obrigada. Agradeço que você diga isso.

NICK DUNNE
A NOITE DO RETORNO

Fui à delegacia pegar minha esposa e a imprensa me recebeu como um misto de astro do rock, presidente eleito com votação recorde e primeiro homem a pôr os pés na Lua, tudo junto. Tive de resistir à vontade de erguer as mãos entrelaçadas acima da cabeça no gesto clássico de vitória. *Entendo*, pensei, *agora estamos todos fingindo ser amigos.*

Entrei em um cenário que parecia uma festa de feriado que saíra dos trilhos — algumas garrafas de champanhe em uma escrivaninha, cercadas por pequenos copos descartáveis. Tapas nas costas e aplausos para todos os policiais, depois mais aplausos para mim, como se essas pessoas não tivessem me perseguido um dia antes. Mas eu tinha de entrar na brincadeira. Oferecer as costas para os tapinhas. *Ah, sim, agora somos todos camaradas.*

Só o que importa é que Amy está a salvo. Eu havia treinado essa frase repetidamente. Tinha de parecer o marido aliviado e carinhoso até saber como as coisas iam evoluir. Até ter certeza de que a polícia revirara toda sua teia de aranha de mentiras. *Até ela ser presa* — eu aguentaria até aí, *até ela ser presa*, e então pude sentir meu cérebro se expandir e murchar simultaneamente, meu próprio zoom hitchcockiano, e pensei: *minha esposa* assassinou *um homem.*

— Ela o esfaqueou — dissera o jovem oficial de ligação escolhido como contato para cuidar do caso junto à família. (Eu esperava nunca mais fazer parte de um caso outra vez, com ninguém, por nenhuma razão.) Era o mesmo garoto que ficara tagarelando com Go a respeito de seu cavalo, sua lesão no ombro e sua alergia a amendoins. — Cortou bem na jugular. Um corte desses e a pessoa perde o sangue todo em, tipo, sessenta segundos.

Sessenta segundos é muito tempo para saber que você está morrendo. Eu podia imaginar Desi levando as mãos ao pescoço, sentindo o próprio sangue jorrar por entre os dedos a cada batida do coração, e ele cada vez mais assustado e a pulsação apenas acelerando... E depois desacelerando, e Desi sabendo que a desaceleração era pior. E o tempo todo Amy de pé, fora de alcance, estudando-o com o olhar culposo e enojado de um aluno de biologia do ensino médio confrontado com um feto de porco pingando. O pequeno bisturi ainda na mão.

— Cortou com uma velha e grande faca de açougueiro. O sujeito costumava se sentar perto dela na cama, cortar a carne para ela e *alimentá-la* — contava o garoto, parecendo mais enojado com isso do que com a facada. — Um dia a faca escorrega do prato, ele não percebe...

— Como ela usou a faca se estava sempre amarrada? — perguntei.

O garoto olhou para mim como se eu tivesse acabado de fazer uma piada sobre a mãe dele.

— Não sei, Sr. Dunne, tenho certeza de que eles estão conseguindo esses detalhes neste instante. A questão é que sua esposa está a salvo.

Uhuuu. O garoto roubou minha fala.

Identifiquei Rand e Marybeth na passagem para a outra sala onde havíamos concedido a primeira coletiva seis semanas antes. Estavam apoiados um no outro, como sempre, Rand beijando o alto da cabeça de Marybeth, Marybeth acariciando as costas dele, e eu tive uma sensação tão intensa de indignação que quase joguei um grampeador neles. *Seus dois babacas veneradores, adoradores, criaram aquela* coisa *no fim do corredor e a soltaram no mundo.* Vejam, que bonito, que monstro perfeito! E eles são punidos? Não, ninguém se apresentou para questionar o caráter deles; eles não experimentaram nada além de uma avalanche de amor e apoio, e Amy seria devolvida a eles e todos a amariam ainda mais.

Minha esposa era uma psicopata insaciável antes. O que se tornaria agora?

Vá com cuidado, Nick, vá com muito cuidado.

Rand estabeleceu contato visual e fez um gesto para que eu me juntasse a eles. Apertou minha mão para alguns repórteres exclusivos aos quais uma audiência havia sido concedida. Marybeth manteve distância: eu ainda era o homem que traíra sua filha. Ela fez um gesto seco com a cabeça e deu as costas.

Rand se inclinou mais perto de forma que pude sentir o cheiro de seu chiclete de menta.

— Vou lhe dizer, Nick, estamos muito aliviados de ter Amy de volta. Também lhe devemos desculpas. Muitas. Vamos deixar Amy decidir o que pensa do casamento de vocês, mas quero pelo menos me desculpar pelo ponto a que as coisas chegaram. Você tem de entender...

— Eu entendo — falei. — Entendo tudo...

Antes que Rand pudesse se desculpar mais ou entrar em outro assunto, Tanner e Betsy chegaram juntos, parecendo um anúncio da *Vogue* — calças engomadas, camisas com cores de joias, relógios e anéis de ouro reluzentes —, e Tanner se curvou na direção de meu ouvido e sussurrou: *Deixe-me ver em que ponto estamos*, e então Go estava entrando apressada, com os olhos alarmados e cheia de perguntas: *O que isso significa? O que aconteceu com Desi? Ela simplesmente apareceu à sua porta? O que isso quer dizer? Você está bem? O que acontece agora?*

Era uma aglomeração bizarra — o clima dela: não exatamente de reencontro, não de sala de espera de hospital, festivo mas ansioso, como uma espécie de jogo de salão em que ninguém tem todas as regras. Enquanto isso, os dois repórteres que os Elliott haviam deixado entrar no santuário interno continuavam a me fazer perguntas: *Como é ter Amy de volta? Como você se sente agora? Está aliviado, Nick, por Amy ter voltado?*

Estou extremamente aliviado e muito feliz, eu dizia, elaborando minha própria declaração morna de relações-públicas, quando as portas se abriram e Jacqueline Collings entrou, os lábios, uma cicatriz vermelha apertada, a maquiagem do rosto cortada por lágrimas.

— Onde ela está? — perguntou-me. — Aquela putinha mentirosa, onde ela está? Ela matou meu filho. Meu *filho*.

Ela começou a chorar enquanto o repórter tirava algumas fotos.

— *Como você se sente por seu filho ter sido acusado de sequestro e estupro?* — quis saber um repórter com voz rígida.

— Como eu me *sinto*? — reagiu ela. — Você está mesmo falando sério? As pessoas realmente respondem a perguntas como essa? Aquela garota nojenta, *desalmada*, manipulou meu filho a vida toda, *escreva isso*, ela o manipulou, mentiu e finalmente o assassinou, e agora, mesmo com ele morto, continua a usá-lo...

— Sra. Collings, somos os pais de Amy — começou Marybeth. Ela tentou tocar Jacqueline no ombro, e Jacqueline se esquivou. — Lamento por sua dor.

— Mas não por minha perda — afirmou Jacqueline, que era ao menos uma cabeça mais alta que Marybeth; olhou para ela de cima a baixo com ódio. — Mas *não* por minha *perda* — reafirmou.

— Lamento por... tudo — disse Marybeth, e então Rand estava junto dela, uma cabeça mais alto que Jacqueline.

— O que vocês vão fazer em relação à sua filha? — indagou Jacqueline. Ela se virou para nosso jovem oficial de ligação, que tentou se manter firme. — O que está sendo feito em relação a Amy? Pois ela está mentindo quando diz que meu filho a sequestrou. Ela está mentindo. Ela o matou, ela o *assassinou* durante o sono, e ninguém parece estar levando isso a sério.

— Tudo está sendo levado muito, muito a sério, senhora — tranquilizou o garoto.

— Consigo uma declaração, Sra. Collings? — tentou o repórter.

— Eu já lhe dei minha declaração. *Amy Elliott Dunne assassinou meu filho*. Não foi legítima defesa. Ela o *assassinou*.

— A senhora tem provas disso?

Claro que ela não tinha.

A matéria do repórter registraria minha exaustão de cônjuge (*o rosto esgotado retratava muitas noites perdidas para o medo*) e o alívio dos Elliott (*os pais se agarrando um ao outro enquanto esperavam que a única filha fosse oficialmente devolvida a eles*). Discutiria a incompetência da polícia (*foi um caso tendencioso, cheio de becos sem saída e caminhos errados, com o departamento de polícia concentrado obstinadamente no homem errado*). A matéria descartaria Jacqueline Collings com uma única frase: *Após um confronto desconfortável com o casal Elliott, uma Jacqueline Collings amargurada foi conduzida para fora da sala, alegando que o filho era inocente.*

Jacqueline de fato foi conduzida para fora da sala e para dentro de outra, onde sua declaração seria gravada e ela seria mantida fora do caminho de uma história muito melhor: o Retorno Triunfante da Amy Exemplar.

Quando Amy foi devolvida a nós, tudo recomeçou. As fotos e as lágrimas, os abraços e os risos, tudo para estranhos que queriam ver e saber: *Como foi? Amy, qual é a sensação de escapar de seu captor e voltar para seu marido? Nick, como é ter sua esposa de volta, ter sua liberdade de volta, tudo de uma vez?*

Fiquei calado a maior parte do tempo. Eu estava elaborando minhas próprias perguntas, as mesmas questões em que passara anos pensando, o sinistro refrão de nosso casamento: *No que você está pensando, Amy?*

Como está se sentindo? Quem é você? O que fizemos um ao outro? O que iremos fazer?

Foi um ato generoso e régio de Amy querer voltar para casa, para nossa cama conjugal com o marido traidor. Todos concordaram. A imprensa nos acompanhou como se fôssemos um desfile nupcial da realeza, nós dois disparando pelas ruas de Carthage tomadas por néon e lanchonetes, até nossa ridícula casa sobre o rio. Quanta bondade de Amy, quanta coragem. Uma princesa de livro infantil. E eu, claro, era o marido corcunda e servil que se curvaria e sofreria pelo resto dos meus dias. Até que ela fosse presa. Se ela um dia fosse presa.

Que ela tivesse sido liberada já era motivo de preocupação. Mais que preocupação, um choque absoluto. Eu os vi saindo da sala de interrogatório onde a haviam ouvido durante *quatro* horas, e a deixaram sair em liberdade: dois caras do FBI com cabelos assustadoramente curtos e rostos vazios; Gilpin parecendo ter engolido o melhor bife de sua vida; e Boney, a única com lábios finos, apertados, e um pequeno V na testa. Ela olhou para mim ao passar, ergueu uma sobrancelha e sumiu.

Então, rápido demais, Amy e eu estávamos de volta a nossa casa, a sós na sala de estar, Bleecker nos observando com olhos brilhantes. Do lado de fora das cortinas, as luzes das câmeras de TV continuavam acesas, banhando nossa sala com um brilho laranja bizarramente opulento. Parecíamos iluminados por velas, românticos. Amy estava lindíssima. Eu a odiava. Eu tinha medo dela.

— Não podemos realmente dormir na mesma casa... — comecei.

— Quero ficar aqui com você — disse ela, pegando minha mão. — Quero ficar com meu marido, quero dar a você a chance de ser o tipo de marido que quer ser. Eu o perdoo.

— Você me *perdoa*? Amy, por que você voltou? Por causa do que eu disse nas entrevistas, nos vídeos?

— Não era o que você queria? — perguntou ela. — Não era o objetivo dos vídeos? Eles foram perfeitos; me lembraram do que eu costumava ter, de como era especial.

— O que eu disse... aquilo foi apenas eu falando o que você queria ouvir.

— Eu sei, o que mostra como você me conhece bem! — argumentou Amy. Ela reluzia. Bleecker começou a fazer oitos por entre as pernas dela. Ela o pegou e acariciou. O ronronar dele foi ensurdecedor. — Pense só, Nick, nós nos *conhecemos*. Agora, muito melhor que qualquer um no mundo.

Era verdade que eu também sentira isso durante o último mês, quando não queria machucar Amy. Isso me ocorria em momentos estranhos — no meio da noite, dando uma mijada, ou pela manhã, servindo uma tigela de cereal —, identificava uma ponta de admiração e, mais que isso, afeto por minha esposa, bem no fundo de mim, nas entranhas. Saber exatamente o que eu queria ler naqueles bilhetes, me reconquistar, até mesmo prever todos os meus erros... A mulher me conhecia a fundo. O tempo todo eu pensara que éramos estranhos um para o outro, e na verdade nos conhecíamos intuitivamente, em nossos ossos, nosso sangue.

Era meio romântico. Catastroficamente romântico.

— Não podemos simplesmente recomeçar de onde paramos, Amy.

— Não, não de onde paramos — corrigiu ela. — De onde estamos agora. Do ponto em que você me ama e nunca fará nada errado de novo.

— Você é louca, você é realmente louca se acha que vou ficar. Você *matou* um homem — disse eu.

Dei as costas a ela e então a imaginei com uma faca na mão, sua boca ficando rígida enquanto eu a desobedecia. Virei-me novamente. Sim, minha esposa devia ser encarada sempre.

— Para fugir dele.

— Você matou Desi para ter uma nova história, para poder voltar e ser a amada Amy e nunca ter de assumir a culpa pelo que fez. Você não vê, Amy, a ironia? Foi o que você sempre odiou em mim... que eu nunca lidava com as consequências dos meus atos, certo? Bem, fui bem e devidamente *consequenciado*. E quanto a você? Você *assassinou* um homem, um homem que eu suponho que a amava e a estava ajudando, e agora você quer que eu fique no lugar dele, ame você e a ajude e... Não posso. Não posso fazer isso. Não vou fazer isso.

— Nick, acho que você recebeu informações erradas — afirmou ela. — Não me surpreende, com todos os boatos que estão circulando. Mas precisamos esquecer tudo isso. Para seguirmos em frente. E nós vamos seguir em frente. O país inteiro quer que sigamos em frente. É a história de que o mundo precisa neste momento. Nós. Desi é o vilão. Ninguém quer dois vilões. Eles *querem gostar* de você, Nick. O único jeito de você ser amado outra vez é ficando comigo. É o único jeito.

— Conte o que aconteceu, Amy. Desi ajudou você desde o início?

Ela ficou furiosa com aquilo: ela não precisava da ajuda de um homem, embora certamente tivesse precisado da ajuda de um homem.

— Claro que não! — reagiu.

— Conte. Não pode fazer mal nenhum, pode me contar tudo, porque eu e você não temos como seguir em frente com essa história falsa. Vou brigar com você a cada passo do caminho. Sei que você pensou em tudo. Não estou tentando fazer você escorregar; estou cansado de tentar superar seu raciocínio, não tenho capacidade para isso. Só quero saber o que aconteceu. Eu estava a um passo do corredor da morte, Amy. Você voltou e me salvou, e agradeço por isso... Está me ouvindo? Eu *agradeço* a você, então depois não diga que não agradeci. *Agradeço* a você. Mas preciso saber. Você sabe que eu preciso saber.

— Tire suas roupas — falou.

Ela queria ter certeza de que eu não estava com uma escuta. Despi-me diante dela, retirei cada peça, e então ela me examinou, passou a mão por meu queixo e peito, escorregou-a pelas minhas costas. Segurou minha bunda, deslizou a mão por entre as minhas pernas, a pôs em concha sob os meus testículos e agarrou meu pau mole, segurou-o na mão por um momento para ver se algo acontecia. Nada aconteceu.

— Você está limpo — disse. Era para ser uma piada, um deboche, uma referência cinematográfica da qual ambos riríamos. Quando eu não disse nada, ela recuou e falou. — Sempre gostei de ver você nu. Isso me deixava feliz.

— Nada deixava você feliz. Posso me vestir?

— Não. Não quero ter de me preocupar com escutas escondidas em punhos e bainhas. Também temos de ir para o banheiro e ligar a água. Para o caso de você ter grampeado a casa.

— Você tem visto filmes demais — falei.

— Rá! Nunca achei que ia ouvir você dizer isso.

Ficamos de pé na banheira e abrimos o chuveiro. A água bateu nas minhas costas nuas e salpicou a frente da camisa de Amy até que ela a tirou. Tirou todas as roupas, um striptease alegre, jogou-as por sobre o boxe do mesmo modo sorridente e brincalhão que tinha quando nos conhecemos — *Eu topo tudo!* — e se virou para mim. Esperei que jogasse os cabelos sobre os ombros como fazia quando flertava comigo, mas seus cabelos estavam curtos demais.

— Agora estamos quites — disse ela. — Pareceu indelicado ser a única vestida.

— Acho que estamos além das regras de etiqueta, Amy.

Olhe apenas para os olhos dela, não a toque, não deixe que ela o toque.

Ela se moveu na minha direção, colocou a mão no meu peito, deixou a água escorrer entre seus seios. Lambeu uma gota de água do seu lábio superior e sorriu. Amy odiava chuveirada. Não gostava de molhar o rosto, não gostava da sensação da água batendo em sua pele. Eu sabia disso porque era casado com ela, e a apalpara e bolinara muitas vezes no chuveiro, sendo sempre rejeitado. (*Sei que parece sensual, Nick, mas na verdade não é, é algo que as pessoas só fazem nos filmes.*) E agora ela estava fingindo exatamente o contrário, como se tivesse esquecido que eu a conhecia. Recuei.

— Conte tudo, Amy. Mas primeiro: o bebê existiu mesmo?

O bebê era mentira. Foi a parte mais desoladora para mim. Minha esposa como assassina era algo assustador, repulsivo, mas o bebê como mentira era quase impossível de suportar. O bebê era mentira, o medo de sangue era mentira — durante o ano anterior minha esposa havia sido basicamente uma mentira.

— Como você armou para Desi?

— Encontrei um pouco de barbante em um canto do porão. Usei uma faca de carne para cortar em quatro pedaços...

— Ele deixou você ficar com uma faca?

— Éramos amigos. Você esqueceu.

Ela estava certa. Eu estava pensando na história que ela contara à polícia: que Desi a mantivera em cativeiro. Esqueci mesmo. Ela era uma contadora de histórias boa a esse ponto.

— Sempre que Desi não estava por perto, eu amarrava os pedaços o mais apertado possível nos meus pulsos e tornozelos para que deixassem essas marcas.

Ela me mostrou as linhas horrendas nos pulsos, como pulseiras.

— Peguei uma garrafa de vinho e me violei com ela todos os dias, para que o interior da minha vagina ficasse com a aparência... certa. Certa para uma vítima de estupro. Então hoje eu deixei que ele transasse comigo para ter o sêmen dele, e coloquei soníferos no seu martíni.

— Ele deixou você ficar com soníferos?

Ela suspirou: eu não estava acompanhando.

— Certo, vocês eram amigos.

— E então eu... — continuou, fazendo a mímica de cortar a jugular dele.

— Fácil assim, é?

— Você só precisa decidir fazer, e aí fazer — respondeu. — Disciplina. Até o fim. Como em tudo. Você nunca entendeu isso.

Eu podia sentir a disposição dela endurecendo. Eu não estava lhe dando a devida atenção.

— Conte mais — pedi. — Conte como você fez.

Uma hora depois, a água esfriou e Amy encerrou a conversa.

— Você tem de admitir: foi brilhante — disse ela.

Eu a encarei.

— Quer dizer, você tem de admirar pelo menos um pouco — provocou.

— Quanto tempo demorou para Desi sangrar até a morte?

— Hora de ir para a cama. Mas podemos conversar mais amanhã, se quiser. Agora é melhor a gente dormir. Juntos. Acho que é importante. Como desfecho. Na verdade, o oposto de um desfecho.

— Amy, vou ficar aqui esta noite porque não quero lidar com todas as perguntas caso não fique. Mas vou dormir lá embaixo.

Ela inclinou a cabeça e me analisou.

— Nick, ainda posso fazer coisas muito ruins com você, lembre-se disso.

— Rá! Pior do que já fez?

Ela pareceu surpresa.

— Ah, com certeza.

— Duvido, Amy.

Comecei a ir na direção da porta.

— Tentativa de homicídio — falou.

Parei.

— Era meu plano original: eu seria uma pobre esposa doente com episódios repetidos, surtos intensos e repentinos de doenças, e então seria descoberto que todos aqueles coquetéis que meu marido preparara para mim...

— Como no diário.

— Mas decidi que *tentativa* de homicídio não era o bastante para você. Tinha que ser pior que isso. Ainda assim, não conseguia tirar da cabeça a ideia de envenenamento. Eu gostava da ideia de você evoluir até assassinato. Tentando primeiro o modo covarde. Então fui até o fim.

— Você espera que eu acredite nisso?

— Todo aquele vômito, tão chocante. Uma esposa inocente e assustada poderia ter guardado um pouco daquele vômito, nunca se sabe. Você não poderia culpá-la por ser um pouco paranoica — disse, dando um sorriso satisfeito. — Sempre tenha um plano reserva para o plano reserva.

— Você se envenenou de fato.
— Nick, por favor, você está chocado? Eu me *matei*.
— Preciso de uma bebida — anunciei.
Saí antes que ela pudesse falar.
Servi-me de um scotch e me sentei no sofá da sala de estar. Atrás das cortinas, as luzes das câmeras iluminavam o jardim. Logo não seria mais noite. Eu passaria a achar a manhã deprimente, a saber que aquilo se repetiria de novo, e de novo.

Tanner atendeu no primeiro toque.
— Ela o matou — informei. — Ela matou Desi porque ele estava... ele estava irritando ela, estava fazendo jogo de poder com ela, e ela se deu conta de que podia matá-lo, e era o jeito de ela voltar para a antiga vida, e poderia colocar toda a culpa nele. Ela o *assassinou*, Tanner, ela acabou de me dizer isso. Ela *confessou*.
— Imagino que você não tenha conseguido... gravar isso de alguma forma? Celular ou algo assim?
— Estávamos nus com o chuveiro aberto, e ela sussurrou tudo.
— Não quero nem perguntar — disse ele. — Vocês são as pessoas com as mentes mais doentias que eu já conheci, e eu sou especialista em mentes doentias.
— Como estão as coisas com a polícia?
Ele suspirou.
— Ela se protegeu totalmente. A história dela é absurda, mas não mais absurda que a nossa. Amy está basicamente explorando a máxima mais confiável do psicopata.
— Que vem a ser?
— Quanto maior a mentira, mais eles acreditam.
— Vamos lá, Tanner, tem que haver alguma coisa.
Caminhei até as escadas para ter certeza de que Amy não estava por perto. Estávamos sussurrando, mas ainda assim. Eu agora tinha de ser cuidadoso.
— Por enquanto temos que dançar conforme a música, Nick. Ela o deixou com uma péssima imagem: diz que tudo no diário era verdade. Que todas as coisas no depósito foram você. Que você comprou as coisas com aqueles cartões de crédito, e estava constrangido demais para admitir. Ela é apenas uma garotinha rica e protegida, o que ela saberia sobre conseguir cartões de crédito em nome do marido? E, Deus do céu, aquela pornografia!

— Ela me contou que nunca houve um bebê, ela falsificou isso com a urina de Noelle Hawthorne.

— Por que você não disse... Isso é importantíssimo! Vamos pressionar Noelle Hawthorne.

— Noelle não sabia.

Ouvi um grande suspiro do outro lado da linha. Ele nem se deu o trabalho de perguntar como.

— Vamos continuar pensando, vamos continuar de olho — falou. — Algo vai aparecer.

— Não posso ficar em casa com aquela *coisa*. Ela está me ameaçando com...

— Tentativa de homicídio... O anticongelante. É, ouvi falar que isso estava no pacote.

— Eles não podem me prender por isso, podem? Ela diz que ainda tem um pouco do vômito. Como prova. Mas eles não podem realmente...

— Não vamos abusar da sorte por enquanto, está bem, Nick? Por ora, comporte-se bem. Odeio dizer isso, odeio, mas é meu melhor conselho legal a você neste momento. Comporte-se bem.

— Comporte-se bem? Esse é o seu conselho? Meu time jurídico dos sonhos, composto de um só homem, diz: *comporte-se bem?* Vá se foder.

Desliguei, furioso.

Vou matar ela, pensei. *Vou matar aquela piranha.*

Eu me entreguei ao sombrio devaneio que me permiti nos últimos anos quando Amy me fazia sentir pequeno: sonhava acordado em acertá-la com um martelo, esmagar sua cabeça até ela parar de falar, *finalmente*, parar com as palavras que ela grudava em mim: medíocre, chato, inadequado, inapto, insatisfatório, insensível. Basicamente *in*. Em minha imaginação, eu a acertava com o martelo até ela ficar como um brinquedo quebrado, repetindo *in, in, in* até travar e parar. E então isso não era suficiente, e eu restabelecia sua perfeição e recomeçava a matá-la: colocava meus dedos ao redor do seu pescoço — ela sempre ansiara por intimidade — e então apertava, apertava, sua pulsação...

— Nick?

Eu me virei, e lá estava Amy ao pé da escada, de camisola, a cabeça inclinada.

— Comporte-se bem, Nick.

AMY ELLIOTT DUNNE
A NOITE DO RETORNO

Ele se vira e, quando me vê de pé ali, parece estar com medo. Isso é algo útil. Porque não vou deixá-lo partir. Ele pode achar que estava mentindo quando disse todas aquelas coisas gentis para me atrair de volta para casa. Mas sei que não estava. Sei que Nick não consegue mentir assim. Sei que enquanto recitava aquelas palavras ele se deu conta da verdade. *Clique*! Porque ninguém pode estar tão apaixonado quanto estávamos e isso não invadir sua medula óssea. Nosso tipo de amor pode apresentar remissão, mas está sempre esperando para retornar. Como o câncer mais doce do mundo.

Você não acredita? Então que tal isto? Ele mentiu, sim. Não foi sincero em nada do que disse. Bem, então foda-se ele, que fez um trabalho bom demais, porque eu o quero exatamente assim. O homem que ele estava fingindo ser — as mulheres amam esse cara. *Eu* amo esse cara. É o homem que quero como meu marido. É o homem com quem achei que tinha me comprometido. É o homem que mereço.

Então, ele pode escolher me amar de verdade do modo como um dia amou, ou eu o colocarei de joelhos e farei dele o homem com quem me casei. Estou farta de lidar com as babaquices dele.

— Comporte-se bem — digo.

Ele parece uma criança, uma criança furiosa. Cerra os punhos.

— Não, Amy.

— Eu posso acabar com você, Nick.

— Você já fez isso, Amy. — Vejo a fúria brilhar sobre ele, tremeluzindo. — Por que em nome de Deus você quer estar comigo? Eu sou chato, banal, inacessível, inativo. Não estou à sua altura. Você passou os últimos anos me dizendo isso.

— Só porque você parou de *tentar* — explico. — Você era perfeito comigo quando começamos, e então parou de tentar. Porque faria uma coisa dessas?

— Parei de amar você.

— *Por quê?*

— Você parou de me amar. Somos uma fita Moebius doentia e tóxica para caralho, Amy. Não éramos nós mesmos quando nos apaixonamos, e quando nos tornamos nós mesmos... surpresa! Éramos veneno. Nós nos completamos da forma mais repulsiva e feia possível. Você não *me* ama de verdade, Amy. Você nem gosta de mim. Divorcie-se de mim. Divorcie-se de mim e vamos tentar ser felizes.

— Não vou me divorciar de você, Nick. Não vou. E juro, se tentar ir embora, eu devotarei *minha* vida a tornar a *sua* o mais medonha possível. E você sabe que posso torná-la medonha.

Ele começa a andar de um lado para outro como um pássaro engaiolado.

— Pense bem, Amy, em como fazemos mal um ao outro: os dois seres humanos mais carentes do mundo presos um ao outro. Eu vou me divorciar de você se você não se divorciar de mim.

— É mesmo?

— Vou me divorciar de você. Mas você devia se divorciar de mim. Porque sei o que já está pensando, Amy. Está pensando que não dará uma boa história: Amy Exemplar finalmente mata seu sequestrador estuprador maluco e volta para casa, para... um velho divórcio banal. Você está achando que não é triunfante.

Não é triunfante.

— Mas pense assim: sua história não é uma história melosa e séria de uma sobrevivente. Um filme de TV de 1992. Não é. Você é uma mulher forte, cheia de vida, independente, Amy. Você matou seu sequestrador, e então continuou com a faxina: você se livrou do seu marido idiota e traidor. As mulheres vão *aplaudir* você. Você não é uma garotinha assustada. É uma *mulher* durona que faz as coisas até o fim. Pense nisso. Você sabe que estou certo. A era do perdão acabou. É coisa do passado. Pense em todas as mulheres, as mulheres de políticos, as atrizes, todas as mulheres traídas, elas não ficam mais com o traidor. Não é mais *apoie seu homem*, é *divorcie-se do babaca*.

Sinto uma onda de ódio indo na direção dele, por ainda estar tentando se desvencilhar do nosso casamento mesmo que eu tenha lhe dito, três vezes, que ele não pode. Ele ainda acha que tem poder.

— E se eu não me divorciar de você, você se divorcia de mim? — pergunto.

— Não quero ser casado com uma mulher como você. Quero ser casado com uma pessoa normal.

Seu merda.

— Entendo. Você quer regredir ao seu eu capenga, fraco, *perdedor*? Quer simplesmente *ir embora*? Não! Você não vai ser um americano mediano entediante com uma garota entediante da esquina. Você já tentou isso, lembra, querido? Mesmo se você quisesse, não poderia fazer isso agora. Você será conhecido como o babaca mulherengo que abandonou a esposa sequestrada e estuprada. Você acha que alguma mulher *boa* vai encostar em você? Você só vai conseguir...

— Psicóticas? Piranhas psicóticas e malucas? — pergunta ele apontando para mim, o dedo em riste furando o ar.

— Não me chame assim.

— Piranha psicótica?

Seria tão fácil para ele me descartar assim... Ele iria adorar isso, ser capaz de me dispensar de forma tão simples.

— Tudo o que faço é por uma razão, Nick. Tudo o que faço demanda planejamento, precisão e disciplina.

— Você é uma piranha psicótica mesquinha, egoísta, manipuladora e disciplinada...

— Você é um homem — digo. — Você é um homem medíocre, preguiçoso, entediante, covarde, que tem *medo de mulher*. Sem mim, é o que você teria continuado a ser, *ad nauseam*. Mas eu o transformei em algo. Você foi o melhor homem que já tinha sido *na vida* quando estava comigo. E sabe disso. O único momento da sua vida em que *gostou* de si mesmo foi *fingindo ser* alguém de quem *eu* poderia gostar. Sem mim? Você não é mais que seu pai.

— Não diga isso, Amy — fala, cerrando os punhos.

— Você acha que ele também não foi ferido por uma mulher, que nem você? — digo com minha voz mais condescendente, como se estivesse falando com um cachorrinho. — Você acha que ele não acreditava merecer mais do que tinha, assim como você? Acha mesmo que sua mãe foi a primeira escolha dele? Por que você acha que ele odiava tanto vocês?

Ele vem na minha direção.

— Cale a boca, Amy.

— Pense, Nick, você sabe que estou certa: mesmo que você achasse uma garota legal, normal, pensaria em *mim* todo dia. Diga que não.

— Não pensaria.

— Com que rapidez você se esqueceu da pequena Andie, a Capaz, assim que achou que eu o amava novamente? — digo, com minha voz de coitadinha. Chego a fazer beicinho com o lábio inferior. — Um bilhete de amor, queridinho? Bastou um bilhete de amor? Dois? Dois bilhetes nos quais eu jurava *amar* você e querê-lo *de volta* e eu achava que afinal de contas você era simplesmente *ótimo*; bastou isso? Você TEM HUMOR, você é CALOROSO, você é BRILHANTE. Você é tão patético... Acha que algum dia vai poder ser um homem normal outra vez? Vai achar uma garota boazinha, e vai continuar pensando em mim, e ficará totalmente insatisfeito preso a sua vida tediosa e normal com sua esposa comum e seus dois filhos medíocres. Vai pensar em mim e então vai olhar para sua esposa e pensar: *piranha burra*.

— Cale a boca, Amy. Estou falando sério.

— Igualzinho ao seu pai. No fim das contas somos todas piranhas, não é, Nick? Piranha burra, piranha psicótica.

Ele me agarra pelo braço e sacode com força.

— Eu sou a piranha que o torna melhor, Nick.

Ele então para de falar. Está usando toda sua energia para manter as mãos ao lado do corpo. Seus olhos estão cheios de lágrimas. Está tremendo.

— Eu sou a *piranha* que faz de você um homem.

E então as mãos dele estão em meu pescoço.

NICK DUNNE
A NOITE DO RETORNO

A pulsação dela finalmente latejava sob meus dedos, do modo como eu imaginara. Apertei com mais força e a levei ao chão. Ela soltou estalos molhados e arranhou meus pulsos. Ficamos ambos ajoelhados, em uma prece, cara a cara por dez segundos.
Sua piranha maluca desgraçada.
Uma lágrima caiu do meu queixo e encontrou o chão.
Sua piranha maluca, assassina, manipuladora, cruel.
Os olhos azul-brilhantes de Amy olhavam para os meus, sem piscar.
E então o mais estranho de todos os pensamentos saiu chacoalhando, bêbado, do fundo do meu cérebro para a frente e me cegou: *e se eu matar Amy, quem serei?*
Vi um clarão branco brilhante. Larguei minha esposa como se ela fosse um ferro em brasa.
Ela se sentou pesadamente no chão, arfou, tossiu. Quando recuperou o fôlego, foi em inspirações entrecortadas, com um guincho quase erótico no final.
Quem eu serei então? A pergunta não era recriminatória. Não era como se a resposta fosse a devota *Então você será um assassino, Nick. Será tão ruim quanto Amy. Será o que todos achavam que você era.* Não. A questão era assustadoramente profunda e literal: quem eu seria sem Amy a quem reagir? Porque ela estava certa: como homem, eu havia sido o mais impressionante quando a amava — e fui o segundo melhor quando a odiei. Eu conhecia Amy havia apenas sete anos, mas não podia voltar para a vida sem ela. Porque ela estava certa: eu não po-

deria retornar a uma vida mediana. Eu soubera disso antes mesmo que ela dissesse qualquer coisa. Já me imaginara com uma mulher comum — a garota doce e normal da esquina — e já me imaginara contando a essa mulher comum a história de Amy, a que ponto ela tinha chegado para me punir e voltar para mim. Já imaginara essa garota doce e medíocre dizendo algo desinteressante como *Ah, nãããão, oh, meu Deus.* E já sabia que uma parte de mim estaria olhando para ela e pensando: *Você nunca assassinou por mim. Você nunca me incriminou. Você nem sequer saberia como começar a fazer o que Amy fez. Você jamais poderia se importar a esse ponto.* O filhinho de mamãe mimado em mim não seria capaz de encontrar a paz com essa mulher normal, e logo, logo ela não seria apenas normal, ela seria abaixo do padrão, e então a voz do meu pai — *piranha burra* — se elevaria e assumiria a partir daí.

Amy estava certíssima.

Então talvez não houvesse um bom final para mim.

Amy era tóxica, mas eu não conseguia imaginar um mundo inteiramente livre dela. Quem eu seria com Amy simplesmente sumida? Não havia mais opções que me interessassem. Mas ela tinha de ser subjugada. Amy na prisão, esse era um bom final para ela. Enfiada em uma caixa onde não pudesse infligir sofrimento a mim, mas onde eu pudesse visitá-la de tempos em tempos. Ou ao menos imaginá-la. Uma pulsação, minha pulsação, deixada em algum lugar.

Eu tinha de colocar Amy lá. Era minha responsabilidade. Assim como Amy tinha o crédito por me transformar em meu melhor eu, eu precisava assumir a culpa de ter feito a loucura brotar nela. Havia um milhão de homens que teriam amado, honrado e obedecido Amy, e se considerado sortudos por fazer isso. Homens confiantes, seguros e reais que não a teriam obrigado a fingir ser nada além de seu perfeito, rígido, exigente, brilhante, criativo, fascinante, voraz, megalomaníaco eu.

Homens capazes de devoção à esposa.

Homens capazes de mantê-la sã.

A história de Amy poderia ter acontecido de um milhão de formas, mas ela me conheceu, e coisas ruins aconteceram. Então cabia a mim detê-la.

Não matá-la, mas detê-la.

Colocá-la em uma de suas caixas.

AMY ELLIOTT DUNNE
CINCO DIAS APÓS O RETORNO

Eu sei, agora com certeza, que preciso tomar mais cuidado com Nick. Ele não é tão manso quanto costumava ser. Algo nele está elétrico, um interruptor foi ligado. Eu gosto disso. Mas tenho de tomar precauções.

Preciso de mais uma precaução espetacular.

Vai demorar algum tempo para preparar essa precaução. Mas já fiz isso antes, o planejamento. Enquanto isso, podemos trabalhar nossa reconstrução. Começando pela fachada. Teremos um casamento feliz, mesmo que isso o mate.

— Você vai ter que tentar me amar novamente — disse a ele. Na manhã seguinte à noite em que ele quase me matou.

Por acaso era o aniversário de trinta e cinco anos de Nick, mas ele não mencionou isso. Meu marido já se cansou dos meus presentes.

— Eu perdoo você por ontem à noite — falei. — Nós dois estávamos sob muito estresse. Mas agora você vai ter que tentar de novo.

— Eu sei.

— As coisas precisam ser diferentes — informei.

— Eu sei — respondeu.

Ele na verdade não sabe. Mas saberá.

Meus pais têm feito visitas diárias. Rand, Marybeth e Nick me cobrem de atenção. Travesseiros. Todos querem me oferecer travesseiros: estamos todos funcionando à base de uma psicose de massa de que meu estupro e aborto me deixaram para sempre dolorida e delicada. Tenho um caso permanente de ossos frágeis — preciso ser mantida suavemente na palma da mão, para não quebrar.

Então apoio os pés no infame divã e caminho delicadamente sobre o piso da cozinha onde sangrei. Precisamos cuidar bem de mim.

Mas acho estranhamente tenso ver Nick com qualquer pessoa que não eu. Ele parece sempre prestes a deixar tudo escapar — como se seus pulmões estivessem cheios de palavras sobre mim, palavras condenatórias.

Percebo que preciso de Nick. Realmente preciso que ele sustente minha história. Que pare com suas acusações e negações e admita que foi ele: os cartões de crédito, os produtos no depósito, o aumento no seguro. Do contrário, carregarei essa nuvem de incerteza para sempre. Só tenho algumas poucas pontas soltas, e as pontas soltas são pessoas. A polícia e o FBI estão vasculhando minha história. Sei que Boney adoraria me prender. Mas fizeram tudo tão errado antes — eles parecem tão idiotas — que não podem encostar em mim a não ser que tenham provas. E não têm provas. Eles têm Nick, que jura não ter feito as coisas que eu juro que ele fez, e isso não é muito, porém é mais do que eu gostaria.

Até me preparei para o caso de meus amigos de Ozarks, Jeff e Greta, aparecerem em busca de aplausos ou dinheiro. Já contei à polícia: Desi não me levou diretamente à sua casa. Ele me manteve vendada, amordaçada e drogada por vários dias — *acho* que foram vários dias — em um quarto, talvez um quarto de motel? Um apartamento? Não sei bem, tudo está borrado. Eu estava tão assustada, sabem, e os comprimidos para dormir. Se Jeff e Greta mostrarem seus rostos pontudos e desprezíveis e de alguma forma convencerem a polícia a mandar uma equipe de busca para o conjunto de chalés, e uma de minhas digitais ou um cabelo forem encontrados, isso simplesmente resolve parte do quebra-cabeça. O resto é mentira deles.

Então Nick realmente é o único problema, e logo o trarei de volta para meu lado. Fui inteligente, não deixei nenhuma outra evidência. A polícia pode não acreditar totalmente em mim, mas não fará nada. Sei pelo tom petulante da voz de Boney que ela viverá em permanente exasperação a partir de agora, e quanto mais aborrecida ficar, mais as pessoas vão ignorá-la. Ela já tem a cadência virtuosa, o revirar de olhos de uma maluca por conspirações. Só faltava ela cobrir a cabeça com papel-alumínio.

Sim, a investigação está murchando. Mas para Amy Exemplar é exatamente o oposto. O editor dos meus pais fez um apelo envergonhado por outro livro *Amy Exemplar*, e eles concordaram, por uma quantia adoravelmente alta. Mais uma vez estão vasculhando minha psique e ganhando dinheiro com isso. Eles deixaram Carthage hoje de manhã. Dizem que é importante que as coisas entre mim e Nick (a gramática correta) se ajustem, que fiquemos um tempo sozinhos para nos curarmos. Mas eu sei a verdade. Querem pôr mãos à obra. Eles me dizem que estão tentando "encontrar o tom certo". Um tom que diga: *nossa filha foi sequestrada e repetidamente violentada por um monstro que ela teve de esfaquear no pescoço... mas não estamos de modo algum querendo ganhar dinheiro com isso.*

Não me importo que eles reconstruam seu patético império, porque todo dia recebo telefonemas para contar a *minha* história. Minha história: minha, minha, minha. Só preciso escolher a melhor oferta e começar a escrever. Só preciso que Nick esteja do meu lado, para que ambos concordemos com a forma como esta história irá terminar. Com final feliz.

Sei que Nick ainda não está apaixonado por mim, mas vai ficar. Tenho fé nisso. Finja até conseguir, não é o ditado? Por enquanto ele age como o velho Nick, e eu me comporto como a velha Amy. De quando éramos felizes. Quando ainda não nos conhecíamos tão bem quanto agora. Ontem fiquei de pé na varanda dos fundos vendo o sol nascer acima do rio, uma manhã de agosto estranhamente fresca, e quando me virei, Nick me estudava da janela da cozinha, e ergueu uma caneca de café com uma pergunta: *Quer uma xícara?* Confirmei com um gesto de cabeça, e logo depois ele estava de pé ao meu lado, o ar cheirando a grama, e estávamos tomando nosso café juntos e observando a água, e aquilo parecia normal e bom.

Ele ainda não está dormindo comigo. Dorme no quarto de hóspedes do andar de baixo com a porta trancada. Mas um dia vou quebrar sua resistência, vou apanhá-lo de surpresa, e ele perderá a disposição para a batalha de todas as noites, e irá para a cama comigo. No meio da noite eu virarei para encará-lo e me apertarei contra ele. Eu me grudarei nele como uma trepadeira que escala e se enrola até ter invadido cada parte dele e o tornado meu.

NICK DUNNE
TRINTA DIAS APÓS O RETORNO

Amy acha que está no controle, mas está muito enganada. Ou: ela vai estar muito enganada.

Boney, Go e eu estamos trabalhando juntos. A polícia, o FBI, ninguém mais está demonstrando interesse. Mas ontem, do nada, Boney telefonou. Ela não se identificou quando atendi, apenas começou a falar, como uma velha amiga: *Posso te pegar para um café?* Apanhei Go, e encontramos Boney na Pancake House. Ela já estava sentada quando chegamos, se levantou e deu um sorriso um tanto débil. Estava sendo massacrada pela imprensa. Fizemos um desajeitado movimento grupal de hesitação entre abraço e aperto de mão. Boney se contentou com um aceno de cabeça.

A primeira coisa que me disse assim que recebemos a comida:

— Eu tenho uma filha. Treze anos. Mia. Por causa de Mia Hamm. Ela nasceu no dia em que ganhamos a Copa do Mundo. Então, essa é minha filha.

Ergui as sobrancelhas: *Que interessante. Conte mais.*

— Você perguntou isso um dia, e eu não... Eu fui grosseira. Eu tinha certeza de que você era inocente, mas... tudo dizia que você não era, então eu estava puta da vida. Por poder ter me enganado tanto. Por isso não quis nem dizer o nome da minha filha para você.

Ela nos serviu café da garrafa térmica.

— É isso. Mia — falou ela.

— Bem, obrigado — respondi.

— Não, quer dizer... Merda — continuou, bufando para o alto, um sopro forte que agitou sua franja. — O que quero dizer é que sei que

Amy incriminou você. Sei que ela matou Desi Collings. Eu *sei* disso. Só não posso provar.

— O que os outros estão fazendo enquanto você está de fato trabalhando no caso? — perguntou Go.

— Não há um caso. Eles estão passando para outra. Gilpin está totalmente fora. Eu ouvi de cima: *Arquive* essa merda. Arquive. Nós parecemos grandes caipiras idiotas na imprensa nacional. Não posso fazer nada a não ser que consiga alguma coisa com você, Nick. Você tem *alguma coisa*?

Dei de ombros.

— Tenho tudo o que você tem. Ela confessou para mim, mas...

— Ela *confessou*? Bem, caramba, Nick, vamos colocar uma escuta em você.

— Não vai funcionar. Não vai funcionar. Ela pensa em tudo, quer dizer, ela conhece os procedimentos policiais de cor e salteado. Ela estuda, Rhonda.

Ela derramou uma calda azul-elétrico sobre suas panquecas. Eu enfiei os dentes do meu garfo na gema mole do meu ovo e girei, borrando o sol.

— Fico louca quando você me chama de Rhonda.

— Ela estuda, Sra. Detetive Boney.

Ela soprou para o alto, sacudiu a franja novamente. Colocou um pedaço de panqueca na boca.

— De qualquer forma, eu não conseguiria uma escuta a esta altura.

— Vamos lá, tem de haver alguma coisa, pessoal — interrompeu Go. — Nick, por que diabo você fica naquela casa se não está conseguindo nada?

— Leva tempo, Go. Tenho que fazer com que ela confie em mim de novo. Se ela começar a me contar coisas relaxadamente, quando não estivermos completamente nus...

Boney esfregou os olhos e olhou para Go:

— Eu devo perguntar?

— Eles sempre têm as conversas nus, no chuveiro, com a água correndo — explicou Go. — Você não pode grampear o chuveiro de alguma forma?

— Ela sussurra no meu ouvido, além do chuveiro aberto — contei.

— Ela estuda mesmo — observou Boney. — Mesmo. Examinei o carro no qual ela voltou, o Jaguar de Desi. Mandei que averiguassem a mala, onde ela jurou que Desi a colocara quando a sequestrou. Imaginei que não haveria nada lá, que a pegaríamos em uma mentira. Ela rolou o corpo dentro da mala, Nick. O cheiro dela foi sentido por nossos cães. E encontramos três fios de cabelo louro compridos. Fios louros *compridos*. Dela, de antes de cortar. Como ela fez isso...

— Antecipação. Tenho certeza de que ela tinha uma sacola cheia deles, caso precisasse deixá-los em algum lugar para me ferrar.

— Meu Deus, consegue imaginar tê-la como mãe? Você nunca poderia contar uma mentirinha. Ela estaria sempre três passos à sua frente.

— Boney, consegue imaginar tê-la como esposa?

— Ela vai errar — falou. — Em algum momento ela vai errar.

— Não vai — afirmei. — Não posso simplesmente testemunhar contra ela?

— Você não tem credibilidade — respondeu Boney. — Sua credibilidade vem de Amy. Com uma única jogada, ela o reabilitou. E pode desfazer isso com uma única jogada. Se ela revelar a história do anticongelante...

— Preciso encontrar o vômito — raciocinei. — Se eu me livrar do vômito e revelarmos mais mentiras dela...

— Deveríamos ler o diário — sugeriu Go. — Sete anos de anotações? Tem de haver discrepâncias.

— Pedimos a Rand e Marybeth que dessem uma olhada para ver se alguma coisa parecia estranha — disse Boney. — Você pode imaginar como foi isso. Achei que Marybeth ia arrancar meus olhos.

— E quanto a Jacqueline Collings, Tommy O'Hara ou Hilary Handy? — perguntou Go. — Todos eles conhecem a verdadeira Amy. Tem de haver alguma coisa aí.

Boney balançou a cabeça.

— Acreditem em mim, não é suficiente. Todos têm menos credibilidade que Amy. É pura opinião pública, mas neste instante é com isso que a polícia está preocupada: a opinião pública.

Ela estava certa. Jacqueline Collings aparecera em alguns programas na TV a cabo, insistindo na inocência do filho. Sempre começava equilibrada, mas seu amor de mãe trabalhava contra ela: logo passava a imagem de uma mulher de luto, desesperada para acreditar no melhor do filho, e quanto mais os apresentadores sentiam pena dela, mais ela mordia e rosnava, e mais antipática se tornava. Ela foi descartada rapidamente. Tanto Tommy O'Hara quanto Hilary Handy telefonaram para mim, furiosos por Amy ainda não ter sido punida, determinados a contar suas histórias, mas ninguém queria saber de dois desequilibrados *ex*-alguma coisa. *Fiquem firmes*, estamos trabalhando nisso, disse a eles. Hilary, Tommy, Jacqueline, Boney, Go e eu teremos nosso momento. Disse a mim mesmo que acreditava nisso.

— E se pelo menos tivéssemos Andie? — perguntei. — E se a fizéssemos depor dizendo que todo lugar onde Amy escondera uma pista era um lugar onde nós... você sabe, transamos? Andie tem credibilidade; as pessoas a adoram.

Andie voltara a ser aquela pessoa alegre que era, depois do retorno de Amy. Eu só sabia disso por fotos eventuais em tabloides. Por eles, sabia que estava namorando um cara da idade dela, um garoto bonito, desgrenhado, com fones de ouvido sempre pendurados no pescoço. Ficavam bem juntos, jovens e saudáveis. A imprensa os adorava. O melhor título: *O amor encontra Andie Hardy*, um trocadilho com um filme de Mickey Rooney, de 1938, que apenas umas vinte pessoas iriam entender. Mandei uma mensagem de texto para ela: *Desculpe. Por tudo.* Não tive resposta. Bom para ela. Digo isso com sinceridade.

— Coincidência — falou Boney, dando de ombros. — Quero dizer, coincidência esquisita, mas... não é suficientemente impressionante para avançar. Não neste clima. Você precisa fazer com que sua esposa conte algo útil, Nick. Você é nossa única chance agora.

Go bateu com sua xícara de café na mesa.

— Não acredito que estamos tendo esta conversa — desabafou. — Nick, não quero mais você naquela casa. Você não é um policial disfarçado, sabia? Não é seu trabalho. Você está vivendo com uma assassina. Vá embora, que droga. Desculpe, mas quem se importa que ela tenha matado Desi? Eu não quero que ela mate *você*. Quer dizer, um dia você vai queimar o queijo quente dela, e então meu telefone vai tocar e você terá tido uma terrível queda do telhado ou alguma outra merda. *Vá embora.*

— Não posso. Não ainda. Ela nunca vai me deixar ir embora de verdade. Gosta demais do jogo.

— Então pare de jogar.

Não posso. Estou me tornando tão melhor nele... Vou ficar perto dela até conseguir derrubá-la. Sou o único que resta capaz de fazer isso. Um dia ela vai escorregar e me contar algo que eu possa usar. Há uma semana me mudei para nosso quarto. Não fazemos sexo, mal nos tocamos, mas somos marido e mulher em uma cama de casal, o que por ora apazigua Amy. Eu acaricio os cabelos dela. Pego um cacho entre o indicador e o polegar, deslizo até a ponta e puxo, como se estivesse tocando um sino, e ambos gostamos disso. O que é um problema.

Fingimos estar apaixonados, e fazemos as coisas que gostamos de fazer quando estamos apaixonados; algumas vezes parece quase amor, porque estamos seguindo a coisa muito à risca. Ressuscitando a memória muscular do romance inicial. Quando esqueço — algumas vezes posso me esquecer brevemente de quem minha esposa é —, gosto de fato de ficar com ela. Ou o *ela* que ela está fingindo ser. O fato é que minha esposa é uma assassina que às vezes é realmente divertida. Posso dar um exemplo? Certa noite mandei vir lagosta de avião, como nos velhos tempos, e ela fingiu me perseguir com aquilo, e eu fingi me esconder, e então ambos fizemos *ao mesmo tempo* uma piada sobre *Noivo neurótico, noiva nervosa*, e foi tão perfeito, tão do modo como deveria ser, que tive de sair da sala por um segundo. Meu coração latejava em meus ouvidos. Eu tive de repetir meu mantra: *Amy matou um homem, e irá matá-lo se você não for muito, muito cuidadoso*. Minha esposa, a assassina muito divertida e linda, me fará mal caso eu a desagrade. Eu me vejo nervoso em minha própria casa: estou fazendo um sanduíche, de pé na cozinha no meio do dia, lambendo a manteiga de amendoim da faca, então me viro e vejo Amy no mesmo cômodo que eu — aqueles pezinhos silenciosos de gato — e estremeço. Eu, Nick Dunne, o homem que costumava esquecer tantos detalhes, é agora o cara que repassa conversas para ter certeza de que não a ofendeu, ter certeza de que não a magoou. Anoto tudo sobre o dia dela, seus gostos e desgostos, caso ela me interrogue. Sou um ótimo marido porque tenho muito medo que ela me mate.

Nunca tivemos uma conversa sobre minha paranoia, pois estamos fingindo estar apaixonados, e estou fingindo não estar com medo dela. Mas ela mencionou isso algumas vezes, de passagem: *Sabe, Nick, você pode dormir na cama comigo, tipo dormir de verdade. Vai ficar tudo bem. Eu prometo. O que aconteceu com Desi foi um incidente isolado. Feche os olhos e durma.*

Mas sei que nunca mais dormirei novamente. Não posso fechar os olhos quando estou perto dela. É como dormir com uma aranha.

AMY ELLIOTT DUNNE
OITO SEMANAS APÓS O RETORNO

Ninguém me prendeu. A polícia parou de fazer perguntas. Eu me sinto segura. Ficarei ainda mais segura muito em breve.

Aí vai um exemplo de como me sinto bem: ontem desci para o café da manhã e o pote com meu vômito estava no balcão da cozinha, vazio. Nick — o fuçador — se livrara daquela pequena vantagem. Eu pisquei um olho, depois joguei o pote fora.

Pouco importa, agora.

Coisas boas estão acontecendo.

Tenho um contrato para um livro: estou oficialmente no controle de nossa história. Isso parece maravilhosamente simbólico. Não é o que todo casamento é, de qualquer maneira? Apenas um demorado jogo de ele disse, ela disse? Bem, *ela* está dizendo, e o mundo escutará, e Nick terá de sorrir e concordar. Vou descrevê-lo do jeito que quero que ele seja: romântico, atencioso e muito, muito arrependido — pelos cartões de crédito, pelas compras e pelo depósito. Se não consigo fazer com que diga isso em voz alta, ele dirá em meu livro. Depois sairá em turnê comigo e sorrirá, e sorrirá mais.

Vou chamar o livro simplesmente de *Exemplar*. Acho que isso resume minha história.

NICK DUNNE

NOVE SEMANAS APÓS O RETORNO

Encontrei o vômito. Ela o escondera no fundo do congelador, em um pote, dentro de uma caixa de couve-de-bruxelas. A caixa estava coberta de gelo; devia ter passado meses ali. Sei que era sua própria piada para si mesma: *Nick não vai comer seus legumes, Nick nunca limpa o congelador, Nick não pensará em olhar aqui.*

Mas Nick olhou.

Nick sabe como limpar a geladeira, no fim das contas, e Nick sabe até descongelar: joguei aquela nojeira pelo ralo e deixei o pote no balcão para ela saber.

Ela o jogou no lixo. Não disse uma palavra sobre o assunto.

Algo está errado. Não sei o que é, mas algo está muito errado.

Minha vida começou a parecer um epílogo. Tanner pegou um novo caso: um cantor de Nashville descobriu que a esposa o estava traindo, e o corpo dela foi encontrado no dia seguinte em uma lata de lixo da lanchonete Hardee's, perto da casa deles, com um martelo coberto com as impressões digitais dele ao lado. *Sei que parece ruim, mas também parecia ruim para Nick Dunne, e vocês sabem como esse caso terminou.* Quase podia senti-lo piscando para mim pelas lentes das câmeras. Ele de vez em quando mandava uma mensagem de texto: *VC TÁ BEM?* Ou: *alguma nova?*

Não, nada.

Boney, Go e eu nos encontramos em segredo na Pancake House, onde vasculhamos a areia suja da história de Amy, tentando encontrar algo que possamos usar. Vasculhamos o diário, uma elaborada caça aos anacronismos. Chegou a trivialidades desesperadas como "Ela faz um comentário aqui sobre Darfur, alguém falava sobre isso em 2010?" (Sim, descobrimos um fragmento de noticiário de 2006 com George Clooney discutindo isso.) Ou meu melhor pior momento: "Amy faz uma piada em uma anotação de julho de 2008 sobre matar um mendigo, mas acho que piadas sobre mendigos não começaram antes de 2009". Ao que Boney retrucou: "Passe a calda, seu maluco."

As pessoas seguiram em frente, cuidando das próprias vidas. Boney ficou. Go ficou.

Então algo aconteceu. Meu pai finalmente morreu. De noite, dormindo. Uma mulher colocou a última refeição em sua boca, uma mulher o colocou na cama para o último descanso, uma mulher o limpou após a morte e uma mulher me telefonou para dar a notícia.

— Ele era um bom homem — comentou, desinteresse com uma injeção obrigatória de empatia.

— Não, ele não era — retruquei, e ela riu como claramente não fazia havia um mês.

Pensei que me faria bem que o homem desaparecesse da Terra, mas na verdade senti um enorme e assustador vazio se abrir em meu peito. Eu passara a vida me comparando ao meu pai, e agora ele havia partido, e restava apenas Amy a quem combater. Depois da breve cerimônia poeirenta e solitária, eu não fui embora com Go, fui para casa com Amy, e a puxei para junto de mim. Isso mesmo, fui para casa com minha esposa.

Eu tenho de sair desta casa, pensei. *Tenho de me desligar de Amy de uma vez por todas*. Preciso nos destruir completamente, para que eu nunca mais volte.

Quem eu seria sem você?

Eu tinha de descobrir. Tinha de contar minha própria história. Era muito claro.

Na manhã seguinte, enquanto Amy estava em seu escritório digitando, contando ao mundo sua história *Exemplar*, eu levei meu laptop para baixo e olhei para a tela branca brilhante.

Inaugurei a página de abertura de meu próprio livro.

Sou um homem covarde, traidor, fraco, com medo de mulher, e sou o herói de sua história. Porque a mulher que eu traí — minha esposa, Amy Elliott Dunne — é uma sociopata e uma assassina.

Sim. Eu leria isso.

AMY ELLIOTT DUNNE
DEZ SEMANAS APÓS O RETORNO

Nick ainda finge comigo. Fingimos juntos que somos felizes, despreocupados e apaixonados. Mas eu o ouço digitando tarde da noite no computador. Escrevendo. Escrevendo seu lado da história, sei disso. Eu *sei*, dá para saber pela profusão febril de palavras, as teclas estalando e estalando como um milhão de insetos. Tento entrar em seu computador quando ele está dormindo (embora ele agora durma como eu, agitado e ansioso, e eu durma como ele). Mas ele aprendeu a lição, de que não é mais o amado Nick, livre de erros — não usa mais seu aniversário, o aniversário da mãe ou o aniversário de Bleecker como senha. Não consigo entrar.

Ainda assim, eu o ouço digitando, rapidamente e sem pausa, e posso imaginá-lo curvado sobre o teclado, os ombros erguidos, a língua presa entre os dentes, e sei que estava certa em me proteger. Em tomar minha precaução.

Porque ele não está escrevendo uma história de amor.

NICK DUNNE
VINTE SEMANAS APÓS O RETORNO

Eu não me mudei. Queria que isso tudo fosse uma surpresa para minha esposa, que nunca fica surpresa. Queria dar a ela o manuscrito enquanto saía pela porta para assinar um contrato de livro. Deixá-la sentir aquele horror pervasivo de saber que o mundo está prestes a virar e derramar sua merda sobre você, e você não pode fazer nada a respeito disso. Não, talvez ela nunca vá para a prisão, e sempre será minha palavra contra a dela, mas minha tese é convincente. Tinha apelo emocional, mesmo que não tivesse apelo legal.

Então vamos deixar todos escolherem seus lados. Equipe Nick, Equipe Amy. Fazer disso tudo um jogo ainda maior: vender algumas malditas camisetas.

Minhas pernas tremiam quando fui contar a Amy: eu não fazia mais parte de sua história.

Mostrei a ela o original, mostrei o título gritante: *Piranha psicótica*. Uma pequena piada particular. Ambos gostamos de nossas piadas particulares. Esperei que ela arranhasse minhas bochechas, rasgasse minhas roupas, me mordesse.

— Ah! Que *timing* perfeito — disse ela alegremente, lançando-me um grande sorriso. — Posso mostrar uma coisa?

Eu a obriguei a fazer novamente na minha frente. Mijar no palito, eu agachado junto a ela no chão do banheiro, vendo a urina sair dela, acertar o palito e deixá-lo azul-grávida.

Depois a coloquei no carro, dirigi até o consultório médico e vi o sangue sair dela — porque na verdade ela não tinha medo de sangue — e esperamos as duas horas pelo resultado do exame.

Amy estava grávida.

— Obviamente não é meu — disse eu.

— Ah, é sim — rebateu, sorrindo de volta. Ela tentou se aninhar em meus braços. — Parabéns, papai.

— Amy... — falei, porque claro que não era verdade, eu não tocara em minha esposa desde seu retorno.

Então vi: a caixa de lenços de papel, a poltrona de vinil, a TV e a pornografia, e meu sêmen em um congelador de hospital por aí. Eu deixara aquele aviso de destruição na mesa, um ato fraco de culpa, e então o aviso desapareceu, porque minha esposa agira, como sempre, e essa ação não foi se livrar da coisa, mas guardá-la. Para uma eventualidade.

Senti uma gigantesca bolha de alegria — não pude evitar — e depois a alegria foi envolta em um terror metálico.

— Vou precisar fazer algumas coisas pela minha segurança, Nick — informou ela. — Só porque, tenho de dizer, é quase impossível confiar em você. Para começar, você terá de deletar seu livro, obviamente. E só para encerrar essa questão, vamos precisar de uma declaração, e você terá que jurar que foi você quem comprou as coisas do depósito, e *escondeu* as coisas no depósito, e um dia achou que eu o estava incriminando, mas que *agora* você me ama, eu o amo, e tudo está bem.

— E se eu me recusar?

Ela colocou a mão em sua pequena barriga inchada e franziu a testa.

— Acho que isso seria horrível.

Havíamos passado anos lutando pelo controle de nosso casamento, de nossa história de amor, nossa história de vida. Eu havia sido inteiramente, finalmente derrotado. Eu criara um manuscrito, e ela criara uma vida.

Eu poderia lutar pela custódia, mas já sabia que iria perder. Amy adoraria a batalha — Deus sabe o que ela já teria preparado. Quando tivesse terminado, eu não seria sequer o pai de fins de semana alternados; iria interagir com meu filho em salas estranhas com um guardião por perto tomando café, me vigiando. Ou talvez nem isso. De repente, pude ver as acusações — de abuso e agressão —, e nunca veria meu bebê, e saberia que meu filho havia sido tirado de mim, a mãe sussurrando, sussurrando mentiras naquela pequena orelha cor-de-rosa.

— É menino, aliás — contou.

Finalmente eu era um prisioneiro. Amy tinha me prendido para sempre, ou pelo tempo que quisesse, porque eu precisava salvar meu filho, tentar desenganchar, desamarrar, desfarpear, desfazer tudo que Amy fizesse. Eu literalmente abriria mão de minha vida pelo meu filho, e faria isso com alegria. Iria criar meu filho para ser um homem bom.

Deletei minha história.

Boney atendeu ao primeiro toque.

— Pancake House? Vinte minutos? — perguntou.

— Não.

Informei a Rhonda Boney que eu ia ser pai e então não poderia mais colaborar com qualquer investigação — que na verdade eu estava planejando retirar qualquer declaração que tivesse feito referente à crença equivocada de que minha esposa havia me incriminado, e também estava pronto a admitir minha responsabilidade pelos cartões de crédito.

Uma longa pausa na linha.

— Hã — disse ela. — Hã.

Eu podia imaginar Boney passando a mão pelos cabelos escorridos, mordendo a parte de dentro da bochecha.

— Cuide-se, está bem, Nick? — falou por fim. — E cuide do pequenino também. Então riu: — Quanto a Amy, eu realmente estou cagando para ela.

Fui até a casa de Go para contar a ela cara a cara. Tentei apresentar a coisa como uma boa notícia. Um bebê, não dá para ficar tão chateado com um bebê. Você pode odiar uma situação, mas não pode odiar uma criança.

Achei que Go fosse me bater. Ela chegou tão perto de mim que pude sentir sua respiração. Ela me golpeou com um indicador.

— Você só quer uma desculpa para ficar — sussurrou. — Vocês dois, vocês são viciados um no outro, merda. Vocês vão ser literalmente uma família nuclear, sabe disso? Vocês vão explodir. Vocês vão detonar, caralho. Você acha mesmo que tem como fazer isso, o que, pelos próximos dezoito anos? Acha que ela não vai matar você?

— Não enquanto eu for o homem com quem ela se casou. Não fui por algum tempo, mas posso ser.

— Você acha que você não vai matá-la? Quer se transformar no nosso pai?

— Você não entende, Go? Essa é minha garantia de *não* me transformar no papai. Terei de ser o melhor marido e pai do mundo.

Minha irmã então irrompeu em lágrimas — a primeira vez que eu a via chorar desde que era criança. Ela se sentou no chão de uma vez, como se suas pernas tivessem fraquejado. Eu me sentei ao lado dela e apoiei a cabeça na sua. Ela finalmente engoliu o último soluço e olhou para mim.

— Lembra quando eu disse, Nick, que ainda o amaria *se*? Eu o amaria não importava o que viesse depois do *se*?

— Sim.

— Bem, eu ainda amo. Mas isso parte meu coração — falou, soltando um soluço terrível, de criança. — As coisas não deviam terminar assim.

— É um estranho desdobramento — comentei, tentando soar leve.

— Ela não vai tentar separar a gente, vai?

— Não — respondi. — Lembre-se, ela também está fingindo ser uma pessoa melhor.

Sim, eu finalmente sou páreo para Amy. Certa manhã, acordei junto a ela e estudei a parte de trás de seu crânio. Tentei ler seus pensamentos. Pela primeira vez não tive a sensação de que eu estava olhando para o sol. Estou me elevando ao grau de loucura de minha esposa. Porque posso senti-la me mudando mais uma vez: eu era um garoto imaturo, depois fui um homem, bom e mau. Agora finalmente sou o herói. Sou aquele por quem torcer na interminável história de guerra de nosso casamento. É uma história com a qual posso conviver. Caramba, a esta altura não consigo imaginar minha história sem Amy. Ela é minha eterna antagonista.

Somos um longo clímax assustador.

AMY ELLIOTT DUNNE
DEZ MESES, DUAS SEMANAS E SEIS DIAS APÓS
O RETORNO

Dizem que o amor deve ser incondicional. Essa é a regra, todos acreditam. Mas se o amor não tem fronteiras, não tem limites, não tem condições, por que a pessoa deveria tentar fazer a coisa certa? Se eu sei que sou amada não importa o que aconteça, onde está o desafio? Devo amar Nick apesar de todas as suas deficiências. E Nick deve me amar a despeito de meus caprichos. Mas obviamente nenhum de nós o faz. Isso me leva a pensar que todos estão muito errados, que o amor deveria ter muitas condições. O amor deveria exigir que os dois parceiros dessem o melhor de si o tempo todo. Amor incondicional é um amor indisciplinado, e, como todos vimos, amor indisciplinado é desastroso.

Você poderá ler mais a respeito de minhas reflexões sobre o amor no meu livro. Em breve nas lojas!

Mas antes: maternidade. O parto está marcado para amanhã. Amanhã por acaso é nosso aniversário de casamento. Sexto ano. Ferro. Pensei em dar a Nick um belo par de algemas, mas ele pode não achar isso engraçado ainda. É muito estranho pensar: há um ano, eu estava desfazendo meu marido. Agora quase acabei de remontá-lo.

Ele passou todo o seu tempo livre nos últimos meses cobrindo minha barriga com hidratante, correndo atrás de picles e massageando meus pés, e todas as coisas que bons futuros pais devem fazer. Me paparicando. Ele está aprendendo a me amar incondicionalmente, sob todas as minhas condições. Acho que enfim estamos a caminho da felicidade. Finalmente descobri como.

Estamos prestes a nos transformar na melhor e mais brilhante família nuclear do mundo.

Só precisamos sustentar isso. Nick ainda não aprendeu perfeitamente. Esta manhã ele estava acariciando meus cabelos e perguntando o que mais poderia fazer por mim, e eu disse: "Meu Deus, Nick, por que está sendo tão maravilhoso comigo?"

Ele deveria dizer: *Você merece. Eu te amo.*

Mas disse: "Porque sinto pena de você."

"Por quê?"

"Porque toda manhã você tem de acordar e ser você."

Eu realmente, verdadeiramente gostaria que ele não tivesse dito isso. Fico pensando nisso. Não consigo parar.

Não tenho mais nada a acrescentar. Só queria garantir que eu tivesse a última palavra. Acho que fiz por merecer.

AGRADECIMENTOS

Tenho de começar por Stephanie Kip Rostan, cujos conselhos inteligentes, opiniões impecáveis e bom humor já me acompanharam por três livros. Ela também é uma companhia muito divertida. Obrigada por toda a excelente orientação ao longo dos anos. Muito obrigado também a Jim Levine e Daniel Greenberg, e a todos na Levine Greenberg Literary Agency.

Minha editora, Lindsay Sagnette, é um sonho: obrigada por me deixar alugar seu ouvido de especialista, por me permitir apenas a medida certa de teimosia, por me desafiar a fazer melhor e por torcer por mim no esforço final — não fosse por você, eu teria ficado em "82,6% feito" para sempre.

Muito obrigada a Molly Stern, editora da Crown, pelas críticas, pelo apoio, pelos comentários sábios e pela energia interminável.

Gratidão também para com Annsley Rosner, Christine Kopprasch, Linda Kaplan, Rachel Meier, Jay Sones, Karin Schulze, Cindy Berman, Jill Flaxman e E. Beth Thomas. Obrigada, como sempre, a Kirsty Dunseath e ao bando da Orion.

Em minhas muitas dúvidas sobre procedimentos policiais e jurídicos, apelei a alguns especialistas muito gentis. Obrigada a meu tio, o juiz Robert M. Schieber, e ao tenente Emmet B. Helrich, por sempre me deixarem apresentar ideias a eles. Um enorme obrigado à advogada de defesa Molly Hastings, de Kansas City, que explicou seu trabalho com muita graça e convicção. E infinita gratidão ao detetive Craig Enloe, do Departamento de Polícia de Overland Park, por responder a meus quarenta e dois mil e-mails (uma estimativa modesta) ao longo dos dois últimos anos com paciência, bom humor e o volume exato de informação. Quaisquer erros são meus.

Obrigada, por muitas e variadas razões, a: Trish e Chris Bauer, Katy Caldwell, Jessica e Ryan Cox, Sarah e Alex Eckert, Wade Elliott, Ryan Enright, Mike e Paula Hawthorne, Mike Hillgamyer, Sean Kelly, Sally Kim, Sarah Knight, Yocunda Lopez, Kameren e Sean Miller, Adam Nevens, Josh Noel, Jess e Jack O'Donnell, Lauren "Fake Party We're Awesome" Oliver, Brian "Map App" Raftery, Javier Ramirez, Kevin Robinett, Julie Sabo, gg Sakey, Joe Samson, Katie Sigelman, Matt Stearns, Susan e Errol Stone, Deborah Stone, Tessa e Gary Todd, Jenny Williams, Josh Wolk, Bill e Kelly Ye, ao Inner Town Pub, de Chicago (lar do drinque Christmas Mornings), e à insubmergível Courtney Maguire.

À minha maravilhosa família do Missouri — todos os Schieber, os Welsh, os Flynn e suas ramificações. Obrigada por todo o amor, apoio, risos, picles e drinques com bourbon... Basicamente por fazer do Missouri, como Nick diria, "um lugar mágico".

Recebi algumas reações incrivelmente úteis de alguns leitores que também são bons amigos. Marcus Sakey me deu bons conselhos sobre Nick no começo, entre cervejas e comida tailandesa. David MacLean e Emily Stone (queridos!) fizeram a gentileza de ler *Garota exemplar* nos meses antes de seu casamento. Parece não ter feito nenhum mal a vocês, e deixou o livro muito melhor; então; obrigada. Nada os impedirá de chegar às ilhas Cayman!

Scott Brown: obrigada por todos os retiros de escrita durante os Anos Garota Exemplar, especialmente Ozarks. Fico feliz por não termos afundado o pedalinho, afinal. Obrigada por suas leituras incrivelmente perspicazes e por sempre aparecer para me ajudar a articular seja lá o que for que eu esteja tentando dizer. Você é um bom Monstro e um amigo maravilhoso.

Obrigada a meu irmão, Travis Flynn, por estar sempre por perto para responder a perguntas sobre como as coisas realmente funcionam. Muito amor a Ruth Flynn, Brandon Flynn e Holly Bailey.

À família do meu marido, Cathy e Jim Nolan, Jennifer Nolan, Megan, Pablo e Xavy Marroquin — e a todos os Nolan e Samson: tenho plena consciência de como sou sortuda por ter casado com alguém da sua família. Obrigada por tudo. Cathy, sempre soubemos que você tinha um coração incrível, mas este último ano provou isso de muitas maneiras.

Aos meus pais, Matt e Judith Flynn. Encorajadores, atenciosos, engraçados, gentis, criativos, apoiadores e ainda loucamente apaixonados depois de mais de quarenta anos. Como sempre, fico maravilhada com vocês dois. Obrigada por serem tão bons comigo e por sempre terem tempo de atormentar estranhos para que comprem meus livros. E obrigada por serem tão encantadores com Flynn — eu me torno uma mãe melhor só de ver vocês.

Finalmente, meus rapazes.

Roy: bom gatinho.

Flynn: menino querido, eu amo você de paixão! Se estiver lendo isto antes do ano 2024, é pequeno demais. Largue isto e pegue Frumble!

Brett: marido! Pai do meu filho! Parceiro de dança, fazedor de queijos quentes emergenciais. O tipo de camarada que sabe escolher o vinho. O tipo de camarada que fica ótimo de smoking. Também em um smoking-zumbi. O cara com o riso generoso e o assovio glorioso. O cara que tem a resposta. O homem que faz meu filho rir até rolar. O homem que me faz rir até rolar. O cara que me deixa fazer todo tipo de pergunta invasiva, inadequada e intrometida sobre ser um cara. O homem que leu, e releu, e releu e então releu, e não apenas deu conselhos, mas me deu um aplicativo de bourbon. É você, amor. Obrigada por ter se casado comigo.

Duas palavras, sempre.

www.intrinseca.com.br

1ª edição	MARÇO DE 2013
reimpressão	SETEMBRO DE 2024
impressão	BARTIRA
papel de miolo	LUX CREAM 60 G/M²
papel de capa	CARTÃO SUPREMO ALTA ALVURA 250 G/M²
tipografia	SABON